Os Magnatas

CHARLES R. MORRIS

OS MAGNATAS

Como Andrew Carnegie, John D. Rockefeller, Jay Gould e J.P. Morgan inventaram a supereconomia americana

Tradução de EDMUNDO BARREIROS

L&PM
EDITORES

Texto de acordo com a nova ortografia
Título original: *The Tycoons*

Primeira edição: primavera de 2006
7ª edição: verão de 2023

Capa: Matthew Enderlin
Fotos da capa: da esquerda para a direita © Getty Images; Hulton-Deutsch Collection/CORBIS; CORBIS; Schenectady Museum/Hall of Electrical History Foundation/CORBIS; e a foto abaixo © Bettmann/CORBIS
Revisão: Bianca Pasqualini e Jó Saldanha
Editoração e índice remissivo: Cristiano Guterres

CIP-Brasil. Catalogação na fonte
Sindicato nacional dos editores de livros, RJ

M858m

Morris, Charles R.,

Os magnatas: como Andrew Carnegie, John D. Rockefeller, Jay Gould e J. P. Morgan inventaram a supereconomia americana / Charles R. Morris; tradução de Edmundo Barreiros. – 7 ed. – Porto Alegre, RS: L&PM, 2023

392p. : il. , 23 cm

Tradução de: *The Tycoons*
Apêndices
ISBN 978-85-254-1573-8

1. Rockefeller, John D. (John Davison), 1839-1937. 2. Carnegie, Andrew, 1835-1919. 3. Gould, Jay, 1836-1892. 4. Morgan, J. Pierpont (John Pierpont), 1837-1913. 5. Administração de empresas - Estados Unidos - História. 6. Industriais - Estados Unidos - Biografia. I. Título.

CDD 338.973
CDU 338.1(73)

Copyright © 2005 by Charles Morris
Published by arrangement with Times Books, an imprint of Henry Holt and Company, LLC, New York. All rights Reserved.

Todos os direitos desta edição reservados a L&PM Editores
Rua Comendador Coruja, 314, loja 9 – Floresta – 90.220-180
Porto Alegre – RS – Brasil / Fone: 51.3225.5777

Pedidos & Depto. Comercial: vendas@lpm.com.br
Fale conosco: info@lpm.com.br
www.lpm.com.br

Impresso no Brasil
Verão de 2023

*Para Leo, por compartilhar com desprendimento
todo seu conhecimento sobre tecnologia ferroviária.*

Sumário

Prefácio 9
Agradecimentos 13

1. Prelúdio 15
2. A glória do ianque simplório 43
3. Capitalismo bandido 71
4. Ajustes violentos 106
5. Megamáquina 127
6. A primeira sociedade de consumo de massa 166
7. Tigres de papel 191
8. A era de Morgan 231
9. Os Estados Unidos da América mandam 269
10. As lições erradas 289

Apêndice I: Os ganhos da Carnegie Company em 1900 314
Apêndice II: Os ganhos da Standard Oil 326
Notas 328
Índice remissivo 376

Prefácio

Não há um *ranking* oficial de "país mais poderoso do mundo", mas, por volta de 1895, os Estados Unidos tinham claramente ultrapassado os outros. Na época, pouca gente reconhecia isso. Em 1899, os funcionários do governo britânico ficaram apenas incomodados quando perceberam que teriam de financiar a sua Guerra dos Bôeres* nos Estados Unidos. Entretanto, pouco mais de uma década mais tarde, os britânicos quase entraram em pânico com a possibilidade de que os Estados Unidos apoiassem a Alemanha com seu poder financeiro.

Os Estados Unidos tinham a maior população entre as nações industrializadas e eram o país mais rico sob todos os critérios – renda *per capita*, disponibilidade de recursos naturais, produção industrial, valor das terras produtivas e fábricas. O país dominava os mercados mundiais – além de aço e petróleo, também trigo e algodão. Tinha um grande excedente na produção de bens e ganhava destaque e importância nos serviços financeiros. Seu povo era o que tinha mais mobilidade, era o mais produtivo, o mais inventivo e, em média, o mais bem-educado. Os americanos não tinham muito a dizer a seu favor na literatura e nas artes, mas essa hora chegaria. Tampouco tinham o maior exército, e nem de longe a maior marinha, mas ninguém com alguma inteligência duvidava que essas deficiências podiam ser remediadas com apenas alguns anos de atenção.

As sofisticadas elites europeias ficaram chocadas quando começaram a compreender a escala e a velocidade da ascensão americana. Cerca de três décadas antes, os Estados Unidos ainda estavam divididos por uma sangrenta guerra civil e ganhavam a vida com a exportação de algodão cru, grãos e madeira em troca do excedente das manufaturas europeias. O ritmo do crescimento americano foi o mais rápido da história, pelo menos até que os países da região do Pacífico iniciassem sua corrida em direção à luz do sol um século mais tarde.

Os magnatas é a história desse salto, contada, principalmente, sob a perspectiva de um punhado de homens extraordinários que estavam na vanguarda desse movimento. Mas enquanto "Grandes Homens" podem dominar épocas históricas,

---

* A Primeira Guerra dos Bôeres (1880-1881) e a Segunda Guerra dos Bôeres (1899-1902) foram travadas entre os britânicos e os colonos de origem holandesa, francesa e alemã na África do Sul. Tratou-se de um conflito que visava a cessar o processo de independência das colônias, e daí a comparação. (N.E.)

eles nunca são toda a história. Os Estados Unidos dos magnatas na verdade eram um país diferente dos outros. Portanto, as histórias são entremeadas com um relato das características dos Estados Unidos e de seu povo, que o transformaram em terreno tão fértil para a transição.

Nos últimos anos da Guerra Civil, Andrew Carnegie, John D. Rockefeller, Jay Gould e John Pierpont Morgan tinham cerca de trinta anos, todos nos primeiros degraus de suas carreiras. Em uma era de homens ricos e poderosos de dimensões fora do comum, não houve outros com papéis tão importantes em dar forma e direção ao rápido crescimento americano. Eles forçaram o ritmo, levaram a transição a escalas cada vez maiores e, para o bem e para o mal, impuseram marcas pessoais na economia nacional que persistiram por grande parte do século XX.

Eles eram pessoas bem diferentes. Carnegie, Rockefeller e Gould se aproveitaram do gosto nacional pela velocidade, da obsessão com "seguir em frente" e da tolerância com o experimentalismo para criar um dos mais puros laboratórios de destruição criativa* da história. A maioria dos homens de negócios da época acreditava em mercados organizados e lucros razoáveis, mas esses três chegaram para abalar as estruturas. Morgan era o regulador, sempre a favor de refrear a "concorrência nociva", sobretudo do tipo normalmente promovido pelos outros três.

A indústria siderúrgica americana estava se transformando em um cartel confortável quando Carnegie começou sua carreira arrasadora. Ele não era um homem de tecnologia, mas um hábil consumidor de invenção. Suas usinas sempre eram as maiores, as mais automatizadas e com maior enfoque na redução de preços. Ele tinha um mantra de negócios bastante simples: corte custos, aumente a participação, ganhe escala. Os lucros eram consequência.

Gould era um *provocateur*, um mestre dos mercados de títulos públicos como nenhum outro antes, e como poucos depois dele, que sempre estava no ataque, estendendo, e muito, os limites do possível a novas alturas. A arena de Gould eram as ferrovias e o telégrafo, a infraestrutura crítica do período. As ferrovias antes da Guerra Civil tinham se expandido com cautela e quase sempre com lucratividade, com o cuidado de se restringirem a seus territórios naturais e solucionando conflitos com cavalheirescas reuniões de um grupo restrito. Esses *pools* das ferrovias eram como os cartéis do aço para Carnegie – alvos parados à espera de um ataque.

Rockefeller talvez tenha sido o maior visionário e o administrador supremo: ele assumiu o controle dos mercados de petróleo mundiais com enorme rapidez e facilidade – antes mesmo que a maioria das pessoas percebesse e mesmo enquanto dava ao mundo sua primeira lição sobre o poder da distribuição em larga escala. Uma hoste de outras empresas seguiu sua liderança; uma década depois

---

* *Creative destruction*: termo cunhado pelo economista austríaco Joseph Schumpeter (1883-1950). (N.E.)

de Rockefeller vender seu querosene pela primeira vez no Extremo Oriente, os frigoríficos americanos tinham centros de distribuição na China e no Japão.

Morgan, a figura mais tradicional dos quatro, era o único americano em que os financistas estrangeiros confiavam. Após servir de mediador para os fluxos de capitais cruciais que sustentaram o ritmo extraordinário do investimento americano, ele se transmutou em uma protocomissão de valores mobiliários e até mesmo em um protobanco central, estabelecendo as regras para as finanças corporativas, exigindo contabilidade honesta, o fim dos ganhos ilícitos e um tratamento justo para os acionistas.

Carnegie, Rockefeller, Gould e Morgan teriam sido figuras dominantes em qualquer lugar, mas poucos lugares jamais foram tão abertos para pessoas de talento como os Estados Unidos pós-Guerra Civil; e, nos Estados Unidos, nenhum campo oferecia oportunidades tão ilimitadas quanto os negócios. A cultura manufatureira radicalmente diferente dos americanos, seu culto do empreendedor inovador, sua obsessão com "prosperar" mesmo por parte das pessoas comuns e seu entusiasmo pelo novo – a nova ferramenta, o novo produto de consumo – eram todos únicos.

A ascensão final das grandes empresas por volta da virada do século pode ser chamada de maneira apropriada de A Era de Morgan, que assegurou e exigiu controle no momento em que o grande crescimento americano começava visivelmente a perder energia. Na verdade, ele ajudou a desacelerá-lo. Com Gould morto e Carnegie de fora, depois que Morgan comprou o controle da U.S. Steel, tornou a impor uma versão cortês de mercados organizados e preços "administrados". A U.S. Steel foi o paradigma de uma grande onda de consolidações, muitas delas secretamente planejadas por Morgan.

As consolidações de Morgan representam tanto o ponto crucial quanto o fim da história. Foram necessários mais 75 anos e o ataque direto do Japão e de outros países para que as empresas americanas compreendessem até que ponto tinham vivido do capital legado pelos magnatas do século XIX, os pais fundadores do superpoder industrial americano.

Agradecimentos

Um dos prazeres deste livro foi a descoberta de como era fácil, por meio de buscas na internet e e-mails, ter acesso a grandes estudiosos com perguntas ou propostas para a sistematização de acontecimentos. Recebi muitas respostas de várias páginas, as quais levaram a mais mudanças. Uma palavra de agradecimento especial para Ken Warren, talvez o maior especialista em história da indústria siderúrgica no século XIX, com quem mantive longa correspondência e que, depois, leu o manuscrito inteiro, poupando-me de vários erros. Minha gratidão, também, a Nancy Bryk, David Hounshell, Douglas Irwin, Thomas Johnson, Maury Klein, Thomas Misa, Clayne Pope e Merritt Roe Smith. Minha estima também pelas bibliotecárias e arquivistas da Biblioteca do Congresso, a Biblioteca Pierpont Morgan, o Rockefeller Archive Center e a Historical Society of Western Pennsylvania, e uma palavra especial de agradecimento a John Alexander, do American Precision Museum. Charles Kaczynski foi um assistente de pesquisa competente e cuidadoso. A responsabilidade por erros e omissões, claro, é só minha.

Charles Ferguson sugeriu a ideia original do livro e leu partes do manuscrito. Kim Malone, Dan Woods, Steve Ross, Andrew Kerr e Sam Solie leram a maior parte ou a totalidade do manuscrito e fizeram muitas sugestões úteis. Mike Bessie foi, como sempre, uma presença bondosa e um crítico severo durante todo o tempo. Gostei de me reunir com Paul Golob na Times Books. Minha consideração por Robin Dennis por sua edição muito inteligente e profissional. E este livro ainda marca vinte anos de trabalho prazeroso com meu agente, Tim Seldes.

Por último, meu agradecimento e meu amor para minha esposa, Beverly, que padeceu a produção de mais um livro com seu carinho e bom humor de sempre.

1. Prelúdio

Abraham Lincoln foi declarado morto pouco depois das sete horas de uma manhã muito chuvosa de Sábado Santo, dia 15 de abril de 1865 – menos de uma semana depois da rendição do general Robert E. Lee em Appomattox. O pequeno grupo de autoridades e familiares reunido em torno da cama encharcada de sangue na pensão de Will Peterson, bem em frente ao teatro Ford, permaneceu em silêncio por vários minutos. Então o pastor de Mary Lincoln, Phineas Gurley, fez uma pequena oração, e um destacamento de soldados foi chamado ao interior do quarto. Eles puseram o corpo em um caixão militar e o levaram rapidamente por entre a multidão ensopada que fazia vigília do lado de fora, à espera do carro funerário que o levaria para a Casa Branca.

A autópsia e o embalsamamento foram realizados no quarto de hóspedes do segundo andar da ala leste. Edwin Stanton, o vulcânico secretário de Guerra, escolheu o traje funeral do presidente e insistiu que o agente funerário deixasse o resíduo negro da hemorragia intercraniana que se formara sob o olho direito de Lincoln. Praticamente no mesmo instante iniciou-se a construção de um catafalco no primeiro andar, inspirado em uma grande loja maçônica, para a visitação pública. As marteladas prosseguiram pelo Domingo de Páscoa e, na segunda-feira seguinte, uma perturbada Mary Lincoln disse que os golpes soavam como tiros de pistola. Os homens que levaram o corpo de Lincoln para o primeiro andar na noite de segunda-feira tiraram até os sapatos para não incomodar a sra. Lincoln.

Houve um velório aberto no Salão Leste na terça-feira. Trens especiais levaram dezenas de milhares para a capital, e as pessoas formavam fila à espera de uma oportunidade de entrar no salão escuro e dar uma olhada de um segundo no presidente morto que estava havia horas ali esticado. Uma série de visitas particulares na noite de terça-feira incluiu uma delegação de cidadãos de Illinois que fora até lá exigir que Lincoln fosse enterrado em seu estado natal; Stanton previa um sepultamento em Washington. Na manhã seguinte, seiscentos convidados se amontoaram no Salão Leste para as cerimônias fúnebres, quando homens como o general Ulysses S. Grant e Stanton choraram abertamente. Cerca de 25 milhões de pessoas compareceram a cerimônias parecidas realizadas mais ou menos ao mesmo tempo por todos os Estados Unidos e o Canadá.

O gigantesco cortejo fúnebre na tarde de quarta-feira, diante de cerca de 75 mil espectadores, incluiu destacamentos de unidades militares de negros e ex-combatentes mutilados e, mais dramaticamente, o tradicional cavalo do comandante em chefe seguindo o carro fúnebre com a sela vazia e as botas viradas para trás nos estribos. Foi a mesma imagem que um século mais tarde tanto marcou os telespectadores no cortejo fúnebre de John F. Kennedy.

O cortejo terminou no Capitólio, onde outro catafalco todo ornamentado aguardava o caixão do presidente. Depois de permanecer no estado por dois dias, o corpo foi transferido para um vagão especial da ferrovia Baltimore & Ohio para a primeira parte da viagem de volta a Springfield, pois Stanton finalmente concordara com o pedido dos cidadãos de Illinnois. Para acrescentar um toque final de tristeza, o caixão de Lincoln foi acompanhado pelo de seu filho Willie, que ele adorava e que morrera, provavelmente de pneumonia, em 1862. O pequeno esquife de metal de Willie foi removido de sua cripta em Washington e posto em um caixão de nogueira de melhor qualidade para descansar ao lado do de seu pai, em Springfield.

Tudo pronto

Uma fotografia dos Estados Unidos tirada no momento da morte de Lincoln teria captado a nação em luto, congelada no meio de um passo em direção à modernidade. A rota escolhida para a última viagem de Lincoln para casa – que subia a Costa Leste até Nova York, depois seguia para o Oeste acompanhando os Grandes Lagos até o Meio-Oeste e a própria Springfield – abria uma espécie de falha geológica no centro das tensões de uma sociedade que rapidamente se afastava de suas raízes pré-industriais e, de modo genérico, indicava a forma de uma nova geografia comercial americana.

Mais notável foi o fato de que, por ter sido feita por trem, a viagem levou apenas dias, em vez das semanas ou meses que teria consumido não muitos anos antes. Hoje aquelas locomotivas parecem pequenas e estranhas, com suas grandes chaminés de sino invertido e lenha queimando nas fornalhas. Mas, quando elas atravessaram os Alleghenies nos anos 1850, a nação encolheu radicalmente; pela primeira vez, a Costa Leste urbana uniu-se em um sistema nacional único com as terras cultivadas e os recursos do "Noroeste" – o nome ainda usado para os estados e territórios entre as colônias do norte originais e as margens leste do Mississippi.

Uma dúzia de cidades ao longo dessa rota abrigou cerimônias funerárias formais, todas elas em uma grande disputa de excessos rococó dos catafalcos, preces funerárias e fileiras de homens imponentes em seus trajes emplumados para carregar o caixão. A primeira parada depois de Washington foi Baltimore. As duas eram, em essência, as mesmas cidades de antes da Guerra – a capital, desgraçadamente, um lamaçal infestado de malária, apesar de agora ter um conjunto de prédios em estilo grego quase pronto, enquanto Baltimore, um porto mercantil movimentado, estava inchada e doente devido a uma dieta rica em gorduras do comércio em tempo de guerra.

Entretanto, quando a viagem entrou pela primeira vez rumo ao interior, ao seguir de Baltimore para Harrisburg, cruzou um tipo novinho de saliência na linha de batalha. As estradas de ferro começavam a compreender os lucros que podiam ser obtidos com o acelerado comércio interno do país, e também havia um *boom* da atividade petroleira nas florestas do oeste da Pensilvânia. Cidadezinhas bucólicas como Titusville tinham se transformado em lugares infernais com rios negros e o ar cheio de petróleo. As chamas noturnas destacavam-se tremeluzentes sobre multidões agitadas que há muito procuravam petróleo sem sucesso, carreteiros, prostitutas e vigaristas de segunda categoria, todos desesperadamente se agarrando à sua única grande chance de ficar muito ricos muito rapidamente. Os campos da Pensilvânia eram de longe os maiores descobertos até então e em poucos anos iriam fornecer petróleo para iluminar todo o mundo civilizado. Com prêmios como esses, as nascentes guerras das ferrovias seriam ferozes, frequentemente violentas e, em um mundo sem sistema de leis para controlar as grandes corporações, profundamente corruptoras.

As paradas seguintes da viagem, Filadélfia e Nova York, estavam em meio a transições extremamente rápidas para a manufatura diversificada e para se transformarem em centros financeiros. A indústria têxtil mecanizada da Filadélfia recebeu grande impulso com os contratos de produção de cobertores durante a guerra. Seu famoso Franklin Institute, o instituto técnico mais antigo do país, foi

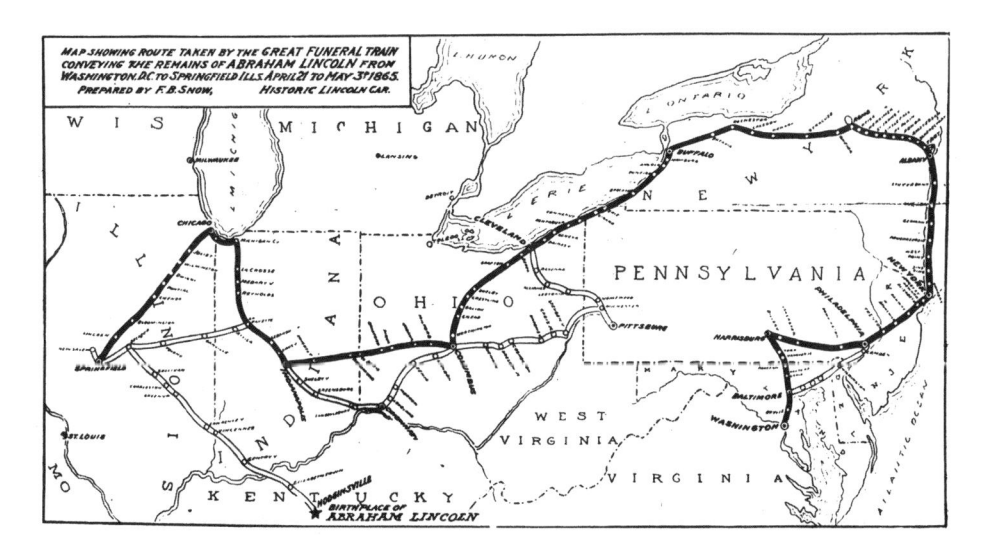

O trem funerário de Lincoln percorreu o centro da emergente superpotência comercial americana.

Prelúdio

organizado nos anos 1820 com doações de mais de mil pessoas ou empresas para promover a fabricação científica. O crescimento acelerado em Nova York – gráfica, indústria leve, mercado de capitais e bancos – estava rompendo os limites da ilha de Manhattan, e planos de uma ponte colossal que expandiria a área da cidade para o outro lado do East River até o Brooklyn estavam em andamento.

Acontecimentos nos funerais nas duas cidades apontavam os problemas do crescimento rápido. No domingo, na Filadélfia, três mil pessoas se reuniram em filas quilométricas para ver o corpo de Lincoln, sua exaustão e desespero aumentados porque o sistema de transporte público se recusou a funcionar em dia sabático. Quando um grupo de batedores de carteira se misturou nas filas e arrebentou as cordas de controle de multidão, houve uma grande confusão que deixou vários feridos. Em Nova York, as tensões eram étnicas. A cidade, que tinha uma população irlandesa maior que Dublin, era um criadouro da democracia *copperhead** antiguerra. A desconfiança dos irlandeses de que os homens de negócio republicanos usavam a convocação militar para desestruturar organizações trabalhistas e importar trabalhadores negros mais baratos – o que era com quase toda certeza verdade – explodira nos selvagens protestos contra o recrutamento militar obrigatório de 1863, o mais letal motim popular na história americana. A máquina democrata local Tammany** provocou uma pequena crise alguns dias antes do cortejo fúnebre ao decretar que ele seria interditado aos negros. Depois de uma intervenção forçosa de Stanton, um pequeno contingente de negros marchou no final da gigantesca parada pela Broadway e foi aplaudido pela multidão.

Depois de passar pela cidade de Nova York, o trem funerário subiu acompanhando o rio Hudson até Albany antes de virar para oeste e cruzar o estado de Nova York. Era emocionante e pungente ver como filas ininterruptas de pessoas de luto permaneciam em vigília ao longo de grande parte do caminho, mesmo durante a noite, quando marcavam sua presença com fogueiras. A única reclamação era quanto à velocidade do trem – no século XIX, 30 km/h era uma velocidade desrespeitosamente rápida.

O oeste do estado de Nova York era uma região de fazendas povoada em grande parte por imigrantes alemães, suíços, irlandeses e escoceses. Esses não eram os pequenos fazendeiros romantizados por Thomas Jefferson: no fim da guerra, cerca de três quartos dos fazendeiros de Nova York localizados próximo de uma estação ferroviária (a uma distância que poderia ser percorrida por uma carroça) eram homens de negócios de classe média em busca da eficiência de seus estabelecimentos comerciais que produziam trigo, madeira e laticínios

---

* Nortistas simpatizantes do Sul. (N.T.)
** Organização política interna do Partido Democrata na segunda metade do século XIX e início do século XX, que, para alcançar o controle político, usava métodos associados à corrupção. (N.T.)

para o comércio. A transformação das fazendas de Nova York se iniciara com a abertura do canal Erie, em 1825, e se acelerara com a proliferação das ferrovias nos anos 1850. Em menos de uma geração, eles tinham dizimado a agricultura da Nova Inglaterra, forçando uma mudança decisiva naquela parte do país para uma economia manufatureira.

Os fazendeiros de Nova York gastavam enormes quantias de dinheiro em bens de consumo – "um monte de bugigangas", reclamou um fazendeiro em seu diário. Eles faziam vigília à espera do trem funerário com seus sapatos produzidos em fábricas, e suas melhores roupas eram compradas prontas, por seu estilo e corte superior. As donas de casa de classe média das fazendas ainda trabalhavam com afinco, mas havia uma convergência entre suas vidas e as de suas irmãs urbanas. Elas compravam tecido, em vez de fiá-lo e tecê-lo, e faziam cortinas novas em máquinas de costura. Produtos domésticos essenciais como sabão e velas vinham de lojas, e muitas casas de fazenda eram iluminadas por lampiões a querosene para que as crianças pudessem estudar à noite. Enormes fogões de lenha antigos, que davam muito trabalho nas cozinhas, há muito tempo tinham sido substituídos por fogões de ferro fundido "civilizados", e os viajantes concordavam que a quantidade e a variedade dos alimentos dos fazendeiros de Nova York estavam a eras de distância do uísque, da carne de porco salgada e da papa que no início do século eram considerados uma dieta razoável.

As primeiras paradas depois do interior de Nova York foram Buffalo e Cleveland, duas movimentadas cidades portuárias do lago Erie que eram pontos de acúmulo naturais para as indústrias de petróleo, carvão e aço do oeste da Pensilvânia. De lá, o cortejo voltou-se outra vez para o interior, dirigindo-se para Columbus, Indianápolis e a região de terra preta e pouco habitada de Illinois, no Michigan, o primeiro laboratório do mundo da agricultura mecanizada em larga escala. Os fazendeiros do "Noroeste" estavam prestes a dar aos nova-iorquinos uma dose de seu próprio remédio, assumindo o controle do comércio de grãos e forçando seus irmãos do leste a se especializar cada vez mais em laticínios e fruticultura.

Chicago, a última parada antes do descanso final de Lincoln em Springfield, tentou montar orgulhosa um espetáculo tão grande quanto o de Nova York, pois ela se via como a cidade do futuro americano. Até a Guerra Civil, a carne e os grãos do meio-oeste seguiam para o leste pelos Grandes Lagos e o canal Erie, ou, do sul de Chicago, desciam o Mississippi em barcaças até Nova Orleans para a viagem de barco pela costa até Nova York. No fim da Guerra, ligações ferroviárias do leste com Chicago tinham tomado a maior parte do velho comércio com base em Nova Orleans e estavam fazendo investidas sobre o tráfego dos Grandes Lagos. Um grande crescimento no setor de grãos estava levando a atividade empresarial a uma superexcitação, enquanto a fábrica de ceifadeiras de Cyrus McCormick solidificava uma base manufatureira promissora. George Pullman, lutando para fazer decolar sua empresa de vagões-dormitórios, conseguiu um golpe publicitário

Prelúdio

com a doação do vagão que levou Lincoln de Chicago para Springfield. (Pelo menos, é o que diz a lenda. Pesquisas recentes sugerem que ele doou todos os vagões, exceto o de Lincoln.)

Springfield ficava perto dos limites a oeste da penetração das ferrovias. Não havia ligação por trem com a margem oeste do Mississippi, e só havia três estradas de ferro muito pequenas e bem separadas umas das outras em todos os vastos territórios do Oeste – cuja economia, na época, estava baseada na mineração, ainda feita principalmente por homens com pás e mulas, mas empreendedores já haviam identificado a oportunidade para fazendas de criação de gado para alimentar a grande demanda de carne no leste urbano. O romantismo glorioso do velho oeste de caubóis e longas viagens com o gado tinha raízes nas décadas imediatamente anteriores, antes que as ferrovias penetrassem de vez nas áreas de pastagem após a Guerra Civil. No sul, as ferrovias não eram tão desenvolvidas quanto no norte, mas isso pouco importava. Por muito tempo, o único produto de exportação importante da região seria o algodão, de baixa tecnologia, produzido em sua maioria por meeiros. Os fazendeiros rudes das montanhas, depois de exaurir a terra que um dia fora rica, aos poucos voltaram para a velha tradição de agricultura de subsistência.

Contemporâneos de visão aguçada já se entusiasmavam com a antecipação do enorme crescimento econômico dos Estados Unidos, mas isso ainda estava em estágio embrionário. As linhas férreas ainda eram construídas lentamente por empresários locais ou cidades empreendedoras. Foram necessárias dez empresas diferentes para percorrer a rota funerária de Lincoln, com nomes há muito esquecidos como Northern Central, Camden and Amboy, Columbus and Indianapolis, Lafayette and Michigan City. Como poucas ferrovias tinham os recursos para construir pontes, locomotivas e vagões normalmente atravessavam rios em barcas; a confusão de bitolas atrapalhava os fretes de longa distância; e qualquer empresa à procura de trilhos e equipamentos de qualidade fazia suas compras na Inglaterra. Foi um crescimento desajeitado e aos tropeções, que fez da avidez febril pela riqueza um material cômico farto para autores satíricos tão diferentes quanto Mark Twain e Anthony Trollope.

O Éden artesanal de Abraham Lincoln

Abraham Lincoln teria aprovado tudo aquilo com empolgação, mesmo a avidez. Como disse durante a primeira campanha presidencial: "[É] melhor para todos deixar que cada homem seja livre para adquirir propriedade o mais rápido que puder. Alguns vão ficar ricos. Não acredito em uma lei para evitar que um homem enriqueça, [mas]... queremos dar ao homem mais humilde uma chance de ficar rico igual à de todos os outros".

O Partido Republicano que indicara Lincoln para a presidência em 1860 era um amálgama estranho de velhos *whigs*, nativistas *know-nothings**, abolicionistas radicais e democratas incendiários antiescravidão incomodados com o controle do partido pelos sulistas. Provavelmente os *whigs* tinham a maioria dos membros e dominavam a liderança. O compromisso essencial dos *whigs* era com o projeto de estímulo ao desenvolvimento de Daniel Webster, Henry Clay e, recuando um pouco mais, Alexander Hamilton. A ala conservadora do partido *whig* era um pouco mais tolerante com a escravidão do que seus irmãos mais moderados, em nome da preservação da União, e também tinha traços esnobes e anti-imigração, principalmente em reação às multidões de irlandeses empobrecidos que invadiam as cidades do Leste.

A tradição pró-desenvolvimento chegou com facilidade a Lincoln. Seu ídolo político era Henry Clay, o grande apóstolo dos canais e da autossuficiência americana. Lincoln também foi um empresário, apesar de não muito bem-sucedido. Foi funileiro, trabalhou como agrimensor e detinha a patente de um invento para retirar balsas dos bancos de areia do rio Mississippi. Lincoln gostava especialmente de casos de patentes, e uma vez disse que as descobertas mais importantes para o progresso da civilização eram "a escrita... a imprensa, a descoberta da América e a criação das leis de patentes". Era típico dele, em um caso envolvendo patentes de ceifadeiras mecânicas, chegar munido com modelos das máquinas e reunir-se com os jurados, todos agachados no chão, para lhes mostrar os detalhes críticos.

O fascínio de Lincoln pela invenção permeou suas declarações políticas. Depois de sua derrota apertada para Stephen Douglas na eleição de senador por Illinois, em 1858, Lincoln dedicou-se ao circuito de conferências para testar suas chances de chegar à presidência. Em vez de focalizar a escravidão, o discurso que era sua marca registrada versava sobre "Descobertas e invenções", que ele via como um talento americano ímpar: "Nós, aqui nos Estados Unidos, *achamos* que descobrimos, inventamos e aperfeiçoamos mais rápido que qualquer [nação europeia]. *Eles* podem achar que isso é arrogância, mas não podem negar que a Rússia nos chamou para lhe mostrar como construir barcos a vapor e ferrovias".

Por gerações, historiadores discutiram se a Guerra Civil deveu-se principalmente à questão da escravidão, ou se foi uma disputa entre dois sistemas econômicos concorrentes. A historiografia mais recente mostrou como o antiescravismo republicano estava profundamente ligado ao projeto pró-desenvolvimento dos *whigs*. Os republicanos consideravam a independência econômica um pré-requisito para a liberdade política, basicamente atualizando para uma sociedade comercial a visão jeffersoniana do pequeno proprietário

---

* Membros de uma organização política secreta do século XIX contrária à influência política dos imigrantes e da Igreja Católica. (N.T.)

rural independente. Por uma breve era de ouro, os republicanos puderam exibir os grupos de classe média que emergiam no Norte como sua obra admirável. Com a exceção de um punhado de grandes tecelagens, a manufatura do Norte ainda era basicamente artesanal, e na era pré-Guerra Civil ninguém podia antecipar o fenômeno dos meganegócios internacionais. A alegação republicana de que a legislação pró-negócios, como tarifas aduaneiras mais elevadas sobre bens manufaturados, era do interesse dos trabalhadores, quase certamente era verdade, e foi defendida em detalhes pelo melhor economista da época, Henry Carey. Como Daniel Webster certa vez disse: "Bem, quem são os trabalhadores do Norte? Eles são todo o Norte".

Mas, por décadas, toda iniciativa de desenvolvimento era derrotada pelo interesse escravista, já que acelerar o povoamento do Oeste, ou mesmo investir em sistemas de canais ou ferrovias, inevitavelmente aumentaria a população dos estados livres. Para os republicanos, e para Abraham Lincoln, o obstrucionismo sulista era um exemplo de conspiração para esmagar a liberdade em toda parte, não apenas para os escravos. Se os sulistas conseguissem estender a escravidão aos territórios, sem dúvida isso seria seguido pela influência maligna da hierarquia e da indolência aristocrática, expulsando o trabalho livre. A própria palavra "aristocrata" estava se tornando quase uma maldição por todo o Norte, e os relatos de viajantes sobre o Sul atrasado e assolado por doenças eram matéria-prima importante para a imprensa do Norte. De modo implícito, compreendia-se que, como disse um historiador, "duas civilizações profundamente diferentes e antagônicas... estavam competindo pelo controle do sistema político".

Lincoln dedicou muito dos discursos de sua viagem de 1859 a expor a visão social republicana: se o governo apoiasse a independência individual e a educação e desse início à criação de uma infraestrutura comercial, uma população livre e com possibilidade de prosperar por si só iria tirar o máximo da oportunidade. Em um discurso em uma feira agrícola no Wisconsin – depois de uma digressão inicial sobre o aumento de lucros por meio da tecnologia (incluindo um projeto bizarro para um arado a vapor) –, Lincoln atacou a aristocrática "teoria da ralé", que ele apontava como oposta ao ideal republicano de uma sociedade altamente fluida:

> Quem começa com prudência e sem dinheiro no mundo trabalha por salários por um tempo e economiza um excedente com o qual comprar ferramentas, ou terra, para si mesmo; então trabalha por conta própria por mais um período, e depois de um tempo contrata outro iniciante para ajudá-lo. ...Há provas para se dizer isso. Muitos homens independentes nesta assembleia sem dúvida há alguns anos eram trabalhadores assalariados. E seu caso é praticamente, se não totalmente, a regra geral...
> Segundo a "teoria da ralé", supõe-se que o trabalho e a educação sejam incompatíveis; ou que qualquer combinação deles é impossível. ...[É] considerado

um infortúnio que trabalhadores tenham cabeça. Essas mesmas cabeças são vistas como material explosivo que deve ser guardado com segurança em locais úmidos.

As plateias políticas do século XIX eram extremamente bem-informadas. Esse era o entretenimento de massa da época, e os ouvintes de Lincoln sabiam muito bem sobre o que ele estava falando. Defensores da escravidão costumavam discursar em favo da necessidade de uma "ralé" social – "uma classe para fazer as tarefas inferiores, desempenhar os trabalhos penosos da vida", como observou um morador da Carolina do Sul. A escravidão era apenas a característica mais visível do sistema de governo profundamente anti-igualitário do Sul. O poder aristocrático foi reforçado de modo vergonhoso por uma lei que previa que, para o cálculo do número de representantes no Congresso e para a distribuição de verbas proporcional à população de cada estado, os escravos valiam três quintos de um homem livre. E em uma série de convenções políticas estaduais por todos os estados escravistas nos anos 1850, as elites das planícies seguiam eliminando com regularidade os privilégios dos pequenos proprietários brancos.

Havia uma verdadeira vantagem nos ataques de Lincoln a Douglas durante seus debates de 1858; ela era derivada de sua convicção de que Douglas, intencionalmente ou não, era uma ferramenta dos interesses aristocráticos contra os direitos do povo trabalhador.

> Os argumentos [a favor da escravidão]... são os argumentos usados por reis para escravizar povos em todas as épocas do mundo... eles sempre montaram no pescoço das pessoas, não porque quisessem fazê-lo, mas porque as pessoas estariam em melhor situação se fossem montadas. É esse o argumento deles, e o argumento do juiz [Douglas] é a mesma velha serpente que diz que você deve trabalhar, e eu, comer; você deve labutar, eu, aproveitar os frutos de seu esforço. Por mais que se possa desejar... isso não acaba com os negros. Eu gostaria de saber onde vamos parar se pegarmos essa velha Declaração de Independência, que afirma que todos os homens são iguais por princípio, e começarmos a abrir exceções. Se um homem disser que isso não se refere aos negros, por que outro não pode dizer que não se refere a alguma outra pessoa? Se essa declaração não for verdadeira, vamos pegar esse livro de leis onde ela está escrita e arrancar essa página!

Uma vez na presidência e livre do obstrucionismo do Sul após o ataque ao Forte Sumter, Lincoln e sua maioria republicana lançaram uma *blitz* de legislação pró-desenvolvimentista quase sem paralelos na História Americana – nas palavras dos historiadores Charles e Mary Beard, "uma segunda Revolução Americana". A conquista republicana foi obscurecida pelos eventos cataclísmicos da guerra, apesar de as distrações de guerra terem feito com que a visão do programa ficasse ainda mais impressionante.

O Homestead Act de 1862 permitia a todo cidadão, inclusive mulheres solteiras e escravos libertos, tomar posse de praticamente qualquer trecho de terra pública desocupada de 65 hectares, por uma taxa de US$ 12 de registro e cadastro. Bastava morar nela por cinco anos, construir uma casa e cultivar a terra, e ela era sua, por uma taxa adicional de "comprovação" de US$ 6. Com o tempo, o Homestead Act ajudou a povoar 10% de toda a área dos Estados Unidos continental. O College Act de concessão de terras de 1862 do senador republicano por Vermont, Justin Morrill, dava a cada estado uma área de terras públicas que podia ser vendida para financiar faculdades estaduais direcionadas para artes agrícolas e industriais. Nenhum outro país concebera a noção de educar fazendeiros e mecânicos, e as escolas surgidas a partir do Morrill Act ainda são a base do sistema de universidades estaduais.

O Pacific Railway Act de 1862 fez outra grande doação de terras públicas para financiar a estrada de ferro entre o rio Missouri e o oceano Pacífico, um sonho do partido pró-desenvolvimento havia mais de vinte anos. A tarefa ainda estava limitada pela tecnologia da época; a lei precisou de várias revisões para ajustar o financiamento; e todo o projeto foi contaminado por escândalos. Mas a ferrovia na verdade foi terminada mais ou menos como seus fomentadores haviam prometido e surpreendentemente perto do prazo original; com o tempo, o impacto que teve no desenvolvimento justificou os mais empolgados sonhos de seus defensores. A agenda republicana/*whig* foi preenchida com grandes aumentos de tarifa e um Federal Banking Act que, mesmo com todas as suas falhas, fez com que o país atravessasse a guerra e suas consequências financeiras.

Lincoln jamais teria escolhido a guerra como o instrumento para acabar com a escravidão, mas não fugiu dela quando lhe foi imposta e aproveitou a oportunidade para extirpar toda a perversa iniciativa aristocrática. Em suas próprias palavras terríveis, do segundo discurso de posse:

> Então veio a guerra... e se... ela continuar até que toda a riqueza acumulada pelos 250 anos de trabalho duro e incessante dos escravos se perca, e até que toda gota de sangue arrancada com a chibata seja paga com outra arrancada pela espada, como foi dito há trezentos anos, ainda assim deve ser dito que "os julgamentos do Senhor são sempre verdadeiros e justos".

Esse mesmo discurso se encerra com a famosa frase: "Sem maldade e com caridade para todos...". Mas a intenção de Lincoln de reabilitar o Sul dentro do sistema americano não podia esconder como seria radical a mudança. Por mais de dois terços do período desde a fundação da República até a Guerra Civil, os Estados Unidos tiverem presidentes que eram senhores de escravos. O Congresso e a Suprema Corte tinham sido praticamente sempre dominados por maiorias sulistas. O historiador James McPherson observa que, na década 1860, o sistema social do Norte é que era incomum; a maioria das outras sociedades, legitimasse ou não a escravidão, estava organizada sob os mesmos princípios hierárquicos do Sul americano.

Lincoln estava totalmente consciente da singularidade do Norte. Seus discursos destacavam insistentemente o caráter excepcional dos Estados Unidos, onde grande parte do populacho desfrutava das vantagens sociais e econômicas da liberdade política. Em nenhum outro país a liberdade política era parte intrínseca do projeto nacional. Que país da Europa, diante de uma enorme riqueza de recursos inexplorados, teria tido a ideia de doá-la a seu povo? Ou de modo consciente buscado a independência econômica de seus cidadãos?

O prolongado crescimento americano que durou por cerca de quarenta anos após a Guerra Civil – superando todos os contratempos e altos e baixos – foi o maior da história, pelo menos até o crescimento espetacular demonstrado no fim do século XX pelos "tigres" econômicos do Leste asiático. Lincoln teria ficado gratificado com a ideia, mas não surpreso. Mas se ele possuísse alguma maneira mágica de espiar o futuro, mesmo o futuro de apenas uns vinte anos à frente, é possível imaginar que o pobre Lincoln, com sua aversão *whig* moderada pelo poder concentrado, sua desconfiança do gigantismo econômico e seu ódio por especuladores e manipuladores de papéis, tivesse empalidecido.

Jovens magnatas

Quando Lincoln morreu, Andrew Carnegie estava com trinta anos. Ele já era muito rico, apesar de apenas uma década e meia antes ter sido um simples catador de carretéis de linha usados em uma fábrica de tecido e ainda ter de decidir por uma carreira. John D. Rockefeller tinha apenas 26, mas sua refinaria de petróleo de Cleveland era uma das maiores e mais lucrativas do país, e ele talvez já tivesse definido seu projeto de controlar toda a indústria. Jay Gould tinha 29 e, depois de uma carreira rápida e agitada como curtidor, estava tentando a sorte como especialista em *turnaround*.* Pierpont Morgan, aos 28, aprendia em silêncio seu ofício na rede bancária do pai.

As grandes forças em ação nos Estados Unidos após o fim da guerra excediam muito qualquer pequeno grupo de homens; mas esses quatro iriam se tornar os maiores de uma geração de líderes de negócios de tamanho fora do comum, os mais destacados de uma estrutura que a imprensa apelidou de "Os Barões Ladrões". Por sua inteligência aguçada, sua ambição e ímpeto, eles traçaram os caminhos que outras pessoas seguiram. Eles nunca foram amigos e foram com a mesma frequência adversários e aliados; o respeito prudente que mantinham um pelo outro logo se transformou em uma forte aversão. Se poderia ser exagero

* Operação de descarregar o trem, prepará-lo e carregá-lo para a viagem de volta. (N.T.)

dizer que eles criaram o superestado industrial americano, este ainda guarda com nitidez suas impressões digitais.

Carnegie, Rockefeller e Gould personificavam as oportunidades ilimitadas de empreendimento repentinamente abertas pelos amplos recursos americanos e sua liberdade das restrições de classe e casta. Para o homem de negócios de muita ambição e grande talento, era o lugar, e talvez o momento, em que ele podia chegar o mais longe possível.

Morgan era diferente dos outros. Ele nasceu rico, com o sangue mais azul da linhagem de sangue azul ianque, mas definiu sua carreira na reação aos grandes empreendedores. Trabalhou com todos eles, especialmente com Carnegie e Gould, mas tornou-se uma figura dominante apenas quando as deles estavam no topo. Então emergiu como o homem que definia limites, aquele que trazia a ordem, o criador das primeiras redes institucionais porosas projetadas para amortecer as investidas de homens grandiosos.

Carnegie

Andrew Carnegie era o mais temperamental dos magnatas. Baixinho, com apenas 1 metro e 65, cabelos louros pálidos, mãos e pés pequenos e um rosto de menino, era como uma criança travessa, vigorosa e incansável. Falava com energia, tinha opiniões fortes e subservientes, era bajulador e provocador, e de uma rapidez sobrenatural em compreender qualquer coisa que fosse de seu interesse.

Sua ascensão é a fábula norte-americana clássica do homem que enriqueceu do nada. O pai de Carnegie era um tecelão escocês desempregado que trabalhava com tear manual, cuja família emigrou para Pittsburgh quando Andrew tinha treze anos. Andrew passou por diversos empregos. Catou carretéis usados em fábricas, foi escriturário de um guarda-livros e mensageiro do telégrafo, onde aprendeu telegrafia ao observar os operadores. Ele logo se tornou o telegrafista favorito da comunidade de negócios, e em seguida um serviço telegráfico de um homem só, que todos os dias compilava as notícias vindas pelo telégrafo para os jornais de Pittsburgh. Era tão incansável em seu autoaperfeiçoamento quanto em todo o resto, lendo vorazmente e trabalhando duro para melhorar seu sotaque e sua gramática. Sua vida era dominada por Margaret, sua mãe, que transmitia a orgulhosa consciência de classe dos pobres respeitáveis – uma terrível vergonha da pobreza e desprezo desmoralizante pelos trabalhadores sem ambição com os quais eram forçados a se associar. Ela e Andrew foram inseparáveis até a morte dela, pouco antes de ele fazer 51 anos. Os Carnegies não eram crentes, mas Andrew ainda herdou uma forte aversão calvinista aos prazeres da carne. Ele era bastante charmoso e tinha muitas associações amigáveis com mulheres, mas provavelmente nenhuma intimidade, até que se casou, alguns meses depois da morte da mãe, com uma jovem que tinha esperado aquele evento abençoado por anos.

A grande chance de Andrew surgiu quando ele tinha dezessete anos, na pessoa de Tom Scott, que se tornou seu herói no mundo dos negócios. Scott foi um dos maiores executivos de ferrovia em seu tempo. Nascido pobre e tendo começado a trabalhar aos dez anos, ele logo gostou de Andrew. A necessidade de acompanhar e localizar cargas em movimento fez das ferrovias grandes usuárias do telégrafo, e Scott, que tinha acabado de ser nomeado superintendente da divisão oeste da Ferrovia Pennsylvania, era um visitante frequente do escritório de telégrafo de Andrew. Quando ele decidiu que a quantidade de trabalho justificava montar uma estação telegráfica própria, sua primeira opção para operador foi aquele garoto inteligente e cheio de energia, "Andy".

Como grande parte do trabalho de Scott era feita pelo telégrafo, ele e Carnegie dividiram um escritório, e o fluxo de mensagens permitiu que Carnegie absorvesse praticamente por osmose a essência do negócio das ferrovias. Uma manhã bem cedo, antes de Scott chegar ao escritório, Carnegie recebeu uma mensagem que dizia que um acidente de trem deixara o tráfego em uma confusão terrível. Incapaz de localizar Scott – é de se perguntar com quanta energia ele o procurou – Carnegie assumiu o controle e enviou uma série de ordens por telégrafo como se fosse Scott. Quando este foi localizado e chegou correndo no escritório, tudo estava funcionando em perfeita ordem. Esta foi uma ocasião, como Carnegie mais tarde lembrou, em que temeu ter ido longe demais; mas após explicar nervosamente a Scott o que fizera, este apenas o olhou de um jeito estranho, conferiu se as linhas estavam mesmo funcionando e deixou passar. Entretanto, pouco tempo depois, Carnegie adorou saber que Scott estivera se gabando das façanhas daquele "diabinho escocês de cabelos brancos" em seu escritório, e que ele já era conhecido no meio ferroviário como o "Andy do sr. Scott". Até o grande J. Edgar Thomson, presidente da Pennsylvania, um dia meteu a cabeça dentro do escritório, encarou Carnegie com seriedade por um instante e disse: "Então você é o Andy do Scott".

Se Carnegie tivesse passado sua carreira na Ferrovia Pennsylvania, não há dúvida de que teria sido um dos maiores executivos de ferrovia de seu tempo. Sua posição como o "Andy do sr. Scott" terminou em 1859, quando Scott foi promovido a vice-presidente da Ferrovia e fez com que Carnegie fosse nomeado superintendente da divisão oeste, uma promoção extraordinária para sua idade e experiência, principalmente porque, como as linhas do Oeste da Pennsylvania tinham sido construídas às pressas sobre terreno difícil, problemas com os trilhos e a interrupção de serviços eram comuns. Carnegie mergulhou de cabeça no emprego. Mantinha um telégrafo em casa e passava dias e noites nas linhas férreas, supervisionando reparos, alterando a rota do tráfego, reforçando os pontos fracos do sistema, compreendendo instintivamente, como poucos homens de ferrovia fizeram, que o desafio essencial era manter o tráfego fluindo. Pouco tempo depois de sua nomeação, ele chocou seus colegas executivos quando queimou vagões paralisados para desobstruir as linhas. Era a técnica clássica de Carnegie: definir um objetivo, então passar brutalmente por cima de qualquer convenção, concorrente ou pessoa comum que ficasse em seu caminho. Queimar vagões logo se tornou um método padrão para liberar trens parados por problemas. No ano seguinte, quando Scott foi nomeado secretário assistente de guerra dos Estados Unidos para serviços de ferrovias e telégrafo, naturalmente levou Carnegie com ele, e em questão de semanas Carnegie mais uma vez tinha desempenhado prodígios de construção para reunir as tropas da União para a desastrosa primeira batalha em Bull Run, em 1860.

No início dos anos 1860, Carnegie já era um homem rico. Em uma época em que conflitos de interesse eram rotina, Scott cuidadosamente o levou a investir em empresas que faziam negócios com a Pennsylvania, como uma empresa de vagões-dormitórios e uma construtora de pontes ferroviárias, normalmente adiantando para ele o dinheiro da compra. Só o investimento nos vagões-dormitórios pagou a Carnegie dividendos de US$ 5 mil por ano, mais que o dobro de seu salário na Pennsylvania, sobre um desembolso de dinheiro de menos de US$ 450. Um antigo investimento no *boom* do petróleo na Pensilvânia, em uma propriedade conhecida como Storey Farm, um dos mais lendários campos das primeiras perfurações do local, rendeu a Carnegie impressionantes US$ 125 para cada dólar investido. Quando fez sua nova declaração de renda no ano de guerra de 1863, Carnegie tinha uma renda total de mais de US$ 42 mil, o que sugeria um *portfolio* do montante de meio milhão de dólares, talvez uns US$ 6 ou US$ 7 milhões em valores atuais.

Carnegie tinha um talento tão espetacular – com inteligência extraordinária e a praticidade precisa de Scott, energia, um charme imenso e instinto felino para negócios – que simplesmente superava todos os outros. Também tinha lido muito mais que a sua geração, com um gosto adquirido, mas autêntico, pela arte e a cultura e um texto com estilo atraente. Na verdade, ele constantemente se perguntava se não estaria desperdiçando seus talentos nos negócios. Quando a receita de seus investimentos superou a marca de US$ 50 mil, em 1868, prometeu a si mesmo que só iria trabalhar por mais dois anos para assegurar aquele nível de renda por toda a sua vida, então iria se devotar a objetivos mais elevados.

Ele estava se enganando. O fato essencial sobre Carnegie era o desejo de dominar a qualquer custo. Mas por alguma razão, apesar de Carnegie estar entre os mais duros dos homens, ele sempre insistia em desfilar como um idealista humanitário, como se seu negócio fosse algum tipo de projeto de assistência social. Por isso, quando era o maior magnata do aço, adorava produzir manifestos a favor do trabalho e também de gozar da adulação de seus empregados, mesmo enquanto constantemente aumentava as exigências sobre seus trabalhadores e, no mesmo ritmo, reduzia seu pagamento. Para ele, cada encontro com trabalhadores tornava-se uma parábola de uma república de boas ações, e cada uma de suas histórias fantasiosas se encerrava com um discurso sobre as virtudes da bondade, pois "a recompensa é doce na proporção da humildade do indivíduo que você favoreceu". No auge da greve em Homestead de 1892, um dos conflitos trabalhistas mais mortíferos dos Estados Unidos, ele conta que seus empregados, "infelizmente, tarde demais", telegrafaram a ele, "Caro mestre, diga-nos o que deseja que façamos e faremos para o senhor". (Claro que não há vestígio desse telegrama nos vastos arquivos sobre a greve.)

Carnegie costumava ser desnecessariamente cruel, mesmo com seus colaboradores mais leais. Ele manipulava seus subordinados sem a menor vergonha, insistindo obsessivamente em reclamar de seus menores erros e levando o crédito por todos os seus êxitos. Quando Henry Frick se aposentou – Frick, que tinha contribuído bastante para construir seu império –, Carnegie aplicou toda a energia e obsessão que eram suas marcas registradas para não dar a ele o que lhe era devido. Um pacifista declarado, Carnegie buscou contratos de guerra, após prometer à sua esposa que nunca o faria, e depois trapaceou para consegui-los. Ele solucionou o conflito entre seu comportamento e os ideais que declarava mentindo – clamorosa, consistente e continuamente. Na verdade, ele se tornou o mais corrupto dos mentirosos, aquele que mente para si mesmo. Mesmo as cartas e os relatos de eventos que escrevia na época provavelmente eram falsos, para se mostrar a uma luz mais favorável. Não é surpresa que os deslizes, e eventualmente crimes, dos grandes magnatas estejam à altura de suas conquistas, mas nenhum outro foi tão repelente e escorregadio quanto Carnegie.

Alguns anos depois que Carnegie deixou a Pennsylvania, ele se tornou um dos clientes favoritos do banco Morgan, apesar de seu relacionamento ser com Junius Morgan, pai de Pierpont, pois ele não se dava bem com Pierpont. Em longo prazo, ele superou Pierpont, como fez com quase todo mundo. O negócio que coroou a longa carreira de Morgan foi comprar o controle da Carnegie Company em 1901 para criar a United States Steel Corporation; em valores atualizados, foi a maior transação corporativa da história até a onda de compras dos anos 1980. Mas esse foi menos um triunfo de Morgan do que uma medida de seu medo de que Carnegie estivesse prestes a destruir um cartel do aço construído com muito sacrifício. Comprar a parte de Carnegie era a única maneira de tirá-lo da jogada, e Morgan pôde agradecer a seus anjos que a esposa de Carnegie o estivesse pressionando a perseguir seu objetivo há muito declarado de finalmente fazer algum bem no mundo. Carnegie não perdeu a oportunidade e mentiu sobre seus lucros quando ele e Morgan definiram o preço.

Na verdade, durante uma longa carreira o único outro magnata que conseguiu igualar-se a Carnegie no cenário dos negócios foi um homem que ele gostava de chamar de "Reckafellows".

Prelúdio

Rockefeller

John D. Rockefeller descendia de uma sólida linhagem de fazendeiros pelos dois lados de sua família e, apesar de os Rockefellers estarem sempre com problemas financeiros, ele nunca foi realmente pobre. Na verdade, não fosse pelo comportamento bizarro e instável de seu pai, a infância de John teria sido quase o clichê de uma infância no Oeste rural de Nova York na metade do século XIX. "Big Bill" Rockefeller era um personagem malandro. Um homem grande, bonito e forte, foi fazendeiro, homem de negócios, curandeiro viajante, mágico e falso médico e uma vez chegou a ser acusado de estupro. (Estranhamente, também gostava de se fingir de mudo.) Os primeiros biógrafos de Rockefeller observaram que seu pai costumava desaparecer em "viagens longas e misteriosas"; na verdade, com o nome de "William Levingston", ele se casou com outra mulher e mais ou menos sustentou duas famílias durante grande parte da vida de John. À medida que a fama de John crescia, ele simplesmente repelia qualquer pergunta sobre seu pai – não gostava de admitir que seu pai era "Doc" Levingston, um charlatão de fundo de quintal que ainda vendia falsos unguentos milagrosos.

Talvez em reação ao comportamento de seu pai, John foi um jovem muito sóbrio e trabalhador – responsável na escola, sério em relação à sua religião batista, escrupulosamente honesto e absolutamente confiável. Sua vida adulta também foi convencional, pelo menos longe dos negócios. Ele se casou cedo, era próximo de sua esposa e de seus filhos e mais tarde esforçou-se muito para que a vida deles não fosse completamente distorcida por sua enorme riqueza. John tinha uma educação melhor que a maioria dos jovens de sua época. Terminou o secundário e fez alguns cursos na área comercial antes de começar a trabalhar, aos dezesseis, como assistente de contador de um negociante de produtos hortifrutícolas em 1855. Dois anos mais tarde, com o empréstimo de US$ 1 mil de seu pai, John comprou sociedade na empresa de outro mercador, Maurice Clark, um inglês gregário cerca de dez anos mais velho que ele, e quando John fez vinte anos, já era reconhecido como um dos mais destacados comerciantes de Cleveland – honesto, confiável e com uma percepção sagaz dos mercados de commodities. O acontecimento realmente portentoso do vigésimo ano de John, entretanto, foi o sucesso do coronel Edwin Drake em produzir uma quantidade substancial de "óleo de pedra" de um poço perto de Titusville, na região de "Oil Creek"*, na Pensilvânia, assim chamada por seus afloramentos de óleo visíveis na superfície.

Drake era financiado por investidores profissionais que, por meio de pesquisas científicas, afirmavam que o petróleo da Pensilvânia, se pudesse ser produzido em quantidades comerciais, seria o combustível de iluminação e lubrificante

---
* Ou seja, "rio de óleo". (N.T.)

superior de que o mundo precisava tão desesperadamente. O progresso difícil e incerto de Drake era observado de perto, e quando seu poço finalmente borbulhou com uma grande quantidade de petróleo, a região foi à loucura. Um lenhador local ficou milionário da noite para o dia só por ter cavalgado pelo vale comprando todas as fazendas que seus proprietários aceitassem vender. *Wildcatters** chegavam aos montes na região, e começaram imediatamente a abrir poços em uma área de centenas de quilômetros quadrados. Oil Creek produziu uma estimativa de 200 mil a 500 mil barris de óleo cru em 1860, ano seguinte à descoberta de Drake, e 2 milhões de barris em 1861, incluindo cerca de 275 mil barris vendidos para o exterior. (Um barril da Pensilvânia, ainda hoje o padrão, tem 42 galões, ou 159 litros.) Cerca de 70% da produção eram destinados para a iluminação.

Como negociantes e *traders* de commodities, Clark e Rockefeller provavelmente negociaram petróleo para seus clientes e devem ter percebido os lucros que podiam obter. Mas a ideia de entrar no negócio do petróleo foi levada a eles, dois anos após a descoberta de Drake, por um amigo de Clark, um químico inglês autodidata chamado Sam Andrews. Andrews, que tinha alguma experiência em refino, propôs que Clark e Rockefeller o financiassem para abrir uma refinaria, e eles finalmente concordaram em botar US$ 4 mil, que John via como uma "grande soma". O novo empreendimento chamou-se Andrews, Clark and Co., apesar de Rockefeller aparentemente ter posto a mesma quantia que Clark. Aos 22 anos, John ainda era visto como um sócio sem importância, o cara que cuidava dos números.

A refinaria da Andrews, Clark, que eles chamaram de usina Excelsior Oil, prosperou desde o início. Rockefeller escolheu o local – situado em um ponto com máximo acesso ao transporte ferroviário e fluvial. À medida que ficava obcecado com as oportunidades no petróleo, foi assumindo as operações do dia a dia dos negócios, enquanto Andrews administrava a refinaria. Andrews era um refinador excelente, e seus produtos ganharam rapidamente uma ótima reputação; mais importante: ele tinha a percepção de reconhecer que John, jovem como era, devia fazer as visitas de negócios. Pela primeira vez, Rockefeller podia demonstrar sua habilidade extraordinária para combinar a expansão rápida com uma atenção fanática à eficiência e aos custos. Em dois anos, a Excelsior produzia quinhentos barris por dia de produtos refinados. Isso era uma produção desprezível pelos padrões de apenas alguns poucos anos mais tarde, mas em 1865 fazia da Excelsior uma das maiores refinarias do país, duas vezes maior que qualquer outra em Cleveland. Sob a administração de Rockefeller, também era a mais consistentemente lucrativa.

---

* Petroleiros independentes que perfuravam em qualquer lugar em que se suspeitasse haver petróleo. (N.T.)

O problema eram os Clarks. Maurice trouxera seus dois irmãos para o negócio, como compradores e vendedores. Um deles, James, que era um ex-lutador profissional e um brigão, bateu de frente com Rockefeller praticamente desde o princípio. Pior: Rockefeller não confiava nele. James gostava de fazer negócios arriscados por baixo dos panos, exagerava seus pedidos de reembolso de despesas e gabava-se de enrolar clientes. Ao mesmo tempo, Maurice estava preocupado com a disposição de Rockefeller em se endividar e começou uma linha dura contra a expansão contínua. Conforme os atritos cresciam, os Clarks faziam ameaças frequentes de dissolver a sociedade. Em uma dessas ocasiões, Rockefeller, sem qualquer ingenuidade, perguntou a eles se estavam falando sério, o que eles confirmaram. No dia seguinte, para sua surpresa, leram a notícia do fim da sociedade no jornal local. Ficaram duplamente chocados quando viram que Andrews tinha ficado ao lado de Rockefeller; mais tarde, após concordarem com um leilão para resolver o problema da propriedade da refinaria, ficaram mais uma vez chocados ao verem sua oferta ser facilmente coberta por aquele Rockefeller de 25 anos de idade. O acordo foi fechado em 2 de março de 1865, apenas alguns dias antes de Appomattox.

Os Clarks desistiram do leilão quando a oferta chegou a US$ 72,5 mil. Maurice claramente achava que era um preço extraordinário para a metade daquele negócio. Além disso, Rockefeller entregava a metade de seu interesse no negócio de produção, o que levou o preço final para perto dos US$ 100 mil. Na verdade, foi uma pechincha. No ano seguinte, 1866, o faturamento total da Excelsior Oil foi de US$ 1,2 milhão, recuperando totalmente o preço de compra antes do fim do ano. Poucos meses depois de comprar a parte dos Clarks, Rockefeller e Andrews iniciaram a construção de uma segunda refinaria e abriram ainda uma terceira empresa em Nova York dedicada à corretagem e às vendas internacionais de petróleo. Ela era tocada por William, irmão mais novo de John, que também estava se tornando um excelente homem de negócios.

A *muckracker** Ida Tarbell uma vez o descreveu como um homem com "a alma de um guarda-livros", uma imagem que desde então ficou ligada a ele. É verdade que John D. Rockefeller amava a perfeição e a solidez de bons registros contábeis e insistia que cada entrada, cada conta, cada fatura estivesse certa; mas o rótulo de "guarda-livros" nem de perto capta a realidade de John D. Rockefeller. Se ele não tinha a presença rinocerôntica de Morgan ou a bazófia ruidosa de Carnegie, ele compensava com um carisma silencioso extraordinário. Quando jovem, juntava-se a novos ambientes, uma igreja, talvez, ou uma associação de petroleiros, e de alguma maneira, sem esforço aparente, e praticamente sem dizer coisa alguma, sempre emergia como líder. Rockefeller era bem-desenvolvido, apesar de não tão

---

* Jornalistas e veículos que investigavam e expunham questões políticas e sociais, algumas vezes com objetivos políticos próprios. (N.T.)

alto quanto seu pai, e um bom atleta, que gostava do trabalho vigoroso – adorava trabalhar com os operários da Excelsior. Conhecidos frequentemente comentavam sobre seu senso de humor, e retratos de família costumavam pegá-lo satisfeito e de muito bom humor. Seu estilo sincero, direto e brando fazia dele um vendedor extraordinário. Ele devia exalar uma imensa autoconfiança. Desde o início de sua carreira nos negócios, ele assumiu riscos enormes, mas com tanta calma e sensatez que fazia com que parecessem absolutamente naturais.

Mesmo durante seus primeiros anos no refino, todos os métodos característicos de Rockefeller já se manifestavam: mover-se com uma velocidade chocante e a mínima ostentação. Agir com absoluta confiança, mudando de rumo rapidamente se novos fatos exigirem. Marchar a serviço de uma visão mais ampla, mas prestar atenção obsessiva aos detalhes. O grande plano de Rockefeller já podia estar em ação desde que ele comprou a parte dos Clarks, pois daí ele se moveu aparentemente em uma linha reta até o controle mundial do petróleo sob a bandeira da Standard Oil em apenas quinze anos. Apesar de costumar jogar muito duro, ele surpreendentemente não tinha uma índole vingativa. Quando tomava o negócio de outro homem, geralmente pagava um preço justo. Na verdade, muitas vezes pagava mais do que valia. Uma manobra típica era abrir seus livros para o alvo: qualquer homem sensato iria entender que a concorrência era impossível e chegaria a um acordo. Se um alvo fosse particularmente teimoso e resistisse a todas as ofertas razoáveis, então uma mudança ocorria, e Rockefeller repentinamente desencadearia uma guerra total e violenta em todas as frentes – preços, suprimentos, acesso ao transporte, autorizações para uso de terra, qualquer coisa que infligisse dor. Quando o alvo capitulava – eles sempre capitulavam –, a oferta por um preço justo ainda estaria de pé, muitas vezes com uma oferta para se unir à equipe de Rockefeller. Era a conquista industrial com base no princípio da eficiência. Como Rockefeller insistia em ficar em segundo plano, mesmo quando a Standard se espalhou por todo o globo, ele começou a adquirir aos olhos do público uma aura de poder quase místico.

Rockefeller também tinha seu lado hipócrita. Apesar de ser um batista devoto, seu biógrafo, Ron Chernow, documentou pelo menos uma ocasião em que ele claramente cometeu perjúrio. Mas a imagem da Standard Oil como uma espécie de empresa criminosa, atribuível sobretudo a Tarbell, nunca foi exata. As empresas de Rockefeller sem dúvida pagavam suborno para autoridades locais, mas o ambiente para os negócios nos Estados Unidos do século XIX era um pouco como o que existe hoje no Oriente Médio: como escreveu o observador inglês Lorde Bryce: "Só por meio do uso de dinheiro as [empresas] podem se precaver dos ataques constantemente lançados contra elas por demagogos ou chantagistas". Rockefeller não precisava trapacear para conquistar o controle mundial do petróleo. Ele era simplesmente melhor naquele negócio do que qualquer outro.

Prelúdio

Gould

Inúmeras foram as injúrias que caíram sobre as cabeças dos Barões Ladrões, especialmente sobre Rockefeller. Mas nenhum deles tinha uma reputação pior que a de Jay Gould. Para Henry Adams, Gould era "uma aranha... [que] tece teias enormes, nos cantos e no escuro". Daniel Drew, figura conhecida em Wall Street, disse que Gould tinha "o toque da morte". O próprio Drew era um dos homens menos atraentes da história de Wall Street – um ex-vaqueiro semianalfabeto, covarde e hipócrita, constante apenas em suas traições. Ele foi o primeiro mestre do *bear raid**, atacando as ações de suas próprias empresas e obtendo lucros com a destruição dos outros acionistas, sempre zombando dos padrões fiduciários inconsistentes da época. O ódio de Drew por Gould aumentou ainda mais com as enormes perdas que sofreu uma vez quando foi derrotado por Gould. Morgan, que no início de sua carreira também foi superado por Gould, sempre esteve dividido entre mantê-lo a uma distância segura ou tentar tomar seu negócio.

Se a caricatura mefistofélica de Gould era exagerada, havia um fundo de verdade que fez com que ela persistisse. Gould tinha uma das mentes de negócios mais flexíveis de seu tempo, talvez de todos os tempos. Sua carreira coincidiu com a grande era das ferrovias americanas, as primeiras corporações financiadas por investidores e negociadas no mercado em bolsa. A sede das ferrovias por capital era insaciável, e, na ausência de padrões para a emissão de papéis ou registros contábeis, seus livros eram tipicamente cobertos com um caos obscuro de registros divergentes. Esse era o campo de jogo para o qual Gould nascera. Sua inteligência sutil podia mover-se por toda fenda e canto das construções financeiras mais intrincadas e adivinhar exatamente os pontos de alavancagem, as posições estratégicas que podiam torná-lo, por meio de algumas compras inteligentes, senhor de toda a empresa. Várias vezes, investidores que de nada desconfiavam, em luta para recuperar seus negócios ou reaver seus fundos, viam-se subitamente confrontados pelo espectro de Gould, como se tivesse surgido das trevas, para levar tanto suas empresas quanto seu dinheiro. As ferrovias tornaram-se o centro dos interesses de Gould desde o início de sua carreira e, mais que qualquer outro, ele foi responsável pela criação do mapa ferroviário americano que vigora até hoje.

O domínio de Gould dos arcanos financeiros equiparava-se a um estranho rasgo autodestrutivo. Mais de uma vez, depois que uma série de vitórias o

---

* Ação combinada de vendedores a descoberto, que vendem títulos para a entrega futura sem possuí-los, forçando baixa em suas cotações. Os donos desses papéis, acreditando ser movimento de baixa verdadeira, apressam-se em vender, o que provoca queda. Os que venderam a descoberto aproveitam para comprar a preço baixo. (N.T.)

deixaram dono do campo, ele lançou alguma nova depredação aparentemente sem sentido que devastou tudo pelo que ele tinha trabalhado – como se iniciar guerras de ações fosse simplesmente o que ele fazia. Sua reputação de ser um saqueador de suas próprias linhas, entretanto, é menos justa. Se por um lado ele sempre investia menos que o necessário em suas estradas de ferro, sempre foi financeiramente flexível e, com o passar dos anos, provavelmente botou muito mais dinheiro em suas ferrovias do que tirou. Durante o único e longo período em que foi presidente da Union Pacific, demonstrou ser um administrador de ferrovia acima da média – era um engenheiro financeiro fantástico, tinha grande interesse pelos detalhes operacionais e costumava ter estratégias que derrotavam seus concorrentes.

Ele era uma figura nada graciosa. O pai de Gould ficou tão desapontado diante do filho pequeno e esquelético apresentado por sua esposa depois de cinco meninas que acabou trocando o trabalho na fazenda por uma loja na cidade, já que Jay, sem dúvida, não era o filho que iria arrancar um meio de vida do solo difícil da região rural do estado de Nova York. Quando adulto, Gould tinha pouco mais de um metro e meio, ainda mais baixo que Carnegie, mas sem sua energia falante. Em vez disso, era uma figura pálida, silenciosa e um pouco curvada. Em tempos de crise, costumava sentar calmamente e em silêncio e só demonstrava tensão picando papéis em pedacinhos. Seus olhos escuros, normalmente selvagens, a barba negra emaranhada, a sutileza de seus métodos, seu nome, tudo isso aumentava rumores de que ele fosse judeu, apesar de não haver qualquer ancestral judeu conhecido em sua árvore genealógica.

Uma ambição incontrolável mais do que compensava a falta de força física de Jay. Ele se virou praticamente sozinho desde os treze anos, quando seu pai o matriculou em uma escola secundária em uma cidade vizinha e o deixou lá com uma pilha de roupas e cinquenta centavos. Jay logo arranjou um emprego de meio expediente como guarda-livros autodidata e também demonstrou ser um aluno excelente, com um gosto verdadeiro pela literatura e um texto de estilo surpreendentemente maduro. Ele aprendeu agrimensura sozinho e, aos dezessete anos, parece que era o principal agrimensor do condado, fazendo *lobby* pela profissão na legislatura estadual. Ele levantou fundos para um mapa abrangente do condado, que foi um empreendimento importante, e durante o processo publicou uma competente história do condado. Ele manteve um contato próximo com suas irmãs e voltava para casa de vez em quando, após períodos prolongados de excesso de trabalho que provocavam surtos de doenças debilitantes, às vezes sérias o suficiente para representar risco de vida.

A oportunidade decisiva de Gould surgiu em 1856, quando ele tinha vinte anos, na pessoa de Zadock Pratt. Pratt, que tinha mais de sessenta anos quando Gould o conheceu, era um curtidor de couro e empreendedor de regiões selvagens, o cidadão mais importante de seu condado e uma figura altiva e de mãos calejadas, botas e chapéu de caubói, cujo gosto por esposas jovens perdurou até sua velhice. Os curtidores do século XIX curavam peles de animais banhando-as no ácido tânico derivado de uma pasta de casca de árvore. Era um trabalho sujo e perigoso, que exigia grandes quantidades de madeira e água, e normalmente era feito nas profundezas das florestas. Pratt contratou Gould para fazer um levantamento de um local para essa atividade, mas ficou impressionado o bastante para transformá-lo em sócio e gerente do novo curtume projetado. Assim, o pequenino Gould, mal saído da adolescência, levou cinquenta homens para a floresta e ergueu praticamente uma cidade em tamanho natural, incluindo alojamentos e refeitórios, uma usina de esmagamento de casca de árvore movida a tração animal e tanques para a cura, além de um correio, uma garagem de carroças, o desvio de um rio e a construção de um canal para levar água para mover um engenho e depois uma mercearia. O trabalho andou tão rápido que, por aclamação, o povoado foi batizado de "Gouldsborough".

Gould nunca foi conhecido como uma figura carismática – adjetivos como "dissimulado" e "ardiloso" são os que mais se aplicam. Mas sem dúvida ele conquistou a lealdade dos homens de Gouldsborough, pois quando desafiaram seu controle do curtume alguns anos mais tarde, os moradores da cidadezinha lutaram por ele e salvaram o dia, após o que foi uma pequena guerra de fronteira. Os detalhes dessa história foram perdidos, mas os fatos gerais dizem que, depois que Gould comprou a parte de Pratt com a ajuda de uma importante empresa de couro, ele entrou na arena com seus novos partidários. (Eles achavam que o jovem Gould faria o que lhe mandassem; mas o contrato da sociedade dava a Gould controle total sobre o curtume, e ele estava se expandindo em todas as frentes – mais florestas, uma empresa de comércio de couro.) Quando as discussões financeiras foram interrompidas, um de seus partidários, Charles Lee, contratou um grupo de capangas e tomou o curtume à força. Gould correu até a cidade e fez um discurso para uma multidão de uns duzentos empregados e moradores que se reuniram espontaneamente, e eles marcharam sob sua bandeira. Naquela noite, ele liderou um grupo de cinquenta homens, divididos em duas equipes de assalto, e invadiu o curtume pela frente e pela retaguarda. Houve um tiroteio rápido mas intenso antes que os rufiões de Lee dessem o fora. Três homens ficaram feridos, entre eles Lee, que levou uma carga de chumbo grosso na mão. O jornal local, sem dúvida com uma pontada de ironia, escreveu:

> Guerra civil no comércio de couro
> Guerra na Itália eclipsada
> Grande luta em Gouldsborough
> O general Gould sai vitorioso
> E o delegado Lee prisioneiro de guerra

Para Gould foi uma vitória vazia. A luta prejudicou o negócio do curtume e destruiu sua reputação no comércio de couro. Ao decidir tentar a sorte em Nova York no fim de 1860 ou no início de 1861, suas perspectivas não eram nada promissoras. Quando comprou a parte de Pratt, já era um jovem rico, com um patrimônio líquido em torno de US$ 80 mil, ou cerca de US$ 1 milhão em valores atualizados. Mas o fiasco do curtume praticamente o havia limpado, deixando-o com pouco além de terras arborizadas de baixíssima liquidez. Um relatório de crédito de 1861 diz que ele "não liquidou suas obrigações e não tem um endereço fixo. Não sabemos se tem qualquer negócio, tampouco é certo que tenha algum dinheiro".

Mas apesar de ter sido um fracasso, o episódio do curtume destacou as características que Gould exibiria durante toda a sua carreira: a habilidade de encarar qualquer tarefa, dominar qualquer campo e, apesar de sua constituição frágil, trabalhar prodigiosamente; forçar permanentemente limites e restrições; o impulso de se expandir para todas as direções ao mesmo tempo, às vezes contrariando qualquer razão; o hábito infeliz de deixar uma trilha de sócios confusos e esgotados em seu rastro; e perspicácia na leitura de documentos legais – um estudioso chamou-o de "provavelmente o litigante mais bem-sucedido na história americana". (Enquanto em geral se podia confiar que Gould manteria sua palavra, era necessário analisar gramaticalmente com muito cuidado o que essa palavra de fato era, pois os contratos seriam interpretados da maneira mais estreita possível e sempre em proveito de Gould.) Talvez mais extraordinária fosse a habilidade de Gould aguentar reveses que destruiriam outros homens, então se levantar e seguir em frente, aprendendo mais, trabalhando com mais afinco, sem reclamar, apenas à procura da próxima oportunidade.

A mudança para Nova York logo se tornou proveitosa para ele, pois em 1863 se casou com Helen Miller, filha de um importante mercador de Nova York. A família de Helen fazia parte da fechada sociedade da elite comercial de Nova York, que costumava casar apenas entre si. Entretanto, o pai de Helen gostava de Jay, e o casal foi morar com os pais dela depois do casamento. Seis filhos vieram em rápida sucessão, e Helen e as crianças foram a pedra de sustentação na vida de Jay pelo resto de seus dias.

De maneira igualmente fortuita, o fim de seu negócio com couro em 1861 apresentou Gould às ferrovias. Um de seus outros sócios no couro tinha US$ 50 mil em obrigações hipotecárias de uma pequena ferrovia na região de Lake Champlain, em Nova York. A linha estava com problemas, e, com a quebra do mercado logo após o início da guerra, os títulos tinham caído para dez centavos por dólar. Gould deve ter usado todo o dinheiro que lhe sobrara, mas ele os comprou e adquiriu o controle efetivo da linha. Temos apenas seu breve relato para confirmar que gastou a maior parte de seus primeiros cinco anos em Nova York cuidando

Prelúdio

Os jovens magnatas. No sentido horário, a partir do canto superior esquerdo: Andrew Carnegie, John D. Rockefeller, J.P. Morgan e Jay Gould.

da linha até torná-la saudável outra vez. Quando houve uma fusão com uma linha maior, poucos anos depois, seus títulos eram vendidos pelo par, e as ações que ele comprara pelo caminho tinham se tornado muito valiosas. Ele estava no jogo outra vez, apesar de, na época da morte de Lincoln, seu nome ser praticamente desconhecido em Wall Street.

Morgan

Pierpont Morgan já era um banqueiro experiente quando Lincoln morreu. Durante a guerra, ele iniciara e erguera sua própria empresa. Sem dúvida, poucos jovens foram educados com tanto cuidado para assumir uma profissão. Os dois lados de sua família se estabeleceram nos Estados Unidos por volta de 1640, e ele tinha entre seus parentes Aaron Burr e o evangelista Jonathan Edwards. Os homens da linhagem Pierpont, o lado de sua mãe, eram em sua maioria pessoas educadas e desligadas do mundo real e ganhavam a vida como clérigos ou diretores de escola. Os Morgans eram de material mais duro. O bisavô de Pierpont, Joseph Morgan, foi um dos principais cidadãos de Hartford, e um fundador da seguradora Aetna Insurance Co. O primeiro filho de Joseph, Junius, pai de Pierpont, era um importador de tecidos e artigos de armarinho quando foi recrutado como sócio por um já envelhecido George Peabody, na época o principal banqueiro de investimentos americano em Londres. Peabody levou Junius e sua família para Londres em 1854, e Junius conseguiu o controle exclusivo do negócio uma década mais tarde, quando o Peabody & Co. foi formalmente fechado e sucedido pelo J.S. Morgan & Co. Pierpont, como seu pai, era alto, forte e extrovertido. Tinha o instinto de Junius para números e adorava passar as férias escolares trabalhando no escritório, no *countinghouse*, como se chamavam os bancos. Mas ele também tinha um comportamento pouco convencional e que não agradava seu pai – uma queda pelas mulheres e um apetite pelo risco que às vezes alarmava o muito tímido e conservador Junius.

O negócio mais importante do J.S. Morgan era financiamento de curto prazo, "desconto de notas", como era chamado. Seus clientes principais eram negociantes americanos de aço ou algodão. Eles normalmente vendiam seus produtos a crédito e levavam para casa um pedaço de papel, ou "letra de câmbio", que podia ser descontado em um banco específico como o Barings em uma data futura específica. Se um negociante precisasse de crédito antes da data de vencimento, vendia suas letras com desconto para uma empresa como a de Junius. Era um jogo de minúcias; Junius precisava de uma compreensão próxima dos negócios e do crédito daqueles que financiava para evitar ficar com papel podre nas mãos. Junius completava sua prática bancária fornecendo crédito local para seus clientes quando eles estavam no exterior e ajudando-os a vender títulos do governo e das ferrovias americanas, apesar de, nessa época, em geral como um subscritor secundário por trás de um banco europeu maior.

Todos tomavam como certo que Pierpont iria assumir a empresa. Depois da mudança para Londres, Pierpont frequentou um colégio interno suíço e em seguida a Universidade de Gottingen para aperfeiçoar seu francês e seu alemão. Então, no início de 1857, Junius o mandou trabalhar com um de seus correspondentes de Nova York, o Duncan, Sherman & Co., onde a tarefa de Pierpont era aprender o negócio bancário, ficar de olho nos negócios de Junius em Nova York e acompanhar a correspondência com o escritório de Londres, que incluía muitas cartas longas e com tom de sermão de seu pai. Um incidente, que Pierpont adorava contar quando mais velho, demonstrou seu espírito independente. Enviado para visitar clientes em Nova Orleans, Pierpont viu a oportunidade ganhar um bom dinheiro com grãos de café e usou o crédito do Duncan, Sherman para comprar uma grande posição. Quando o esperado telegrama indignado de Nova York chegou, Pierpont respondeu laconicamente que a posição fora vendida e que estava enviando um lucro substancial. Mais tarde, ele declarou que não houve risco no negócio porque sabia muito bem o que estava fazendo.

Depois de dois anos, Pierpont, com apenas 24, abriu sua própria firma e, com a ajuda de referências de Junius, ergueu rapidamente seu negócio. O famoso caso das "carabinas Hall", quase um escândalo na época, lançou sombra sobre seu nome muitos anos mais tarde. Pierpont ganhou honorários altos para financiar uma venda de rifles para o sobrecarregado general John C. Frémont, comandante da União no Oeste. O problema do acordo foi o fato de o governo já possuir os rifles. Um arsenal do governo já concordara em vender os rifles antes da guerra a um preço muito atraente, mas o arsenal queria receber em dinheiro – que o comprador não podia levantar. Mas quando a guerra começou, os comandantes de campo estavam desesperados por rifles, e um amigo dos Morgan de Londres, um homem chamado Simon Stevens, que tinha seus esquemas junto ao governo, assumiu o contrato e fez um acordo com Frémont a um preço bem elevado. Morgan botou o dinheiro para fechar a compra com o arsenal e enviar os rifles para o Oeste. Os lucros de Morgan com a guerra não são particularmente interessantes ou atraentes, já que, como todos os jovens magnatas, ele pagou por um soldado substituto no lugar de se submeter à convocação.

Com a fundação do J.S. Morgan & Co., em 1864, Junius chamou Pierpont de volta aos negócios da família. A firma de Pierpont foi dissolvida, e Junius o botou para trabalhar com Charles Dabney, um sócio antigo e experiente da Duncan, Sherman, na Dabney, Morgan & Co., que era reconhecida por todos como a filial nova-iorquina da J.S. Morgan & Co. Mais tarde, quando Dabney se aposentou, Junius mais uma vez botou Pierpont para trabalhar com alguém mais velho, Anthony Drexel, da tradicional família de banqueiros da Filadélfia, e rebatizou a firma de Drexel, Morgan & Co., com o nome do homem mais velho novamente em primeiro lugar.

Junius podia ter sido menos cuidadoso, pois Pierpont estava claramente bem preparado. Dotado de um intelecto poderoso, grande perspicácia financeira e arrojo pessoal, tinha um número crescente de seguidores em Wall Street e era elogiado pelo serviço de crédito de Dun por conduzir um negócio de "primeira classe". Com o passar dos anos, Pierpont tornou-se conhecido por uma certa retidão extremamente decidida, uma espécie de etos no estilo Colonel Blimp* que se reduzia a um resmungo cheio de desprezo: "Cavalheiros pagam suas

---

* Personagem de quadrinhos britânico criado nos anos 1930 por David Low. Homem pomposo, simples, irritável e radicalmente nacionalista, Blimp era uma sátira às opiniões reacionárias dos britânicos na época. (N.T.)

dívidas". Seu convencionalismo não se estendia à vida pessoal. Aos 24 anos, demonstrou uma sensibilidade surpreendentemente pré-rafaelita ao se casar com uma bela jovem que já estava morrendo de tuberculose, sofrendo a inevitável dor da morte quatro meses mais tarde. Seu segundo casamento, em 1864, foi uma réplica do de seu pai – um homem poderoso em um casamento frio com uma esposa neurastênica. Entretanto, diferente de seu pai, Pierpont teve uma sucessão de amantes, as quais ele nunca se incomodou em esconder de colegas ou da família.

A genialidade de Morgan era a do disciplinador, não a do criador. Ele foi o último dos grandes banqueiros de investimento dos séculos XVIII e XIX, mais que um pioneiro de um novo regime. Ele fez o que seu pai e outros banqueiros sempre fizeram, mas em pinceladas mais amplas e sobre uma tela maior, aplicando sua inteligência formidável a construções financeiras cada vez mais complexas. Seu ímpeto fundamental era na direção da ordem e do controle, e ele ficou horrorizado com a tormenta de "destruição criativa" no coração do longo crescimento americano. Ele detestava a "concorrência amarga e destrutiva" que sempre levava à "desmoralização e à ruína", nas palavras de Elbert Gary, o homem de Morgan na U.S. Steel. Ele costumava ser estranhamente desarticulado, como se perdesse a fala por fulminações titânicas em seu peito. Reclamava da loucura por progresso e mudança que eliminava negócios perfeitamente respeitáveis de cavalheiros perfeitamente respeitáveis e dos ventos fortes da tecnologia que viravam hipóteses econômicas do avesso e tornavam impossível para seus clientes *pagar suas dívidas*! Por quarenta anos foi um dos homens mais bem-sucedidos dos Estados Unidos e impôs sua própria vontade férrea sobre a economia americana, reinando nas competitivas disputas abertas e estabelecendo regras e limites que perduraram por meio século após a sua morte.

Carnegie, Rockefeller, Gould e Morgan teriam chegado ao topo em qualquer época, talvez como líderes militares, ou chanceleres de reis. Mas nos Estados Unidos após a Guerra Civil, os negócios tinham adquirido uma sensação de excitação e propósito que antes os homens associavam às grandes conquistas e aos grandes feitos de Estado.

Não foi por acaso. O enorme tamanho dos Estados Unidos e sua base industrial já impressionante deixaram-no maduro para o hiperdesenvolvimento. Os Estados Unidos eram o único país em que "trabalhador" era a descrição de um emprego, mais que um emblema de classe. Parece que a maioria dos americanos realmente acreditava, como Lincoln disse que deveriam fazer, que suas vidas iriam melhorar, que não havia limite para as perspectivas que podiam ser abertas pelo trabalho duro e pela imaginação. Eles escolhiam o novo quase como uma coisa natural – coisas novas a comprar, maneiras novas de fazer ou produzir coisas. Era para se livrar dos obstáculos do status conquistado por corporações de artesãos, de práticas comerciais há muito estabelecidas, que eles ou seus ancestrais próximos tinham ido para a América em primeiro lugar. Como um povo radicalmente desarraigado, os americanos mudavam laços de trabalho e de lugar com a mesma facilidade que trocavam sapatos velhos. Observadores da época ficaram pasmos com o fato de os pioneiros que ocuparam as terras do Oeste não serem camponeses sem terra, mas principalmente fazendeiros bem-sucedidos da Pensilvânia ou de Nova York que queriam subir para operações de maior escala.

O estilo livre americano deixou condições ímpares para um empreendedor ambicioso. Mesmo muito antes da Guerra Civil, alguns ingleses de visão já começavam a ficar alarmados com o radicalismo da inovação americana.

2. A glória do ianque simplório*

O vapor que levava a rainha Vitória e o príncipe Albert encostou ao lado do veleiro *America* em uma saudação tácita quando este entrou na última perna de uma regata para todas as classes ao redor da ilha de Wight, em 22 de agosto de 1851. O casal real então foi embora, pois a única outra vela à vista, a umas cinco milhas de distância, era o *Aurora*, um veleiro de um mastro, leve e veloz, que deveria ter velejado mais rápido que uma escuna com o tamanho e o peso do *America*. Quando o vapor real passou perto da costa, a pergunta que vinha do grande público que esperava era:

– O *America* está em primeiro?
– Está – responderam os passageiros da mureta do vapor.
– E em segundo?
– Nada.

A regata – desde então conhecida como *America's Cup* – foi organizada para atrair o máximo de atenção internacional como parte da "Grande Exposição do Crystal Palace", uma autocelebração descarada de uma nação britânica no auge de seu jogo imperial, no primeiro florescer da Era Vitoriana em todo o seu esplendor. Mais de seis milhões de visitantes abriram caminho, boquiabertos e intimidados, pelo gigantesco pavilhão de exposições de vidro no Hyde Park. A construção, que tinha cerca de seiscentos metros de comprimento, cercada por doze mil fontes lançando jatos de água de oitenta metros de altura, recebeu treze mil exposições de todas as nações civilizadas do mundo. O pavilhão, por si só um grande feito de engenharia, foi construído com mais de um milhão de lâminas de vidro industrializadas montadas em armações de ferro e erguido em apenas 22 semanas.

As elites inglesas xenofóbicas tinham dúvidas sobre a sabedoria de tal demonstração, preocupadas que Londres fosse "invadida por vagabundos e revolucionários estrangeiros" e os "segredos comerciais britânicos fossem roubados". Na verdade, para industriais e funcionários públicos com visão, as implicações da exposição eram muito mais preocupantes que isso. Já era vergonha o suficiente que os donos de barcos ingleses tivessem tentado com afinco evitar uma competição direta com o *America* – um repórter do *Times,* de Londres, disse que eles agiram como "pombos

---

* No original, "...Glorious Yankee Doodle", referência a uma conhecida canção folclórica americana. (N.T.)

selvagens ou cotovias" que tinham visto um "gavião no horizonte", depois que viram o treinamento do barco americano. Mas notícias do Crystal Palace sugeriam que "Brother Jonathan", seu parente americano arrogante e convencido, também estava desenvolvendo uma alarmante superioridade em manufatura de precisão avançada, uma arena na qual os britânicos acreditavam não ter rivais.

No mesmo dia da derrota para o *America*, um americano conseguiu abrir a famosa fechadura britânica Brahmah, primorosamente trabalhada e "impossível de arrombar" – vencendo um desafio que resistira por quarenta anos. O arrombador da fechadura foi Alfred C. Hobbs, um mascate talentoso que entendia muito de produção mecanizada. Inteligente, subestimou o próprio feito, dizendo ter levado mais de duas semanas para conseguir realizá-lo, então ofereceu US$ 1 mil para qualquer chaveiro britânico que conseguisse abrir suas próprias fechaduras produzidas por máquinas. Quando ninguém conseguiu superar seu desafio, ele ganhou a medalha de fechaduras da exposição e quase imediatamente fez planos para abrir uma fábrica na Inglaterra.

A demonstração de Hobbs aconteceu apenas poucas semanas depois que a ceifadeira de Cyrus McCormick tinha superado de maneira inquestionável uma fraca seleção de competidores locais em uma série de testes de campo. O *Times*, normalmente antiamericano, que antes zombara da máquina de McCormick, chamando-a de "um cruzamento de máquina voadora, carrinho de mão e uma charrete Astley", mudou de tom abruptamente: "A ceifadeira mecânica dos Estados Unidos é a contribuição estrangeira mais valiosa ao nosso conjunto de conhecimentos e descobertas", prevendo que ela iria "remunerar prodigamente a Inglaterra por seu investimento na Grande Exposição".

Mas os elogios para as ceifadeiras e trancas foram muito eclipsados pela atenção bajuladora dedicada à exposição de armas de fogo de repetição de Samuel Colt – ouviu-se até mesmo o duque de Wellington, visitante habitual do estande de Colt, apregoar as virtudes das armas de repetição. O próprio Colt foi o primeiro americano convidado a fazer uma palestra no British Institute of Civil Engineers; em uma conferência que contou com a presença de líderes militares e políticos, ele proclamou as vantagens da produção por máquinas sobre a de artesãos habilidosos. Enquanto isso, o fabricante de armas de Vermont Robbins and Lawrence organizou uma demonstração com bom público que provava que seus rifles produzidos por máquinas podiam ser desmontados, ter suas partes misturadas e então ser remontados aleatoriamente por um trabalhador sem prática usando apenas uma chave de fenda – um feito de "intercambialidade" que os armeiros britânicos há muito haviam declarado ser impossível. A Robbins and Lawrence venceu a medalha de armas de fogo da exposição, enquanto Colt, assim como Hobbs, informou que também abriria uma fábrica para levar tecnologia americana para a Grã-Bretanha.

Foi uma doce reviravolta para os americanos, cuja exposição tinha sido por muito tempo ridicularizada por sua ênfase utilitária entediante – foi chamada de uma "pradaria desolada" em meio a "exibições magníficas de arte russa, austríaca e francesa". A *Punch* inicialmente recebeu a exposição americana com desdém. "Sua contribuição à indústria mundial consiste ainda de alguns copos de vinho, umas barras de sabão e um par de saleiros de mesa" – mas mudou alegremente para a zombaria com o orgulho ferido britânico:

> O Ianque Simplório mandou para a cidade
>   Seus produtos para a exposição;
> Todo mundo o criticou,
>   E riu de sua situação.
> Achavam que ele estava atrás de todo mundo;
>   Um tolo fracassado, um bobo,
> Riam, boas pessoas – não importa –
>   Diz o Ianque Simplório calado.
> REFRÃO O Ianque Simplório etc.
> ...
> Foi mais rápido que todos os barcos,
>   E, nas águas deles,
> Ultrapassou a todos,
>   E eles não chegaram nem perto.
> ...
> Seus armeiros podem zombar de sua habilidade,
>   Mas nem mencione isso outra vez;
> Pois os revólveres de Colt deram uma surra
>   Em suas primeiras invenções.
> ...
>   Mas Hobbs arrombou as de Chubb's [outro fabricante inglês de fechaduras]
>   e Brahmah,
>   E agora você deve ver que tudo
> Foi vencido
>   Pelo Ianque Simplório e glorioso.
> REFRÃO O Ianque Simplório etc.*

---

* No original: Yankee Doodle sent to town/ His goods for exhibition;/ Everybody ran him down,/ And laughed at his position;/ They thought him all the world behind;/ A goney muff or noodle,/ Laugh on, good people, – never mind –/ Says quiet Yankee Doodle./ Chorus Yankee Doodle, etc./ (...)/ Their whole yacht squadron she outsped,/ And that on their own water,/ Of all the lot she went ahead,/ And they came nowhere arter./ (...)/ Your gunsmiths of their skill may crack,/ But that again don't mention;/ I guess that Colt's revolvers whack/ Their very first invention./ (...)/ But Chubb's and Brahmah's Hobbs has pick'd,/ And you must now be viewed all/ As having been completely licked/ By glorious Yankee Doodle./ Chorus Yankee Doodle, etc. (N.T.)

O veleiro *America* arrasou a concorrência britânica na Grande Exposição do Crystal Palace de 1851. Foi apenas uma das muitas demonstrações alarmantes (para os britânicos) de proezas técnicas americanas.

Esse triunfo desconcertante da tecnologia americana não foi por acidente, pois foi a coroação de desenvolvimentos que haviam sido iniciados muitos anos antes.

A ascensão dos *nerds*

Thomas Blanchard era o *nerd* clássico, louco por tecnologia. Desde a juventude no vale do rio Connecticut no início dos anos 1800, era louco por máquinas. Era estudante mediano, de sociabilidade limitada – tinha um sério problema de gagueira –, e seu pai logo perdeu as esperanças de transformá-lo em fazendeiro. Quando lhe mandaram limpar as pedras de um campo, ele reclamou, dizendo que aquele era um trabalho apropriado para uma máquina, então dedicou seu tempo a projetar uma em vez de escavar as pedras. Na adolescência, foi mandado trabalhar para seu irmão mais velho que tinha uma fábrica de tachas – e aí Blanchard encontrou o seu meio. Seu primeiro emprego era prender as cabeças nas tachas à mão, coisa que ele odiava, então ele inventou uma máquina de fazer tachas que produzia quinhentas unidades por minuto. Depois de obter a patente, Blanchard vendeu seus direitos por US$ 5 mil, uma soma enorme para um jovem – e abriu a sua própria fábrica em Millbury, com "concessões de água", ou o direito de construir um moinho de água para fornecer energia para sua fábrica. Como um proto-Bill Gates, Blanchard não apenas tinha muito talento para máquinas, mas provou ser, além disso, um astuto homem de negócios.

Blanchard é famoso até hoje por seu "torno de coronha de armas", uma inovação e ruptura realmente original no processo de manufatura concebida em 1818, quando ele tinha trinta anos. Tornos estão entre as ferramentas mecânicas mais antigas e eram bem conhecidos no mundo antigo e medieval. Um pedaço de madeira ou outro material preso em posição longitudinal ao lado de uma lâmina de corte fixa. À medida que a madeira é girada por uma manivela ou outra fonte de energia, a lâmina faz um corte circular. Ao mover a madeira para frente e para trás sobre seu eixo longo como se ela girasse contra a lâmina, obtêm-se como resultado peças cilíndricas para pés de mesa, moirões de cerca e coisas assim. Efeitos ornamentais são obtidos pelo ajuste da posição da lâmina e da madeira para criar relevos, cortar sulcos mais profundos, e por aí vai. Os artesãos do Renascimento alcançaram resultados surpreendentes usando cursores para fazer movimentos longitudinais suaves e ajustadores com base em diversos parafusos para um posicionamento preciso da lâmina. No século XVIII, tornos que recortavam ornamentos em roseta eram um passatempo da nobreza, diversão popular para cavalheiros da classe superior que "adoravam passar suas horas de lazer na criação de bibelôs bonitos e intrincados de madeira, latão, marfim ou chifre". A grande limitação do torno era que ele fazia apenas objetos com corte transversal circular ou, no melhor dos casos, formas elípticas que não se distanciavam muito do perfeitamente circular.

O torno de coronha de armas de Blanchard surgiu de uma consulta feita por Asa Waters, um dos armeiros do vale. Waters tinha patenteado um torno que podia fazer um cano de espingarda afunilado, mas não conseguia solucionar o desafio de produzir em máquinas a culatra, onde o cano se achata e se conecta à coronha. O fato de Waters procurar Blanchard sugere que ele já era um jovem de reputação considerável. Segundo o filho de Waters, que mais tarde se tornou também um fabricante importante, Blanchard ouviu o problema, então "olhou para a máquina e começou a soltar um assobio baixo e monótono, como foi seu hábito durante toda a vida quando estava mergulhado profundamente em estudos, e em pouco tempo sugeriu o movimento de came adicional, muito simples, mas totalmente original... que, ao ser aplicado, resolveu imediatamente a dificuldade e demonstrou ser um sucesso perfeito". (Um came é uma peça giratória que se ajusta a outra para permitir que a ferramenta de corte crie curvas elípticas, ou não circulares.)

A glória do ianque simplório

Quando Blanchard voltou com o torno aperfeiçoado, um Waters felicíssimo disse: "Bem, Thomas, eu não sei o que você vai fazer agora. Não ia ser surpresa se você fizesse uma coronha!". Quando Thomas disse sem muita firmeza que gostaria de tentar, os trabalhadores que tinham se reunido ao redor do novo torno começaram a rir. Na verdade, uma coronha é um produto intrincado que por muito tempo foi um gargalo sério nas fábricas de armas do governo. A coronha de madeira tem uma grande variedade de curvas sutis ao longo de diversos eixos, com dúzias de recessos e pontos de encaixe e conexão com travas, canos e outras peças de metal que, no início do século XIX, eram todos feitas à mão. Uma equipe habilidosa conseguia fazer apenas oito ou dez coronhas por semana. Intrigado, Blanchard meditou sobre o problema até que, um dia, quando voltava para casa, "todo o princípio para fazer formas irregulares a partir de um padrão surgiu em sua mente". Um vizinho contou que Blanchard parou no meio da estrada e começou a gritar: "Consegui! Consegui!". Nisso, um fazendeiro que passava murmurou: "Acho que esse homem está louco".

O conceito era tão simples quanto brilhante. Blanchard construiu um torno com duas partes distintas, cada uma delas movida separadamente. A primeira era a ferramenta de corte, ajustada para girar em grande velocidade, conectada em uma estrutura rígida à "roda de traçar", que era apenas um volante com liberdade de movimentos. A segunda parte tinha o bloco de madeira que seria trabalhado, que era conectado a uma coronha acabada, ou "padrão", por meio de uma estrutura similar. O bloco que seria esculpido e o padrão tinham movimentos idênticos, girando lentamente enquanto iam para frente e para trás em seus eixos longitudinais. A roda de traçar encostava-se ao padrão, enquanto a de corte fazia o mesmo contra o bloco de madeira. À medida que o padrão girava e fazia movimentos longitudinais, as ondulações do padrão empurravam a roda de traçar para frente e para trás e transmitiam a mesma ação à roda de corte – e *voilá*, com apenas alguns movimentos o bloco assumia a forma do padrão.*

Blanchard compreendeu perfeitamente que tinha solucionado um problema geral: como produzir formas irregulares por meio de máquinas. Ele produziu protótipos para uma série de itens que antes só podiam ser produzidos por trabalho manual – formas de sapato (objetos no formato de pé, uma ferramenta essencial para fábricas de sapatos e botas), cabos de machados e raios e traves de roda. Em

---

* Uma máquina de Blanchard de segunda geração, datada dos anos 1840, está em exposição no American Precision Museum em Windsor, Vermont, que ocupa a antiga fábrica principal da mesma Robbins and Lawrence que ganhou a medalha de armas de fogo na Exposição do Crystal Palace. Ele tem uma das melhores coleções do mundo de ferramentas mecânicas, muitas delas ainda em condições de funcionamento, demonstrando também como diferentes máquinas, funcionando a diferentes velocidades, eram todas movidas pelo mesmo moinho de água. É notável que fábricas de rifles modernas ainda cortem coronhas com máquinas praticamente idênticas à de Blanchard – exceto por cortarem várias coronhas ao mesmo tempo e por terem uma variedade de proteções para evitar que lâminas ou aparas soltas atinjam os trabalhadores. (N.A.)

A máquina de fazer coronhas de Thomas Blanchard foi um enorme avanço industrial. A coronha-padrão e o bloco de madeira que seria cortado giravam lentamente e se moviam para frente e para trás em seus eixos longitudinais. Uma roda de traçar seguia as formas do padrão e transmitia o mesmo movimento para uma roda de corte que girava rapidamente. Pela primeira vez, formas bastante irregulares puderam ser produzidas por máquinas.

um *tour de force* na Exposição de Paris de 1857, ele esculpiu totalmente por meio de máquinas um busto da imperatriz Eugenie. Também demonstrou ser um pioneiro na administração de patentes, lutando ferozmente contra imitações e especificando com cuidado as aplicações e os territórios cobertos por cada licença. Durante sua longa vida, obteve o crédito por muitas invenções, em praticamente todos os campos que atraíam sua atenção incansável, incluindo tecnologia de motores e barcos a vapor. Ele morreu em 1865, com 77 anos, um cavalheiro sofisticado e viajado de considerável fortuna. Um elogio fúnebre disse: "É praticamente impossível entrar em qualquer tipo de oficina ou fábrica, seja de madeira ou ferro, onde seja utilizada força motriz e não encontrar as noções mecânicas de Blanchard em maior ou menor grau".

Entretanto, a característica notável da história de Blanchard não é tanto sua invenção, mas a receptividade que teve por parte do sistema militar. Mesmo antes de terminar seu torno de coronha, ele recebeu uma carta do Arsenal de Springfield – havia ainda outro arsenal, em Harpers Ferry – perguntando o que ele estava fazendo. Blanchard iria se tornar beneficiário do que talvez tenha sido a primeira tentativa do governo americano de uma "política industrial".

A analogia mais direta pode ser o período dos anos 1950 e início dos anos 1960, quando os militares americanos eram o principal sustento, na verdade às vezes o único cliente, da indústria americana de semicondutores. Durante a Guerra Fria, os militares patrocinavam tecnologia avançada para enfrentar a grande vantagem numérica da União Soviética; no início da Guerra de 1812, a produção por meio de máquinas era vista como uma maneira de equilibrar o conjunto muito maior de artesãos habilidosos da Grã-Bretanha.

Quando o torno de Blanchard ficou pronto, o arsenal organizou uma série de demonstrações e testes em Springfield e em Harpers Ferry que consumiram grande parte de 1819. (Só transportar o maquinário de Springfield para Harpers Ferry – de Massachusetts para a Virginia rural – levava um mês ou mais.) As negociações foram suspensas durante a maior parte do ano de 1820, enquanto Blanchard lidava com uma disputa de patente, apesar de também ter projetado uma máquina parecida para cortar o encaixe da fecharia. Finalmente, em 1822, ele e o governo negociaram o que nós hoje em dia chamaríamos de um contrato de pesquisa e desenvolvimento. Blanchard iria se mudar para Springfield como um "fornecedor interno" e lá teria as instalações e o pessoal do arsenal à sua disposição. O governo iria cobrir todos os custos de desenvolvimento de seu maquinário e pagar a Blanchard nove centavos por coronha produzida. Quando ele deixou o arsenal em 1827, além de ter recebido US$ 18.500 só em honorários de patentes, Blanchard tinha aperfeiçoado um sistema de dezesseis máquinas que executavam todas as múltiplas operações para produzir as coronhas com um mínimo de intervenção manual, incluindo cortar e furar os menores detalhes dos encaixes da arma. O sistema de produção de Blanchard foi modernizado e equipado com novas ferramentas vinte anos mais tarde por Cyrus Buckland, um dos grandes supervisores de Springfield, mas os princípios permaneceram inalterados.

A Exposição do Crystal Palace era a primeira ocasião em que uma grande fatia dos formadores de opinião britânicos ia se encontrar com os sistemas de produção estilo Blanchard, que vieram a ser conhecidos como "sistema americano de manufatura". As reações foram da desconfiança total, especialmente entre os artesãos britânicos, cujos métodos de produção de armas pouco tinham mudado em um século, a algo parecido com medo entre industriais e funcionários do governo. O pior choque, talvez, foi ver como a abordagem americana da produção parecia ser totalmente diferente e radicalmente completa.

Revoluções não nascem do vácuo. A invenção de Blanchard foi apenas uma florescência de uma concentração única de talentos fascinados por máquinas que tomava forma no vale do rio Connecticut, de maneira parecida com o surgimento do Vale do Silício como centro de inovação um século e meio mais tarde. O fato de isso ter acontecido ao longo do rio Connecticut, ou mesmo de ter acontecido, foi, como no Vale do Silício, uma consequência meio ocasional de predisposições básicas e boa sorte.

Os caras do vale

O rio Connecticut nasce nas montanhas de New Hampshire, desce em zigue-zague por entre New Hampshire e Vermont e corta um divisor norte-sul através de Massachusetts, passando entre o monte Holyoke e o monte Tom, antes de cruzar o estado de Connecticut e desembocar no estreito de Long Island, perto de Old Saybrook. Local de guerras selvagens entre índios e pioneiros nos séculos XVII e XVIII, nos anos 1800 o vale começava a se destacar como um centro manufatureiro secundário importante, construído em torno de uma cultura artesanal de oficinas pequenas, especialmente no ramo da metalurgia.

As atrações do vale começavam com seus esplêndidos dotes de recursos físicos. Primeiro, havia a perspectiva de energia praticamente inesgotável. A queda do rio em todo o seu comprimento era maior do que a do Niágara.* Até hoje, represas no alto do rio fornecem uma parte substancial da energia elétrica para a região. Havia também transporte fluvial direto para a baía de Nova York; as condições das estradas rurais era tal que o transporte por terra por distâncias maiores que quarenta, cinquenta quilômetros quase sempre custava mais do que enviar produtos para Nova York de qualquer ponto do rio. E, finalmente, havia as convenientes minas de ferro de Salisbury, Connecticut, um pouco ao sul da fronteira com Massachusetts.

No primeiro quarto do século XIX, a manufatura na Nova Inglaterra teve "origens escusas". Samuel Slater contrabandeou tecnologia de fiação britânica para o país em 1791, e o ritmo da industrialização se acelerou depois que Francis Cabot Lowell roubou os projetos de Samuel Cartwright de um tear automático durante uma viagem à Inglaterra em 1813. As fábricas atraíam um fluxo contínuo de garotos e garotas do campo à medida que a agricultura da Nova Inglaterra definhava sob o massacre da alta produtividade dos fazendeiros de Nova York. Os lucros das fábricas criaram um farto suprimento de capital de risco, com investidores em busca de oportunidades. Os jovens mais talentosos perceberam que uma queda por máquinas podia ser um caminho rápido para a independência financeira. Um observador inglês comentou em 1854:

> Não há um rapaz trabalhador de habilidade mediana, pelo menos nos estados da Nova Inglaterra, que não tenha ideia para alguma invenção mecânica ou aperfeiçoamento nas manufaturas por meio da qual ele espera, com o tempo, melhorar sua situação ou elevar-se à riqueza e à distinção social.

---

* Os investidores que criaram a cidade de Holyoke, por exemplo, calcularam que, mesmo na estação seca, o rio fornecia em torno de 550 "mill powers", ou "engenhos de força". Um "engenho de força" são trinta pés cúbicos (0,849 m^3) de água por segundo em uma queda de vinte pés (6,095 metros) de altura. Os maiores moinhos consumiam apenas de quatro a cinco "engenhos de força". O cálculo também indica o profissionalismo dos primeiros capitalistas americanos. (N.A.)

A glória do ianque simplório

E, finalmente, havia o arsenal de Springfield nas proximidades, centro nervoso do impulso militar americano na direção de produção de armas de alta tecnologia. Ironicamente, o projeto do arsenal veio dos franceses industrialmente atrasados, com a ajuda do mais comprometido dos pastoralistas, Thomas Jefferson. Depois da revolução americana, os franceses ajudaram a organizar West Point e escreveram os primeiros manuais de armas americanos. Os franceses tinham uma abordagem muito racional para o projeto e a produção de armas – era chamado *Le système Gribeauval* em homenagem ao homem que reformou a artilharia do século XVIII, Jean-Baptiste de Gribeauval, que fez da simplicidade e uniformidade das armas um projeto de carreira. Um de seus discípulos, Honoré Blanc, um especialista em arsenais, ficou amigo de Jefferson quando ele foi embaixador em Paris. Blanc insistia que a verdadeira uniformidade significava que as peças podiam ser trocadas livremente de uma arma para a outra. (Não está claro se Blanc chegou a alcançar ele mesmo essa uniformidade. Se conseguiu, deve ter sido em base limitada a pequenos lotes de produção. Ele não usava máquinas, mas, em vez disso, promoveu a produção de peças e a montagem manual com a ajuda de moldes e gabaritos precisos, o que ele pode ter aprendido com produtores suíços de relógios.) Jefferson impôs os métodos de Blanc no gabinete de Washington e chegou mesmo a tentar criar uma fábrica de armas leves para Blanc nos Estados Unidos.

O primeiro chefe de arsenal americano, Oecius Wadsworth, adotou o lema muito gribeauvaliano "uniformidade, simplicidade e solidariedade". A ênfase, desde o início, esteve na produção mecanizada. O Arsenal de Springfield relatou em 1799 que os dias-homem para produzir um mosquete tinham sido reduzidos de 21 para apenas nove por meio de "máquinas que economizam trabalho". Por muitos anos o principal assistente e sucessor de Wadsworth, George Bomford, era um devoto de Gribeauval, assim como Roswell Lee, que foi superintendente de Springfield de 1815 a 1833. Foi Lee quem procurou Blanchard e o convidou a demonstrar sua máquina de fazer coronhas no arsenal. Seu mantra era "intercambialidade de peças", no espírito de Blanc. A razão que levava os militares a buscar a intercambialidade era a dificuldade em encontrar artesãos habilidosos para consertar as armas no campo*; mas a longo prazo, as metodologias de precisão desenvolvidas sob contratos militares tornaram-se, perto do fim do século, uma tecnologia crítica por trás do domínio industrial americano.

---

* Para muitas classes de produtos, a intercambialidade estrita não era uma exigência óbvia. Um fazendeiro da pradaria estava satisfeito com uma nova lâmina de ceifadeira, mesmo se precisasse de algum esforço para fazê-la encaixar. Enquanto a tarefa estivesse dentro do conjunto de habilidades típicas de um fazendeiro, era "intercambiável" o suficiente. A definição militar, entretanto, costumava ser mais estrita – soldados deviam ser capazes de desaparafusar uma peça de fecharia com defeito e substituí-la por outra que se encaixasse igualmente bem. Durante a Exposição do Crystal Palace e as investigações britânicas posteriores, a definição estrita era a única à que geralmente se referiam – e é a que uso neste capítulo. (N.A.)

Os investidores de risco do vale normalmente vinham da elite comercial de Boston, homens como Israel Thorndike, S. A. Eliot, Samuel Cabot, Francis Stanton e Harrison Gray Otis. Edmund Dwight, um primo de Morgan por parte de mãe, não estava no mesmo nível financeiro que um Cabot, mas obteve acesso por meio de seu trabalho no escritório de advocacia de Fisher Ames, o velho líder federalista de Massachusetts. Ter conexões políticas era algo absolutamente natural; esses homens mantiveram Daniel Webster em sua folha de pagamento enquanto ele esteve no Senado, e o próprio Otis foi senador dos Estados Unidos. Eles investiam dinheiro a longo prazo, com retornos que hoje parecem modestos – houve excitação considerável em torno de um investimento de engenho de força movido a água em Waltham, por exemplo, que após cinco anos dava um retorno de 15 a 20% ao ano para os acionistas. Mas o dinheiro não era o único motivador. James K. Mill, um importante comerciante de Boston que participou em vários grupos de investimento, afastou-se por meses de seu negócio principal para erguer novas empresas. Ele era, evidentemente, bastante capaz e trabalhava com muito afinco. É de se acreditar que gostasse disso.

Como eles eram homens do algodão, interessados sobretudo em novas máquinas para beneficiar o algodão, não tinham como alvo a indústria de precisão propriamente dita, mas visualizavam uma metrópole industrial estendendo-se por toda a extensão do rio, e seus investimentos em infraestrutura beneficiaram manufaturas de todos os tipos. Uma estratégia comum era comprar um terreno na margem do rio apropriado para a construção de um moinho e erguer uma represa, alojamento e instalações para os trabalhadores. Depois, organizar uma fábrica têxtil e uma empresa de máquinas para fornecer suprimentos ao engenho, normalmente com um segundo grupo de investidores, talvez um bem-sucedido administrador de moinho que empregasse todas as economias de sua vida pela oportunidade de ter o seu próprio negócio. A esperança é que, com o estabelecimento de negócios-âncora, outros empreendedores arrendassem os terrenos remanescentes, ou "privilégios de água", como fez o jovem Thomas Blanchard. Investidores arriscaram grandes somas. O grupo que financiou a cidade de Holyoke, por exemplo, começou com um capital inicial de US$ 2,45 milhões – uma enorme soma para a época, principalmente para uma represa de trezentos metros de largura (que desabou no dia de sua inauguração e teve de ser reerguida do nada). Depois de dez anos de lutas, eles perderam tudo, apesar de, no fim, Holyoke ter prosperado como um centro produtor de papel.

A efervescência da atividade empresarial no vale, a presença de uma cultura louca por máquinas e a liderança técnica do Arsenal de Springfield fizeram da região o centro natural para o desenvolvimento militar de manufatura de precisão mecanizada com nível de intercambialidade. Levou muito tempo, mas na primeira metade do século, a busca da intercambialidade era tão importante quanto, na verdade, alcançá-la. A usinagem é uma das poucas tecnologias capacitadoras – como a eletricidade no início do século XX e a tecnologia da informação atualmente – que aceleraram o desenvolvimento em uma frente muito ampla; e os avanços no "sistema americano" de manufatura mecanizada de precisão teve implicações profundas para todo o curso do desenvolvimento econômico do país.

A busca do Santo Graal

Até relativamente pouco tempo, dizia a lenda que a intercambialidade de precisão militar foi conquistada pela primeira vez por volta da virada do século por Eli Whitney, famoso por seu descaroçador de algodão mecânico, uma história que foi muito exagerada por Whitney e seus herdeiros. Whitney acabou por se tornar um dos maiores manufatores do vale, mas nunca alcançou o padrão de intercambialidade na produção mecanizada. Diz a história que uma vez ele prometeu a intercambialidade para ganhar um contrato militar importante, em uma época em que estava em sérios problemas financeiros decorrentes de sua má administração das patentes do descaroçador. Na época, Whitney tinha muito pouca experiência em manufatura e nenhuma com rifles; além de não conseguir a prometida intercambialidade, suas entregas tiveram anos de atraso e foram perseguidas por disputas em torno de sua qualidade. Muito mais tarde, Samuel Colt também afirmou que suas pistolas eram feitas com partes intercambiáveis, como fizeram Cyrus McCormick com suas segadoras mecânicas e Isaac Singer com suas máquinas de costura, apesar de nenhum deles ter realmente atingido esse padrão de precisão.* (Quando muito pressionado por um júri britânico, Colt recuou para a afirmação de que tinha conseguido uma intercambialidade "aproximada".)

Alcançar a intercambialidade consistente com o volume de produção revelou-se um desafio muito mais complicado que os reformadores militares franceses ou oficiais de arsenal americanos podiam imaginar. As metodologias práticas evoluíram por muitos anos e eram em grande parte obra de John Hall, um armeiro de Portland, Maine, inventor da "carabina Hall", que ficou famosa quando jornalistas investigaram os acordos do jovem Pierpont Morgan com autoridades responsáveis por compras na Guerra Civil.

---

* Os historiadores costumavam aceitar tais afirmações como lhes eram apresentadas. Mas estudiosos modernos como David Hounshell e Merritt Roe Smith desenvolveram o hábito desagradável de voltar aos artefatos. Reúnem amostras, digamos, do mesmo modelo de pistola Colt e as desmontam para ver se as peças são intercambiáveis. Não são. Um sinal claro disso é que cada peça está marcada com o número específico da pistola na qual se encaixa. Relatórios de produção de Colt especificam a existência de "departamentos de encaixe" onde trabalhadores especializados usavam um conjunto complexo de ferramentas para montar o produto final. O mesmo acontecia nas fábricas de Singer e McCormick. (N.A.)

John Hall nasceu em uma família de classe média alta durante os últimos dias da revolução e, a julgar por suas cartas, era muito mais bem-educado que Blanchard. Ele ficou fascinado por armas de fogo depois de um período na milícia de seu estado e, em 1811, pediu o registro da patente de um novo tipo de rifle carregado pela culatra, que eliminava o processo atrapalhado de enfiar munição pela boca da arma a cada recarga. Hall descreveu sua invenção em um panfleto de 1816 da seguinte maneira:

> Estes rifles patenteados podem ser carregados e disparados... pelo menos duas vezes mais rapidamente que mosquetes. Além disso, podem ser carregados com muita facilidade, em praticamente qualquer situação. ...[Como] as Milícias Americanas... sempre se destacarão como tropas leves... reunindo-se e movendo-se com rapidez... estas armas são perfeitamente adaptadas a elas.

Em contraste com Blanchard, que ia com facilidade de um produto ou tecnologia para outro, Hall era extremamente focado, talvez mesmo com um toque de fanatismo. Ele dedicou trinta anos ao seu rifle, sofrendo uma cruel virada da sorte atrás da outra. Apesar de seu trabalho ter influenciado praticamente todos os aspectos da revolução na produção pós-Guerra Civil, quando morreu, ele podia ser considerado razoavelmente fracassado. Jamais ganhou muito dinheiro e teve de se esforçar e fazer sacrifícios para educar seus filhos. Apesar dos elogios conferidos a seu rifle, este nunca alcançou uma grande distribuição e já estava obsoleto quando ele morreu; o crédito por suas grandes inovações industriais acabou indo para Whitney e outros.

O primeiro anúncio da estrada pedregosa que estava pela frente surgiu quando Hall deu entrada no pedido de patente. O chefe do departamento de patentes, William Thornton, notificou Hall de que havia um pedido anterior. "Feito por quem?", perguntou um incrédulo Hall. "Por mim!", veio a resposta, apesar de Thornton se apressar em garantir a ele que estava pronto para dividir os direitos.

Thornton, um amigo de Jefferson, era filho de uma família americana rica. Estudou na Europa e se formou. Destacou-se nos círculos artísticos e culturais da Filadélfia e tinha um pouco de cientista diletante. Depois de investir no pioneiro barco a vapor de John Fitch em 1788, insistiu e perturbou muito para que Fitch incorporasse "melhorias" que ele próprio projetara, nenhuma das quais funcionou. Thornton foi admitido no círculo de Jefferson quando venceu o concurso para o projeto da mansão presidencial e do prédio do Capitólio para a nova capital federal. Quando seu projeto se revelou impossível de ser construído, ele foi forçado a dividir o prêmio com um arquiteto profissional. Mas tanto Jefferson quanto Washington adoraram suas fachadas, e a Casa Branca e o Capitólio de hoje aparentemente incorporaram elementos importantes de seu projeto original. Biografias-padrão tratam Thornton como um inventor reconhecido, pois ele tinha "patentes de aperfeiçoamentos em barcos a vapor, equipamentos de destilação e armas de fogo". É de se imaginar como ele as conseguiu. A história da patente de Hall parece muito um caso moderno de corrupção da máquina política.

Após receber a carta de Thornton, Hall combinou de encontrá-lo em Washington:

> Quando cheguei lá, mostraram me uma arma. Eles tinham alargado sua base o bastante para receber uma peça de metal... o suficiente para conter uma carga de pólvora e bala. Tal dispositivo, que me pareceu que jamais teria qualquer utilidade, de qualquer forma era bem diferente do meu. [Foi identificado como uma Ferguson britânica, datada de cerca de 1776.] Em uma conversa sobre isso, ele observou... que tinha pensado em um plano que teria se parecido com o meu e deu ordens para que fosse construído, mas nada (além dos projetos) foi feito nessa direção (e estes não foram encontrados).

Quando Thornton deixou claro que não daria a patente a menos que ela saísse no nome dos dois, Hall apelou para James Monroe, o secretário de Estado, pedindo a ele uma audiência para reivindicar seus direitos com base na lei de patentes. Monroe delicadamente o advertiu para que não criasse problemas, porque "Seria mais de meu interesse estar conectado ao dr. Thornton mesmo à custa de metade de meu direito do que ficar com tudo para mim, porque sua influência nesse caso seria exercida em meu favor, mas do contrário, seria exercida em meu prejuízo".

Hall cedeu e se arrependeu disso para o resto da vida. Mais tarde conseguiu certa vingança, mas isso lhe custou muito caro. Quando ele e Thornton definiram seus direitos específicos sob a patente, Hall ficou com os direitos de produção, enquanto alocava a receita de licenciamento para Thornton. Hall, então, recusou-se a assinar as licenças, negando assim a Thornton os lucros de sua chantagem, mas mutilando o mercado para a arma.*

> O que escrevi, escrevi, disse Pilatos,
> Em resposta aos infiéis judeus, e outros malcriados.
> E o que escrevi, escrevi, definitivamente,
> Venha o ataque de Marshal Saxe
> Ou de John Hall.**

---

* Thornton e Hall brigaram em público em 1819, depois que um antiquário afirmou que um alemão, Marshal Saxe, antecipara Hall em um século. Quando Hall defendeu sua precedência, foi desafiado por Thornton e, não pela primeira vez, pediu uma arbitragem aberta, que Thornton descartou bem-humorado com uma quadrinha. (N.T.)

** No original: What I have written, I have written, Pilate said/ In answ'ring Jewish infidels, and those ill-bred./ And what I've written, I have written, once for all,/ Whether the attack's/ From Marshal Saxe/ Or from John Hall. (N.T.)

A estadia de Hall no purgatório estava apenas começando. Ele precisava desesperadamente de um contrato militar, mas Thornton tinha se tornado seu nêmesis e utilizou todos os seus conhecimentos para impedir qualquer ajuda. Desenvolver seu rifle e equipar uma fábrica tinham esgotado os recursos de Hall, e as vendas particulares foram um desapontamento, apesar dos panfletos que apregoavam o sucesso de seu rifle contra um "monstro marinho à prova de balas" na costa do Maine. Hall finalmente conseguiu um contrato pequeno com Bomford, do arsenal, que gostava das armas. Um teste em 1816 deu a elas boas notas. Isso levou a uma oferta para um contrato bem maior, que Hall, para sua tristeza, foi forçado a declinar porque estava perdendo sua fábrica. Com o fim da Guerra de 1812, as necessidades militares também se reduziram.

Hall então subiu as apostas com a mesma promessa que Whitney fizera, vinte anos antes, de que iria produzir suas armas por meio de máquinas de tal forma que todas as partes seriam intercambiáveis, o que sem dúvida chamaria a atenção do arsenal. Enquanto isso, a família Hall, que tinha algumas ligações políticas, chegou aos ouvidos de John Calhoun, o novo secretário de Guerra. Em uma série de intervenções, Calhoun arranjou dois testes separados e finalmente uma análise militar rigorosa de três meses para comparar os rifles de Hall com o arsenal-padrão, o que foi feito entre 1818 e 1819. Apesar de Hall ter achado o relatório "muito cauteloso", na verdade é uma confirmação retumbante do que ele prometia. Seus rifles provaram ser mais duráveis e tão potentes e precisos quanto o rifle-padrão – os dois com resultados muito melhores que qualquer mosquete –, mas com uma facilidade de carga que a comissão de avaliação classificou como 2:1 sobre o rifle-padrão e 3:2 sobre o mosquete. A comissão classificou a facilidade de recarregar como "de infinitas consequências no rifle, sendo a dificuldade para carregar esta arma a grande objeção à sua introdução mais generalizada". (Carregar pela boca era um problema especial para os rifles, pois danificava as estrias da arma.)

O resultado foi um contrato de pesquisa e desenvolvimento, de certa forma parecido com o de Blanchard. Assinado em 1819, ele teria sido a resposta às mais fervorosas orações de Hall, mas isso não aconteceu por causa de uma situação quase fatal que o flagelou pelo resto de seus dias. Ele ganhou uma posição assalariada no arsenal, verbas para equipamento e força de trabalho e ainda *royalties* de um dólar para cada rifle entregue. Mas o contrato tinha de ser cumprido em Harpers Ferry, não em Springfield – Harpers Ferry era o arsenal "sulista", muito politizado, em parte devido à proximidade de Washington, e tecnicamente atrasado em comparação a Springfield. Hall tentou argumentar, mas teve de ceder, e trabalhou em Harpers Ferry pelo resto de sua vida. Como temera, os superintendentes of Harpers Ferry, que eram todos políticos, não tinham interesse em seu projeto e o solaparam todo o tempo. Cortavam suas verbas e davam a ele menos equipamento e espaço que os prometidos, faziam reclamações oficiais sobre o desperdício e a falta de eficiência de seus métodos – enquanto Hall devagar, mas com firmeza, criava os processos de produção que foram a base da tecnologia de produção de massa pelos próximos cem anos. Mais tarde ele reconheceu que, ingenuamente, subestimara o desafio, o que deu credibilidade a seus críticos:

> Eu não estava consciente do grande período que seria consumido... para alcançar a construção de armas com semelhança perfeita de todas as suas peças. ...Disseram-me que os membros da comissão afirmaram ser impossível... e sei que todas as tentativas de alcançá-la na Grã-Bretanha e neste país fracassaram; mas com uma confiança inabalável em minhas próprias habilidades, eu esperava conseguir isso em um período curto...

Hall tinha previsto, como nenhum outro, que para alcançar a verdadeira manufatura de precisão seria necessário repensar o processo inteiro, em todos os seus detalhes. Só máquinas melhores não seriam a resposta. Era essencial, por exemplo, sempre começar com um modelo ideal do produto-alvo, e realizar todos os procedimentos posteriores a partir apenas desse modelo.* Hall insistia em máquinas com funções especiais para cada peça e também em máquinas com funções especiais para fazer as máquinas de produção. Colocar e fixar uma peça em uma máquina exigia a mesma atenção que a própria precisão da máquina. Gabaritos de precisão foram produzidos para todas as medidas. Eram cerca de 63 gabaritos diferentes para o rifle, nada deixando para a avaliação do trabalhador. Os gabaritos eram sempre feitos em grupos de três, um para os trabalhadores, um para os inspetores e um conjunto mestre no escritório do gerente da fábrica para monitorar os outros dois. Inspeções de inspeções identificavam qualquer peça fora das especificações, e um lote final de rifles prontos sempre era desmontado, tinha suas partes misturadas e era remontado antes de ser despachado. Durante todo o tempo, Hall fez contribuições importantes para uma ampla gama de procedimentos, especialmente em moinhos e forjas, criou novos sistemas para controlar ferramentas de corte e solucionou o problema do encolhimento da peça forjada ao esfriar, que tinha desafiado todos os seus predecessores. Ele também dedicou muita atenção a reduzir a vibração e a trepidação em suas máquinas, redesenhando eixos e engrenagens para que se ajustassem perfeitamente e criando gabaritos para medir o quanto uma máquina se afastava da exatidão.

---

* Hall quase entrou em desespero quando a Artilharia enviou amostras de seus rifles para Simeon North como modelo para fabricação. Mesmo um homem tão simpático quanto Bomford não viu que uma amostra não era um padrão e inevitavelmente iria incorporar desvios imperceptíveis, mas com muita probabilidade fatais, que provavelmente seriam transmitidos para toda a sua descendência. (N.A.)

Demorou quase cinco anos, mas em 1824, Hall finalmente pôde convidar Calhoun e Bomford, que recentemente tinha alcançado o posto de chefe do Artilharia, para examinar um lote de produção de rifles produzidos segundo seus princípios. Eles poderiam ver por si mesmos "a maneira como várias peças, escolhidas aleatoriamente, encaixavam-se e adaptavam-se umas às outras". Outro elemento importante: as armas tinham sido produzidas quase totalmente com operadores de máquinas sem treinamento. Os dois homens ficaram bem impressionados, mas antes que Bomford pudesse dar um passo adiante com um novo contrato, o Congresso interveio, exigindo a dispensa de Hall. A delegação da Virginia, depois de anos de reclamações de Harpers Ferry, insistiu em uma investigação completa sobre a acusação de "desperdício e uso extravagante do dinheiro público em seu rifle patenteado". Bomford não teve escolha além de suspender todas as atividades de produção, deixando pendentes todo um teste de campo completo dos rifles e uma inspeção externa dos métodos de produção de Hall.

Mais dois anos foram gastos em reuniões com as comissões de avaliação e na finalização das investigações, mas os relatórios finais foram defesas impressionantes de Hall. Depois de cinco meses de testes de campo, a comissão militar expressou "sua convicção absoluta da superioridade dessa arma sobre qualquer outra arma de pequeno porte atualmente em uso" e forneceu uma análise estatística de sua enorme superioridade em velocidade de tiro, precisão e durabilidade.

A avaliação da produção foi ainda mais entusiasmada. O novo sistema de Hall foi considerado "totalmente novo", com os "resultados mais benéficos para o país". Os inspetores, todos homens experientes, nunca haviam visto armas "feitas com tanta similaridade umas com as outras... cujas peças, se trocadas, encaixam-se igualmente bem em qualquer outra arma". Eles realizaram uma experiência de trocar livremente peças de duzentos rifles tirados de diferentes lotes anuais de produção e descobriram que "não conseguiram encontrar qualquer imprecisão em qualquer das peças". No geral, declararam que o trabalho de Hall era "muito

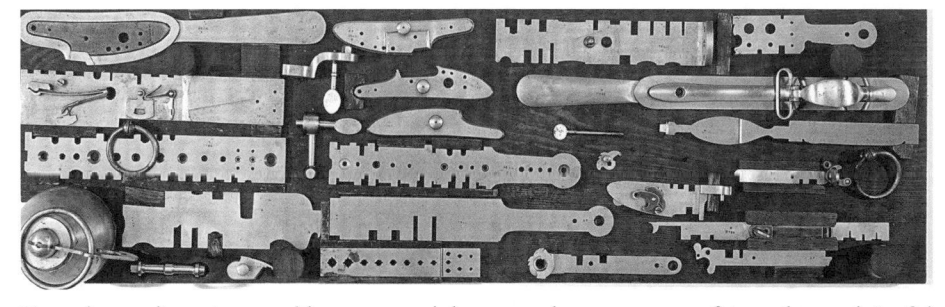

Uma das muitas etapas críticas no caminho para alcançar a manufatura de precisão foi determinar gabaritos precisos para cada peça. Este é parte de um conjunto de gabaritos montado em 1841 para um rifle do Arsenal de Springfield. As carabinas de John Hall tinham 63 gabaritos diferentes como esses.

A glória do ianque simplório

superior a qualquer outra coisa que já vimos ou esperávamos ver na fabricação de armas de pequeno porte" – especialmente por ser realizado em sua maior parte por "meninos de doze a quinze anos, por salários baixos". A comissão concluiu com uma observação sobre as péssimas condições de trabalho de Hall e esperava que ele pudesse "receber do governo o patrocínio e o amparo que merecem seus talentos, sua ciência e sua engenhosidade..."

As esperanças da comissão foram em vão. Apesar de espetaculares, os relatórios de avaliação não conseguiram vencer a oposição do Congresso e de Harpers Ferry. Bomford pelo menos conseguiu proteger o contrato de Hall, apesar de ele ter sido renegociado em termos menos favoráveis. Quando as milícias estaduais exigiram ser equipadas com os rifles de Hall em 1828, o contrato de produção, maior do que qualquer um recebido por Hall, foi para Simeon North, de Middletown, Connecticut. Em parte para minimizar o desapontamento de Hall, Bomford nomeou-o inspetor de produção de North. O início do relacionamento foi difícil. Quando Hall chegou a Middletown com todo o seu suprimento de gabaritos, declarou que a produção era inaceitável. Mas North era um dos maiores armeiros americanos – ele inventara a fresa mecânica e tentara fabricar pistolas com partes intercambiáveis desde 1807 – e quando compreendeu a conquista de Hall, repetiu o sistema em sua própria fábrica. Levou mais alguns anos, mas em 1834, Hall e North, orgulhosos, demonstraram ao Departamento de Guerra que peças de Middletown e Harpers Ferry podiam ser misturadas e trocadas "promiscuamente" e remontadas com rapidez em rifles perfeitamente funcionais.

Na época, Hall estava com mais de cinquenta anos, e parece que tinha se cansado da luta. Nenhuma de suas inovações industriais era patenteável, já que todas haviam sido desenvolvidas enquanto ele trabalhava para o governo. Seu rifle, por melhor que fosse, aos poucos se tornava obsoleto e logo foi eclipsado por armas mais modernas, de armeiros como Christian Sharps – o rifle Sharps talvez tenha sido o favorito das tropas da União – e B. Tyler Henry, cujo rifle Henry foi o protótipo para o duradouro Winchester. Hall continuou recebendo em silêncio um salário em Harpers Ferry, consertando e aperfeiçoando seu sistema até sua morte em 1841. Seu lugar na história aos poucos se reduziu a mera nota de rodapé, como um relato escrito nos anos 1950, "...em 1820, Hall, usando as técnicas de produção intercambiável de Whitney, produzia seus rifles em Harpers Ferry".

A tradição mecânica americana

O fascínio americano pela produção por meio de máquinas é uma característica importante para sua caminhada rumo às primeiras fileiras das potências industriais. O conjunto de tecnologias de produção desenvolvido por Hall, Blanchard e, mais tarde, homens como Thomas Warner e Cyrus Buckland no Arsenal de Springfield foi chamado de "prática de arsenal" pelo historiador David Hounshell e foi um elemento-chave no banco genético tecnológico americano. Merritt Roe Smith identificou os muitos especialistas em máquinas que passaram por Harpers Ferry no tempo de Hall, cumpriram suas tarefas em Springfield e mais tarde tornaram-se administradores-chave em todo o panteão de grandes fábricas do vale – a de Simeon North, a Nathan Ames & Co., a Robbins and Lawrence e a Browne and Sharpe. Os laços entre North, que reproduzira o sistema de Hall, e Robbins and Lawrence eram muito próximos; e a intercambialidade perfeita dos rifles demonstrada por Robbins and Lawrence na Exposição do Crystal Palace era um exemplo didático da tradição Hall. Browne and Sharpe, cujas ligações com Hall passavam pela Robbins and Lawrence, demonstraram seu domínio da tecnologia nos anos 1850 quando produziram máquinas de costuras Willcox and Gibbs com padrões militares de precisão.

Mais importante que realmente alcançar a intercambialidade das peças era o compromisso e a dedicação a um estilo totalmente Hall de ambiente de produção de precisão mecanizada. A grande fábrica de Samuel Colt em "Coltsville", em Hartford, Connecticut, que se tornou a meca do "sistema americano" nos anos 1850, é um exemplo característico. Colt era um fomentador e organizador, não um engenheiro, que em uma época ganhou a vida realizando exibições de gás hilariante. Ele desenvolveu suas armas de repetição em meados dos anos 1830, mas sua oportunidade não surgiu até a Guerra Mexicana (1846-1848), quando seu projeto de pistola caiu nas graças de Samuel Walker, lendário comandante dos Texas Rangers. Com o apoio de Walker, Colt obteve uma renovação de patente em 1849 e montou sua própria fábrica. Para administrá-la, recrutou Elisha K. Root, gerente de uma fábrica de machados e ferramentas. Colt fez o anúncio com sua habilidade típica no estilo George Steinbrenner: Elisha Root seria "o mecânico mais bem pago na Nova Inglaterra, se não em todo o país".

Root era um grande fabricante que fez contribuições importantes para a tecnologia de forja e usinagem e criou um dos mais importantes e destacados dos primeiros ambientes de fábrica americanos. Como disse um historiador: "O crédito pelo revólver é de Colt; pela forma como era fabricado, principalmente de Root". Apesar de nunca ter alcançado o mesmo nível de precisão obtido por Hall, todas as características básicas da produção de armas leves estavam presentes na fábrica de Root – projetos precisos, maquinário para funções específicas, gabaritos detalhados, inspeções em múltiplos níveis. Como observou um engenheiro britânico em visita à fábrica de Root, "é impossível ver todo aquele processo sem se tornar um engenheiro melhor".

A influência do vale foi muito além da metalurgia. Alexander Holley, o maior engenheiro siderúrgico americano nos anos 1870 e início dos anos 1880, responsável por quase todos os projetos de usinas siderúrgicas americanas, era um verdadeiro filho do vale e quase certamente conhecia Root. Eles eram da mesma região de Connecticut, e o pai de Holley, que cumpriu um mandato como governador do estado, era um fabricante de cutelaria, como Root. As usinas de Holley eram radicalmente diferentes daquelas do exterior, exibindo todas as características da tradição mecânica americana mais ampla – processamento contínuo, mecanização de processos manuais pouco confiáveis, e o estilo de John Hall de criar uma nova concepção para um processo por meio dos menores e mais finos detalhes da produção. Visitantes britânicos às usinas siderúrgicas americanas ficavam assombrados não apenas com seu tamanho e velocidade, mas com a "visível ausência de trabalhadores".

Os métodos de arsenal alcançaram todo o seu esplendor com a ascensão da sociedade americana de consumo de massa nos anos 1880; na verdade, fez com que ela fosse possível. Isaac Singer era um gênio de marketing que conquistou o domínio mundial para suas máquinas de costura. Apesar de não produzir com padrões militares de precisão, conduzia um sistema de fabricação bem-organizado que vigorou até cerca de 1880, quando as vendas ultrapassaram a marca dos 500 mil e Singer de repente se viu com terríveis problemas de peças de reposição. No ritmo do crescimento de sua empresa, o mundo não podia fornecer os trabalhadores qualificados para manter suas exigências de serviço e consertos. Outras empresas, como a McCormick e a Ball Glass Co., enfrentaram com coragem seus problemas mais ou menos na mesma época que Singer, enquanto Colt tinha feito o mesmo uma década inteira antes. E sempre, uma vez atrás da outra, os homens que eles chamaram para reaparelhar suas fábricas e enxugar seus processos descendiam diretamente das velhas Robbins and Lawrence, Nathan Ames e outras empresas de ferramentas do vale do Connecticut, os autênticos criadores do verdadeiro "sistema americano" mais de meio século antes.

A lista de benefícios resultantes poderia estender-se indefinidamente. Produzir por meio de máquinas peças de motores a vapor medidas em centésimos, em vez de dezesseis avos de polegada, aumentou a eficiência do combustível e a potência desenvolvida. O impulso rumo à precisão destacou oportunidades de melhoria em aços de corte, ligas metálicas, lubrificantes, trens de engrenagem para máquinas e um número sempre crescente de outras indústrias-satélites. Talvez mais importante tenha sido um estilo de solucionar problemas. Os americanos tipicamente pensavam nas máquinas como primeiro recurso para resolver seus problemas, parte integral de quase todo processo de produção. Isso foi um fator dos mais importantes no caminho aparentemente fácil para produção em escalas antes inimagináveis.

A reação britânica

As demonstrações do Crystal Palace por Colt e Robbins and Lawrence chegaram em uma época em que os funcionários do governo e os militares britânicos estavam lutando com o lado negro da glória imperial. A conquista exigia exércitos enormes e gigantescos suprimentos militares, e os armeiros britânicos não estavam conseguindo acompanhar o ritmo. A produção tinha se expandido muito, mas ao custo de uma redução preocupante na qualidade. A noção de peças intercambiáveis era especialmente atraente, já que exércitos enviados para locais muito distantes não podiam contar com os artesãos qualificados necessários para manter as armas feitas a mão em boas condições.

Mas mesmo funcionários do governo que acreditavam nos americanos foram surpreendidos pelo radicalismo das inovações. Os procedimentos na indústria de armas britânica eram razoavelmente típicos da metade do século XIX. A indústria baseava-se em trabalho manual qualificado e incluía pelo menos quarenta profissões diferentes, cada uma delas com seu próprio sistema de aprendizagem e organização. Os armeiros estavam concentrados em Birmingham. Havia cerca de 7.500 no total, cerca de metade deles produtores de peças, o restante empregado como montadores ou finalizadores, geralmente os homens mais habilidosos. Sob o contrato típico, cada uma das profissões produzia seu próprio tipo de peças, que eram enviadas para inspeção do governo antes de serem repassadas aos finalizadores para montagem. A tarefa de acabamento mais trabalhosa era a produção de coronhas, que consumia cerca de um quarto de todos os finalizadores, enquanto os homens mais habilidosos eram os montadores de fecharia. A fecharia, mecanismo-chave de disparo, era a parte mais complicada, e os homens que a montavam passavam anos como aprendizes aprendendo a montar pacientemente e à mão suas quarenta e tantas peças diferentes para criar uma unidade completamente montada com operação suave e consistente. Quando os americanos descreveram, tranquilos, as coronhas feitas à máquina e fecharias que não exigiam encaixes complicados, parecia que tinham fumado ópio.

Defensores militares e parlamentares da reforma foram muito encorajados pela abertura da fábrica britânica de Colt em 1853. Foi a primeira fábrica de Colt totalmente projetada por Root, e atraiu um fluxo permanente de peregrinos industriais. Os comentários pasmos dos engenheiros britânicos são impressionantemente parecidos com os dos executivos americanos da indústria de automóveis em primeira visita a fábricas japonesas nos anos 1970 e 1980. Um visitante declarou em sindicância oficial que a fábrica de Colt

> produzia um efeito muito impressionante, do qual jamais me esquecerei. A primeira impressão me humilhou consideravelmente. Fui apresentado de tal forma a uma fantástica ampliação do que eu tinha por princípios corretos, uma ampliação geral e magistral, que fez com que eu me sentisse muito atrasado... Naquelas ferramentas americanas há uma maneira de ir direto à questão com senso comum que me deixou impressionado: há grande simplicidade... não há ornamentos, o aparo dos cantos, ou polimento; mas os resultados são precisos e acurados.

O segundo acontecimento importante de 1853 foi uma importante exposição industrial em Nova York, planejada como resposta à grande exposição do Crystal Palace. O Parlamento enviou uma delegação para ver em primeira mão, e os dois homens escolhidos como líderes da delegação demonstram a seriedade da viagem: eles eram George Wallis, principal educador britânico das artes industriais, e Joseph Whitworth, provavelmente o maior especialista britânico em máquinas e equipamentos.

Para o benefício posterior da História, a exposição americana foi um fiasco de organização, e quando a delegação Withworth-Wallis chegou a Nova York, a exposição ainda não fora inaugurada, o que levaria ainda seis meses para acontecer. Em vez de perder a viagem, os dois homens dividiram suas prioridades de pesquisa e empreenderam viagens separadas pelo país em uma tentativa de obter uma visão compreensível da perícia industrial americana. Eles cobriram milhares de quilômetros, cada um deles fazendo várias viagens de um lado para outro, visitando fábricas por todo o país em praticamente toda indústria importante, observando e anotando com cuidado métodos e estatísticas, a organização do trabalho, a atitude dos trabalhadores e as condições sociais das fábricas. Os dois escreveram relatórios que forneceram um extenso testemunho para a investigação parlamentar. Os relatórios são laudos informativos sem par, compilados por especialistas extremamente bem-qualificados e desinteressados.

Sua principal conclusão, como resumida por um grupo parlamentar, foi que:

> Na adaptação de aparatos especiais para uma única operação em quase todos os ramos da indústria, os americanos exibem enorme engenhosidade, combinada com grande energia e motivação, que, como nação, nós faríamos bem em imitar, se quisermos preservar nossa posição atual no grande mercado mundial.

Whitworth ficou especialmente impressionado com a perícia americana nas máquinas de trabalho em madeira – a máquina de coronhas de Blanchard sendo apenas um caso mais avançado:

> Em nenhum ramo da manufatura a aplicação de máquinas de economia de trabalho produz por meios simples resultados mais importantes do que no trabalho com madeira. A madeira, obtida na América em qualquer quantidade, aqui é aplicada para todo o propósito possível, e sua manufatura recebeu a atenção que sua importância merece. ...Muitas fábricas em várias cidades ocupam-se apenas em fazer portas, janelas ou escadas por meio de máquinas que trabalham sozinhas, como plainas, máquinas para produzir espigas e encaixes e furadeiras. ...Em uma dessas fábricas, vinte homens faziam portas com almofadas ao ritmo de cem por dia.

Entretanto, para os objetivos do Parlamento, as descobertas mais importantes vieram das visitas de Whitworth aos produtores de armas do vale do Connecticut e aos arsenais de armas leves do governo, onde ele documentou toda a realidade da intercambialidade estrita. Em Springfield, ele insistiu em ver demonstrações repetidas em que rifles de diferentes lotes anuais de produção eram desmontados, tinham suas peças misturadas e eram remontados sem qualquer ferramenta especial. Ele também registrou minuto a minuto os cronogramas de produção e a produtividade da mão de obra. Quando relatou que o tempo gasto para produzir uma coronha de rifle acabada era de cerca de 22 minutos – incluindo cerca de dois minutos de intervenções manuais, em comparação ao meio dia ou mais gasto por uma equipe de artesãos habilidosos na Inglaterra, todos ficaram de queixo caído. A montagem final – trabalho que na Inglaterra estava espalhado entre mais de doze tipos de ofícios envolvidos na "finalização", cada um deles exigindo anos de treinamento – levava apenas entre três e três minutos e meio, sem ferramentas especiais ou instruções. Houve quem zombasse dos americanos que afirmavam fazer tais coisas, mas Whitworth não ia ser posto de lado com tanta facilidade, mesmo se com isso estivesse realmente condenando ao ferro-velho várias ocupações valorosas na produção de metal na Grã-Bretanha.

O Parlamento e o sistema militar merecem crédito por ter, diante dos protestos ultrajados de Birmingham, compreendido o problema e criado um novo arsenal do governo, localizado em Enfield. Ele foi totalmente construído com base em princípios de arsenal americanos e equipado com farto suprimento de máquinas americanas compradas principalmente da Nathan Ames e da Robbins and Lawrence. Uma medida do compromisso com os princípios corretos foi a contratação de James H. Burton, um americano que aprendeu seu ofício com John Hall, para instalar a fábrica de Enfield e cuidar de sua operação inicial. Foi Enfield, claro, que produziu o famoso rifle Enfield, o sustentáculo do império por toda a era vitoriana.

O homem que administrou todo o processo com habilidade – da organização das visitas iniciais aos Estados Unidos, passando por sucessivas investigações parlamentares, a dedicação a Enfield e sua construção e lançamento – era um esplêndido funcionário do governo chamado John Anderson. Sabendo que a Enfield já estava a caminho, ele declarou com orgulho sua opinião sobre o que estava em jogo:

> As máquinas americanas são tão diferentes das nossas e tão ricas em sugestões que, quando totalmente organizadas, deveriam ser abertas para o estudo dos produtores de máquinas do reino. ...Algumas horas em Enfield vão mostrar que logo teremos de lidar com adversários perigosos nos americanos, que demonstram uma originalidade e um senso comum na maioria de seus sistemas que não podem ser desprezados, mas, ao contrário, devem ser copiados ou aperfeiçoados.

Anderson teve uma vida longa; fez muitas outras contribuições às técnicas britânicas de produção de armas leves e acabou sagrado cavaleiro. Mas deve ter ficado desapontado com o impacto da experiência de Enfield. Com exceção dos militares, os fabricantes britânicos eram muito menos ansiosos e demoraram bem mais para adotar os sistemas de arsenal, ou o "sistema americano". As experiências divergentes eram fonte de muitos comentários de observadores britânicos e americanos da época, e até hoje despertam grande interesse dos historiadores.

O que fez com que os Estados Unidos fossem diferentes?

Um analista britânico avaliando as relativas posições técnicas dos Estados Unidos e da Grã-Bretanha em meados do século podia sem erro afirmar que não havia motivo para pânico: o país-mãe ainda desfrutava de grandes vantagens sobre sua ex-colônia rústica. O trabalho americano em madeira era na verdade engenhoso – banheiras e tonéis, ceifadeiras e até ferramentas mecânicas eram construídos principalmente de madeira e couro; mas se alguém acreditasse que o futuro estava no aço, os americanos ainda não tinham sequer entrado em campo. Praticamente todos os produtores americanos de ferramentas de corte contavam com o aço de Sheffield. As fábricas britânicas forneciam peças acabadas ou em estado bruto para serem ajustadas e acabadas localmente. Os armeiros americanos voltaram-se para fornecedores de aço americanos no início da Guerra Civil, mas retornaram à situação anterior assim que a guerra terminou. (E mesmo com toda a sua alardeada superioridade na produção de armas de fogo, o Norte importou 80% de suas armas no primeiro ano da guerra.) Podia-se falar o mesmo dos motores. As fábricas americanas eram, em sua maioria, movidas a água, mas a onda do futuro sem dúvida era o vapor, e as ferrovias e linhas de barcos a vapor compravam motores britânicos. À véspera da Guerra Civil, a maior indústria manufatureira dos Estados Unidos ainda eram os têxteis de algodão, e os britânicos podiam ter um conforto amargo no fato de as fábricas americanas funcionarem principalmente com tecnologia britânica roubada.

Mas a surpresa da exposição americana no Crystal Palace disparou alarmes. As habilidades avançadas na manufatura de precisão eram tão chocantemente inconsistentes com a percepção comum dos Estados Unidos que sugeriam uma aceleração econômica repentina. Na verdade, se as informações sobre as condições macroeconômicas nacionais estivessem disponíveis, ingleses preocupados teriam visto exatamente a aceleração que temiam. A renda *per capita* americana saltara de dois terços do nível britânico em 1830, quando estava atrás de países como Portugal, França e Canadá, para uma virtual equivalência com a Grã-Bretanha em 1860, muito à frente do país seguinte na lista. A ênfase de Whitworth na produção prodigiosa das fábricas americanas mecanizadas, em indústrias tão diferentes quanto a de corte de pedras e confecção de janelas, implicava que a Inglaterra podia já ter perdido a corrida da produtividade. Pesquisas modernas sugerem que o ponto da ultrapassagem aconteceu ainda nos anos 1820.

Em uma análise inteligente das causas da onda de crescimento americano, Whitworth sugeriu uma lista que incluía a relativa escassez de trabalho; os grandes recursos naturais do país (apesar de observar que grandes áreas da nação eram bastante estéreis); a falta de resistência à inovação por parte dos trabalhadores; menor número de barreiras para abrir empresas; e, mais importante em seu ponto de vista, a alta taxa de alfabetização da população apoiada por uma "imprensa barata".

Estudiosos modernos melhoraram e refinaram bastante a lista de Whitworth. A escassez de trabalho, por exemplo, pode ter sido um fator muito mais importante na mecanização das fazendas do Meio-Oeste do que, digamos, na produção de armas de fogo. Quando para conseguir uma fazenda grande bastava praticamente pedir, sobretudo nos estados das pradarias, nenhum trabalhador do campo qualificado iria preferir ser assalariado. Como fazendas grandes tinham as mesmas janelas de tempo imperdoáveis para plantar e colher ditadas pelo clima quanto as pequenas, um fazendeiro ambicioso com falta de mão de obra não teria escolha além de se mecanizar. Em 1857, a *Scientific American* listou o maquinário mínimo necessário para uma fazenda de quatrocentos hectares: "Uma ceifadeira mecânica, um rastelo puxado por cavalos, um arado puxado por cavalos, uma semeadora, uma debulhadora, uma máquina para separar grãos, um moinho portátil de grãos, um descascador de milho, um engenho a tração animal, uma niveladora, um rolo [e] duas cultivadoras...". Mas é muito mais difícil relacionar a mecanização da produção de armas à escassez de trabalho, pois tanto Springfield quanto Harpers Ferry pareciam ter um farto suprimento de artesãos qualificados. O medo de desemprego entre os artesãos de Harpers Ferry foi uma das principais fontes dos problemas políticos de John Hall.

A abundância de recursos naturais sem dúvida canalizou a tecnologia americana na direção da madeira, de água como fonte de energia e de fazendas grandes, mas o historiador Nathan Rosenberg sugere que isso também pode ter afetado o ritmo da mecanização. Na Inglaterra desflorestada, os trabalhadores deviam ter muito mais respeito por seus suprimentos de madeira do que os americanos, que eram de um desperdício prodigioso. O entalhamento manual conservava melhor a madeira que as máquinas, e as serras mecanizadas britânicas eram menores, mais finas e lentas que as americanas para poupar madeira. Whitworth também pode ter estado certo em relação à posição favorável aos negócios das leis americanas. Ele sugere, por exemplo, que as empresas de telégrafo podiam se organizar com muito mais rapidez que na Inglaterra, e, em consequência, a penetração do telégrafo era muito maior.

E praticamente todos os observadores concordavam sobre a qualidade extraordinária dos trabalhadores americanos, a fluidez social do sistema industrial e uma média muito alta dos níveis educacionais. (Os gastos americanos com educação dobraram entre 1840 e 1850 e dobraram outra vez até 1860; o gasto por aluno subiu em cerca de 50%.) Um fabricante britânico que tinha passado vários anos nos Estados Unidos relatou a um comitê de investigação:

> ...o inglês ainda não alcançou a flexibilidade de mente e a presteza que são exigidas para aprender algo novo... Um americano rapidamente produz um artigo novo; entende tudo o que você diz a ele tão bem quanto um inglês de faculdade; ele ajuda o patrão com sua própria perspicácia e inteligência.

Alfred Hobbs, o fabricante americano de fechaduras que tentara produzir na Inglaterra, também estava convencido de que os trabalhadores britânicos eram um importante obstáculo à produtividade: "Nos Estados Unidos, se resolverem inventar uma máquina nova, todos os trabalhadores no estabelecimento vão, se possível, ajudar... Mas na Inglaterra era o oposto. Se os trabalhadores pudessem fazer algo para que a máquina desse errado, eles fariam".

De maneira parecida, Whitworth admirava "a presteza com que [os trabalhadores americanos] recebem novos implementos e o impulso que, dessa forma, eles inevitavelmente dão a esse espírito inventivo."

O autor do texto do catálogo da exposição americana no Crystal Palace captou esse espírito com muita perspicácia:

> A falta nos Estados Unidos daqueles grandes acúmulos de capital que favorecem o gasto de grandes somas em artigos de simples luxo e a distribuição geral dos meios de buscar as comodidades mais substanciais da vida conferem à produção da indústria americana um caráter diferente de muitos outros países. ...Tanto o trabalho manual quanto o mecânico são aplicados com referência direta a aumentar o número ou a quantidade de artigos apropriados aos desejos de muita gente e adaptados para promover o prazer dessa aptidão moderada que prevalece entre eles.

Parece que realmente houve uma cultura da invenção nos Estados Unidos. Havia centenas de serrarias movidas à força da água em Massachusetts no fim do século XVIII, quando ainda eram raras na Inglaterra, em parte pela oposição dos serradores, que controlavam o negócio de madeira na Grã-Bretanha. (Os serradores chegaram a queimar uma serraria mecanizada nova em Manchester em 1825.) A moagem de farinha por meio de mós em moinhos de água pouco mudara na Inglaterra em centenas de anos, mas, nos Estados Unidos, Oliver Evans patenteou um novo projeto radical para um moinho de farinha semiautomático em 1790 que foi amplamente licenciado. O desenho da patente mostra um engenho extraordinário de cinco andares com múltiplas correias e esteiras de transporte que podiam direcionar os grãos pelos caminhos de vários processos, dependendo da operação a ser executada. Como explicou o folheto de licenciamento:

...o grão e as carnes são levados de um nível para outro ou de uma parte do mesmo nível para outra; a carne é esfriada; e as calhas de separação são operadas por máquina, totalmente movidas pela força do moinho, o que reduz à metade a necessidade de mão de obra.

Enquanto os britânicos inventavam teares e máquinas de fiar automáticas, os americanos aperfeiçoaram muitos projetos roubados dos britânicos, tornando-os mais rápidos e fáceis de operar, abrindo a indústria às mulheres jovens. Em uma década após a construção do primeiro tear mecânico americano por Lowell, a produtividade da indústria têxtil americana superava a da Grã-Bretanha em 10% ou mais. Os anos 1840 chegaram mesmo a ver o fenômeno dos corretores de patentes, homens que viajavam de carroça por áreas rurais em todo o país, demonstrando invenções recentes e pedindo novas ideias que, por uma comissão, eles botavam no papel e submetiam como pedido de patente. Foi Lincoln, no fim das contas, que disse: "Nós aqui nos Estados Unidos achamos que descobrimos, inventamos e aperfeiçoamos mais rápido que qualquer [nação europeia]". Na verdade, pode ter havido uma espécie de loucura por patentear algo. Depois que Asa Waters patenteou uma forja a martelo mecânica, um concorrente resmungou: "Eu não ia pensar em pedir uma patente para... aplicar uma pequena mudança na solda de um cano de espingarda nem de algo para fazer uma lâmina de enxada. Parece que há um fanatismo estranho em ação sobre algumas pessoas para conseguir patentes por umas coisas simples". Isso lembra algumas das patentes de software muito estranhas que foram emitidas durante a bolha de tecnologia dos anos 1990.

A novidade fundamental do "sistema americano" sugere que ele nasceu de um ambiente tecnológico único. Veja a trajetória da máquina de fazer coronhas de Blanchard: a rede de aficionados por máquinas, que espalhou a notícia do que estava sendo feito antes mesmo de ele terminar; a receptividade instantânea de suas ideias e a criação rápida de um projeto de pesquisa e desenvolvimento para criar uma solução de produção completa; a cultura da inovação, com o apoio de um processo rápido de obtenção de patentes e amplo licenciamento; a forma como boas ideias irradiavam e interagiam umas com as outras, como a do torno para produzir canos de armas de fogo, de Waters, para a máquina de coronhas de Blanchard, e depois para ambientes de produção totalmente mecanizada por meio do trabalho de Hall, de homens como Buckland em Springfield, e grandes especialistas em máquinas e equipamentos reconhecidos como North, Ames e Robbins and Lawrence. E um elemento-chave para todo o processo era um consenso entre o governo e os militares de que a tecnologia avançada era uma prioridade nacional. E tudo isso movido pelo sentido de oportunidade – "o principiante prudente e sem dinheiro" de Lincoln podia lutar e conseguir se transformar em um homem de negócios independente.

O que Lincoln não previra é que explorar a inovação americana ia exigir empreendimentos em escala maior do que ele poderia ter imaginado. Na verdade, o caminho para sua criação seria cheio de percalços.

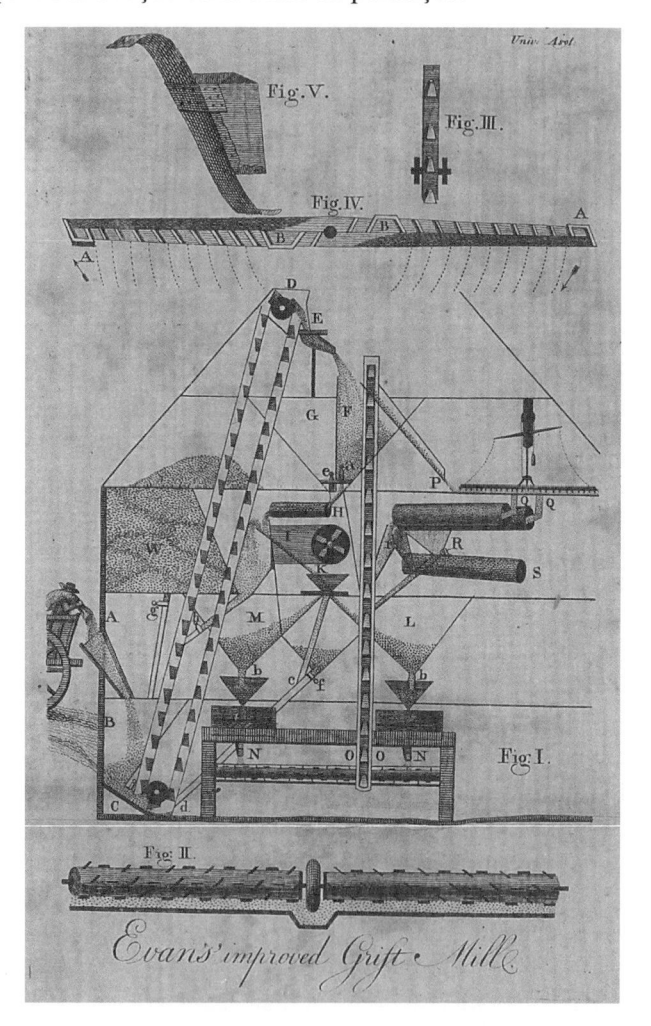

Um esquema do moinho de grãos patenteado por Oliver Evans extraído de um folheto de licenciamento de 1797. A esteira transportadora alta à esquerda leva os grãos até a área de armazenamento. Um sistema de comportas e dutos faz com que eles passem por vários processos, incluindo moagem, limpeza, aquecimento, resfriamento e separação, e cada um deles poderia fazer múltiplas repetições. O moinho era movido pela força da água, e o folheto afirmava que ele reduzia as "despesas de mão de obra em pelo menos a metade".

3. Capitalismo bandido

A noite gelada no rio Hudson cobria suas águas negras com um turbilhão de névoa branca. Em 1868, suas margens eram escuras, e aquele barquinho com dois marinheiros e dois passageiros circulava sem rumo, depois de se perder no rio encrespado. De repente, uma balsa surgiu do meio do nevoeiro como um navio fantasma, inundando o barco com água congelada e quase o fazendo afundar. Quando finalmente os marinheiros deixaram os passageiros que estavam sob sua responsabilidade nas docas em Jersey City, Jay Gould estava ensopado e tremia dentro de seu sobretudo como se fosse um cachorro molhado. Seu sócio, Jim Fisk Jr., um homem corpulento, extrovertido e de joias extravagantes, exibia sua costumeira personalidade barulhenta e bem-humorada. E por que não? Eles tinham enganado os homens do xerife em Nova York, haviam reservado todos os quartos de um andar em um bom hotel, possuíam US$ 7 milhões em dinheiro, e Josie Mansfield – a atriz preferida de Fisk na época, que, dizia-se, deixava os homens bobos com sua beleza (de volumes um tanto fartos) – em breve iria se juntar a eles. O dinheiro tinha sido tirado dos cofres da Erie Railway, apesar de a maior parte dele possivelmente pertencer à nêmese de Gould e Fisk na época, o "comodoro" Cornelius Vanderbilt. Mas se alguém rastreasse esse dinheiro até sua origem, veria que, na verdade, ele pertencia a investidores europeus.

O fim dos anos 1860 foi uma época cruel, indisciplinada e explosiva. A enorme injeção de gastos federais durante os anos da guerra provocara uma disputa enlouquecida por riqueza e uma pandemia de corrupção. Todo o sistema – físico, comercial, financeiro – estava tenso em meio a uma competição acirrada. Mesmo quando os gastos federais se reduziram depois da guerra, entrou dinheiro estrangeiro. Entre 1855 e 1865, o investimento estrangeiro líquido nos Estados Unidos tinha dobrado; nos dez anos até 1875, ele triplicou. A maior parte dele vinha da Inglaterra. A prosperidade vitoriana apoiava-se no compromisso pétreo do primeiro ministro William Ewart Gladstone com a moralidade vitoriana nos assuntos econômicos – disciplina fiscal, livre comércio, devoção firme ao ouro e baixas taxas de juros. O retorno nos títulos britânicos caiu constantemente de mais de 6% durante as guerras napoleônicas para 2% nos anos 1880. Mas a prosperidade estável podia ser tediosa, sobretudo para filhos e filhas aventureiros da classe alta, que se sentiam pressionados pelos retornos modestos de seus "meios de subsistência". As classes endinheiradas gananciosas foram atraídas irresistivelmente para Wall Street nos anos 1870, e para um negociante jovem e inteligente como Gould, eles pareciam carneiros enfileirados até o horizonte pedindo para ser tosquiados.

Gould e Fisk foram forçados a se retirar para a austeridade de um hotel de Jersey City porque estavam no meio do processo de arrancar uma das maiores ferrovias do país, e uma das maiores empresas, das mãos de Vanderbilt e dos outros acionistas da Erie. O episódio foi ainda mais chocante por ter sido concebido por Gould, ainda com pouco mais de trinta anos e praticamente desconhecido em Wall Street, enquanto Vanderbilt era o homem mais rico e talvez mais poderoso do país, com longa experiência em mercados financeiros. Ainda assim, foi Gould quem ficou com o prêmio, apesar de Vanderbilt ter provocado tamanha devastação no processo que a ferrovia era um bem danificado quando Gould assumiu o controle.

De nossos quatro jovens magnatas, Gould e Rockefeller foram os primeiros a ter sua presença notada nos anos imediatamente posteriores à guerra. Morgan, de volta à firma de seu pai, fazia rápidas aparições eventuais, enquanto Carnegie tinha deixado a Ferrovia Pennsylvania e estava em busca de uma carreira, apesar de estar ganhando rios de dinheiro no processo. Em 1870, entretanto, Rockefeller já havia se tornado a figura mais poderosa do negócio do petróleo, enquanto as "Guerras da Erie" de Gould no fim dos anos 1860 foram um ensaio para as estratégias que o transformaram no principal administrador de ferrovias dos anos 1880. Em um padrão que tornaria a repetir várias vezes, Gould assumiu o controle da Erie explorando mercados financeiros imaturos e então desorganizando violentamente os modelos de negócios confortáveis de seus concorrentes. As guerras de preço e os investimentos em proteção frenéticos resultantes ajudaram a impulsionar o estilo de desenvolvimento ferroviário que não poupava recursos e avançava com força que caracterizou o último quarto do século XIX. Conservadores como Morgan deploravam seus métodos, mesmo quando ambicionavam seus negócios, mas o sistema nacional jamais teria se desenvolvido de forma tão rápida sem as provocações de Gould.

Ópera bufa

A ferrovia Erie foi uma saga de grandes proporções e decepções transformada por uma conquista extraordinária. Criada por um ato especial do legislativo em 1832 para ligar "o oceano e os lagos", seus fundadores subestimaram muito os desafios de engenharia para construir uma ferrovia por entre as montanhas rochosas cortadas por rios no oeste de Nova York. A ferrovia precisou de quase vinte anos para alcançar o lago Erie – em um ponto a cerca de oitenta quilômetros de Buffalo – e o custo foi seis vezes maior que as estimativas originais. A ferrovia teve uma história cheia de azar e decisões execráveis. Suas finanças eram uma desgraça permanente, e seus títulos, nada confiáveis. Um arroubo inoportuno de mesquinharia em 1841 não permitiu que ela obtivesse uma rota direta para a cidade de Nova York; em vez disso, ela terminou na margem oeste do Hudson. Assim, os fretes com destino à cidade tinham de ser descarregados, fracionados e transportados por barcas a partir de Jersey City. Cruzar aquele terreno difícil com tecnologia dos anos 1840 deixou uma herança de subidas íngremes, pontes instáveis, poucos locais com trilhos duplos (para viagens seguras nos dois sentidos) e a bitola errada – uma muito larga que, infelizmente, aumentou de forma substancial o custo das linhas e dos carros.

Gould foi levado para as "Guerras da Erie", como ficaram conhecidas, em 1867, quando algumas das ações da ferrovia que sua corretora mantinha em nome de investidores ingleses foram solicitadas durante uma batalha pelo controle da empresa. Havia três facções na luta: Daniel Drew, Cornelius Vanderbilt e um consórcio de investidores de Boston, que incluía o então presidente da Erie.

Vanderbilt e Drew tinham muita estrada. Os dois estavam na casa dos setenta – homens duros e incultos que tinham feito suas primeiras fortunas no negócio de navegação a vapor no rio Hudson. Nenhum deles era um modelo de conduta. Vanderbilt era um sujeito grosseiro e violento – violar empregadas fazia parte de sua rotina habitual, e uma vez mandou sua mulher para um asilo de loucos quando ela protestou contra uma mudança de residência. Drew era um homem vil e resmungão, um inimigo cruel e aliado traiçoeiro. Enquanto Vanderbilt era um homem de negócios e um administrador de ferrovia talentoso, Drew preferia ganhar dinheiro enganando seus próprios acionistas. Alguns anos antes, Drew tentara pegar Vanderbilt em um de seus *bear raids** patenteados na Erie, mas o comodoro foi mais esperto. Talvez em respeito a seus anos de rivalidade no transporte por barcos a vapor, Vanderbilt permitiu que Drew mantivesse seu lugar no conselho da Erie, acreditando que ele iria ajudar em sua investida para assumir o controle da Erie. Ele queria suas conexões nos Grandes Lagos com a coleção de ferrovias que ele estava consolidando sob a bandeira da New York Central. O grupo de Boston estava à procura de uma conexão similar para sua linha da Nova Inglaterra, e, além disso, ele estava desesperado pela assistência financeira da Erie. As razões de Drew para se opor em segredo a Vanderbilt após aceitar seu favor são obscuras; talvez manter sua palavra fosse romper demais com hábitos de toda uma vida, especialmente quando ele podia ganhar dinheiro com transações contra a estratégia de Vanderbilt.

---

* Drew foi por muitos anos tesoureiro da Erie. Uma de suas táticas favoritas era emprestar dinheiro para a Erie sair de uma situação difícil, normalmente provocando uma alta nas ações. Ele recebia uma nota pelo empréstimo e um lote secreto de ações. Quando as ações subiam, ele as vendia a descoberto (utilizando ações emprestadas). No momento de cobrir (devolver as ações emprestadas), lançava seu lote secreto no mercado, derrubando o preço, assim podia comprar as ações emprestadas na baixa e garantia o lucro que fizera na alta. Mesmo pelos padrões éticos frouxos da época, isso era considerado repreensível. (N.A.)

A primeira aproximação de Drew com Gould veio por intermédio da firma de Jim Fisk. Fisk era um jovem fazendeiro da Nova Inglaterra, um ano mais novo que Gould, que fora mascate e trabalhador braçal de circo antes de ficar rico como contrabandista de algodão durante a guerra. Drew ficou impressionado com a audácia com que ele entrou em seu escritório um dia com uma oportunidade de negócio. Depois de fechar o acordo, ajudou-o a se estabelecer como corretor de ações. Fisk era um sujeito engraçado e palhaço – generoso, divertido e leal. Mulherengo, bom garfo e elegante, gastava prodigiosamente em tempos bons e ruins. Inescrupuloso por completo, era um artista da desonestidade simpática; e qualquer lei ou convenção social virava uma oportunidade de transgressão estrondosa. Houve poucas duplas menos congruentes do que Fisk e Gould, mas eles tiveram uma conexão praticamente imediata – Gould deve ter identificado a inteligência astuta e o apetite por trabalho duro por trás daquela imagem de paspalho. Fisk trouxe um toque de humor a seus empreendimentos conjuntos. Certa vez, durante uma guerra de preços de frete de gado entre a Erie e a New York, Vanderbilt cortou os custos para o absurdo de um centavo a cabeça e riu vitorioso quando seus trens se encheram de reses, até descobrir que Fisk e Gould tinham açambarcado o mercado de gado e estavam ganhando uma fortuna com suas perdas no frete – ideia de Fisk, claro.

Drew procurara por Gould apenas por causa das ações que ele controlava. Sabia que, mais cedo ou mais tarde, Vanderbilt ia descobrir sua deslealdade e lançar uma batalha na bolsa pelo controle da Erie. Entretanto, chama atenção o fato de que, assim que Gould entrou no jogo, ele parece ter se transformado no marechal de campo de Drew. Quando Vanderbilt, como era esperado, declarou guerra contra Drew no início de 1868 e começou a comprar ações da Erie no mercado, Gould, em silêncio, criou US$ 10 milhões em títulos conversíveis (títulos que podiam ser trocados por ações), que depositou na sua corretora e na de Fisk. À medida que Vanderbilt comprasse as ações da Erie, eles converteriam seus papéis e jogariam suas ações no mercado. Dessa forma, quanto mais ações Vanderbilt comprava, mais ações pareciam estar em oferta e mais o preço caía. Vanderbilt era o homem mais rico dos Estados Unidos, com uma fortuna avaliada em US$ 100 milhões, mas sua riqueza estava imobilizada em suas empresas, e conforme aumentavam suas opções de compra*, os joelhos

---

* Vanderbilt, como a maioria dos grandes operadores, tomava dinheiro emprestado para comprar ações de seus corretores, que ficavam com as ações como garantias do empréstimo. Quando os preços das ações caíram, Vanderbilt teve de fazer depósitos em dinheiro para manter o valor da garantia do empréstimo. Eram grandes somas de dinheiro. A atualização dos valores de moedas com um intervalo de quase 140 anos é sempre aproximada, mas a regra prática para o fim do século XIX é multiplicar por 12 ou 13, então US$ 10 milhões transformam-se em US$ 120 ou US$ 130 milhões. Em outro parâmetro, em 1869, US$ 10 milhões eram cerca de 0,15% do PIB, equivalente, hoje, a cerca de US$ 17 bilhões. (N.A.) Quando o corretor pede ao cliente cobertura financeira para as operações com margem, isto é, parte do valor de uma operação a termo na bolsa depositada pelo comprador como garantia de liquidação do negócio no prazo acordado. (N.T.)

"Gentleman Jim" Fisk era um patife barulhento e elegante, um bom garfo e um mulherengo, mas também era muito inteligente e leal a Jay Gould.

do comodoro visivelmente se curvaram. Só a ideia de sua bancarrota fez com que toda Wall Street tremesse em silêncio.

Surpreendido pelos acontecimentos, Vanderbilt percebeu o estratagema de Gould e solicitou a um juiz amigo, o Tammany George Barnard, uma ordem judicial contra as emissões de títulos conversíveis. (A legislação que criou a Erie especificou meticulosamente o seu capital autorizado, mas Gould tinha argumentos para defender a legalidade dos papéis.) Enquanto isso, Drew, Gould e Fisk estavam à procura de outros juízes para conseguir suas próprias ordens judiciais. Mas Vanderbilt foi o mais rápido a chegar à corte e finalmente conseguiu uma ordem de prisão para todo o conselho da Erie, o que motivou a fuga tarde da noite para Jersey City. A aventura aquática no Hudson foi um tanto desnecessária – naquele dia, mais cedo, Drew partira em uma barca comum –, mas Fisk insistiu que ele e Gould primeiro deviam fazer um jantar magnífico no Delmonico's para que ele pudesse divertir seus amigos com histórias da derrota de Vanderbilt. Agentes do xerife estavam nos seus calcanhares quando eles enfim correram para a baía e recrutaram o primeiro barco que acharam.

Durante um tempo, a estratégia de Jersey City pareceu quase um sucesso. Vanderbilt estava gemendo sob o peso de suas opções de compra enquanto o preço das ações da Erie estava em queda livre. O processo legal estava congelado no mesmo lugar – juízes adversários dos dois lados tinham indicado interventores – mas Gould, Fisk e Drew tinham o dinheiro e todos os instrumentos corporativos. Fisk, é claro, instalado no hotel com sua Josie, estava aproveitando muito a vida com uma conta de despesas sem limites; mas Drew estava muito ligado a Wall Street, e Gould sentia falta da família. Depois de um mês, Gould encheu uma mala de dinheiro e levou-a consigo para Albany. Ele foi preso por um breve período, mas com a ajuda de propinas daquela mala, ficou fora da cadeia e montou um escritório em um quarto de hotel para receber os legisladores. (Os representantes de Vanderbilt abriram seus escritórios em outro andar do hotel.)

Gould e sua mala eram muito convincentes. Em menos de uma semana, a legislatura aprovou uma lei retroativa que autorizava as manobras financeiras da Erie, e ele tinha comprado o juiz de Vanderbilt que emitira a ordem de prisão, permitindo que retornasse à cidade livre e triunfante. Um diário mantido pelo auditor da Erie, funcionário de longa data de Gould, mostra que Gould e Fisk distribuíram quase US$ 600 mil durante a primavera e o verão de 1868, ou cerca de US$ 7-8 milhões em valores atualizados, em "despesas jurídicas" e similares. Entre os beneficiários importantes estavam William M. "Boss" Tweed, que também era um senador do estado, e Peter Sweeney, o braço-direito de Tweed. Forçado a fazer a paz, Vanderbilt finalmente conseguiu arrancar um pacote de dinheiro e de recompra de ações no valor de cerca de US$ 9 milhões, limpando o tesouro da Erie. Uma Erie sem recursos não interessava a Drew, por isso ele abriu mão de seu assento no conselho com Vanderbilt e o grupo de Boston. As eleições no outono devolveram o conselho a Gould, incluindo tanto Tweed quanto Sweeney. Gould foi nomeado presidente e logo nomeou Fisk controlador. Fisk, Gould e um advogado complacente, Franklin Lane, formaram a maioria do comitê executivo, deixando Gould, na prática, no controle total da Erie. Nos sete anos desde que Jay Gould chegara em Nova York como um ex-curtidor quase falido, tinha progredido muito. Ele estava com 32 anos de idade.

Gould e Fisk logo aumentaram o porte de suas fraudes. A sede da Erie foi mudada de um local apropriado na parte baixa de Manhattan, perto do rio, para escritórios alugados em Uptown, em um teatro de mármore, que pertencia a Fisk e a Gould, comprado com dinheiro da Erie. Para Fisk, era um sonho adolescente de paraíso. Ele esbanjou uns US$ 2 milhões em reformas e redecoração, divertiu-se com as coristas lá de baixo e torrou o dinheiro da Erie para sustentar seu novo papel de empresário teatral em meio expediente. Uma casa para Josie Mansfield, convenientemente localizada na mesma rua, fazia parte do pacote.

Entretanto, ao contrário de Fisk, Gould na verdade estava interessado em administrar a Erie. Mais importante, ele tinha uma estratégia. Mesmo em seu estado gravemente ferido, a Erie era toda a plataforma que ele precisava para dar lições ao resto das ferrovias do Nordeste, incluindo a New York Central de Vanderbilt e a famosa Pennsylvania, sobre o que realmente se tratava o negócio deles.

Corsário ferroviário

O "preço dos assentos nos aviões" é a razão para que a executiva moderna em viagem de negócios se veja espremida em uma poltrona do meio ao lado de um avô que pagou um quinto do preço pelo mesmo bilhete. Quase todos os custos de um voo comercial estão incorridos quando o avião decola, independentemente de quantos passageiros estão a bordo. Como toda receita extra é quase margem de lucro pura, faz sentido encher as poltronas vazias por praticamente qualquer preço, e as empresas aéreas usam modelos de precificação que ajustam as tarifas de forma contínua para garantir o máximo de ocupação e carga. Com o fim do controle de tarifas nos anos 1970, os preços mergulharam vertiginosamente, as milhas voadas decolaram e a maioria das empresas está constantemente se equilibrando na beira da falência.

A economia das ferrovias é a mesma das empresas aéreas, e Jay Gould pode tê-la compreendido com mais rapidez e clareza que qualquer outro. A resposta mais comum na época para as guerras de preços era a formação de *pools*, ou acordos de preços da indústria, que sempre acabavam por desmoronar devido a trapaças. Em vez disso, Gould esperava controlar os preços com a criação de monopólios sobre regiões naturais de comércio. Praticamente assim que assumiu o controle da Erie, começou uma série agressiva de sondagens com a intenção de estabelecer o controle da Erie sobre uma grande faixa de território que se estendia para o oeste a partir da cidade de Nova York, abarcando as regiões de carvão, ferro e petróleo do norte e do oeste da Pensilvânia e as regiões agrícolas e de processamento de alimentos a oeste e sul de Chicago.

Havia três linhas-tronco para o Oeste na disputa desse ambicionado corredor de tráfego entre o Meio-Oeste e a Costa Leste: a Erie, a Pennsylvania e a New York Central de Vanderbilt. Cada uma delas controlava rotas que mal cobriam metade da viagem entre a costa e Chicago. A segunda perna podia ser feita por qualquer uma de quatro linhas, uma das quais já tinha uma relação de trabalho próxima com a Erie. Das três restantes, todas elas pastiches de rotas menores, uma tinha leve queda para a New York Central, enquanto as outras duas eram aliadas da Pennsylvania. Se todas as quatro rotas fossem dispostas em um mapa, elas seguiriam em quatro linhas paralelas, com a mais ao norte acompanhando os Grandes Lagos e a mais ao sul atravessando a parte central da Pensilvânia; mas de um jeito ou de outro, todas ofereciam conexões viáveis para Chicago e os campos de grão do Oeste para qualquer das três linhas do Leste que as controlasse.

É curioso como, apesar de suas conexões com o Oeste serem cruciais tanto para a Pennsylvania quanto para a New York Central, nenhuma delas tomou qualquer medida especial para defendê-las; a Pennsylvania tinha mesmo se livrado de suas participações nas conexões com o Oeste. Seus executivos se orgulhavam de manter as dívidas baixas, de ampliar as linhas com cautela e de guardar dinheiro. Nos dias anteriores a Gould, isso era um exemplo de boa administração; os cabeças das ferrovias eram como generais em tempos de paz, que mantêm suas tropas alimentadas e seu equipamento em funcionamento, mas não têm a mínima ideia sobre manobras estratégicas ou posições vantajosas.

Gould resolveu investir sobre as quatro pernas para o Oeste ao mesmo tempo. Como não confiava em contratos ou acordos de trabalho, precisava do controle executivo, o que era obtido por meio de arrendamento ou compras diretas. O problema é que ele não tinha dinheiro. Fechara com Vanderbilt o acordo da Erie apenas poucas semanas antes, e ordens judiciais e processos ainda estavam zunindo ao seu redor como se fossem bolas de beisebol. Mas a falta de dinheiro nunca intimidara Gould. Ele podia, por exemplo, simplesmente comprar procurações, o que era possível no século XIX. Por um pequeno preço, Gould teria o direito de voto referente às ações por um período limitado. Um segundo truque era usar sua corretora para pegar emprestado grandes quantidades de ações antes de uma eleição do conselho e votar por elas por meio de corretores. Haveria muitos outros, uma manobra atrás da outra, enquanto Gould sem fazer força criava novos artifícios conforme a ocasião exigia. Seu padrão habitual era mover-se em silêncio, comprar ações por meio de várias contas de fachada, então surgir de repente em posição de controle, normalmente pouco antes de uma eleição de conselho.

Ele quase conseguiu. Seu primeiro passo foi investir na rota já estabelecida da Erie para o Oeste, a Atlantic & Great Western, com um arrendamento de longo prazo. Então, em apenas alguns meses, uma série de ações combinadas rápidas, mas bem disfarçadas, sobre as ações de uma dúzia de ferrovias diferentes o deixaram à beira de erguer um muro sólido que bloquearia todo o acesso de Vanderbilt e da Pennsylvania ao oeste. Ele tinha obtido controle total não apenas das rotas para o oeste da Pensilvânia; também controlava cerca de metade das linhas de conexão da New York Central e estava prestes a assumir o controle de todas as outras. Um pouco mais de tempo, e todos os principais serviços ferroviários para dentro e para fora do coração das áreas americanas produtoras de grãos, ferro, aço e petróleo estariam nas mãos de Gould. Vanderbilt e a Pennsylvania podiam construir mais linhas, é claro, mas isso levaria anos; até lá iriam pagar um grande tributo a Gould.

Em meio a sua *blitzkrieg* contra Vanderbilt e a Pennsylvania, Gould também fez uma operação para tentar obter o controle de uma pequena linha férrea, a Albany & Susquehanna, que não estava prevista. Isso marcou uma das primeiras aparições de Pierpont Morgan como banqueiro de ferrovias. Pierpont conseguiu derrotar as forças de Gould em uma batalha picaresca que envolveu emissões de ações questionáveis, a guerra habitual de ordens judiciais, a expulsão de Jim Fisk e uma trupe de capangas de uma reunião de acionistas e uma batida teatral de locomotivas no meio do território em disputa. (É notável que Junius tivesse alta consideração pelos esforços de seu filho, pois o J.S. Morgan & Co. era o banco de investimento da Erie, e a empresa de Pierpont, claro, também era parte integrante da rede de Junius.)

É de se perguntar se Gould teria obtido sucesso contra Vanderbilt e a Pennsylvania se ele tivesse se movido com um pouco menos de habilidade ou sem a mesma velocidade cegante e golpes impressionantes. A forma como agiu fez com que administradores de todas as empresas se sentissem atacados; mesmo a Pennsylvania foi arrancada de seu torpor com um choque. Tom Scott conduziu a acusação formal da Pennsylvania na legislatura de seu estado natal, que, nas palavras de um historiador, sempre praticou o "mercantilismo estadual" quando se tratava de sua empresa favorita. O dinheiro da Pennsylvania corria a rodo para garantir que os acionistas votassem contra Gould e induzir a legislatura, na verdade, a declarar ilegais as aquisições de Gould. Foi a mesma história em Ohio, onde tribunais e a legislatura uniram forças para impedir suas aquisições mais a oeste. Como Gould tinha demonstrado amplamente em Nova York, na falta de um projeto nacional de lei de valores mobiliários, as legislaturas estaduais podiam torcer os resultados como desejassem.

Então, no verão de 1869, com suas guerras das ferrovias eclodindo por todos os lados e o resultado ainda pendente e equilibrado, Gould lançou, ou foi arrastado para, o infame *Gold Corner** de Fisk-Gould. É um dos episódios mais notórios da história financeira dos Estados Unidos, que demonstra não apenas o rasgo autodestrutivo de Gould, mas também a ilegalidade dos mercados financeiros americanos após a Guerra Civil e a corrupção escancarada. O *Gold Corner* fixou para sempre a imagem de Gould como o gênio do mal de Wall Street; e – ainda pior da perspectiva de Gould – destruiu um aliado importante em suas guerras das ferrovias, o que acabou por fazer com que a balança pendesse contra ele.

O *Gold Corner*

A mente de Gould percorria caminhos labirínticos, e ele se voltou para os mercados de ouro como parte de uma estratégia para melhorar os fretes da Erie. Os grãos eram o maior produto de exportação americano em 1869. Negociantes

---

* *Corner*: situação em que um investidor ou grupo de investidores controla a maior parte da oferta de uma ação, título ou commodity, podendo influir decisivamente sobre suas cotações. Um *corner* ou açambarcamento do mercado acontece quando há uma compra volumosa de papéis ou commodities que dá ao comprador o controle dos preços, e então aqueles que venderam a descoberto têm de pagar cotações extremamente elevadas para honrar seus contratos. Apesar de considerada ilegal na maioria das bolsas de valores, esta prática continua vigorando. (N.T.)

compravam grãos de fazendeiros a crédito, vendiam para o exterior e pagavam os fazendeiros quando recebiam suas remessas de valores estrangeiras. A dívida com os fazendeiros era em *greenbacks**, mas a receita do exterior vinha em ouro, pois o dólar americano não era moeda aceita nos outros países. Levava semanas, às vezes meses, para completar uma transação, por isso o negociante estava exposto a mudanças na taxa de câmbio ouro/dólar americano durante esse período. Se o ouro caísse (ou o papel-moeda subisse), as receitas em ouro do negociante podiam não cobrir suas dívidas em dólar. A Bolsa de Ouro de Nova York foi criada para ajudar negociantes a se proteger contra esse risco. Usando a bolsa, um negociante podia tomar ouro emprestado quando fizesse seu contrato, convertê-lo em papel-moeda e pagar seus fornecedores imediatamente. Depois pagava o ouro emprestado quando seu pagamento viesse algumas semanas mais tarde; como era ouro por ouro, as taxas de câmbio não importavam. Para se proteger contra o *default*, a bolsa exigia garantias totais em dinheiro para emprestar ouro. Mas isso foi uma abertura para especuladores espertos como Gould. Se um negociante comprasse ouro e imediatamente o emprestasse, podia financiar sua compra com a garantia em dinheiro e, assim, adquirir grandes posições usando muito pouco de seu próprio dinheiro.

Gould raciocinou que, se conseguisse forçar a subida do preço do ouro, podia aumentar as receitas de frete da Erie. Se o ouro comprasse mais dólar americano, o trigo que era comprado em dólar pareceria mais barato para compradores estrangeiros, e, assim, as exportações e os fretes aumentariam. E como a nova Bolsa de Ouro era extremamente jovem, os preços do ouro pareciam bastante manipuláveis, já que costumava haver apenas cerca de US$ 20 milhões em ouro disponíveis em Nova York. Ele discutiu a ideia com Fisk, que estava cético. O governo Grant, que tomara posse em março, estava sentado sobre reservas de ouro de US$ 100 milhões. Se o ouro começasse a subir de repente, prejudicaria os importadores, que provavelmente iriam exigir que o governo vendesse ouro.

Então Gould resolveu testar as intenções do governo. Ele fez amizade com Abel Corbin, um cavalheiro aposentado um pouco trêmulo que tinha se tornado recentemente cunhado do presidente e afirmava ter grande influência familiar. Em junho, quando Grant viajou por Nova York a caminho de Boston, Corbin ajudou a marcar um encontro com Gould e Fisk. O presidente foi convidado de Fisk no camarote particular da Erie na Ópera. Na noite seguinte, os dois, junto com o amigo de Gould, Cyrus Field, o empresário do cabo transatlântico, receberam Grant e outros homens importantes para uma ceia em um barco a vapor da Erie. (Como esses dois garotos do campo tinham chegado longe, e rápido!) Segundo Gould, ele conduziu a conversa com delicadeza para a política monetária, o que

---

* *Greenback*: moeda fiduciária (ou seja, sem lastro) emitida pelo governo americano para financiar a Guerra Civil. Impressa em papel verde, teve forte desvalorização ainda durante o conflito. Acabou se tornando sinônimo de dólar americano. (N.T.)

provocou apenas resmungos de Grant sobre o excesso de "ficção em torno da prosperidade do país. Essa bolha vai acabar estourando". Isso foi desanimador: o estouro de uma bolha significava menos dinheiro e ouro mais baixo.*

Corbin estava com o nariz tremendo com o cheiro de dinheiro. Durante todo o verão, acompanhou nervosamente Gould e fez várias outras apresentações. Em 2 de setembro, Gould, em uma transação que Henry Adams chama de "digna dos palcos franceses", comprou US$ 1,5 milhão em ouro para Corbin, que foi aceito com delicadeza "apenas por causa de uma mulher, minha esposa", nas palavras de Corbin, colocando-a galantemente em condições de ganhar mais de US$ 11 mil a cada dólar que o ouro subisse. Esse pagamento costuma ser visto como exemplo da ingenuidade de Gould em acreditar no papo de Corbin, mas este fez por merecê-lo. Parece que Corbin de fato convenceu Grant a cancelar uma venda de ouro que planejava fazer no início de setembro e também arranjou pelo menos dois *tête-à-tête* entre Gould e Grant. No que se refere a propinas políticas, isso valia o dinheiro pago. Como garantia extra, Gould fez compras similares para um alto funcionário do tesouro de Nova York, Daniel Butterfield, que tinha sido apresentado a ele por Corbin. Quando uma comissão parlamentar o interrogou mais tarde sobre o propósito dessas transações, Gould respondeu sem rodeios, como costumava fazer:

> P. Conte a esta comissão por que comprou e entregou aquele ouro para esses dois homens sem que eles lhe dessem nada em troca. Que tipo de negócio é esse?
> R. Não. Isso não está fundamentado em princípios de negócios.
> P. E fundamentado em que princípios o senhor fez isso?
> R. Fiz como um gesto de amizade.
> P. Foi para torná-los interessados em estabelecer a política do país?
> R. Achei que seus interesses seriam conduzidos por esse caminho.
> P. E o senhor considerou isso uma garantia extra, não foi?
> R. Sim, senhor.

Gould começou a comprar grandes quantidades de ouro em setembro, mas sem impacto visível em seu preço. Como Gould, entre todas as pessoas, devia ter previsto, especulação gera especulação. Por mais que tivesse disfarçado sua transação, todo mundo sabia que era ele quem estava pressionando para cima o preço do ouro. Quanto mais comprava, mais exposto ficava aos que especulavam com a baixa (que lucrariam com uma queda, então vendiam a descoberto em toda alta). Como Gould contou aos investigadores parlamentares:

---

* Para "estourar bolhas", isto é, desacelerar um crescimento desordenado, elevam-se as taxas de juros. Em 1869, sem um banco central, o governo vendia ouro para reduzir o excesso de papel-moeda, contando que menos dinheiro em circulação aumentasse as taxas de juros nos empréstimos. A combinação de um aumento no ouro circulante e escassez de papel-moeda resultaria em valorização da moeda e queda do ouro. (N.A.)

Capitalismo bandido

> Eu não queria comprar tanto ouro. ...Mas todos esses caras vendiam a descoberto, então, para mantê-lo alto, eu tinha de comprar ou então desistir e demonstrar covardia. Eles vendiam isso o tempo todo. Nunca tive a intenção de comprar mais que quatro ou cinco milhões em ouro. ...Não tinha intenção de açambarcar o mercado.

Gould relutou, mas recorreu a Fisk. A afirmação de Fisk de que entrou em cena só porque Gould era seu amigo é totalmente verossímil. Ele ainda estava cético e ainda não sabia ao certo se o governo iria vender ouro se os preços começassem a subir. Fisk consultou Corbin, que disse a ele que a mulher de Grant tinha comprado uma posição em ouro; isso não era verdade, mas Corbin estava esperançoso. Para confirmar a firmeza de Grant, Corbin escreveu mais uma carta em que exortava o presidente a não intervir nos mercados de ouro, que Fisk fez com que fosse entregue em mãos. O mensageiro de Fisk localizou Grant em meio a uma viagem pela Pensilvânia e lhe entregou a carta (aqueles eram tempos informais). Grant a leu e disse que não havia mensagem de resposta. O texto do telegrama do mensageiro, "Delivered all right", foi equivocadamente transmitido como "Delivered. All right".* Fisk pressupôs que Grant tinha topado.

Os corretores de Fisk começaram a comprar pesado na segunda-feira, 20 de setembro. Por toda a terça, os *bears*, nervosos, defenderam-se, com o ouro sem baixar de 130 (US$ 100 em ouro compravam US$ 130 ou mais em papel-moeda). Então, na quarta-feira Fisk entrou em cena. Sua figura resplandecente e intimidadora adentrou a Bolsa confiante, alardeando os recursos ilimitados da turma do ouro, gabando-se que o presidente, sua esposa e funcionários da Casa Branca estavam na jogada, alertando sombriamente que o dia do ajuste de contas estava chegando para os *bears*.

Um verdadeiro *corner* representa a morte para os *bears*. Um *bear* [analogia ao modo do urso atacar, de cima para baixo; quando acha que o preço de uma ação vai baixar, o especulador *bear* vende ações] que vende papéis a descoberto precisa comprá-los, ou tomar emprestado outra vez, quando vence o prazo do empréstimo. Com o passar da semana, as posições a descoberto cresceram para cerca de US$ 200 milhões em ouro, provavelmente a maior parte disso devida a Gould e Fisk, que estavam emprestando todo o ouro que compravam. Os US$ 20 milhões em ouro disponíveis estavam sendo emprestados e vendidos repetidas vezes, e à medida que os preços subiam, os *bears* entravam em um buraco cada vez mais fundo. Como Gould disse enfastiado: "O que levou o preço do ouro a subir tanto foi que esses *bears* ficaram com medo e começaram a se engalfinhar por ele. Os piores pânicos já produzidos foram *bears*". Estes temiam que Gould e Fisk dessem um basta àquela ciranda e exigissem seu ouro de volta. Como a quantia devida era muito maior do que a que estava em circulação, o preço, em teoria, podia chegar ao infinito.

---

* Tradução livre: "Entrega feita" e "Entregue. Feito". (N.T.)

O ouro fechou a quarta-feira em 141,5. Depois de gastar US$ 50-60 milhões em um único dia, os especuladores *bull* [que compram ações quando acham que ela vai subir, daí a analogia com o touro, que ataca de baixo para cima] não demonstravam sinais de fraqueza. Fisk estava apostando US$ 50 mil com quem quisesse como o ouro chegaria a 145 na quinta-feira. O pânico baixou sobre a Bolsa como uma nuvem ácida. A insistência de Gould em afirmar que nunca tentara açambarcar o mercado provavelmente era verdade; mas, para um subversivo extravagante como Jim Fisk, sua teatralidade teria sido irresistível. Porém, agora, as antenas de Gould estavam captando avisos. Os mercados financeiros estavam a todo vapor. Os telégrafos pulsavam com mensagens para Washington com pedidos de intervenção. Corbin estava cobrando de Gould seus lucros.

Gould fez uma visita para ver como estava Corbin na manhã da quinta-feira e encontrou o homem em um estado de terror quase terminal: os rumores de envolvimento oficial num *gold corner* tinham chegado à Casa Branca, e a mulher de Grant enviara à sua irmã, a sra. Corbin, uma carta forte em que exigia saber se aquilo era verdade. Corbin queria pular fora e sair com um lucro de US$ 100 mil. Gould prometeu as duas coisas, mas com a condição que Corbin ficasse em silêncio, pois, como dissera a Corbin, ele estaria "acabado" se a carta fosse revelada. Na verdade, Gould nunca pagou, deixando um Corbin sem recompensa e mergulhado no desprezo de seus parentes.

Gould não podia fazer coisa alguma contra Fisk. O desempenho de Fisk tinha fascinado o mercado, e se ele exibisse qualquer traço de dúvida, todo o empreendimento iria desabar. Gold parece não ter tido remorsos de abandonar Fisk; é necessário, no mínimo, admirar a clareza de sua mente. Na manhã de quinta, ele e seu sócio de corretagem, Henry Smith, desenvolveram uma estratégia que mesclava compras muito visíveis e vendas disfarçadas muito maiores para escoar seus títulos.

O mercado fechou a quinta-feira a 143,25; em meio a boatos de que Fisk iria exigir o ouro que lhe era devido na sexta-feira, forçando o *cornering* final. Na manhã seguinte, multidões começaram a se reunir cedo, como para assistir a um espetáculo no Coliseu romano. Quando os preços na abertura pularam para 145, Fisk mandou que um de seus corretores, Albert Speyers, o forçasse até 150. Isso foi conseguido em um instante. Depois da abertura, o preço ficou por alguns minutos em 150, depois passou rapidamente dos 155. Fisk mandou que Speyers "comprasse ouro a 160. Compre tudo o que puder a 160." No meio-tempo, Gould estava dizendo a Smith e outro corretor de confiança, Edward Willard, para acelerar suas vendas, pois o colapso era iminente. Ele visitara Butterfield, que tornara a lhe assegurar que Washington estava se mantendo firme. Mas Gould era um homem que manobrava por um mundo de mentiras, e as mensagens tranquilizadoras de Butterfield só lhe diziam que devia vender mais rápido. Na verdade, Butterfield estava descarregando seu próprio ouro em silêncio enquanto bombardeava o Tesouro com relatórios sobre a crise.

O telegrama informando o Tesouro de Nova York que Washington ia vender ouro foi enviado às 11h45; um segundo telegrama foi enviado alguns minutos mais tarde por um serviço de telégrafo diferente, por garantia. Por engano, a transmissão do primeiro deles não foi cifrada. Vendas grandes e repentinas por alguns corretores selecionados poderiam ter rompido o *cornering* alguns minutos antes que as notícias do Tesouro chegassem à Bolsa; Fisk insistiu que os primeiros vendedores tinham recebido dica de Butterfield, deixando uma lacuna aberta para pesquisadores futuros. O colapso foi praticamente imediato; em minutos, o ouro chegou a 132. O pobre Albert Speyers ainda gritava ordens para comprar a 160 – ele tinha ficado "completamente louco", bufou Fisk.

Quando o mercado quebrou pela primeira vez, Gould e Fisk saíram correndo para seu teatro e se esconderam ali protegidos por guardas armados. Os supervisores da Bolsa tinham feito algumas liquidações por estimativa para salvar corretagens sem liquidez, mas um dos juízes de estimação de Gould os esbofeteou com um mandado de segurança com o argumento que eles tinham excedido sua autoridade, o que parecia ser verdade. Por sorte, congelar as liquidações era exatamente o remédio certo. Quando a Bolsa lavou suas mãos em relação àquela confusão, os corretores começaram a resolver as coisas entre si mesmos. A maioria das casas simplesmente ignorou os preços inflados e fechou na casa dos 130. Fisk repudiou com tranquilidade suas perdas, produzindo uma carta falsa, supostamente de seu sócio de corretagem, Henry Belden, na qual dizia que toda a sua operação era responsabilidade de Belden. Belden foi pego pela baixa e foi à bancarrota; posteriormente, reergueu sua carreira com um cargo na corretora de Gould.

É fascinante como nunca houve uma pista de que Fisk se sentiu abusado pelas táticas de operação de Gould na quinta e na sexta-feira. Os dois homens eram extremamente pragmáticos, e Fisk deve ter entendido de imediato que Gould não tivera escolha. De qualquer forma, suas posições financeiras mal tinham sido afetadas. Fisk não pagou por qualquer perda, e Gould sem dúvida não ganhou com os resultados inesperados de suas operações durante o período de bolha. Fisk deu uma versão hilariante de todo o episódio para uma comissão parlamentar de inquérito, jogando lama com entusiasmo sobre todos verdadeiros e supostos participantes, da sra. Grant a Gould, terminando com uma longa descrição do pânico dos Corbins na Sexta-Feira Negra: "Ele e sua mulher, os dois tinham aspecto de morte. Ele tremia assim. (Ilustrado por um movimento trêmulo do corpo.)". Henry Adams foi quem mais ficou impressionado, porque grande parte do desempenho era pura invenção.

O impacto do *Gold Corner* na economia nacional foi, na pior das hipóteses, transitório, mas para Gould foi devastador. Além de destruir sua reputação, foi um golpe decisivo em sua estratégia em torno das ferrovias.

Os espólios

Quando a fumaça da Sexta-Feira Negra baixou, só uma das corretoras importantes estava na lista de baixas. Para o azar de Gould, foi a Lockwood & Co., forte aliada de Gould, que era uma das acionistas mais importantes de várias ferrovias no coração das conexões do Oeste de Vanderbilt. Quando houve uma intervenção na Lockwood, todos os seus papéis de ferrovias foram jogados no mercado e comprados pelo comodoro, que derrotou com facilidade um Gould sem dinheiro. Vanderbilt não era homem de confiar na sorte duas vezes para salvar suas ferrovias; antes de sua morte, tinha tomado atitudes decisivas para assegurar que toda sua rede de conexões no Oeste estivesse sob o controle firme da New York Central.

Com a estratégia de Gould para o Oeste mortalmente abalada, e as manchetes financeiras alardeando suas táticas destrutivas no *gold corner*, a legislatura da Pensilvânia e de Ohio logo acabou com suas esperanças de engolfar a Pennsylvania. Conseguir fazer com que a Pennsylvania escapasse dos ataques noturnos de Gould marcou o último degrau na ascensão de Tom Scott, que sucedeu J. Edgar Thomson na presidência em 1874. Scott, em contraste com o conservador Thomson, era um exemplo do presidente-pirata de ferrovia. Ele afastou violentamente o conselho de suas estreitas concentrações internas na direção de um programa quase irresponsável de expansão e cerco que tinha como objetivo fazer da Pennsylvania a principal empresa transportadora dos Estados Unidos.

A partir desse ponto, as guerras nacionais das ferrovias começaram se parecer com o jogo chinês *go*, no qual os jogadores ganham pontos quando cercam a posição de um adversário. Na briga por vantagem territorial, foram estendidas novas linhas em profusão, muito além da demanda do negócio. Como os preços dos fretes estavam em queda contínua, as expansões foram financiadas com balanços adulterados e calote nos acionistas. Frear o estilo de concorrência de Gould, de pular direto na garganta, tornou-se a causa de Pierpont Morgan pelo resto do século. Quando finalmente conseguiu, as ferrovias já haviam alimentado o crescimento rápido por todo o continente que marcou o resto do século.

Gould permaneceu na Erie por mais dois anos, exercendo mais ou menos o trabalho de um presidente de ferrovia – planejou ampliações modestas de linhas, fez experiências sobre as vantagens dos trilhos de aço e se envolveu em alguns golpes na bolsa contra um afiliado pouco cooperativo. Mas os anos de notoriedade resplandecente, fraudes extravagantes e reveses vergonhosos tinham esgotado a paciência mesmo dos sempre tranquilos acionistas europeus.

A brecha foi aberta por William Duncan, velho colega de banco de Junius Morgan no Duncan, Sherman, que levou a Gould a ideia de substituir o conselho da Erie por outro que tranquilizasse os investidores estrangeiros. Gould pediu conselho a Junius, que o incitou a antecipar as eleições do conselho de 1870.

(Suspeita-se que Junius estava fazendo jogo duplo, dando a Gould conselhos que, ele sabia, iriam arruiná-lo.) Ao mesmo tempo, um antigo aliado de Gould nas linhas oeste da Erie, James McHenry, decidiu armar uma estratégia própria. Ele se juntou à Bischoffheimer & Goldschmidt, uma importante casa bancária alemã com grandes blocos de ações da Erie, e começou a comprar ações em Londres e Berlim para alimentar uma tendência oposta. O conselheiro da Erie, Franklin Lane, homem de Fisk e Gould no Comitê Executivo da Erie, aliou-se em silêncio a McHenry enquanto fingia manter lealdade a Gould.

Gould sofreu outro golpe no verão de 1871, quando vazaram documentos que revelavam o quanto a Tweed Ring roubara a cidade de Nova York. Para a surpresa geral, uma onda de reforma tirou a máquina do poder na eleição do outono. Tweed fugiu do país e os juízes-fantoches de Gould foram forçados a deixar seus cargos.

Então Gould perdeu Jim Fisk. Um confuso triângulo amoroso entre Fisk, Josie Mansfield e Ned Stokes, outro amante de Mansfield, estourou nos tribunais e na imprensa. Estava claro que Fisk era a parte prejudicada – Mansfield estava desviando seu dinheiro para Stokes, e os dois estavam tentando chantagear Fisk. Stokes abriu um processo contra Fisk, mas quando o caso se virou contra ele, armou uma emboscada para Fisk em seu hotel, em janeiro de 1872, e o matou a tiros. Testemunhas ficaram impressionadas em ver Gould soluçando de modo incontrolável ao lado de seu leito de morte. Ninguém podia afirmar compreender o relacionamento dos dois, mas após a morte de Fisk, Gould pareceu estranhamente passivo diante dos ataques dos acionistas estrangeiros.

Os detalhes da derrocada de Gould sugerem que a Erie estava amaldiçoada por algum demônio de sordidez. Bischoffheimer organizou uma operação de suborno para comprar a parte dos leais a Gould no conselho. Dois agentes diferentes competiam como intermediários dos subornos, e um conjunto de personagens pouco confiáveis disputava as migalhas da briga anunciada. Simon Stevens, o patriota que, junto com o jovem Pierpont Morgan, vendeu para o governo seus próprios rifles Hall durante a Guerra Civil, de alguma forma surgiu como intermediário importante. Quando pressionado por uma comissão legislativa devido à revolta dos acionistas, Stevens respondeu simplesmente: "Eles tinham ouvido relatos fabulosos de que as pessoas que controlavam a ferrovia tinham feito fortunas enormes e queriam botar seus amigos nisso, também". De sua parte, Bischoffheimer acabou com um contrato fabuloso de investimento com a Erie pós-Gould – uma intermediação de cinquenta anos com a certeza de honorários muito altos e, na verdade, sem qualquer obrigação de fazer coisa alguma. A firma não fez segredo de que o contrato foi assinado em reconhecimento a suas despesas de suborno.

Gould deixou a Erie em março de 1872 e depois negociou uma renúncia de possíveis reclamações dos acionistas em troca do reembolso de US$ 9 milhões

Jay Gould foi finalmente expulso da Erie Railroad em 1872. As três figuras em queda, a partir do topo, são George Barnard, um juiz-fantoche de Gould; David Dudley Field, o advogado da Erie e do círculo de Tweed (e, incongruentemente, um famoso jurista reformador), e Gould.

à Erie. O verdadeiro pagamento foi uma fração desse valor: incluiu US$ 50 mil em dinheiro; US$ 5,2 milhões em ações extremamente sobrevalorizadas das subsidiárias da Erie; o teatro e os imóveis que a cercavam (como a antiga casa de Josie Mansfield), que declarou valerem US$ 3 milhões, provavelmente o dobro do que realmente valiam; além de uma miscelânea de títulos e o direito a receber aluguéis devidos a Gould. Houve poucos comentários sobre como, para começo de conversa, essas propriedades estavam nas mãos de Gould.

Os contemporâneos de Gould acreditavam ter finalmente arrancado suas presas. Agora ele era apenas mais um corretor de ações solitário, sem base corporativa nem acesso a uma máquina de imprimir papéis como a Erie. Sua reputação foi totalmente arrasada. Um representante dos acionistas ingleses disse que sempre que McHenry ou Bischoffheimer se deparavam com oposição, simplesmente "soltavam o grito de 'Jay Gould'", e os investidores ingleses corriam para seu lado. Mas não levar Gould em conta era subestimar demais o poder de superação daquele homenzinho. Várias vezes durante sua longa carreira ele absorvera golpes impressionantes, recompusera-se estoicamente e retornara à refrega. Por mais escandaloso que tenha sido seu reino na Erie, ele havia mudado para sempre a natureza da concorrência nas ferrovias americanas e voltaria várias vezes para ensinar novas lições sobre como se jogava aquele jogo.

A experiência da Erie gerou outros frutos. McHenry, como se viu mais tarde, não ganhou realmente o controle depois da saída de Gould, e Peter Watson foi eleito o novo presidente. Watson era um advogado e homem de ferrovia competente; um inquérito legislativo estadual detalhado sobre os acontecimentos na Erie demonstrou que ele era uma das poucas pessoas dos dois lados da mesa com uma compreensão consistente de contabilidade de ferrovias. Entretanto, fez sua fama duradoura como um dos promotores originais da South Improvement Company, uma construção nefasta que supostamente estava na origem da encampação da indústria americana do petróleo por John D. Rockefeller. Também havia uma história entre Gould e Rockefeller; na verdade, um jornalista crítico de Rockefeller declarou que todo o truste da Standard Oil "deve ser visto como o resultado gigantesco do cerco da Erie".

O primeiro barão do petróleo

A ideia de que John Rockefeller tenha de alguma forma sido uma criação de Gould é, no mínimo, bizarra, mas há algo de verdade na afirmação – pois a ascensão de Cleveland como um centro de refino de petróleo foi resultado direto das novas regras de concorrência no ramo ferroviário escritas por Gould.

Em um mapa, Pittsburgh parecia ter a localização ideal para dominar o negócio do refino. Conexões fluviais fáceis com os campos de petróleo deram o pontapé inicial na atividade industrial durante os primeiros anos do *boom*, e o transporte por balsa aos poucos foi substituído por uma malha ferroviária cada vez mais densa. De Pittsburgh, as refinarias tinham o transporte fácil, direto e de alta qualidade da Ferrovia Pennsylvania até o porto da Filadélfia. (Mesmo nos primeiros dias, cerca de 70% do produto refinado era exportado.) A viagem da região petrolífera até os portos do Atlântico via Pittsburgh era de 570 quilômetros, enquanto a rota similar por Cleveland era de 1.010 quilômetros. Como era de se esperar, no fim da Guerra Civil Pittsburgh abrigava um terço da capacidade nacional de refino, enquanto Cleveland, com uma fatia de 7%, era claramente um agente menor. Mas em apenas poucos anos, Cleveland era quem estava em lugar privilegiado. O que aconteceu?

A oportunidade de Cleveland surgiu por cortesia da política de pouca visão da Pennsylvania de explorar demais seu monopólio de tráfego entre Pittsburgh e a Filadélfia. (Andrew Carnegie reclamou contra essas práticas por anos. Apesar de suas relações próximas com a Pennsylvania, ele sempre instalou suas usinas siderúrgicas onde ela não pudesse extorqui-lo e acabou construindo sua própria ferrovia.) Cleveland era passagem natural das rotas de Gould e Vanderbilt para o Oeste, e os dois resolveram desenvolver o refino em Cleveland para absorver a capacidade de frete fora da safra de grãos. Como as refinarias de Cleveland também podiam enviar sua produção pelos vapores dos Grandes Lagos durante os sete meses do ano em que eles não estavam congelados, eles se viram em uma situação em que tinham o bônus de três transportadoras concorrentes. Os preços da Pennsylvania a partir de Pittsburgh eram altos o bastante para que Gould e Vanderbilt conseguissem facilmente igualá-los em Cleveland; e quando os dois se envolveram em inevitáveis disputas de redução de preço, foram aumentando regularmente a vantagem de Cleveland. Com Rockefeller e seu novo sócio no comando, o carismático e agressivo Henry Flagler*, a capacidade de refino de Cleveland cresceu com rapidez. Quando, por volta de 1870, a Pennsylvania finalmente começou a reagir, Cleveland já tinha ultrapassado e muito Pittsburgh como polo de refino.

O surto de crescimento no refino deixou a indústria com uma grande capacidade ociosa. Nos primeiros dias, a atividade de "ferver óleo", como chamavam o refino, não era muito diferente da destilação de uísque, e os primeiros refinadores usavam a cor, o cheiro e o sabor para escolher os processos de destilação mais apropriados ao querosene, ao óleo para aquecimento ou a outros produtos. A economia do refino ainda era mais espetacular que a da perfuração e exploração.

---

* Flagler, alguns anos mais velho que Rockefeller, era originalmente um atacadista de hortifrutigranjeiros e fizera e perdera uma fortuna com extração de sal mineral. Ele voltou aos hortifrutigranjeiros para recuperar suas finanças e alugou um escritório de Rockefeller. Os dois tinham se tornado quase inseparáveis quando Rockefeller o convidou para entrar na Standard. (N.A.)

Os ganhos com a construção de uma refinaria eram ainda mais espetaculares do que os da exploração de petróleo. O custo de montar uma refinaria de tamanho médio era de cerca de US$ 13 por barril no primeiro lote, o que estava próximo do preço de venda do produto refinado; em outras palavras, um investidor podia recuperar a maior parte de seu investimento em dinheiro com um único lote. Centenas de refinarias, algumas tão pequenas que refinavam apenas cinco barris por dia, espalharam-se por toda a região petrolífera até sua estação final em Pittsburgh e Cleveland.

Entretanto, no fim dos anos 1860 as melhores refinarias estavam começando a aumentar as barreiras competitivas à medida que desenvolviam uma compreensão sólida e empírica dos ciclos de temperatura, procedimentos e tempo, desenho dos destiladores e o uso de ácidos e outros produtos químicos para melhorar o desempenho do produto e suas características físicas. Havia permanente e considerável inovação em processo contínuo, o uso de vácuo e tecnologia de vapor superaquecido e a mecanização de tarefas que consumiam tempo como a remoção do acúmulo de resíduos no fundo dos destiladores. O tamanho dos destiladores aumentou em cerca de dez vezes, e linhas de produção aprenderam a se ajustar para fazer toda a linha de produtos derivados do petróleo, de parafinas pesadas a solventes muito leves como benzeno e nafta. A Standard Oil (como foram rebatizadas as refinarias de Rockefeller em 1870) não era uma inovadora em qualquer dessas áreas, mas Rockefeller era sempre um dos primeiros a adotar tecnologias comprovadas e estava sempre à procura de talento – comprando a moderníssima refinaria de Charles Pratt em 1874, por exemplo, e levando no acordo o brilhante especialista em destilação Henry Rogers.

Há provas de que Rockefeller andava muito assustado nesse período, pois sem dúvida percebia que a indústria estava à beira de um abalo cataclísmico. Ele exigia reduções de custos em todas as frentes, corte de desperdícios e a comercialização de mais derivados. Nenhuma oportunidade de aumentar a margem de lucro era desprezada – criando sua própria operação de transporte, construindo sua própria fábrica de barris, comprando seus fornecedores de tubulações. Além de seu talento administrativo, Flagler trouxe com ele muitos parentes por afinidade ricos, cujos investimentos podem ter sido críticos para permitir maiores melhorias operacionais na empresa. Mesmo os *muckrackers* mais contrários a Rockefeller reconheciam a alta qualidade das operações da Standard.

Rockefeller também pode ter sido único entre os executivos do petróleo por sua compreensão da distribuição. O querosene – óleo de iluminação – foi possivelmente o primeiro produto de consumo mundial. (Os mercados de grão eram globais, claro, mas o grão era normalmente transformado em farinha ou pão em esferas locais antes de ser vendido ao consumidor.) Rockefeller buscou integrar fortemente o marketing das operações de distribuição desde o princípio de sua carreira, movendo-se rapidamente de relacionamentos contratuais para compras abertas e fusões. Sua rede de aquisições do fim dos anos 1860 à primeira metade da década de 1870 incluiu instalações com base em oleodutos para o transporte e armazenamento de óleo cru, campos de tanques de armazenagem, instalações para o carregamento de caminhões-tanque, remessa e operações de distribuição em grande escala para o país e o exterior e instalações costeiras de armação e carregamento de navios (Rockefeller construiu suas próprias docas e também assumiu o controle das operações de embarque de petróleo nas docas da Erie e da New York Central). Portanto, a Standard era a única empresa em posição para equilibrar a produção das refinarias, o transporte e a distribuição e conseguir aumento na margem de lucro em todos os estágios. Os serviços de distribuição da Standard, como as operações nas docas de Nova York, eram usados por outros transportadores. Por isso, refinarias concorrentes também contribuíam para encher os cofres da Standard. O acúmulo de pequenas melhorias em tantos pontos aos poucos se transformou em uma enorme vantagem em rentabilidade.

A última peça no mosaico eram descontos superiores dados pelas ferrovias e outras transportadoras, quase sempre por meio de abatimentos posteriores* mensais sobre os preços de tarifas praticados. Esses abatimentos eram normalmente baseados em volume, mas muitas vezes envolviam outras considerações, como o uso liberado do tanque de armazenamento ou outras instalações da Standard e a absorção, pela Standard, do risco de incêndio (muito importante para as ferrovias nos primeiros anos do petróleo). Em determinado momento, Rockefeller comprou uma frota de vagões-tanque de bitola larga para a Erie depauperada e suas aliadas; naturalmente, a Standard tinha prioridade nos vagões, pagava tarifas de frete mais baixas por seu uso e recebia aluguel quando a ferrovia os usava para outras refinarias.

Dois dos primeiros contratos são bem ilustrativos. Ambos foram negociados principalmente por Flagler, que era o principal responsável pela administração do carregamento e transporte. O primeiro, assinado em 1868 e renovado em seguida, compreendia uma série de acordos entre um consórcio de refinarias de Cleveland liderado pela Standard, pela Erie de Jay Gould e uma de suas ferrovias aliadas e um oleoduto de transporte de óleo cru (ele levava a produção dos campos de petróleo até os terminais ferroviários de carga) também sob controle da Erie. As empresas firmaram compromissos de exclusividade e importantes reduções de tarifas, enquanto as refinarias receberam algumas ações do oleoduto. A intenção clara dos acordos era unir as empresas em uma rede integrada e assegurar um fluxo permanente de produção. Enquanto o acordo fazia muito sentido do ponto de vista econômico, foi tratado quase como prova de criminalidade quando veio à luz muitos anos mais tarde.

---

* Manobra comercial realizada para fidelizar clientes, ou seja, o cliente pagava o valor de tabela e recebia a devolução de parte deste dinheiro. Esta manobra era realizada tanto de forma legal quanto de forma ilegal. (N.E.)

O segundo contrato foi assinado em 1870 entre a Standard e a Lake Shore, uma ferrovia de Vanderbilt. Flagler conseguiu um desconto de cerca de 30% das tarifas anunciadas com a garantia de que haveria no mínimo sessenta vagões carregados por dia. Segundo um executivo da Lake Shore, J.H. Devereaux, o acordo representou enorme economia para a ferrovia, já que ela podia programar composições diárias sem paradas até a costa. O tempo exigido para viagens de ida e volta de vagões-tanque foi reduzido a um terço do que quando se misturavam com os de outros tipos de carga, com economia importante em carros e custos de capital. Com muita ironia, Devereaux fez a oferta para todas as outras refinarias, desde que garantissem os mesmos volumes.

Crise e consolidação

Em 1871, a crise temida por Rockefeller estava próxima. A capacidade de refino tinha crescido para cerca de doze milhões de barris ao ano, grande parte disso espalhada por centenas de pequenas empresas familiares, enquanto a produção de óleo cru era de pouco mais de cinco milhões de barris. Por um breve período os produtores se aproveitaram dos preços altos enquanto as refinarias disputavam sua produção – o óleo cru chegou a US$ 5 por barril em 1871 –, mas novas descobertas grandes logo também geraram um excesso de óleo cru. As ferrovias também estavam sob pressão. As Guerras da Erie tinham desencadeado guerras de preço encarniçadas, mas refinarias desesperadas continuavam a gritar por descontos e abatimentos posteriores cada vez maiores. Ao mesmo tempo, Tom Scott estava expandindo rapidamente a Pennsylvania até Nova York e Nova Jersey, espalhando boatos sobre planos para um poderoso setor de refino na Costa Leste para enfrentar Cleveland e Pittsburgh. Sem dúvida, já estava mais que na hora de uma reestruturação cataclísmica.

Além de reforçar suas próprias operações, Rockefeller tinha se preparado para uma crise reorganizando seu negócio como a Standard Oil Co., uma sociedade anônima, em 1870. Sociedades anônimas ainda eram raras fora das ferrovias, mas sua habilidade em usar ações como moeda de aquisição fez delas um veículo ideal de aquisições. A Standard foi capitalizada em US$ 1 milhão (dez mil ações com valor nominal de US$ 100), incluindo US$ 200 mil em novos investimentos, US$ 100 mil dos quais pagos no momento da incorporação por O.B. Jennings, cunhado do irmão mais novo e sócio de John William, e o resto seria captado nos dois anos seguintes por funcionários de bancos importantes de Cleveland. As ações restantes foram distribuídas entre os sócios na mesma proporção de sua antiga sociedade.

A crise eclodiu em um período incrível de cinco meses, de dezembro de 1871 a abril de 1872. Em 30 de novembro de 1871, enquanto estava em Nova York, Rockefeller ouviu falar pela primeira vez de um plano engendrado por Tom Scott e Peter Watson, na época um executivo no sistema de Vanderbilt, para organizar um cartel de refinarias e ferrovias. Uma nova corporação, a South Improvement Company (SIC), de propriedade conjunta das ferrovias e refinarias, iria determinar tarifas e distribuição de frete uniformes entre as três principais linhas-tronco e distribuir cotas de produção e transporte entre as refinarias participantes. Em contraste com a maioria dos acordos de *pool* da época, esse estava escondendo suas garras. As tarifas de frete para o transporte de petróleo seriam fixadas muito altas, pelo menos o dobro da média praticada, com quase todos os aumentos reembolsados às refinarias participantes. Para completar, os novos encargos cobrados de empresas não participantes também reverteriam aos participantes. Em suma: não participar era morrer. Apesar de Rockefeller e Flagler sempre terem dito que eram extremamente céticos em relação à ideia da SIC, Rockefeller assumiu o papel principal em sua venda para a indústria.

Rockefeller voltou para Cleveland em 15 de dezembro e logo propôs a Oliver H. Payne, principal sócio na Clark, Payne, a segunda maior refinaria de Cleveland, comprar o controle da Standard. Payne era um dos homens mais ricos e um dos empresários com melhores conexões em Cleveland; os Clarks eram ex-sócios de Rockefeller no primeiro empreendimento de refino. Rockefeller estipulou que queria manter Payne como executivo, mas não haveria lugar para os Clarks. O acordo foi fechado em apenas alguns dias. Payne, que andava aborrecido com o negócio de refinarias, foi primeiro convidado a examinar as contas da Standard e ficou atônito com sua lucratividade. Ele concordou com um acordo envolvendo apenas ações no valor de US$ 400 mil, representando um prêmio de boa vontade de US$ 150 mil sobre o valor estimado dos ativos da Clark, Payne.

Em duas ofertas sucessivas em 1º e 2 de janeiro de 1872, a Standard Oil aumentou sua capitalização, primeiro para US$ 2,5 milhões, depois para US$ 3,5 milhões, por meio de uma emissão adicional de 25 mil ações com valor nominal de US$ 100. Das novas ações, 4 mil foram emitidas *pro rata* para os acionistas existentes, supostamente como dividendos de ações; 4,4 mil foram compradas por Rockefeller e Flagler; 4 mil foram emitidas para cobrir a aquisição da Clark, Payne; e 900 foram para duas outras aquisições – uma pequena refinaria de Cleveland e uma empresa de refino e distribuição com enfoque internacional nas docas de Nova York de propriedade de Jabez Bostwick. Por último, 500 ações foram emitidas, o que é bem significativo, para Watson, enquanto as 11,2 mil ações restantes foram retidas para se proteger contra aquisições futuras. (Ver as notas do capítulo sobre a divisão acionária da Standard.) Rockefeller estava agindo com muita rapidez.

Em 2 de janeiro, a SIC foi incorporada com Watson na presidência. Das 2 mil ações autorizadas, Watson ficou com 100 e era o único representante das ferrovias. A Standard ficou com 900 ações, incluindo 360 nos nomes de Payne e Bostwick. Duas refinarias com direitos de propriedade interligados na Filadélfia e em Pittsburgh receberam quase todo o restante, totalizando oitenta a mais que o grupo da Standard. Após negociações, as ferrovias Erie e as de Vanderbilt concordaram em se unir e logo determinaram a partilha do tráfego com a Pennsylvania.

Rockefeller era um furacão. Ele e Watson eram os condutores-chave da SIC, organizando reuniões por toda a Costa Leste e em todas as regiões petrolíferas. Ao mesmo tempo, seu programa de aquisições em Cleveland entrou em extrema atividade. No fim de janeiro, ele tinha feito propostas de compra para todas as 26 refinarias de Cleveland. No fim de março, ele tinha acertado com 21.

A SIC desmoronou quando as últimas aquisições em Cleveland estavam sendo fechadas. Apesar dos protestos de Scott, as refinarias sócias da SIC não queriam incluir os produtores e só com relutância chamaram as maiores refinarias da região petrolífera para participar, e elas se recusaram a se unir. Então, em fevereiro, devido a um erro de escrituração, as tarifas de frete sugeridas pelo plano da SIC foram divulgadas como se já estivessem em vigor. A região petrolífera foi tomada por choque e raiva. Houve manifestações, e as pessoas saíram pelas ruas com tochas, fizeram discursos inflamados e atacaram as instalações dos participantes da SIC. Quando Rockefeller e Watson tentaram a reconciliação, foram expulsos aos gritos das salas de reunião. Pela primeira vez na história da região, e de forma ainda mais dramática, os produtores realmente forçaram um embargo contra as refinarias que participavam da SIC. Vigilantes noturnos mantinham na linha aqueles que estavam indecisos em relação ao embargo. No início de março, a Standard, na prática, estava fora do negócio, e cerca de 5 mil trabalhadores das refinarias de Cleveland foram despedidos.

Com Scott à frente, as ferrovias capitularam em meados de março. Cornelius Vanderbilt disse que tudo tinha sido um erro, culpando corajosamente seu filho. George McClellan, o desajeitado general da Guerra Civil, que agora era presidente da Atlantic & Great Western, negou mesmo que tivesse assinado. Jay Gould, na Erie, que gostava de desmascarar as pessoas, logo enviou telegramas aos produtores com os detalhes da participação de McClellan. A oferta de paz das ferrovias era uma tabela de tarifas nova e uniforme – que proibia descontos e abatimentos posteriores – anunciada em 25 de março, que basicamente acompanhava as tabelas com abatimentos posteriores no plano da SIC. (As ferrovias se aferraram à sua promessa de não dar descontos por cerca de duas semanas.) A legislatura da Pensilvânia foi na mesma onda e acertadamente revogou a licença da SIC em 2 de abril. Uma semana depois, os produtores anunciaram, triunfantes, o fim de seu embargo.

E uma semana depois disso a imprensa especializada revelou pela primeira vez que a Standard, para todos os efeitos práticos, tinha consolidado toda a indústria de refino de Cleveland. Até o fiasco da SIC, a maior parte das pessoas na indústria nunca tinha ouvido falar o primeiro nome de John Rockefeller; agora, ele controlava mais de um quarto da capacidade de refino do país. À medida que as ondas de choque reverberaram pelas regiões petrolíferas – um jornal falou sobre a South Improvement Company "aliás, a Standard Oil Company" – Rockefeller e Flagler fizeram uma visita conciliatória, quando apresentaram um chamado "Plano de Pittsburgh", por meio do qual as refinarias concordariam com um preço mínimo de petróleo cru na boca de poço – desde que os campos produtores limitassem a produção aos níveis acordados. Eles podiam não estar totalmente sérios; mobilizar produtores insatisfeitos em um embargo de um mês era uma coisa, mas acordos duradouros de produção estavam muito além da capacidade organizacional da região. Ainda assim, a viagem foi útil para Rockefeller, pois ele estabeleceu relações amistosas com os dois maiores empresários de refino da região, John Archbold e Vandergrift, que estavam entre seus críticos mais duros durante o fiasco da SIC.

Rockefeller e seus sócios, por outro lado, não apareceram muito nos jornais pelos dezoito meses seguintes, enquanto se concentravam em uma reestruturação completa de sua base de refino em Cleveland. A maior parte dos negócios adquiridos recentemente foi vendida como sucata, já que 24 refinarias foram consolidadas em seis instalações grandes e modernas, projetadas com o objetivo de alcançar uma produção eficiente de toda a linha de derivados do petróleo. A partir daí, a Standard virou uma máquina de fazer dinheiro. Entre 1870 e 1873, o preço do querosene em Nova York caiu em cerca de 25%. A maior parte do golpe foi absorvida pelos produtores, pois o barril de óleo cru na origem caiu de mais de US$ 4 por barril para menos de US$ 2. Uma recuperação do preço dos fretes por barril foi reduzida por um adicional de 15%, mas a receita bruta por barril das refinarias na verdade aumentou em 25%. Para a maior parte da indústria, o aumento na receita mal teria reduzido os prejuízos financeiros; para a Standard, consolidou uma vantagem lucrativa já poderosa. A maioria dos executivos teria considerado a "Conquista de Cleveland" a grande obra de uma vida. Mas Rockefeller tinha apenas 33 anos – e só estava começando.

O caso dos *muckrackers* contra Rockefeller

A história da Standard Oil escrita por Ida Tarbell, baseada em sua série de dezenove reportagens publicadas na *McClure's Magazine* entre 1901 e 1903, pode ser considerada a base de todo o caso contra Rockefeller. É uma polêmica fantástica e desde então dominou a percepção que todos tinham do homem e de sua ascensão. Tarbell era uma filha da região petrolífera. Seu pai construiu o primeiro sistema de tanques para conter o fluxo que jorrava de algumas das primeiras descobertas de petróleo e, na adolescência, durante a guerra da região contra a SIC, ela orgulhosamente o viu sair a galope para a batalha como um vigilante em defesa do embargo do petróleo. Sua história é um auto de moralidade: os corajosos produtores e refinadores independentes da região em uma batalha desigual e sem esperanças contra uma corporação distante, personificada por um desalmado John D. Rockefeller. Seu argumento central é que os produtores e refinarias da região tinham uma vantagem inerente sobre qualquer outro centro petrolífero, em especial

Cleveland. Era o único lugar com produção e refino integrados e ainda tinha a vantagem de estar mais próximo dos principais mercados e portos do Leste. Ela reconhece a excelência de Rockefeller como homem de negócios, mas insiste que ele não poderia ter superado essas vantagens a não ser trapaceando. E ela revela a trapaça no sistema de abatimentos posteriores "injustos e ilegais" que favorecia os maiores transportadores.

Infelizmente, a grande força da prosa de Tarbell esconde as falhas em seu argumento. Para começar, as refinarias da região não tinham uma vantagem inerente sobre os centros mais distantes; na verdade, era mais o oposto. As distâncias entre os poços, as refinarias e os mercados eram, na verdade, as mais curtas, como diz Tarbell, mas a vantagem dessa localização também trazia problemas, como o acesso pouco confiável a suprimentos e preços de terras muito altos – os locadores preferiam a sorte inesperada da perfuração. E o que era muito mais importante: o transporte dentro da região era muito ruim. Era uma região rústica e montanhosa; a rede de ferrovias parecia-se mais com muitos sistemas mais novos de trens urbanos projetados para transportar as pessoas entre os subúrbios e o centro das cidades. Pouco ajudava para circular por dentro da própria cidade. A luta era para acompanhar as mudanças rápidas de localização dos campos de maior produção à medida que os poços mais antigos se esgotavam e novas descobertas expandiam os limites da região. Era inevitável que o refino na região estivesse ligado a centros de produção específicos e tipicamente pequenos e subutilizados. Tarbell romantizou sobretudo os pequenos empresários – homens cujas vidas eram "estimulantes e saudáveis e alegres... até que uma grande mão surgiu não se sabe de onde para roubar suas conquistas e sufocar seu futuro". Mas o fato é que, com duas ou três exceções, as refinarias da região eram as menos eficientes de todas. À medida que a tecnologia de produção mudava para favorecer um processamento contínuo em larga escala e uma gama de produtos e serviços relacionados, os centros estabelecidos de refino situados nos principais eixos de transporte obtiveram uma vantagem incontestável.

E ainda mais importante, Tarbell não compreendeu que as grandes batalhas das linhas de Gould-Vanderbilt-Scott nunca tiveram o petróleo como principal motivador; eram pelo domínio das rotas de tráfego de transporte de grãos para Chicago e o Meio-Oeste. Especialmente nos primeiros dias, o frete de petróleo era pouco mais que um lastro para o negócio muito maior do transporte de grãos. Em 1882, o primeiro ano em que há dados comerciais sobre o petróleo, a exportação de produtos agrícolas, com a exceção da farinha, era mais de seis vezes maior que as exportações de petróleo; com a inclusão da farinha, era quase dez vezes maior. Na época da SIC, a relação seria ainda mais favorável à agricultura. Comparar volumes de exportação na verdade superestima a importância do petróleo, já que as exportações eram uma fatia muito maior da produção de petróleo que de grãos.

As ferrovias lamentavam em voz alta suas perdas no transporte de petróleo, e dado o estado ainda primitivo da contabilidade de custos, é provável que elas não fossem enganosas. Mas como desde o começo eles disputaram o transporte de petróleo para utilizar a capacidade ociosa, as receitas do petróleo tinham apenas de superar os custos variáveis para serem atraentes. Uma análise cuidadosa feita pelo historiador da indústria Harold Williamson sugere que o transporte de petróleo era quase sempre lucrativo, como homens de negócios perspicazes como Gould e Vanderbilt teriam compreendido intuitivamente. O fato de tanto a Erie quanto a New York Central terem decidido erguer Cleveland, portanto, não foi consequência do esquema de Rockefeller. Gould e Vanderbilt estavam lutando pelo controle do comércio de grãos com o Oeste, e Cleveland era o centro natural para seus dois sistemas. Nunca houve a menor possibilidade de eles investirem para erguer as regiões petrolíferas como um centro de transporte concorrente.

A segunda parte do argumento de Tarbell – que os abatimentos posteriores eram de certa forma "ilegais" – é simplesmente falsa. Não havia lei contra abatimentos posteriores – nem em nível federal, nem estadual –, e eles eram prática-padrão entre todas as transportadoras.* Tampouco eram especialmente "secretos". As ferrovias lutavam para evitar que alguns abatimentos posteriores fossem revelados por motivos óbvios, mas reconheciam sem problemas, e com a mesma frequência reclamavam, da generalização da prática. Tampouco é verdade, como se costuma afirmar, que os abatimentos posteriores violavam a "lei costumeira" contra contratos de restrição ao comércio. Em primeiro lugar, segundo a "lei costumeira", contratos com cláusulas de restrição ao comércio não eram criminosos, simplesmente não eram válidos, o que é bem diferente.** Em segundo, a predisposição firme dos tribunais elisabetanos contra pactos de

---

* As ferrovias sem dúvida concordaram com os abatimentos posteriores como método favorito de descontos para maquiar o desempenho para os acionistas. Registrando as tarifas básicas como receita e os abatimentos posteriores como custos, em vez de um redirecionamento de receita, as ferrovias podiam inflar o crescimento de sua receita. Alguns estados "Granger" do Meio-Oeste mais tarde aprovaram leis antiabatimentos posteriores, mas a maioria delas foi rapidamente revogada quando as ferrovias reagiram com aumento de preços. De qualquer forma, elas só se aplicavam ao transporte intraestadual. (N.A.)

** Quando estava na Corte de Apelações Federal, William H. Taft (futuro presidente e presidente da Suprema Corte) escreveu que contratos de "restrição ao comércio em geral não eram contra a lei como se fossem criminosos... mas eram simplesmente inválidos e não eram reconhecidos pelas cortes". Depois de se transformar em magnata do aço, por exemplo, Andrew Carnegie podia entrar, e em seguida violar, para fixar preços de frete sem se preocupar que seus sócios o processassem. Mas os acordos em si não eram ilegais até o Sherman Act, de 1890. Da mesma forma, os tribunais também relutaram em aplicar as restrições contratuais sobre a alienação de terra, mas elas não eram "ilegais", e as partes estavam livres para respeitá-las. A suposta criminalidade dos contratos de restrição de comércio do ponto de vista da lei costumeira é repetida mesmo por historiadores normalmente cuidadosos, mas, pelo que eu sei, apenas em conexão com Rockefeller. Em contraste, historiadores e contemporâneos costumam louvar pessoas como Albert Fink, que vigiava os *pools* ferroviários mais importantes da época, que eram evidentemente contratos que restringiam o livre comércio. Os de Fink, além do mais, eram projetados para elevar preços, enquanto a pressão de Rockefeller sobre as ferrovias tinha a tendência de forçar a redução de preços. (N.A.)

restrição à concorrência tinha cedido espaço para uma atitude muito mais branda, "como exigia uma civilização em progresso", segundo uma autoridade britânica. Os tribunais britânicos geralmente reconheciam tais acordos enquanto eles fossem "razoáveis"; e, em particular, nem os tribunais nem o Parlamento viam nada de errado em cartéis de preço que não tinham como objetivo "elevar preços ou aniquilar a concorrência em detrimento do público". A lei de ferrovias britânica proibia apenas a concessão de "preferências ou vantagens ilegais ou exageradas", uma regra que parecia admitir a maioria dos descontos dados à Standard, já que eles geralmente refletiam uma sólida base econômica, como garantias de volume.

De qualquer forma, é especialmente enganador sugerir que o direito costumeiro fornecia diretrizes claras para o acerto de novas questões nos Estados Unidos. Quando a legislação antitruste Sherman foi aprovada em 1890, todos concordaram que ela incorporava o direito consuetudinário, mas levou vinte anos de decisões divididas na Suprema Corte americana, em geral registradas em pareceres e discussões inflamadas, para se chegar a um consenso sobre o que era o direito costumeiro. Finalmente chegou-se a uma decisão favorável à posição de "razoabilidade" da Suprema Corte no caso da liquidação forçada da Standard Oil em 1910: "Em um período muito remoto", escreveu a Corte, "...todos esses contratos [de restrição ao comércio] eram considerados ilegais. ...[mas no] interesse da liberdade dos indivíduos em estabelecer contratos, essa doutrina foi modificada para que uma restrição contratual só fosse considerada nula quando contérmina com o reino" – em outras palavras, "restrições razoáveis sobre o comércio" estariam à altura das exigências até que chegassem perto de um verdadeiro monopólio. Juízes progressistas, como Oliver Wendell Holmes Jr. e Louis D. Brandeis, buscavam rejeitar completamente os "princípios de direito consuetudinário" porque estes costumavam ser uma máscara para esconder preconceitos judiciais correntes.

Por fim, o argumento de que abatimentos posteriores, mesmo se legais, eram "antiéticos" perde o sentido; eram descontos legais negociados com fornecedores poderosos em benefício dos acionistas. Muitos achavam que os abatimentos posteriores eram errados, mas não conseguiram traduzir seus pontos de vista em leis. A pressão para uma regulamentação de transportes comum finalmente ganhou terreno em 1887, com a aprovação do Interstate Commerce Act, e a determinação federal das tarifas se tornou realidade em 1906. A experiência foi finalmente abandonada nos anos 1970, quando economistas chegaram quase ao consenso de que a regulação resultara apenas em tarifas mais altas e serviços insatisfatórios. Ninguém defendeu que as tarifas reguladas eram a alternativa mais ética.

Entretanto, há outras questões éticas relacionadas à aquisição das refinarias de Cleveland por Rockefeller. Ele pagou preços justos? E o quão importante, e quão irregular, foi a pressão da SIC?

As reclamações mais fortes sobre os preços de Rockefeller vieram de homens que receberam menos do que haviam investido. Hoje vemos isso como normal, mesmo para negócios que não foram destinados ao ferro-velho. Pressupomos que um novo avanço tecnológico importante, como nas telecomunicações ou na Internet, vá gerar o surgimento de muitas empresas, seguido por uma consolidação dura à medida que surjam os vitoriosos. Os homens de negócios da era de Rockefeller, entretanto, davam muito mais valor à estabilidade. Um "retorno justo" de uma empresa existente era semelhante a um direito à propriedade, ou, como defendeu um congressista influente, "Todo homem no negócio... tem um direito, um direito legal e moral, a obter um lucro justo de seu negócio e de seu trabalho".

Rockefeller assumiu a visão moderna. O jogo em Cleveland estava terminado, especialmente depois da fusão com Payne. Rockefeller considerava quase todas as suas aquisições muito ineficientes, não fazia segredo de que iria fechá-las. Do seu ponto de vista, pagar qualquer coisa por elas foi um ato magnânimo. Ele o fez, parece, sobretudo para economizar tempo, pois estava marchando adiante em ritmo acelerado – quanto mais rápida e limpa a reestruturação, mais rapidamente ele poderia seguir para a arena seguinte. Todas as provas indicam que seus preços foram baseados em avaliações justas – ao que parece, escrupulosamente justas – dos ativos comprados. Muitos dos que venderem reconheceram que os preços foram razoáveis, e aqueles que seguiram o conselho de Rockefeller e aceitaram ações da Standard em geral ficaram bastante ricos. Apesar de Tarbell deplorar uma aquisição similar de Rockefeller das refinarias da região petroleira alguns anos mais tarde, nem mesmo ela alegou preços aviltantes. Sua reclamação é que, apesar de as refinarias talvez terem recebido grandes somas de dinheiro, elas perderam um modo de vida valioso. Não se sabe se os empresários do refino que acabavam de ficar ricos iriam concordar.

Rockefeller usou a ameaça da SIC para exercer pressão sobre os vendedores? Sem dúvida. A ameaça era antiética? Nesse caso, parece que sim. Lembre que o método tradicional de coação da SIC era que, se uma refinaria não se unisse, não receberia os abatimentos posteriores da SIC, e os abatimentos posteriores a que teria direito seriam pagos aos outros membros da SIC. É difícil imaginar que a segunda cláusula passasse mesmo em um teste simples de direito costumeiro sobre sua razoabilidade. As ferrovias, entretanto, insistiam que, como todas as refinarias eram bem-vindas à SIC, na verdade não havia discriminação. Mas isso não era verdade. Todo o objetivo da SIC era reduzir e racionalizar a capacidade, então não faria sentido admitir pequenas refinarias, a menos que elas concordassem em fusões com seus poderosos irmãos maiores. A SIC sempre teve o objetivo de servir como tática de pressão, como alega Tarbell.

Tampouco há como defender a doação secreta de ações da Standard a Peter Watson, o presidente da SIC. Foi uma doação considerável, com um valor nominal de US$ 50 mil, ou cerca do mesmo que Rockefeller estava pagando por duas refinarias de tamanho modesto. Como sem dúvida Rockefeller e Watson esperavam, refinarias que desejavam uma opinião independente sobre uma oferta de compra costumavam procurar Watson. Um bom teste de comportamento antiético é o fato de você ter vergonha de que ele seja conhecido. Quando perguntaram a Rockefeller, sob juramento, se Watson tinha ações da Standard, ele mentiu. É muito duvidoso que o acordo corrupto com Watson afetasse o resultado final em Cleveland; mas ainda assim, Rockefeller tinha boas razões para ficar embaraçado por sua causa.

No fim das contas, apesar de haver muitos esqueletos no armário de John Rockefeller, ele não era um bandido ou um fraudador, nem um manipulador de ações como o jovem Jay Gould. A maior parte das acusações contra ele foram por violar os padrões desejados pelos reformadores, não o que realmente eram. A melhor analogia com o presente pode ser a Microsoft, de Bill Gates. Ele e sua equipe jogaram muito pesado ao longo dos anos, muitas vezes andando nos extremos dos limites da lei. Mas eles também foram os primeiros a entender a oportunidade global para software de microcomputadores e executaram sua estratégia de forma brilhante. Como um batista devotado, Rockefeller deve ter mantido longas conversas com Deus acerca do perjúrio sobre Watson e suas outras más ações. Mas seus delitos não foram os motivos que o levaram a dominar sua indústria: ele ganhou porque era mais rápido em compreender e mais mortal na execução que todos os seus contemporâneos.

Carnegie escolhe uma carreira

Durante os anos em que Gould esteve nas manchetes com suas guerras da Erie e o *Gold Corner* e Rockefeller estava executando a primeira fase de seu processo de tomar o controle da indústria do petróleo, Andrew Carnegie estava pulando de um lado para outro como se estivesse testando os limites de seu talento.

Uma simples lista de suas atividades dá uma ideia. Em 1865, ano em que ele deixou a Pennsylvania, tinha recapitalizado o investimento original em vagões-dormitório, reorganizara duas siderúrgicas transformando-as na Union Iron Mills e organizara a Keystone Bridge Co. Durante uma viagem de nove meses pelo mundo em 1865 – parte de sua busca permanente por um verniz social –, ele conheceu processos para revestir de aço trilhos de ferro e, quando voltou para casa, abriu uma empresa para fazer experiências com o novo aço Bessemer (nesse momento, sem sucesso). Conforme a concorrência entre sua empresa de vagões-dormitório e o intruso George Pullmann esquentava, ele negociou uma *joint venture* complicada para conseguir um contrato importante com a Union

Pacific, resolveu uma disputa litigiosa de patentes e realizou a fusão das empresas em 1870. Ele entrou no negócio de telégrafo em 1867, fez uma fusão com a muito maior Pacific & Atlantic Telegraph Co., assinou contratos importantes com a Pennsylvania, entrou no negócio de construção de linhas de telégrafo e, por fim, vendeu suas ações da empresa de telégrafo para a Western Union, um negócio no qual ele e alguns amigos com informação privilegiada, como Scott e Thomson, saíram-se muito melhor que o acionista médio. Em todos esses acordos, Carnegie entrava com pequenas quantias, então atacava com todas as forças quando via uma oportunidade para aumentar a escala – reorganizando, reenergizando e recapitalizando –, quase sempre emergindo como o principal acionista. Ele também estava se tornando um talentoso vendedor de títulos: em 1870, com grande facilidade, tinha se tornado um importante banqueiro de investimentos para a Pennsylvania, estruturando várias transações criativas e movendo-se com facilidade entre as principais casas de investimentos europeias, como a J.S. Morgan, o Barings e o Sulzbachs de Frankfurt.

Talvez o projeto mais famoso de Carnegie tenha sido a ponte St. Louis, que cruzava o Mississippi em um vão único de 152 metros de ferro e aço "sensacional e arquitetônico", nas palavras do grande arquiteto Louis Sullivan, que viu a ponte pela primeira vez quando menino. A ponte era especialmente notável por ter sido a primeira vez que caixões pneumáticos foram usados nos Estados Unidos para realizar a fundação dos pilares, um precedente que ficou ainda mais famoso quando seguido pelos Roeblings, *pére et fils*, na construção da ponte do Brooklyn uma década mais tarde. Os caixões eram enormes torres ocas de concreto sustentadas por lâminas de ferro. Eles eram rebocados até o local onde seria construído o pilar, afundados e fixados no fundo. Uma área de trabalho coberta e hermeticamente fechada no pé da caixa era enchida com ar comprimido para evitar que a água penetrasse no fundo. Trabalhadores desciam por uma escada, entravam por uma câmara pressurizada e, enquanto escavavam, a lama e os sedimentos eram levados para cima através de outra câmara. Repórteres ficaram pasmos com as estranhas condições de trabalho nas caixas muito abaixo da água. O ambiente com ar comprimido era fétido, os archotes tinham um brilho estranho e flamejavam de maneira imprevisível, e o tempo inteiro havia o risco de uma inundação repentina provocada por uma falha na compressão. Em profundidades de cerca de quinze metros, os trabalhadores começaram a sofrer uma doença misteriosa e extremamente dolorosa – o que hoje chamamos de "doenças de descompressão". Como nenhum médico havia visto aquilo antes, decidiram que era culpa do hábito de beber dos homens. No conjunto, o mal da descompressão matou dezesseis operários.

A organização do projeto da ponte St. Louis é um belo exemplo dos métodos de Carnegie. Pontes ferroviárias eram empreendimentos arriscados, normalmente financiadas pela venda de títulos, que eram reembolsados com empréstimos das ferrovias. A St. Louis Bridge Co. – principal acionista Andrew Carnegie, sócios capitalistas Tom Scott e J. Edgar Thomson – fechou o contrato da St. Louis em 1867 principalmente por sua habilidade em negociar um empréstimo de longo prazo com a Pennsylvania. A companhia financiou o projeto e também supervisionou a construção na base do custo total mais 10%. A construção em si ficou a cargo da Keystone Bridge Co. (que tinha excelente reputação de construtora de pontes) – principal sócio Andrew Carnegie, sócios capitalistas Scott e Thomson. O contrato da Keystone também era de custos mais 10%. Descendo um pouco mais na cadeia, a Keystone comprou o ferro usado nas estruturas e praticamente todo o restante do suprimento de ferro da Union Iron Mills – principal proprietário, Andrew Carnegie. Por último, o banqueiro de investimentos da St. Louis Bridge Co. era um certo Andrew Carnegie, e ele ganhou uma bela comissão pela colocação dos títulos da ponte com Junius Morgan (que ficou bem impressionado com a perspicácia e o vigor de Carnegie), depois saindo em viagem para vendê-los a investidores. O acordo da St. Louis não foi de forma alguma um dos mais complexos que fez. Em outro negócio de construção de uma ponte no Mississippi, mais ou menos na mesma época, seu irmão mais novo, Tom, que estava se tornando um sócio importante, protestou porque havia muitas entidades envolvidas das quais nunca ouvira falar. Outro sócio disse que ele não devia se preocupar: todas elas pertenciam a Andy.

No caso da ponte de St. Louis, Carnegie pode realmente ter ganhado seus níveis múltiplos de compensação. O gênio local da ponte foi o capitão James Eads, um engenheiro autodidata brilhante, que costumava estar esplendidamente certo ou desastrosamente errado. O sócio-operador de Carnegie na Keystone, Andrew Kloman, era um construtor de pontes extremamente talentoso, que preferia um projeto bem mais leve e simples. Depois de uma série de discussões com Eads, Kloman simplesmente foi embora – a Keystone tinha vários outros contratos para construir pontes e deixou que Carnegie cuidasse de seu problema, o que exigiu todas as habilidades pessoais afiadíssimas de Carnegie. Eads estava certo em relação às caixas; e estava certo em usar aço nos elementos da superestrutura submetidos a maior tensão; mas a ponte foi construída de maneira extremamente complicada e foi finalizada com anos de atraso e um custo muito acima do previsto. Na primavera de 1873, um Junius Morgan desesperado respondeu a um relatório de acompanhamento típico, "exageradamente positivo", de Carnegie:

> Ficamos satisfeitos em saber que há alguma perspectiva de que a ponte St. Louis possa ser aberta ao tráfego ainda neste ano. ...Temos ouvido essa mesma história nos últimos três anos; portanto, não devemos alimentar esperanças fortes demais de terminar aquilo por que esperamos ansiosamente há anos.

Carnegie deixava Junius assustado – ele era a porta de acesso à casta de divindades que gastava quantias de dinheiro capazes de abalar o mundo. Ser repreendido dessa forma deve ter incomodado muito o pequeno escocês.

A situação piorou. A empresa ficou sem dinheiro no outono, e Carnegie teve de arranjar mais um financiamento por meio de Pierpont. A antipatia mal disfarçada entre os dois pode ter nascido dessa primeira transação. Junius sempre gostou de Carnegie, mas é possível imaginar Pierpont rejeitando com aspereza as histórias do escocês quando apresentou seus termos. O dinheiro veio em duas parcelas. A segunda delas só seria liberada se o vão estivesse pronto até 18 de dezembro. As equipes por muito pouco não perderam o prazo: um lado do vão estava muito desalinhado, e eles lutaram por semanas para conectá-lo, obtendo sucesso só no dia em que o financiamento estava previsto para expirar. Pierpont já tinha demonstrado ser um banqueiro que podia cancelar financiamentos sem qualquer simpatia. Se não tivesse recebido a segunda parcela dos fundos, a ponte St. Louis estaria arruinada e provavelmente todo o resto dos empreendimentos de Carnegie estaria ameaçado.

Em 4 de julho de 1874, a ponte foi inaugurada com grande festa, e todas as contas com as várias empresas de Carnegie foram liquidadas. Os obrigacionistas [portadores de títulos de dívidas] não se saíram tão bem, pois a empresa entrou em insolvência logo no ano seguinte. (Os Morgans encontraram uma saída para seus investidores em 1881 fazendo um *leasing* da ponte para Jay Gould. As negociações foram muito difíceis, e quando Pierpont finalmente enviou um telegrama para seu pai com os termos, Junius respondeu laconicamente: "Acho que o sr. Gould exerceu a sagacidade habitual", e disse a seus obrigacionistas que os termos foram "um pouco menos favoráveis do que ele esperava".)

Carnegie pode ter pressentido que andava abusando da sorte. A ponte St. Louis por pouco não se transformara em um desastre financeiro, e ele e Scott também tinham sofrido um grande revés com a Union Pacific, a ferrovia transcontinental. Scott tinha sido convidado para ser presidente, e usou Carnegie para conseguir um inteligente financiamento em Londres, pelo qual Carnegie ganhou ações e um assento no conselho. Pode ter sido, até aquele ponto, o momento de maior orgulho na vida de Carnegie – de mensageiro de telégrafo a diretor em tão pouco tempo! Então, quando as ações subiram, ele vendeu a maior parte dos seus títulos em carteira e fez um lucro rápido. O resto do conselho foi pego de surpresa quando descobriu a venda e exigiu a renúncia de Scott e Carnegie. É bem possível que Carnegie tenha sido pego igualmente de surpresa ao descobrir que havia regras de negócios além daquelas predatórias que ele aprendera com Scott.

Ao mesmo tempo, sua carreira na Pennsylvania estava claramente se esgotando. Com a exceção de seu investimento em campos de petróleo, sua fortuna fora construída sobretudo com o fornecimento de bens e serviços para a Pennsylvania. As empresas de Carnegie sempre foram fornecedores de alta

As empresas de Andrew Carnegie construíram a grande ponte de St. Louis, um projeto que antecipava a ponte do Brooklyn. J. P. Morgan deu a Carnegie um prazo apertado para completar o vão; não cumpri-lo poderia ter levado o escocês à bancarrota. As equipes terminaram o trabalho a apenas poucas horas do fim do prazo.

qualidade e alto desempenho, mas sua verdadeira vantagem veio com as posições internas de Scott e Thomson. Mas os mesmos padrões dos diretores que haviam pego a ele e a Scott a descoberto na Union Pacific também estavam se espalhando para a Pennsylvania. Os diretores da Pennsylvania, no rescaldo das pressões das Guerras da Erie, realizaram uma revisão operacional completa e tiveram uma surpresa desagradável com as atividades extracurriculares de seus executivos. Não eram apenas Thomson e Scott; outros administradores importantes seguiam a mesma prática, investindo na fábrica de freios a ar de George Westinghouse, por exemplo. Eles receberam a ordem de parar, em termos bem claros, em 1874. Os executivos podiam aceitar ou pedir demissão, como alguns preferiram fazer. (O relatório foi particularmente duro com Scott, por má conduta na administração fiscal e, também, por seus conflitos de interesse. Provavelmente ele estava à beira de ser demitido.)

Por mais ultrajantes que algumas vezes fossem, esses conflitos são mais compreensíveis como remanescentes dos primeiros anos da construção de empresas nas décadas de 1840 e 1850. Nessa época, ferrovias jovens costumavam encorajar seus executivos a dividir o risco do investimento em novas tecnologias.* Só quando as ferrovias ficaram muito mais ricas e poderosas durante a Guerra Civil, a divisão de riscos transformou-se em divisão de lucros. Na Pennsylvania, pelo menos, a era verdadeiramente sem lei durou apenas cerca de dez anos; outras ferrovias, com variados graus de entusiasmo, aos poucos seguiram o mesmo caminho da Pennsylvania e adotaram códigos de conduta para seus próprios executivos.

Mas nessa época Carnegie já tinha fundado sua nova religião. Durante uma viagem de venda de títulos à Inglaterra, em 1872, ele visitou as siderúrgicas gigantescas de Birmingham e Sheffield. Lá, foi a escala industrial que fez seu coração bater – sem resmungos de aposentadoria precoce. O projeto de vida de Carnegie para os próximos trinta anos subitamente ficou claro.

Entretanto, a confiança de todos os homens de negócios estava prestes a passar por um teste difícil no Grande *Crash* de 1873.

---

* Naomi Lamoreaux, especialista em história empresarial, fez uma correlação entre o uso de informação confidencial nos negócios no século XIX com a escassez de informação sobre negócios. A disposição de um Tom Scott em coinvestir com sua empresa era um bom "sinal do mercado", na verdade, um substituto para a informação. (N.A.)

4. Ajustes violentos

Para um observador que estivesse no alto das colinas de Pittsburgh na noite de 21 de julho de 1877, aqueles três quilômetros de pátios da Ferrovia Pennsylvania que se estendiam ao longo da Liberty Street, às margens do rio Allegheny, pareceriam Atlanta em chamas. Multidões furiosas, milhares de homens fortes, muitos deles armados, incendiaram 39 prédios e mais de 1.300 vagões e locomotivas. As chamas de um enorme silo subiam alto no céu, como um raio de fúria.

A violência começou quando Tom Scott pediu que Washington enviasse homens da Guarda Nacional para acabar com uma greve dos ferroviários que se alastrava. Quando os soldados entraram na cidade, na tarde do dia 21, foram recebidos com uma chuva de pedras lançadas por uma multidão furiosa. As tropas responderam à bala, matando pelo menos vinte pessoas, e em seguida bateram em retirada desorganizada para a grande oficina de manutenção na Liberty, a *"roundhouse"*, como era chamada, entre as ruas 26 e 28. O incêndio dos pátios ferroviários começou na oficina, com intenções nitidamente assassinas. Uma multidão empurrou vagões em chamas pelos trilhos e os lançou sobre os soldados, que se salvaram com as mangueiras de incêndio da ferrovia. A manhã seguinte era um domingo, e conforme as multidões diminuíam e a fumaça aumentava de forma perigosa, os soldados resolveram sair à força de onde estavam. Dessa vez, o tiroteio, aparentemente, foi iniciado pela multidão, e quando os soldados responderam ao fogo, usaram uma metralhadora Gatling. Vinte e duas ou 23 pessoas foram mortas, incluindo vários soldados. O *The Commercial and Financial Chronicle* (o *Wall Street Journal* da época) repudiou a "saturnália de violência e pilhagem", mas culpou também "os erros da má administração em Pittsburgh".

Na semana seguinte, as greves se espalharam por todo o país. Onze pessoas foram mortas em uma greve dos ferroviários em Reading, Pensilvânia, na segunda-feira. Na terça e na quarta, já havia greves gerais em Chicago e St. Louis, com conflitos feios entre a polícia, tropas e trabalhadores, e várias mortes. Greves em São Francisco se transformaram em tumultos assassinos antichineses. Praticamente toda cidade importante viu algum tipo de distúrbio antes da violência finalmente se dissipar por exaustão absoluta e pelo aumento inexorável das tropas. Em 5 de agosto, o líder da equipe de reação em Washington relatou ao presidente e ao secretário de guerra que havia "paz em toda parte".

As greves de 1877 não foram de forma alguma as primeiras nos Estados Unidos. Mas junto com os confrontos sangrentos dos "Molly Maguire"* nos campos carboníferos da Pensilvânia, entre mineiros e agentes da Pinkerton, alguns anos antes, foram os primeiros a ter um perigoso fundamento na diferença de classes. Na superfície, as turbas de Pittsburgh se pareciam muito com as multidões europeias de algumas décadas antes, e os jornais não se cansavam de evocar o espectro da "Comuna", o levante de 1871 em Paris. Tom Scott, apesar de suas raízes humildes, interpretou com perfeição o papel do plutocrata indignado.

Foi a década mais estranha de todas. Por gerações, os historiadores trataram os levantes trabalhistas de 1877 como uma reação à "longa e impiedosa depressão" dos anos 1870, normalmente descritos como a segunda pior década da história, depois da depressão dos anos 1930. Entretanto, pesquisas mais recentes deixam claro que se houve alguma "depressão", ela foi curta e branda; na verdade, a década viu um dos crescimentos mais rápidos já registrados e marcou o ponto em que a indústria pesada americana começou a reduzir de forma expressiva a distância em tecnologia e produtividade para a Grã-Bretanha. Mas aquela época ainda parecia terrível, tanto para banqueiros e homens de negócios quanto para trabalhadores comuns da indústria e do campo. Havia uma profunda corrente de agitação social: protestos no campo se espalharam pelo Meio-Oeste, greves industriais deixaram mortos e feridos dos dois lados das linhas de piquete, e o característico populismo americano do dinheiro fácil, antimonopolista, pela primeira vez criou raízes.

Os Estados Unidos estavam tomando o rumo da modernidade. O poder da exploração tecnológica e comercial vinha se fortalecendo desde os anos 1840 e 1850, mesmo enquanto as estruturas sociais tradicionais eram reviradas pela Guerra Civil. A visão *Whig* de uma sociedade sem atritos e monádica de artesãos e fazendeiros independentes estava sendo engolida por sua própria lógica inflexível de desenvolvimento. A infraestrutura da modernidade – transporte rápido e barato; acesso imediato a matérias-primas como carvão, ferro e petróleo; comunicação em tempo real; canais abertos para o fluxo de capitais estrangeiros – exigia instituições em escala mastodôntica, espaçosas, desalmadas, focadas de maneira autista em produzir mais aço, mais carvão, mais títulos e ações, mais do que o que quer que por acaso produzissem. Durante os anos 1870, as forças poderosas que impulsionavam a modernização alcançaram o torque máximo sobre as velhas

---

* Molly Maguire: organização irlandesa surgida na primeira metade do século XIX. Lutava contra os proprietários de terras por seus direitos. Sua atividade violenta e muitas vezes clandestina deu a ela importante força política até a Primeira Guerra. Imigrantes levaram a organização para os Estados Unidos. Os mineiros de carvão irlandeses usavam táticas usadas contra os proprietários de terras na Irlanda em confrontos contra as empresas mineradoras. (N.T.)

As greves de 1877 foram as mais letais da história americana e afetaram a maioria das principais cidades. A violência nos pátios da ferrovia Pennsylvania em Pittsburgh foi das piores de todas. Depois que os soldados dispararam contra a multidão, turbas incendiaram 1,3 mil vagões e a maioria dos prédios da empresa.

maneiras de viver, de governar e de fazer negócios. Os capitães da modernidade, os Carnegies, os Rockefellers, os Goulds e seus admiradores; todas as pessoas ansiosas por galgar novos patamares, comprar mais coisas, comportar-se de novas maneiras; imigrantes em busca de se livrar das estruturas semifeudais incrustadas da velha Europa: todos eles se deleitavam com a mudança. Provavelmente a outra metade do país a odiava.

O *Crash* de 1873

A casa bancária Jay Cooke & Co., com um portfólio recheado de papéis invendáveis da ferrovia Northern Pacific, fechou suas portas em 18 de setembro de 1873, dando início a uma crise bancária e, na versão tradicional, dando início à "Grande Depressão dos anos 1870". É impossível exagerar o choque provocado pela falência de Cooke, pois ele era visto como o principal banqueiro privado americano, e houve poucas pistas das dificuldades por que ele estava atravessando. O *The Commercial and Financial Chronicle* disse que a notícia foi "recebida com uma incredulidade quase zombeteira por parte do público mercantil".

Cooke era o nome em Wall Street que ultrapassava os limites da comunidade financeira. Era um gênio de marketing, que sozinho estabilizara as finanças da União nos piores dias de 1862-1863 organizando uma enorme venda de títulos de cidade em cidade, quase de casa em casa, a primeira verdadeira venda de papéis no varejo da História. Cooke ainda lançou duas emissões muito grandes de títulos federais, totalizando quase US$ 1 bilhão, enquanto cobrava comissões mínimas e assumia todas as despesas de marketing. Seus clientes no varejo também demonstraram ser os detentores de títulos ideais. Pessoas comuns compravam para poupança de longo prazo, não para especulação; seus papéis desapareciam dentro de açucareiros ou colchões em vez de influenciar os mercados. Cooke obtinha apenas um lucro modesto com os títulos, mas tornou-se um dos banqueiros de investimentos mais conhecidos do mundo, um homem com o qual mesmo os Barings e os Rothschilds estavam satisfeitos em se associar.

Uma série de casas de Wall Street caiu na esteira de Cooke. A bolsa de valores suspendeu os negócios, e as câmaras de compensação de Nova York ficaram mais de uma semana fechadas. No início, a opinião oficial resistiu às más notícias. O *Chronicle*, cujos comentários costumavam ser bem mordazes e duros, não levou a sério a noção de que o "atual pânico de Jay Cooke" indicava que havia algo muito errado, pois "desde o fim da guerra jamais nossa comunidade mercantil esteve em melhores condições que agora".

Na verdade, o país estava passando por uma grande crise bancária, que durou até meados de 1874. Como as linhas de cabos de fibra ótica nos anos 1990, as ferrovias tinham sido construídas muito além da demanda verdadeira. A North Pacific de Cooke era apenas um exemplo especialmente clamoroso. O *Chronicle* teimava em insistir que os ganhos das ferrovias ainda cobriam com facilidade suas obrigações com o serviço de dívidas em uma era de preços nominais em queda. Até o fim de 1873, os títulos de 89 ferrovias entraram em *default*, e esse número chegou a 108 durante o ano seguinte. Era uma época em que as ferrovias respondiam por cerca de 80% do total da capitalização do mercado de ações – mesmo um jovem magnata como Rockefeller se mantinha longe dos mercados de títulos públicos –, portanto, uma crise nas ferrovias devastaria toda a Wall Street.

O *Chronicle* estava preocupado com o impacto de um *crash* desde o verão anterior. O resultado das exportações fora fraco em 1872, então o ano novo começou com um déficit comercial extremamente grande, que foi financiado por empréstimos externos de curto prazo. Os empréstimos eram depositados em Nova York, deixando os bancos temporariamente cheios de dinheiro. Durante a primavera, as vendas das emissões das ferrovias foram muito baixas, e Wall Street se manteve por meio de empréstimos rescindíveis, que os bancos podiam chamar a qualquer momento. Em suma: os bancos de Nova York estavam financiando mutuários de longo prazo com dinheiro estrangeiro quente, como fizeram os bancos tailandeses e malaios em 1997. Então julho e agosto trouxeram as notícias boas e más de que os fazendeiros do Oeste estavam colhendo uma safra espetacular, e o dinheiro começou a seguir para lá para movimentar os trens de transporte de grãos. Na melhor das hipóteses, um aperto financeiro seria inevitável. Pierpont Morgan foi uma das poucas figuras de Wall Street a perceber o que estava para acontecer e exigiu o pagamento da maioria dos devedores do Drexel, Morgan bem antes do *crash*. Pode não ter demonstrado muito espírito público, mas mostrou ser excelente banqueiro.

Os acontecimentos na Europa transformaram um período difícil em uma verdadeira tormenta. Depois de sua vitória-relâmpago na Guerra Franco-Prussiana de 1870-1871, o chanceler da Prússia, Otto von Bismarck, cobrou altos tributos dos franceses em 1872 e 1873. O pagamento total, US$ 1 bilhão em ouro, era mais ou menos do mesmo tamanho em termos reais que as reparações da Primeira Guerra Mundial exigidas em Versalhes, com a diferença que os franceses realmente pagaram quase tudo de uma vez e com uma economia muito menor do que a que tinham os alemães em 1919. Levantar o dinheiro possivelmente foi o maior *tour de force* do sistema bancário no século XIX e a conquista que coroou a família Rothschild, especialmente seu ramo francês. Mas a enorme transferência de fundos afetou as bolsas do continente por todo o ano de 1873, mesmo na Alemanha, e também o fluxo de capitais da Europa para os Estados Unidos. Havia muito tempo os europeus tinham se desiludido com as ferrovias americanas devido a ultrajes como as Guerras da Erie. Mas agora, mesmo se quisessem ajudar, não tinham como gastar sequer um *sou*.

Observadores sofisticados que se deparassem com as ruínas do *Crash* de 1873 pouco veriam adiante além da desolação econômica. Mais de um ano depois, a mensagem do presidente Grant ao Congresso falava da contínua "prostração nos negócios e nas indústrias". Na verdade, de acordo com os números, ele estava bastante equivocado: o motor da economia americana estava demonstrando sua verdadeira força, avançando como nunca fizera antes.

Uma década muito peculiar

As novas provas sobre os anos 1870 são fruto da jovem disciplina da "cliometria" ou história econômica. Simon Kuznets produziu nos anos 1940 o primeiro conjunto abrangente de tabelas sobre o crescimento nacional no século XIX, e seu aluno Robert Gallman dedicou grande parte de uma longa carreira a ampliá-las e melhorá-las. O trabalho de reconstrução é extraordinário; pesquisadores passam anos mergulhados em relatórios de negócios e comércio para identificar arcanos como ciclos de estoque.

A informação é consistente e não deixa dúvidas: a década de 1870 foi de um crescimento muito forte. Dependendo de seu ponto de partida, ou se usar médias de cinco anos, como preferem Kuznets e Gallman, os níveis de crescimento médio reais (descontada a inflação) estavam entre 4,5 e 6%, entre as taxas de crescimento mais aceleradas, se não a mais acelerada, já registradas para uma década. (Uma análise mais recente estabelece o crescimento anual real para a década em impressionantes 6,7%, e o crescimento da renda *per capita* em 3,9%, ambos provavelmente os mais rápidos em todos os tempos.) Houve uma recessão em 1874, depois de um 1872 espetacular e um 1873 quase estagnado. A partir de então, o crescimento se recuperou com intensidade, mantendo um ritmo vigoroso por boa parte dos anos 1880. Em uma época de grande imigração e de um crescimento populacional rápido, o consumo real por pessoa cresceu quase 50% ao longo da década. Nenhum país da Europa tinha números tão expressivos.

A construção de ferrovias, claro, desacelerou-se dramaticamente, em especial no meio da década, mas quase todas as outras medidas de avaliação de produção, incluindo volume de carga transportado pelas ferrovias, subiam com força. A população cresceu 26% entre 1870 e 1880, mas o consumo de combustíveis dobrou, o consumo de metais triplicou, a produção de petróleo cresceu cinco vezes e o valor real da produção industrial aumentou em dois terços. Em 1870, os Estados Unidos praticamente não tinham produção de aço, mas no início dos anos 1880 já brigavam pela liderança com a Grã-Bretanha. Henry Frick, principal negociante de coque da Pensilvânia (para a fusão e refino do aço e do ferro), recordava os anos 1870 como uma época "terrível", apesar de sua produção de coque ter triplicado na segunda metade da década.

A produção e o consumo de alimentos cresceram de modo espetacular. O consumo doméstico de grãos e algodão aumentou em 50%, enquanto as exportações de trigo triplicaram, as de milho quadruplicaram e as de algodão cresceram 60%. O consumo de carne *per capita* aumentou em 20%, enquanto as exportações cresceram nove vezes. O emprego também cresceu com regularidade, a uma taxa anual média de 3%, contra um crescimento populacional anual de 2,3%. No fim da década, os americanos estavam mais bem alimentados, vestidos e educados; tinham produtos de metal, como fogões, banheiras e maquinário, e tinham muito mais probabilidades de gozar dos benefícios da iluminação artificial.

Então por que se percebia uma depressão? Um motivo foi a queda forte e constante dos preços, que não terminou com a década. O índice de preços no atacado caiu 25% entre 1870 e 1880, uma redução que continuou pelos anos 1880 com um índice cerca de 50% menor, antes de se estabilizar na inflação de praticamente zero nos anos 1890. Os preços em baixa se refletiam na redução da renda pessoal. Como a maioria dos preços caía mais rápido do que a renda, a renda real teve forte crescimento, mas pagamentos cada vez menores, ou retorno financeiro reduzido na venda de safras, ainda tinham um efeito terrível. Um pequeno grupo de analistas da época especulou que a queda nos preços estava dando "à classe assalariada um comando maior sobre as necessidades e confortos da vida".*
Mas o americano médio era um fazendeiro ou artesão, uma dona de casa ou um

---

* Uma questão importante, mesmo sem uma resposta precisa, é como se saíam os trabalhadores não qualificados dessa época. Sem dúvida havia um crescimento dos empregos não qualificados, mas havia forte concorrência dos imigrantes que chegavam e dos escravos recém-libertos. Uma pesquisadora compilou em 1905 uma série de salários de trabalhadores sem qualificação, cobrindo a maior parte do século XIX. Suas descobertas sugerem que os salários de profissionais não especializados caíram com maior rapidez que os preços nos anos 1870 (os salários caíram em 31%; os preços no atacado, em 25%), mas os trabalhadores mais que compensaram isso nos anos 1880 (os salários cresceram 17%; os preços caíram 13%). Essas séries de dados são, no melhor dos casos, impressionistas, mas, infelizmente, são as melhores que há. (N.A.)

comerciante de cidade pequena, e não tinha como saber o que estava acontecendo com os níveis gerais de preço. Como as pessoas em qualquer idade, à medida que sua renda nominal caía, elas se esqueciam das cortinas novas, ferramentas e lampiões de querosene; pelo que eles entendiam, estavam ficando mais pobres e não estavam nada satisfeitos com isso.

Mas não é que as pessoas tenham apenas sido enganadas. Uma reestruturação de preços tão dramática e em escala tão ampla, da mesma forma como em um período de inflação alta, pegou grande número de empresas e trabalhadores do lado errado do ajuste. O setor financeiro sofreu um golpe violento. As ações das ferrovias chegaram a cair 60%, e a maioria das ações de outros setores privados, como os papéis de empresas produtoras de carvão e ferro, estava fortemente ligada à sorte das ferrovias. Em teoria, preços em queda beneficiam credores, mas o realinhamento foi radical o suficiente para provocar abalos em todos os lados. A taxa anual de falências dobrou, e muitos bancos de poupança faliram quando foram pegos em uma combinação malsucedida entre depósitos em queda e o valor nominal de seus empréstimos. Há relatos de que em cidades importantes os salários caíram com muito mais rapidez que o preço dos alimentos. Organizações de caridade na cidade de Nova York relataram que o número de pessoas atendidas tinha quadruplicado, chegando a vinte mil, e as obras públicas praticamente pararam, apesar de isso se dever, em parte, à mão fechada do governo que sucedeu à desgraçada máquina de Tweed. A construção da ponte do Brooklyn, por outro lado, o maior projeto da história da cidade até então, continuou ao longo da década.

Ainda assim, quando relatos da época insistem em afirmar como as coisas estavam mal, apontam principalmente para a redução de preços, como se uma "queda de 20% nos preços do varejo" representasse uma verdadeira perda de valor. Uma análise da época muito citada, por exemplo, registrou as receitas das ferrovias, produção de lingotes de ferro e carvão, exportação de mercadorias e consumo de algodão, todas em termos de preço. O ferro gusa estava fortemente ligado à construção de ferrovias e de fato sofreu uma década terrível: os preços caíram pela metade entre 1873 e 1876, e os volumes caíram em 25%. Mas tanto a produção de algodão quanto a de carvão cresceram consistentemente em unidades físicas, com variações mínimas de ano para ano, apesar de o resultado em termos de preço não mudar. As exportações estavam fortes mesmo em termos de preço. Elas caíram um pouco em 1875, mas apenas em comparação às grandes exportações das safras de 1873 e 1874; por outro lado, foram mais fortes do que as registradas em qualquer ano anterior. Além de tudo, entre 1870 e 1880, as exportações cresceram 96% em valor, e, sem dúvida, consideravelmente mais do que isso se levarmos em conta a deflação.

Muitos relatos de sofrimento são nitidamente fantasiosos. As estimativas de desemprego em meados da década de 1970 vão de meio milhão a cinco milhões. Os números mais altos são bastante implausíveis. A força de trabalho era de 13 milhões, mais da metade trabalhando em fazendas. A afirmação do *Chronicle* em 1874 de que "pelo menos meio milhão de homens perderam seus empregos em parte ou totalmente com a interrupção da construção de ferrovias" não pode ter sido verdade, mesmo nas estimativas mais radicais de redução de empregos feitas por empreiteiros externos. Havia apenas 230 mil operários nas ferrovias, e 78 mil operários envolvidos na produção siderúrgica primária (a produção "primária" de ferro e aço incluía trilhos, mas não a maioria dos outros produtos finais). Uma estimativa moderna da perda de empregos na produção de ferro e aço – que era dirigida principalmente para as ferrovias – relacionada ao *crash* foi de apenas 21 mil. Não há dados confiáveis sobre as flutuações de emprego ano a ano para esse período, mas informações baseadas nos sensos populacionais feitos a cada década mostram que o emprego total cresce cerca de 40% entre 1870 e 1880, de 13 para 18 milhões. É de se duvidar que um crescimento tão forte tenha sido acompanhado de desemprego em massa na metade da década.

Apesar de o *Chronicle* ter conhecimento das demissões em grandes siderúrgicas, a grande maioria dos operários da indústria estava espalhada pelo país em oficinas artesanais ou em fábricas de tamanho modesto. Fora dos negócios relacionados às ferrovias, há poucos sinais de declínio. A produção anual de máquinas de costura Singer, por exemplo, quadruplicou ao longo da década, chegando a 500 mil unidades em 1880, sem sequer um ano de redução. A fábrica de carroças e carruagens Studebaker dobrou sua produção entre 1872 e 1874; quando ela foi interrompida por um incêndio, a empresa reconstruiu a fábrica e deu continuidade ao forte crescimento. Os produtores têxteis da Filadélfia, em sua maioria artesanais, dobraram as vagas nos anos 1870*, enquanto a indústria joalheira de Providence também desfrutou de um crescimento saudável. A McCormick Reaper teve vários anos ruins, mas além do abalo do incêndio de Chicago de 1871, seus maiores problemas eram falhas nas fábricas e lutas internas entre os irmãos McCormick, não a redução da demanda. Foi nessa época que o Meio-Oeste começou a dominar a produção de grãos: a área destinada à produção de trigo cresceu 75%, principalmente em fazendas maiores, que eram muito dependentes de maquinário moderno.

O período foi muito difícil para os trabalhadores das ferrovias, pois elas estavam sob terrível ameaça. A Pennsylvania, geralmente considerada a ferrovia mais bem administrada, foi muito violentada por seu programa de aquisições defensivas em reação aos ataques de Gould no início da década e se viu em um aperto financeiro sério durante os abalos no mercado financeiro pós-Cooke. Mas, apesar de Tom Scott ter reclamado muito dos preços em queda, ele cortou

---

* Quando provas claras de crescimento rápido contradizem a tradição da "Depressão", os historiadores costumam cair em paradoxismos como "Apesar do declínio da década de 1870, os setores têxteis da Filadélfia tiveram forte expansão...". (N.A.)

custos com tamanha agressividade que, na verdade, os ganhos da Pennsylvania aumentaram, mesmo no ano da recessão de 1874. Os preços da tonelada/quilômetro transportado tinham caído em mais da metade desde a guerra, segundo uma análise interna, mas ano após ano, com o aumento dos carregamentos, a ferrovia sempre ganhou pouco mais de meio centavo por tonelada/milha, com variações para cima ou para baixo de centésimos de centavo. A Pennsylvania não era um caso isolado; o relatório anual *Poor's* mostra que, em todo o país, as margens de operação das ferrovias aumentaram um pouco durante os anos 1870.

O problema das ferrovias era que elas tinham alto grau de alavancagem*, e o fardo dos juros e dividendos fixos tornou-se cada vez pior à medida que se instalava a deflação, o que explica o grande número de *defaults*. O conselho da Pennsylvania, além disso, como a maioria das ferrovias, deixou bem claro que manter a confiança de seus investidores tinha prioridade sobre todo o resto, e eles foram especialmente duros com os trabalhadores. Durante as greves de 1877, o *Baltimore Sun* reconheceu: "O nível da luta pela vida [dos trabalhadores das ferrovias] é muito triste. ...Muitos deles afirmam que era melhor passar fome sem trabalhar do que passar fome trabalhando". Até o *Chronicle* escreveu em um editorial: "Aqueles que falam leviandades sobre o assunto, dizendo... que um dólar por dia é suficiente para o pão e quem não consegue viver com pão e água não é homem de verdade não mostram uma cabeça inteligente nem um coração sensível". Os administradores de ferrovia podiam ter aprendido outro truque com Jay Gould, que, em 1877, administrava a Union Pacific. Ao contrário de seus contemporâneos, ele não carregava o fardo de ideologias de patrão/empregado, ou de ideologias de qualquer tipo. Ele imediatamente se reuniu com os líderes da greve, fez algumas concessões modestas, e todos voltaram ao trabalho alegremente.

Choque de oferta?

Mas se a produção crescia, permanece a pergunta: por que os preços caíam? A explicação mais simples é que isso foi consequência da volta dos Estados

---

* A teoria preponderante no investimento das ferrovias era que o fluxo de caixa operacional (receitas menos despesas operacionais) pertencia aos investidores, por isso as ferrovias costumavam ficar com pequenas reservas de dinheiro depois de pagar dividendos e juros. Investimentos de capital, assim como extensão de linhas, deviam ser financiados por novas emissões de ações, não pela retenção de ganhos. Como os dividendos se baseavam no valor nominal das ações, eram fixados em termos de dólares, assim como os juros vinculados. O que explica o alto número de *defaults* são os dividendos fixos e o serviço da dívida com receitas nominais em queda, não a redução de margens de operação. E que ninguém derrame lágrimas pelos investidores: como a maioria das ações das ferrovias era negociada bem abaixo do par e em geral pagava dividendos de 7 a 10% sobre o valor nominal, oferecia rendimentos inesperados que devem ter compensado totalmente o risco adicional. (N.A.)

Unidos ao padrão-ouro em 1879. Depois do *Gold Corner* de Jay Gould em 1872, o papel-moeda se estabilizara em uma faixa de US$ 125 a US$ 130 por US$ 100 em ouro. Alcançar a paridade com o ouro e a libra britânica, portanto, iria exigir uma valorização de cerca de 25% no papel-moeda. Com a elevação do valor do dólar americano, o preço dos bens em papel-moeda deveria cair, e na verdade caiu, em cerca de 25% ao longo da década. As reservas de ouro internacionais também estavam baixas, o que, da mesma forma, tinha a tendência de pressionar a queda dos preços em uma era de produção crescente.

Mas a explicação monetarista padrão para a queda nos preços não se encaixa bem com os fatos. Se o governo quisesse valorizar o papel-moeda até alcançar a paridade com o ouro, teria restringido seu suprimento e aumentado as taxas de juros. Lincoln sugeriu exatamente essa estratégia para seu segundo mandato, mas assim que a política de arrocho monetário começou a incomodar, o Congresso forçou o novo governo de Andrew Johnson a recuar. A partir daí, praticamente não há sinais de arrocho monetário até a restauração da paridade ouro/papel em 1º de janeiro de 1879. Na verdade, durante a maior parte da década de 1870, o dinheiro era fácil e as taxas de juros caíam. O *Chronicle*, que documentara o grande arrocho monetário em 1873, na primavera seguinte estava maravilhado: "O dinheiro é tão abundante que os bancos têm dificuldades para emprestá-lo"; e um ano mais tarde escreveu que o mercado financeiro "há muitos anos não mostra tamanha tranquilidade quanto agora". Quando o novo governo de Rutherford B. Hayes assumiu, em 1877, os superávits comerciais americanos já estavam pressionando o papel-moeda na direção da paridade. Empresas de importação e exportação começaram a substituir o papel-moeda por ouro muito antes da data da retomada oficial, que acabou sendo um anticlímax. No dia da retomada, na Bolsa de Ouro, alguém escreveu "PAR" em grandes letras de forma na lousa onde os preços eram registrados, e todos foram embora para casa. Não houve sequer uma festa.

Os anos 1870 parecem ter sido um caso raro de "choque de oferta". Um choque de oferta é uma coisa boa; é o termo infeliz que os economistas usam para uma melhoria repentina e permanente na capacidade de produção, o que o presidente do Federal Reserve, Alan Greenspan, recentemente chamou de uma "mudança de paradigma". Com os investimentos maciços em infraestrutura após a Guerra Civil, alimentados à força por gente como Jay Gould, os custos de transação estavam caindo como uma pedra. A comunicação por telégrafo e cabograma reduzia os custos dos serviços financeiros. John Rockefeller estava ensinando ao mundo que preços mais baixos significavam mercados maiores e lucros mais altos. Inovações nas ferrovias, como o conhecimento de carga multimodal, ou "guia de embarque", e o "escritório de contabilidade de carros" eliminaram inúmeros intermediários e etapas de manuseio. (Com a guia de embarque, um cliente pagava uma tarifa única, e a guia acompanhava os produtos, assegurando encaminhamento e o pagamento apropriado. A contabilidade de carros e a padronização gradual das bitolas permitiram que as linhas rebocassem os vagões de carga umas das outras em vez de descarregar e recarregar os produtos.) Economias de escala estavam se firmando na produção da maioria dos produtos primários. O aço melhor e mais barato que escoava das novas usinas siderúrgicas de Andrew Carnegie tornaram possível a produção em massa de ferramentas e produtos de consumo que custavam menos, duravam mais e funcionavam melhor do que qualquer coisa que havia antes.

Em outras palavras: o realinhamento da moeda corrente veio como resultado de movimentos maiores. A libra esterlina britânica era o substituto do século XIX para o ouro, assim como o dólar depois da Segunda Guerra. Quando a capacidade de produção americana se equiparou e então ultrapassou a britânica, o dólar americano e a libra esterlina se realinharam sozinhos. A queda dos preços nominais significava força, não prostração.

Desenvolvimentos paralelos parecidos na Grã-Bretanha sugerem o poder das forças que estavam em ação. Houve uma "Grande Depressão" britânica, que começou nos anos 1870, durou muito mais tempo do que a retração nos Estados Unidos e exibiu muito da mesma dissonância entre percepções e dados essenciais. Como disse um historiador:

> Sem dúvida os preços caíram. Mas quase todos os outros índices de atividade econômica – produção de ferro-gusa, tonelagem dos navios construídos, consumo de lã e algodão crus, números de exportação e importação, embarque e desembarque de cargas nos portos, frete ferroviário e tráfego de passageiros, depósitos e transações bancárias, formação de sociedades anônimas por ações, lucro comercial, consumo *per capita* de trigo, carne, chá, cerveja e tabaco – mostravam tendência de alta.

Mas assim como nos Estados Unidos, "uma esmagadora massa de opinião... [concordava] que as condições eram ruins" – apesar de os "lamentos não partirem da massa das pessoas, que em sua maioria estava melhor, mas principalmente de industriais, negociantes e financistas". Na verdade, os britânicos tinham mais motivos para reclamar que os americanos, pois o quarto de século após 1870 foi um período de "esvaziamento" da indústria britânica. O crescimento real continuou, e os padrões de vida se elevaram, mas a Grã-Bretanha definitivamente perdeu sua vantagem competitiva para os Estados Unidos em quase todos os campos, em especial na indústria – de maneira parecida com o ocorrido nos Estados Unidos nos anos 1970, quando houve um crescimento decente apesar das recessões do petróleo, mas um abatimento muito forte com a perda da liderança competitiva para países como o Japão.

Um dos desenvolvimentos mais notáveis nos Estados Unidos foi a industrialização da agropecuária. Com a maior eficiência da produção e do transporte de grãos e carne, os Estados Unidos dominaram os mercados internacionais de alimentos a partir de meados dos anos 1870, em uma concorrência voltada em particular para os preços. A transformação agrícola trouxe grande riqueza para o Noroeste e melhorou dietas não apenas nos Estados Unidos, mas por todo o mundo. Entretanto, ao mesmo tempo tornou as vidas de um enorme número de pessoas simplesmente miserável.

O nascimento da fazenda-fábrica

Entre os resultados inesperados da falência de Jay Cooke estava uma grande expansão da ocupação de terras no distante noroeste, especialmente em Minnesota e no vale do rio Red, nas Dakotas. A Northern Pacific recebera enormes concessões de terras federais, um total de cerca de 160 mil km^2, e muitos acionistas e credores optaram por receber em terra quando a empresa entrou em *default*. Pela primeira vez, capitalistas do Leste estavam de posse de vastas extensões de terra sem melhorias no Oeste – uma campina plana, fértil, sem pedras ou árvores como poucas outras no mundo. Um fazendeiro podia arar em linha reta por meses, segundo uma exagerada história local, então se virar e fazer a colheita no caminho de volta. Essa terra era perfeita para a produção em massa de trigo e milho; como capitalistas, os proprietários perceberam isso e começaram a investir.

Fazendas *bonanza*, assim chamadas por seus lucros enormes, eram fazendas de milhares de hectares com um gerenciamento de produção no mesmo estilo do das fábricas, a máxima mecanização, quadro de empregados residentes reduzido, grande dependência de trabalho sazonal e normalmente com proprietários/investidores não residentes. As operações se organizaram e padronizaram a tal ponto que eram desempenhadas em grande parte por não fazendeiros. O núcleo dos quadros gerenciais parecia o de uma empresa normal – contadores, contadores de custos, especialistas em compras. O trabalho agrícola foi dividido em tarefas simples, como carregar os fardos, fazer a manutenção de enfardadeiras mecânicas e transportar equipamentos ou grãos, por isso podia usar mais ou menos os mesmos trabalhadores e carreteiros empregados por uma refinaria de petróleo ou uma usina siderúrgica. As fazendas *bonanza* nunca foram a maioria das fazendas no Nordeste, sequer chegaram perto, mas elas estabeleceram um estilo e uma abordagem radicalmente diferentes para um problema tradicional.

Uma fazenda *bonanza* típica era a fazenda Cass-Cheney perto de Pargo, fundada em 1874 e financiada por George Cass, presidente da Northern Pacific, e George Cheney, um membro do conselho da ferrovia. (Cass era um executivo de ferrovia competente levado por Cooke para a Northern Pacific tarde demais para evitar o colapso de 1873.) Seu objetivo principal não era tanto ganhar dinheiro – apesar de terem ganhado bastante –, mas demonstrar o valor dos ativos das ferrovias. Sua decisão mais interessante e importante foi contratar Oliver H. Dalrymple para administrar suas propriedades. Isso era arriscado, pois Dalrymple já havia falido devido a especulações com grãos, mas também trouxe o que os modernos gurus da administração chamam de estilo de gerenciamento "transformativo". Ele era formado em direito em Harvard, foi para o Noroeste para advogar, trocou essa atividade pela agricultura e, por um breve período, foi o "rei do trigo" do Noroeste com o desenvolvimento de uma fazenda de trigo de 1,2 mil hectares estilo *bonanza* antes de perder tudo ao ir à bancarrota. Cass e Chaney tiveram a percepção de estruturar o esquema ideal de incentivo: Dalrymple foi bem pago desde o princípio, mas sua grande recompensa era que, se sua operação fosse um sucesso, ele poderia gradualmente obter sua propriedade.

Cass e Cheney viveram seus momentos de tensão quando Dalrymple, como um mini-Rockefeller, expandiu-se para silos de grãos, transporte a vapor nos Grandes Lagos e uma série de empresas correlacionadas. Mas em apenas alguns anos estava claro que as operações da fazenda eram um sucesso espetacular. A "fazenda de Dalrymple" tinha crescido para 12 mil hectares no início dos anos 1880, empregando mais de 2 mil pessoas em várias épocas do ano. As propriedades totais de Dalrymple chegaram a 40 mil hectares espalhados por toda aquela região.

Desde o princípio, Dalrymple estabeleceu cronogramas de vários anos para preparar e melhorar a terra para o cultivo. Limpar a terra das duras raízes da grama das pradarias era o investimento mais caro. Normalmente, custava bem mais do que a terra não trabalhada. O cronograma de Dalrymple que previa a limpeza e preparação de 2 mil novos hectares por ano provavelmente não seria exequível sem as novas lâminas de aço para arados. Em 1878, o equipamento da Cass-Cheney/Dalrymple operava com 126 cavalos, 84 arados, 81 rastelos, 67 carroças, trinta semeadeiras, oito máquinas de debulhar e 45 enfardadeiras. A aragem em geral era feita em seções de uma milha quadrada (640 acres). Enormes arados, puxados por até cinco cavalos, eram presos por correntes a outros doze ou mais, e eles marchavam lado a lado em linha reta a distância de uma milha para minimizar o número de voltas que teriam de fazer. As atividades de rastelar, semear, colher e debulhar seguiam uma sequência quase militar, em seguida a terra era novamente arada antes de congelar no inverno. As enfardadeiras automáticas chegavam a usar um vagão inteiro de encordoamento. Debulhadoras a vapor podiam processar 5 mil alqueires* por dia e despejavam suas torrentes douradas em vagões de carga que aguardavam no ramal que levava direto à fazenda. Em 1881, Dalrymple, com 36 debulhadoras, enchia três trens inteiros por dia, ou 30 mil alqueires. Em 1883, apenas alguns anos após Alexander Graham Bell demonstrar pela primeira vez o telefone, as maiores fazendas do Noroeste já haviam instalado conexões telefônicas

---

* Antiga unidade de medida de capacidade para secos, equivalente a 36,27 litros. (N.T.)

entre regiões mais distantes. No segundo ano completo de funcionamento, Dalrymple produziu trigo a um custo de US$ 0,52 o alqueire para um mercado que comprava por cerca de US$ 1. Em 1890, fazendas de trigo a oeste do Mississippi estavam produzindo talvez um quarto de toda a produção mundial.

As fazendas *bonanza* estavam em permanente evolução. A primeira geração de fazendas, por exemplo, dedicava-se exclusivamente ao trigo – Dalrymple chegava a importar a aveia para os cavalos –, e levou um tempo para que elas aprendessem os limites da monocultura extrema. O fato de que os forasteiros costumavam ser "fazendeiros de escritório" na verdade foi muito útil, pois eles não tinham aprendido tradições seculares sentados no colo de seus pais, e por isso não perdiam tempo. Logo procuravam agrônomos em busca de informação sobre sementes, preservação da fertilidade e erosão. (As faculdades financiadas pelas concessões de terras resultantes do Morrill Act de 1862 nessa época estavam formando suas primeiras levas de consultores com treinamento científico.) Um *corn belt* importante também se desenvolveu com o passar dos anos 1880. A produção de trigo tendia a mover-se para o Oeste – a Califórnia era um centro importante nos anos 1890 – enquanto o milho permaneceu próximo de Chicago, já que a engorda com milho era a última fase na preparação do gado para o abate. A produção em massa de grãos para o mercado alimentou a crescente indústria de farinha de Minneapolis; Pillsbury é um dos primeiros nomes importantes.

A produtividade do trabalho aumentou de forma consistente. A primeira geração de fazendas *bonanza* dobrou a produtividade do trabalho, e o aperfeiçoamento contínuo do maquinário, especialmente a chegada do motor à gasolina no início do século XX, dobrou-a outra vez. (O vapor nunca teve muito impacto no trabalho no campo devido ao custo da madeira ou do carvão usados como combustível.) A produtividade da terra na verdade teve um declínio. Era mais barato preparar terra nova do que poupar os lotes existentes, então a produtividade

Parte de uma parelha de setenta cavalos em uma fazenda *bonanza* em Dakota do Norte.

reduziu-se à medida que mais terras marginais entraram em produção. O desperdício extravagante de recursos naturais foi um fio condutor comum na história do desenvolvimento americano.

Interações mais sutis entre ferrovias, empresas de telégrafo e os mercados de grãos – o auge de 25 anos de crescimento contínuo – também pagaram grandes dividendos de produtividade. Pouco tempo antes, os fazendeiros ensacavam esses grãos e os vendiam em consignação aos negociantes. Documentos comerciais tradicionais acompanhavam os grãos até a venda final para que o pagamento fizesse o caminho de volta pelas montanhas e chegasse ao fazendeiro. Muitos dedos tiravam pedacinhos do dinheiro no caminho. Como o fazendeiro normalmente não podia esperar por seu dinheiro, ele vendia a sua "nota" para um banco local com um grande desconto.

Entretanto, em meados dos anos 1870 havia um sistema nacional totalmente integrado de bolsas de grãos, com armazenagem em silos, padrões de classificação e pesagem e um mercado futuro telegráfico chamado *"grain call"*, todos com base em cronogramas de entregas precisos e confiáveis das ferrovias. Os grãos foram transformados em commodities. Os alqueires de trigo dos fazendeiros passavam a ser certificados como x alqueires de "trigo de inverno vermelho duro nº 2" e podiam ser comprados e vendidos por meio de um sistema de preços telegráfico quase em tempo real. Fazendeiros e grandes usuários de grãos, como na Pillsbury, podiam fazer seus negócios antes mesmo que os campos fossem plantados, se quisessem, e se proteger fazendo *hedging** nas bolsas. Grandes custos "friccionais", ou puro desperdício econômico, como os grandes descontos antes cobrados sobre as notas dos fazendeiros, desapareceram. As comissões e os custos de transação reduziram-se ao mínimo, os preços caíram, mas o volume bruto e os lucros cresceram, enquanto a estabilidade crescente alimentava o crescimento de marcas nacionais de cereais e farinha.

A linha de desmontagem

Um paralelo aproximado da fazenda *bonanza* se desenvolveu mais ou menos simultaneamente na indústria da carne. O rancho de gado texano nasceu da devastação da Guerra Civil. A produção de gado bovino e suíno pré-guerra distribuía-se pelos estados centro-atlânticos e os chamados *border states*, estados limítrofes**, e acompanhava a costa das Carolinas até a Louisiana. Os rebanhos

---

* Transação compensatória que visa a proteger operadores financeiros contra prejuízos na oscilação de preços; proteção cambial. (N.E.)

** Estados limítrofes ou de fronteira. Delaware, Maryland, Nova Jersey, Nova York, Pensilvânia, Washington, D.C., West Virginia, Virginia, Kentucky e Missouri. Em algumas fontes, Delaware, Maryland e as Virginias são considerados *border states*. (N.T.)

sofreram um golpe duro com o conflito, com perdas de até 20% no Norte e 50% no Sul. O preço da carne estava muito alto depois da guerra e variava em até oito vezes de região para região.

Empresários logo perceberam que as pastagens abertas do Texas eram o lar de milhões de bois semisselvagens, a maioria *longhorns* do Texas. O problema com os *longhorns* era o fato de serem portadores de uma devastadora doença bovina transmitida pelo carrapato (à qual o *longhorn* era imune), e muitos estados proibiam a passagem de *longhorns* por seus territórios. Em 1867, um comprador de gado de 29 anos de Illinois chamado Joseph McCoy convenceu a Union Pacific a operar uma rota para transportar gado até Abilene, no Kansas, levou a melhor sobre as legislaturas estaduais e conseguiu a autorização para a passagem dos novilhos texanos. A iniciativa de McCoy deu origem à *long drive*, a condução de grandes rebanhos do Texas até Abilene, e ao romance de caubói e das cidades de gado. Nos anos 1880, Jay Gould estendeu um sistema ferroviário amplo, mais ou menos unificado, por todo o Sudoeste, condenando a *long drive* ao domínio da *dime novel*.*

O capital do Leste e da Europa logo afluiu para a criação em larga-escala. O arame farpado pode ter sido a invenção essencial, apesar de as atitudes negligentes do governo federal e das ferrovias com suas concessões de terra também terem ajudado – muitos criadores simplesmente usavam as terras desocupadas, sem pretensão ao direito de propriedade. O rancho XIT, organizado em meados dos anos 1870, com mais de 1,2 milhão de hectares e 10 mil quilômetros de arame farpado, foi o maior na história americana. Indícios disponíveis sugerem que fazendas grandes eram bastante lucrativas: um dos primeiros ranchos de propriedade britânica, uma faixa de terra de 200 mil hectares organizada em 1881, recebeu dividendos de 28% em seu primeiro ano. Entretanto, levar o gado até os mercados distantes nunca foi algo fácil e sem problemas. Os *longhorns* não eram conhecidos por sua docilidade e, antes da era das pontes sobre o Mississippi, tinham de ser descarregados para cruzar o rio sobre balsas. Um jornal de St. Louis escreveu em 1872:

> Ontem foi um bom dia para novilhos texanos em alvoroço. Eles podiam ser vistos em quase todos os lugares da cidade. Um novilho texano, quando está de bom humor, pode fazer com que as coisas fiquem bem animadas em uma rua cheia. Várias áreas de nossa cidade ontem ficaram bem movimentadas por essa razão. Uma dessas figuras com chifres de quase um metro teve uma longa entrevista com o sr. Lawrence Ford (da Bridge, Beach & Co.) na esquina de Chestnut com a Commercial Street e foi muito sociável.

---

* Revistas populares com aventuras, grande parte delas de caubóis, que custavam US$ 0,10, ou um *dime*. (N.T.)

Mesmo com as pontes, a grande distância entre os ranchos e os consumidores era um problema para a lucratividade. Em 1880, quando 80% dos americanos moravam a leste do Mississippi, quase 60% do gado era criado no Oeste. Novilhos viajavam de trem por milhares de quilômetros: eram embarcados em armazéns nas regiões onde eram criados, levados para pontos de baldeação como Chicago e de lá até os principais centros populacionais na Costa Leste. O abate e a preparação eram feitos por milhares de açougueiros locais. Em áreas urbanas, muitos deles eram empresários importantes no ramo da preparação e como intermediários de carnes para varejistas.

Era óbvio que uma grande economia podia ser obtida com o processamento dos animais em local mais próximo às fazendas. Novilhos vivos ocupavam três vezes mais espaço nos vagões que seu equivalente em produtos preparados; eles perdiam peso durante o transporte, morriam no caminho e tinham de ser desembarcados para beber água e serem alimentados por todo o trajeto. A chave era a refrigeração: carne fresca tinha apenas uma semana de vida útil nas prateleiras, mas a distribuição a partir de um lugar como Chicago levava três semanas. Produtores de leite do Leste tinham começado a usar vagões de carga com paredes recheadas de gelo nos anos 1850, e um abatedor da Louisiana, George Hammond, fez experiências com carregamentos refrigerados de carne preparada para negociantes de Boston já em 1869, mas seus vagões não eram eficientes para o transporte no verão, e sua carne às vezes se estragava mesmo no inverno.

Coube a Gustavus Swift, um açougueiro de Massachusetts, romper a barreira da refrigeração com um projeto que acrescentava um sistema mecânico de circulação com ar forçado. Ele fez uma demonstração com um vagão-protótipo que enviou carne de boa qualidade de Chicago para seu irmão, que também era açougueiro em Boston, com um belo lucro. Para sua decepção, as ferrovias não demonstraram interesse pelo vagão novo, e muitas chegaram a se recusar a levá-lo. A resistência das ferrovias não foi surpresa. Todas as empresas perceberam que o crescimento no transporte de gado era uma excelente oportunidade de ganhos, e a maioria estava fazendo investimentos importantes em estábulos, currais e carros especiais para o transporte de animais. Swift não era um homem rico, mas conseguiu juntar o dinheiro para dez vagões e encontrou uma ferrovia canadense disposta a transportá-los. Eles foram um sucesso imediato, permitindo uma grande redução de preço sobre os açougueiros locais desde o começo. Swift e seu irmão abriram a Swift Packing Co., e Gustavus mudou-se para Chicago, enquanto seu irmão cuidava do marketing da "carne do Oeste" por toda a Costa Leste. As ferrovias se renderam, e em pouco mais de meia década toda a indústria tinha sido transformada.

Philip Armour, um nativo de Nova York que fez uma pequena fortuna como açougueiro na corrida do ouro da Califórnia, entrou imediatamente no ramo do transporte refrigerado e logo desafiava Swift pela liderança na indústria. Armour pode ter sido o primeiro a perceber que os custos de distribuição superavam os custos de abate e embalagem. De forma parecida com o que Rockefeller fez com o petróleo, Armour eliminou os intermediários locais, estabelecendo centros regionais de finalização da preparação e fornecendo até serviços de varejo com base em trens para cidades rurais. Os frigoríficos se viram no mesmo lugar privilegiado que as refinarias de petróleo – no controle do gargalo entre uma criação de gado multiforme e desorganizada e um mercado consumidor extremamente disperso. A indústria em muito pouco tempo se consolidou em quatro figuras principais – Swift, Armour, Hammond e Nelson Morris, outro abatedor de Chicago – com algumas outras firmas, como a Wilson ou a Cudahys, que de vez em quando ficavam com a quinta posição. A maioria das empresas expandiu suas propriedades verticalmente na cadeia de valores, de estábulos e fazendas a centros de distribuição atacadistas tão distantes quanto Tóquio e Xangai.

Os grandes abatedouros eram o coração do negócio. A maioria deles estava em Chicago, mas outros eram montados constantemente em Omaha, St. Louis e outros locais do Oeste. A linha de "desmontagem" do abatedouro, uma inspiração para as fábricas de Henry Ford, tornou-se uma das maravilhas sinistras do mundo. A atriz Sarah Bernhardt, depois de uma visita, disse que eram "horrendas, mas fascinantes". Um novilho era empurrado por uma rampa, um trabalhador chamado de *knocker* o acertava com uma marreta, e ele era erguido por um gancho e movido com rapidez por calhas, cortadores, desmembradores, peladores, esvisceradores, serradores de carcaças, sangradores e retalhadores – havia até 78 funções diferentes em uma linha de desmontagem de carne. Era um trabalho rápido, duro e perigoso – a velocidade da linha e a confusão de instrumentos perversamente afiados cobravam um preço alto em ferimentos e morte entre os trabalhadores. Os custos de abate e embalagem caíram sete vezes, e a escala da operação ainda criou oportunidades de lucros com derivados. Um dos primeiros investimentos de Armour foi uma fábrica de cola, e todos os frigoríficos se expandiram agressivamente em couro, óleos e sebo. O processamento de suínos tinha alguns detalhes diferentes, mas o padrão de desenvolvimento foi mais ou menos o mesmo. O consumo de carne *per capita* cresceu rapidamente, em especial nos anos 1880, à medida que o impacto total do sistema de fábricas se fez sentir.

A transformação da indústria alimentícia ilustra os distúrbios diários de um crescimento acelerado. Em termos produtivos, o país estava nitidamente em uma grande agitação. O resultado físico da combinação de fatores de produção dos bens manufaturados e alimentos subiu muito. O nível de emprego crescia mais rápido que a população. As pessoas estavam comendo melhor e tinham mais poder de compra real. Mas velhos modos de vida, expectativas há muito estabelecidas, todos os padrões fixos usados para avaliar estatura e progresso foram arrancados do lugar com violência. Nas fazendas de Dalrymple, trabalhadores sazonais superavam o quadro de funcionários fixos que trabalhavam por todo o ano na razão de vinte para um. Os temporários eram, em sua maioria, homens sérios e trabalhadores, não vadios e vagabundos, e seguiam uma rota razoavelmente definida: do trabalho de primavera nos campos do Sudeste às colheitas de outono no Noroeste, e acampamentos de lenhadores no inverno. As condições de vida nas fazendas *bonanza* e nos acampamentos de lenhadores costumavam ser bem decentes. Quantidades prodigiosas de trabalho físico duro exigiam homens fortes que tinham de ser bem alimentados e alojados em condições saudáveis. Mas mesmo com o maior dos confortos, quantos desses homens teriam aspirado a uma vida assim? Onde estava a oportunidade de se casar, estabelecer raízes e criar uma família? Ou de economizar aquele "excedente" por meio do qual, como prometera Abraham Lincoln, um homem "compra ferramentas ou terra para si mesmo; então trabalha por conta própria por mais um período e depois de um tempo contrata outro iniciante para ajudá-lo"?

Não é surpresa que os protestos veementes que vicejaram pelo *farm belt* nos anos 1870 – os *Grangers* (granjeiros)* são os mais conhecidos – tivessem o tema comum da vitimização por forças impessoais – ferrovias, capitalistas do Leste, especuladores dos mercados de commodities. Os dados frios não confirmam praticamente qualquer de suas reclamações. As ferrovias às vezes exploravam posições monopolistas em conexões locais**, mas o preço dos fretes caiu pelo menos com a mesma rapidez que os preços agrícolas no período do pós-guerra e depois da metade dos anos 1880, com muito mais velocidade. Em geral, os fazendeiros não tinham hipotecas pesadas – na verdade, apenas um terço de todos os fazendeiros tinha hipotecas, em parte porque o Homestead Act e as concessões de terra para as ferrovias tornavam a terra muito barata. (Ferrovias como a Northern Pacific estavam desesperadas para pôr terra nas mãos de fazendeiros geradores de mais fretes.) As taxas de juros caíam consistentemente,

---

* O *Granger Movement* foi um movimento de fazendeiros norte-americanos originalmente fundado em Washington, em 1867. No início era semelhante à maçonaria, e entre seus objetivos estava conseguir vantagens políticas e econômicas. Por "estados Granger" o autor quer dizer os estados onde o movimento era mais forte. (N.E.) O movimento *Granger* arregimentou uma massa de seguidores em meados dos anos 1870, mas depois disso perdeu continuamente importância. Seu enfoque primordial era a regulação dos preços das ferrovias. Vários estados do Oeste passaram "leis Granger"; a maioria delas teve pouco efeito, talvez com a exceção de Illinois. (As ferrovias costumavam combater exigências de "uniformidade" com grandes aumentos de todos os preços, forçando as legislaturas a recuar.) Para a maioria dos propósitos, elas foram substituídas pela lei federal de comércio interestadual de 1887. (N.A.)

** Preços mais altos para trechos curtos, porém, não significavam necessariamente exploração, como supunham os reformadores. Rotas curtas tinham operação consideravelmente mais cara devido a paradas mais frequentes e um investimento maior por quilômetro em estações e instalações de carregamento. A Comissão Interestadual de Comércio chegou a igualar os preços, forçando empresas que operavam rotas de longa distância a subsidiar empresas locais – boa política, mas péssima economia. (N.A.)

e concessores de empréstimos estavam sempre à procura de clientes. Há provas de que os prestamistas raras vezes executavam fazendas inadimplentes; quando os tempos eram ruins, simplesmente não valia a pena. Além disso, os "termos de negócio" do fim do século XIX viraram-se a favor dos fazendeiros: cada vez eram necessários menos alqueires de trigo para comprar uma colheitadeira ou uma peça de tecido de qualidade.

Mas são os perigos ocultos, mal compreendidos, que deixam você paranoico. A maioria dos fazendeiros teria ficado aterrorizada com o deslocamento de seus mercados. Fazendas tradicionais eram diversificadas – mesmo em um ano fraco, uma família de fazendeiros costumava ter comida suficiente e, em caso de adversidade, podia produzir em casa quase tudo do que precisavam para atender suas necessidades. A geração pré-guerra dos produtores de trigo do Leste também estava próxima de seus mercados e podia compreender, e de certa forma antecipar, os altos e baixos no comportamento de seus consumidores. Mas um plantador de monocultura mecanizada na planície noroeste vivia em um mundo muito mais volátil: uma mudança nos padrões meteorológicos nas estepes russas podia acabar com seu ano. A especialização e a mecanização aumentaram receitas e lucros, mas também multiplicaram o risco de um fracasso catastrófico. Homens que se orgulhavam de saber administrar colheitas trabalhavam sob a luz de lampiões de querosene até tarde da noite debruçados sobre balanços financeiros. Segundo os números, os tempos eram bons, mas a perda de controle era assustadora.

A indústria frigorífica é um excelente exemplo de como a industrialização estava criando milhões de empregos; no fim do século, os frigoríficos eram os maiores empregadores industriais do país. Mas isso era um triste consolo para os açougueiros e atacadistas/intermediários eliminados por Swift e Armour. A modernização abrupta deve ter aumentado muito os níveis de desemprego "friccional", mesmo com o grande aumento no número geral de postos de trabalho. Os novos empregos estavam no lugar errado, ou eram tarefas que trabalhadores qualificados jamais pensariam em aceitar – pelo menos no começo. A modernização também foi muito dura com os pequenos negociantes. Os frigoríficos não eram a única das grandes indústrias a assumir o controle sobre suas próprias cadeias de distribuição e varejo. A Singer Sewing Machine é outro exemplo antigo. O radicalismo americano nascia tipicamente na pequena burguesia. Essas pessoas, não os pobres oprimidos, foram as primeiras vítimas da modernização.

Por fim, uma grande parte dos empregos na nova economia industrial era simplesmente terrível. Uma linha de produção de um frigorífico no século XIX era uma visão medieval do inferno – sangrenta, imunda, infatigável, que não perdoava sequer o menor deslize ou erro, sem falar no frio congelante (todas as fábricas eram refrigeradas para poder funcionar durante todo o ano). Não havia horários de trabalho definidos; mesmo os trabalhadores de longo prazo apareciam todos os dias e trabalhavam o muito, ou pouco, que lhes era ordenado. Quase todo o pagamento era por produção. Os salários aumentaram muito nos primeiros vinte anos de industrialização, especialmente em termos reais, mas as jornadas ficaram maiores e as linhas de produção mais rápidas, também. Camponeses irlandeses e poloneses estavam muito satisfeitos em conseguir empregos em frigoríficos – provavelmente os dois tinham vivido a verdadeira fome –, mas a linha de desmontagem era um mundo à parte do éden industrial do empreendimento artesanal que Lincoln previra como o futuro dos Estados Unidos.

As indústrias extrativistas e de infraestrutura dos Estados Unidos – petróleo, aço e ferrovias – seguiam no rumo da modernidade com ainda mais rapidez que a agricultura, o que era muito conveniente para os apóstolos do progresso como Andrew Carnegie, John Rockefeller e Jay Gould. A maioria dos homens de negócios reagiu com medo aos abalos violentos dos anos 1870. Os predadores no topo da cadeia alimentar viram apenas um mundo de oportunidades perfeitas.

5. Megamáquina

A Exposição do Centenário de Filadélfia foi a maior festa dos cem anos de aniversário dos Estados Unidos em 1876. De forma muito similar à da Exposição do Crystal Palace na Grã-Bretanha, foi um canto de louvor sem reservas à tecnologia, mas sem as sombras de uma nova concorrência que tanto alarmara os ingleses inteligentes e bem-informados nos anos 1850. Inaugurada pelo presidente Grant e pelo imperador Dom Pedro II do Brasil, a exposição foi tão vasta e espontânea quanto a própria nação, atraindo dez milhões de visitantes de todo o mundo às cerca de 30 mil exposições espalhadas por quase 1 km² no Fairmount Park. O principal pavilhão de exposições, com quase 550 metros de comprimento, era a maior construção do mundo. Thomas Edison estava lá para demonstrar seu telégrafo automático; Alexander Graham Bell exibiu seu telefone pela primeira vez. Compositores e poetas de Richard Wagner a John Greenleaf Whittier contribuíram com os hinos que brotavam de orquestras e corais enormes na cerimônia de abertura. Uma jovem senhora escreveu: "Querida mamãe, Oh! Oh! O-o-o-o-o-oh!!!!!!".

O centro das atenções era o Pavilhão das Máquinas, com um gigantesco motor a vapor movendo 50 mil m² de maquinário em meio a uma floresta densa de eixos e correias. O motor, projetado por George Corliss, um fabricante de Providence, tinha 45 pés (13,71 m) de altura, com dois pistões de 10 pés (3,08 m) e um enorme volante de inércia de 56 toneladas e 30 pés (9,14 m) de diâmetro, que girava a 36 rotações por minuto. No dia da inauguração; Grant e Dom Pedro subiram naquele aparato diante de um pavilhão lotado e em silêncio e puxaram as alavancas que liberavam o vapor. Houve um chiado, um estremecimento visível, e os pistões começaram a se mover lentamente, então o volante girou, ganhando velocidade à medida que os cabos e correias se movimentavam, e todas as máquinas começaram a funcionar, hesitantes, por uns momentos, antes de ganharem vida com uma enorme barulheira, serrando troncos, cortando metais, imprimindo papel de parede e jornais. A imensidão faraônica do motor de Corliss tornou-se o símbolo da exposição. Mas seu silêncio – resultado de engenharia de uma precisão magnífica – era impressionante. Em meio a todo o alarido das máquinas, o motor distribuía suas vastas reservas de energia com serenidade, como se fosse um deus. Walt Whitman chegou e ficou meia hora sentado diante dele. William Dean Howells escreveu:

> O motor de Corliss não se presta a descrição; a familiaridade com ele deve ser almejada por aqueles que podem compreender sua vasta e quase silenciosa grandiosidade. Ele se erguia altaneiro no centro da enorme estrutura, um atleta de ferro e aço sem um grama supérfluo de metal; as poderosas hastes de êmbolo empurram seus pistões para baixo, o gigantesco volante gira com uma força acumulada que faz com que tudo estremeça, as centenas de detalhes vivos fazem seus trabalhos com uma inteligência infalível. Em meio a esse mecanismo de força inefável, há uma cadeira onde o engenheiro fica sentado, lendo o jornal, como se estivesse sob um caramanchão agradável e silencioso. De vez em quando ele pousa o jornal, escala uma das escadas que cobrem a estrutura e toca algum ponto irritado com uma gota de óleo.

A metáfora da Megamáquina captou a mudança de escala que estava em marcha nos Estados Unidos. Com o surto de construção ferroviária no fim da década, os Estados Unidos dobraram a quilometragem de trilhos da Europa. Por sua vez, as ferrovias foram uma força primordial na expansão e centralização das operações de ferro, aço e carvão e na industrialização da produção de alimentos. A separação entre os centros populacionais e as fontes de alimentos se tornou a norma, o que era uma grande novidade. A Megamáquina também foi a metáfora natural para as megaorganizações que surgiam para mediar a transição. Basta substituir a palavra motor por corporação, no texto de Howell, e engenheiro por gerente.

Aproveitando todas as oportunidades surgidas com o *crash* de 1873, Carnegie, Gould e Rockefeller tiveram papéis muito importantes na condução do processo de mudança de escala – Carnegie com a expansão siderúrgica, Gould nas ferrovias, e Rockefeller, que começou com a ficha mais limpa e acabou por criar a entidade que chegou mais perto que qualquer outra da máquina global perfeita da metáfora. Morgan solidificou sua carreira de banqueiro e emergiria depois de outra quebra na Bolsa nos anos 1880 como o regulador de máquinas construídas por outras pessoas.

A usina siderúrgica Edgar Thomson

Antes da Guerra Civil, o conjunto de tecelagens de quatro pavimentos de tijolos em Lowett, Massachusetts, era a instalação industrial mais imponente dos Estados Unidos. A Usina Siderúrgica Edgar Thomson, de Andrew Carnegie, inaugurada no verão de 1875, ocupava 430 mil m² às margens do rio Monongahela, na periferia de Pittsburgh, e era uma proposta completamente diferente. Só a usina de produção de trilhos era maior que um campo de futebol.

Mais que o tamanho, o fluxo de produção indicava uma nova era. O ferro-gusa era fundido em fornos de cúpula gigantescos, então derramado em "cúpulas basculantes" de doze toneladas que alimentavam o ferro derretido direto nos

O grande motor de Corliss que fornecia energia para as máquinas na Exposição do Centenário da Filadélfia tornou-se um símbolo da perícia mecânica norte-americana. Nesta gravura, o presidente Ulysses S. Grant está de pé sobre a plataforma.

conversores Bessemer. Um conversor parecia um ovo de dinossauro gigante e negro, tão alto quanto uma árvore grande. Quando estava cheio de ferro fundido, bombeava-se ar no centro da massa por meio de compressores movidos a vapor, inflamando o oxigênio com um estremecimento trovejante e dando início a uma cadeia de reações químicas violentas que tinha como resultado um tanque cheio de aço derretido prateado quase puro. O conversor, que ficava suspenso, era inclinado para derramar o aço em moldes oblongos de lingotes ou sobre cilindros em movimento para laminação. Segundo Alexander Holley, que projetou a usina, os lingotes "saíam ainda quentes dos moldes" e eram embarcados diretamente em vagões e "não eram erguidos outra vez". Cilindros giratórios coletavam os lingotes ainda vermelhos de calor, na usina de trilhos, onde eram cortados nos tamanhos apropriados, e em seguida:

> ...comprimidos com uniformidade e precisão... por pinças hidráulicas ...como resultado, eles esfriam perfeitamente retos... [em contraste com os] trilhos que foram dobrados e torcidos por operações manuais, que não podem, é claro, ser precisas e uniformes. Um homem e um menino, por meio de alavancas, operam todo esse maquinário que se move para dar forma aos trilhos e também às serras.

As serras frias, por si só, eram maravilhosas. "Eram enormes" e "equilibradas e contrabalançadas com rigidez" para manterem a precisão em velocidades de 1,8 mil rotações por minuto, e podiam cortar uma fatia de até quarenta centímetros de uma extremidade de um trilho.

Holley era o maior projetista de usinas siderúrgicas de seu tempo, e a usina "ET" era o seu xodó. A ET foi a primeira usina que ele ergueu do nada – todas as suas outras eram adaptações de outras instalações já existentes –, e com Carnegie, quando a eficiência estava em jogo, os custos não eram problema. Na verdade, era a chance de Holley fazer tudo da maneira certa; em suas próprias palavras:

> Como o transporte de suprimentos de produtos em processo de produção e de produtos para o mercado é uma característica de importância primordial, essas instalações foram projetadas não com a intenção de deixar os prédios artisticamente paralelos com as ferrovias existentes ou uns com os outros, mas de permitir o traçado mais conveniente e de curvas suaves das linhas de trem; os prédios foram feitos para se adaptar ao transporte.

O local perto do rio oferecia ligações convenientes por balsa com suprimentos indispensáveis de coque, enquanto os prédios da usina eram adjacentes tanto à principal linha da Pennsylvania quanto ao ramal de Pittsburgh da Baltimore & Ohio. (Carnegie contava com a Pennsylvania como principal cliente, mas experiências amargas o haviam ensinado a se proteger contra os preços das ferrovias. O nome "Edgar Thomson" – homenagem ao presidente da Pennsylvania – era uma oferta de paz bastante transparente para iniciar uma competição com a B&O.) A produção interna da ET deslocava-se por sua própria linha férrea de bitola estreita, com trilhos erguidos ou baixados quando necessário, para que os materiais fossem carregados e descarregados sempre para baixo. Tarefas manuais que consumiam tempo foram eliminadas o máximo possível. Como temperaturas de 2.000°F [1.093°C] destruíam rapidamente o revestimento de tijolos refratários nos conversores, Holley projetou fundos de conversores removíveis, para que, assim, o processo de revestir os interiores não interferisse com o novo ritmo de produção. Quase trinta anos mais tarde, um especialista britânico detalhou as características marcantes da siderurgia americana: a ausência de trabalho manual, o fluxo contínuo de material e a mecanização onipresente; tudo isso, junto com um olhar penetrante para os custos de aquisição de produtos e serviços e distribuição, já existia desde o princípio.

A Usina Siderúrgica ET é um dos marcos mais importantes do avanço americano para os primeiros lugares entre as nações industrializadas. Carnegie, é claro, não agia como pioneiro como um presente para o país que adotara. A usina foi lucrativa praticamente desde o momento em que abriu, produzindo um retorno de 20% sobre o investimento no segundo ano completo de funcionamento. "Onde mais há um negócio como esse?!", exultava Carnegie.

O aço é rei

Se você acreditava nos Estados Unidos, acreditava em ferrovias. E se você acreditava em ferrovias, acreditava no aço. Foi a demanda insaciável por trilhos de aço por parte das ferrovias americanas que tornou o aço um negócio de produção em massa e levou à substituição do ferro para a maioria das finalidades industriais. A conversão dos trilhos de ferro para trilhos de aço foi iniciada por Thomson na Pennsylvania em meados dos anos 1860. A Pennsylvania, que ficava no coração da indústria pesada americana, tinha padrões de tráfego mais intensos e carregamentos mais pesados do que qualquer outro sistema, e seus administradores estavam alarmados com a vida útil cada vez mais curta dos trilhos de ferro. Thomson começou a fazer experiências com trilhos de aço importados em 1861 e, por volta da metade da década, estava convencido que estes lhe dariam uma vida útil oito vezes maior com um custo apenas duas vezes superior. Como havia apenas um punhado de fornecedores americanos, a Pennsylvania, com a eficiência característica, criou sua própria empresa siderúrgica, a Pennsylvania Steel, com Thomson e Tom Scott como principais acionistas. A empresa siderúrgica foi criada depois que o conselho proibiu, em 1874, que seus administradores tivessem ações de fornecedores.

O aço de qualidade, sobretudo para armas brancas, é conhecido praticamente desde o início da história. O aço de Damasco, originário da Índia, era o mais conhecido dos aços antigos, enquanto uma espada de Toledo feita com beleza era *de rigueur* para o cavaleiro medieval de posses. Sheffield já era um importante centro aceiro britânico na época de Chaucer, e seus artesãos começaram a desenvolver métodos de produção de um volume comparativamente alto no século XVIII. Mesmo nos anos 1870, os fabricantes americanos de ferramentas que precisavam de aço de corte de alta qualidade compravam de Sheffield.

A produção tradicional do aço começava com um minério de ferro de alta qualidade. O minério era misturado com um combustível carbônico, geralmente carvão vegetal ou mineral, depois, coque, e então era fundido em um forno de redução. O alto-forno, inventado em 1828, alcançava temperaturas muito elevadas por meio da injeção de ar superaquecido, permitindo a utilização de minérios de menor qualidade mais abundantes. Como o ferro tem uma forte preferência pelo oxigênio, suas impurezas tendem a ser óxidos que se ligam ao carbono do combustível e se precipitam em forma de sucata; impurezas não óxidas eram sequestradas por aditivos como calcário. Quando o ferro pesado descia para o fundo da fornalha, a sucata era derramada por cima, deixando um ferro relativamente puro, mas rico em carbono. Ferro com grandes quantidades de carbono presta-se para a fundição, mas é quebradiço e difícil de ser trabalhado. O "ferro batido" maleável, responsável pela maior parte das vendas tradicionais, deve ser praticamente livre de carbono. (Costumava ser obtido retirando-se o carbono a marteladas, daí seu nome.) O aço é ferro batido com pequenas quantidades de carbonos readicionadas para se obter um equilíbrio de dureza e maleabilidade. A partir de meados do século XVIII, o ferro batido passou a ser feito por meio de pudlagem – reaquecer o ferro em um forno com revestimento rico em óxidos e mexê-lo devagar até que o carbono se precipite. O último passo na produção do aço era o "recozimento" do ferro pudlado derretido e seu trabalho lento em um banho de carbono, separando pequenas quantidades de aço por cor e textura.

Fazer uma pequena quantidade de aço podia levar uma semana ou mais, e as técnicas tradicionais eram cuidadosamente passadas de pai para filho; uma receita de Sheffield começava acrescentando "o suco de quatro cebolas brancas". Um produto de qualidade superior, como o aço "fundido" de Sheffield, que era feito em fornos de barro para suportar as altas temperaturas exigidas para o "recozimento" do aço comum para acabamento posterior, era tanto extremamente caro quanto procurado. Quando a química escondida no processo foi compreendida melhor no século XIX, o aço passou a ser definido como ferro purificado com um conteúdo de carbono entre 0,1 e 2%. Por todos os anos 1880, as definições permaneceram controversas, conforme os usuários de aço como a Pennsylvania cada vez mais exigiam padrões de qualidade consistentes e normas para testes.

A virada na produção de aço em larga escala veio nos anos 1850 pelas mãos do prolífico inventor britânico Henry Bessemer. Ele descobriu que se simplesmente injetasse ar frio dentro de uma câmara com ferro derretido, o oxigênio no ar deveria, por si só, incendiar o carbono no ferro e retirá-lo sem a necessidade de pudlagem. Funcionou na primeira vez que ele tentou: o oxigênio quase instantaneamente deixou o ferro branco de tão quente e queimou o carbono e a maior parte dos outros elementos contaminantes em minutos, resultando no mais puro ferro. Bastava acrescentar de volta uma pequena quantidade de carbono enquanto o ferro ainda estava superaquecido e se obtinha aço – a violência da reação química na câmara cuidava de misturar tudo. Um processo que levava dias, ou mesmo semanas, foi reduzido para cerca de vinte minutos. Só a economia de combustível era de sete vezes.

Bessemer patenteou sua invenção em 1855, e suas demonstrações foram recebidas com entusiasmo pela indústria. O êxtase transformou-se em consternação quando os produtores de aço tentaram o mesmo por conta própria e só conseguiram uma mistura granulada e quebradiça. Bessemer sem querer tinha começado com um minério que tinha níveis extremamente baixos de fósforo, que por coincidência era o tipo de minério com o qual seu processo funcionava. Demorou vinte anos para que o problema do fósforo fosse solucionado por um químico especializado em ferro do País de Gales e seu primo, um escrivão de polícia, que inventou um revestimento "básico" de fornalha chamado processo Thomas-Gilchrist, que precipitava o fósforo acidífero. Nessa época, o processo de Bessemer tinha um rival no método de "forno aberto" de Charles Siemens. Siemens usava um forno parecido com um de pudlagem de ferro, mas obtinha o superaquecimento reciclando os gases residuais por meio de uma disposição inteligente de câmaras de tijolos. O processo era mais lento que o de Bessemer, mas muitos fabricantes de aço achavam que isso dava a eles maior controle.

Alexander Holley levou o evangelho do aço para os Estados Unidos. Hoje ele não é muito conhecido, mas foi tão importante em sua época que sua estátua, em toda a glória de seus bigodes, está no Washington Square Park na cidade de Nova York. Holley era um polímata de físico impressionante. Filho de uma família abastada de cuteleiros de Connecticut, cresceu no centro da expansão da mecanização no vale do rio Connecticut. Holley foi atraído pelas máquinas e por processos auxiliados por máquinas. Ele se formou em engenharia mecânica pela Brown University, escreveu um tratado sobre manufatura de armas e equipamentos militares, trabalhou como projetista de locomotivas, escreveu relatórios sobre ferrovias europeias, editou a *Railway Review*, assinou centenas de artigos para o *New York Times* sobre temas técnicos e foi a alma por trás da formação da American Society of Mechanical Engineers (ASME). Ao ouvir falar dos experimentos de Bessemer, ele foi para a Inglaterra e convenceu Bessemer a ceder a ele os direitos sobre a patente nos Estados Unidos. Na época de sua morte, em 1882, com apenas cinquenta anos, Holley tinha projetado pessoalmente seis das onze usinas Bessemer nos Estados Unidos e dera consultoria em três outras, enquanto as duas restantes eram cópias de uma das usinas que ele desenhara.

O primeiro projeto de Holley, em Troy, Nova York, era uma mudança radical em quase todas as características das usinas que vira na Inglaterra. Desde o começo, as usinas de Holley eram marcadas pelo processamento contínuo, alto grau de

Um conversor Bessemer original dos anos 1880. Ele terminou sua operação e está começando a se inclinar para derramar o aço recém-produzido em moldes de lingotes.

mecanização e um cuidado especial com a administração de materiais e controle de procedimentos. Em seus projetos, seus discursos, conferências e artigos para a ASME, ele se alternava em repreender e estimular a indústria a buscar padrões mais elevados, melhores projetos, uma química mais cuidadosa, uma operação com menos desperdícios. "O trabalho de Holley começou no ponto em que Bessemer parou com o processo que leva seu nome", escreveu um contemporâneo. Quando os fabricantes britânicos falavam com uma mistura de admiração e medo sobre a "prática americana" nos anos 1880, estavam falando principalmente de Alexander Holley.

Havia dois problemas a superar antes que Holley pudesse plantar usinas de Bessemer por todos os Estados Unidos. O primeiro era a exigência de minério com baixos teores de fósforo, solucionado pela descoberta de grandes reservas inexploradas de minério na península superior de Michigan que eram ideais para as usinas Bessemer. O segundo era uma terrível briga em torno de patentes. Havia duas outras patentes concorrentes na Inglaterra e nos Estados Unidos, além da de Bessemer. O incentivo para um acordo foi um contrato de *royalties* sedutor e suculento com a Pennsylvania Steel Company. Depois de muito regatear – e de muita mediação por parte de Holley –, as patentes foram reunidas em um consórcio, em 1866, em uma nova empresa que acabou batizada de Bessemer Steel Association. A associação pertencia às siderúrgicas que receberam as patentes, portanto assegurava uma prestação de contas apropriada para os donos das patentes.

Os membros da associação não deixaram de perceber que também tinham criado um fórum ideal para operar um cartel do aço. Depois de 1876, eles se recusaram a emitir licenças de patentes para novos participantes e aparentemente subsidiaram o último detentor de patente, a usina siderúrgica Vulcan Iron and Steel, em St. Louis, em seus esforços para superar a fase inicial. As tentativas da associação de controlar preços e determinar fatias de mercado nunca tiveram muito sucesso, em parte porque Carnegie, como era típico, rompeu os acordos de divisão de mercado quando foi de seu interesse fazê-lo, mas mais fundamentalmente devido à popularização do processo de forno aberto de Siemens nos anos 1880. Os protagonistas técnicos-chave nas reuniões da associação eram Holley, John e George Fritz, irmãos e aceiros inovadores que dirigiam as usinas de Bethlem e Cambria, respectivamente (George morreu em 1873), e mais tarde o capitão William Jones, formidável administrador da usina ET e um inovador fértil por seus próprios méritos.

O rei do aço

O aço foi o primeiro compromisso de tempo integral de Carnegie com um negócio desde seus primeiros dias na Pennsylvania e uma plataforma ideal para exibir seus talentos impressionantes como executivo chefe. Ele era o sócio controlador da Keystone Bridge Co. e da Union Iron Mills*, que fabricava peças para pontes; mas à exceção da ponte de St. Louis, onde teve problemas com a tarefa nada invejável de lidar com o capitão Eads, costumava agir como promotor e vendedor de títulos, deixando a construção das pontes com seus sócios. Carnegie moveu-se com cautela em torno do aço antes de dar seu salto. Ele investira em uma pequena usina que fez experiências sem sucesso com o sistema de Bessemer em 1866, em parte devido a problemas com o minério. Também persuadiu Thompson a experimentar trilhos de ferro revestidos com aço, mas estes se revelaram um fracasso desanimador. Ele se desgastara com a insistência de usar peças de aço na ponte de St. Louis; acabou aceitando que Eads tinha razão, mas o aço foi necessário apenas porque Eads tinha vetado o *design* original em ferro, muito inteligente, da Keystone. Mas as dúvidas que atormentavam Carnegie foram dissipadas pelas enormes usinas britânicas de Bessemer, que ele visitou em 1872. Poucos homens de negócios compreendiam a economia de escala tão bem quanto Carnegie: se o aço conseguisse deixar o domínio dos artesãos, teria sem dúvida um grande futuro.

Carnegie organizou um grupo siderúrgico assim que voltou para os Estados Unidos, levantando rapidamente US$ 700 mil. Ele entrou com US$ 250 mil do próprio bolso, enquanto William Coleman, sogro de Tom Carnegie, botou US$ 100 mil e também escolheu o local da usina às margens do Monongahela. O restante do financiamento veio de homens de negócios de Pittsburgh, entre eles William Shinn, um vice-presidente da ferrovia Allegheny Valley, e David McCandless, um dos líderes mais respeitados da cidade. (Respeitado o suficiente para que Carnegie chamasse a nova empresa de Carnegie, McCandless & Company, apesar de McCandless ser um dos menores investidores.) Cada um dos sócios da siderúrgica Union Iron – Tom Carnegie, Andrew Kloman e Henry Phipps – entrou com US$ 50 mil, apesar de não acreditarem muito no aço. Carnegie também vendeu uma pequena quantidade de suas próprias ações para Thomson e Scott, mas depois as recomprou durante o *crash* de 1873.

Holley se comprometeu quase de imediato; ele mesmo fez o primeiro contato assim que ouviu falar da nova usina. Fez uma proposta – US$ 5 mil pelo projeto, US$ 2,5 mil por ano pela supervisão da construção – que não podia ser recusada. Ele levou apenas seis semanas para fazer o projeto; há anos vinha pensando na

---

* A siderúrgica Union Iron era famosa por seu alto-forno apelidado de "Lucy"; com 22,86 metros de altura (75 pés), quando foi construído em 1872 era o maior dos Estados Unidos. "Lucy" era a esposa de Tom Carnegie – os altos-fornos costumavam receber os nomes das esposas dos executivos, talvez um traço da misoginia vitoriana. Outro grupo de Pittsburgh logo construiu um forno das mesmas dimensões, o "Isabella". As duas logo se envolveram em uma competição de produção que estabeleceu um recorde atrás do outro por boa parte dos anos 1880 e foi acompanhada de perto pela imprensa especializada e os jornais de Pittsburgh. (N.A.)

usina ideal e precisava apenas de adaptar suas ideias à locação às margens do Monongahela. Também foi Holley quem apresentou Carnegie ao capitão Jones, que por acaso deixara a usina Cambria quando Holley assumiu seu compromisso na ET. Jones pode ter sido o maior superintendente de usina siderúrgica do século XIX. Ele conseguiu seu primeiro emprego em uma oficina de fundição de ferro aos dez anos. Conhecia ferro e aço profundamente, era idolatrado por seus homens e também era um inventor criativo. A máquina para desempeno de trilhos da qual Holley tanto se orgulhava era invenção de Jones, assim como uma posterior máquina de misturar ferro, um componente crítico do processo de fluxo contínuo. Quando as pessoas souberam que Jones estava entrando para a ET, duzentos dos melhores homens da Cambria decidiram segui-lo.

As sombras se abateram com o *crash* da Bolsa de 1873, justo quando a construção entrava em ritmo acelerado. A ET estava ficando sem dinheiro – eles haviam subestimado os custos iniciais –, e homens criteriosos estavam dizendo a Carnegie para pisar no freio. Isso aconteceu no mesmo momento em que Carnegie atravessava seus maiores problemas na ponte St. Louis. O financiamento desesperado da ponte por intermédio de Pierpont Morgan só foi concluído depois do *crash*, e Morgan estabelecera o prazo final rigoroso de dezembro para a conclusão do vão, que só foi cumprido por muito pouco depois de semanas de trabalho frenético. Tom Carnegie e Kloman provavelmente não sabiam o quanto Andrew estava sem dinheiro, mas tinham total consciência da posição instável em St. Louis.

Os problemas financeiros de Carnegie levaram a um rompimento doloroso com Tom Scott. Scott, que ainda mantinha seu emprego na Pennsylvania, tornou-se presidente e principal acionista da ferrovia Texas & Pacific em 1872. Carnegie não gostou do negócio, mas por amizade investiu US$ 250 mil, apesar de recusar qualquer função administrativa. Quando a T&P entrou em sérias dificuldades no ano seguinte, Scott, com apoio de Thompson, pediu que Carnegie botasse mais dinheiro, ou pelo menos ajudasse com Junius Morgan. Carnegie se recusou, apesar de saber que tinha um débito com ele. Entretanto, como disse mais tarde, ele ainda era um Scott e não ia fazer nenhuma bobagem. Sem dúvida isso era parte – a T&P era irrecuperável –, mas Carnegie também não queria admitir que não tinha dinheiro e que sua reputação andava em baixa com os Morgans.

Mais tarde, Carnegie se gabou do arranque da ET, "um homem que tem dinheiro durante um pânico é um cidadão sábio e valoroso". Mas a verdade é que seus fundos estavam esgotados, e a decisão de ir em frente com a ET foi tão corajosa que beirou a imprudência. No papel, Carnegie era um homem rico: sua contabilidade pessoal mostrava ativos no valor de US$ 2,1 milhões no fim de 1873 e um patrimônio líquido de US$ 1,7 milhão. Mas era quase tudo em ações, a maioria delas papéis sem liquidez de suas próprias empresas. A segunda maior categoria eram as ações relacionadas a ferrovias. Seu saldo de caixa era inferior a US$ 5 mil, e se ele também tinha US$ 66 mil em dívidas a receber, algumas delas provavelmente eram bastante duvidosas; nessa época, suas empresas, como a siderúrgica Union Iron, estavam enfrentando problemas com cobranças. Além disso, sua demonstração financeira registrava os títulos pelo valor nominal. Esse era o costume da época, mas teria inflado muito seu valor, já que todas as ações, especialmente as ações das ferrovias, estavam em queda livre. Carnegie vendeu algumas de suas ações da Pullmann, provavelmente as estrelas de sua carteira, mas não havia maneira de sustentar sozinho a ET ou conseguir qualquer dinheiro para Scott. Os US$ 250 mil que ele tinha na ET eram tudo o que sua situação permitia.

De algum modo a ET permaneceu dentro do cronograma e do orçamento, com a ajuda do colapso na construção e no preço dos materiais e do desespero dos empreiteiros para continuar a trabalhar. Então, quando Carnegie confirmou que a ponte St. Louis estava finalmente concluída, embarcou em um navio com Holley para uma peregrinação a Londres e a Junius Morgan, onde exaltaram o brilhante futuro no aço. (É interessante que ele não tenha economizado tempo e a passagem de navio negociando com Pierpont. Provavelmente já havia suportado o suficiente da famosa aspereza de Pierpont, enquanto Junius, que nitidamente gostava dele, parecia mais suscetível a seus argumentos de venda convincentes.) Os trilhos de aço flutuavam em torno de US$ 100 por tonelada em 1874, e ele e Holley tinham confiança de que, com seus conversores enormes, a usina de trilhos mecanizada e a manipulação e o carregamento automatizados, poderiam produzir por US$ 69. Morgan gostou da ideia e concordou em fazer uma emissão de títulos de US$ 400 mil, o suficiente para tirar alguns sócios mais fracos e ver o projeto concluído. Não é provável que qualquer outro banco tivesse levantado o dinheiro em uma época tão instável. Perder o prazo na ponte St. Louis teria levado a empresa responsável pela ponte à falência, quase certamente teria forçado o fechamento do projeto da ET e podia ter acabado com a incursão de Carnegie no aço. São fios como esses que sustentam o curso da História.

Carnegie deu uma prévia da sua estratégia para o aço alguns meses antes de a ET receber sua primeira encomenda. A ocasião foi uma reunião da Bessemer Association em junho de 1875, convocada pelos "Pais", os diretores presidentes das empresas Bessemer, para discutir a depressão contínua nos mercados de aço. Como a ET estava prestes a ficar pronta, McCandless foi convidado a enviar um representante. Carnegie resolveu ir pessoalmente – um sinal claro de que dava uma importância especial ao evento. Sem dúvida ele sabia – por intermédio de Holley e Jones, muito envolvidos com a associação – que os Pais estavam planejando apresentar uma proposta de *pool* para o mercado.

A descrição da reunião vem de um empregado que estava presente no *briefing* de Carnegie para os sócios após a reunião e que muitos anos mais tarde ainda se lembrava dele. Os Pais fizeram uma apresentação cuidadosa de seu plano de fixar preços e dividir o mercado, que obviamente já tinha sido discutido com antecedência; a Cambria recebeu a maior fatia, ficando com 19%, número que diminuía ao longo da lista, com a ET, como a empresa mais nova, recebendo a menor fatia, 9%. Carnegie reclamou imediatamente e exigiu a mesma fatia da Cambria, já que a ET era a maior e mais eficiente usina da indústria. Do contrário, anunciou, "vou deixar [o *pool*] e vender mais barato no mercado do que todos vocês – e fazer um bom dinheiro com isso". Carnegie tinha comprado ações em todas as outras companhias – todas menos a ET eram companhias abertas –, então sabia quais eram seus custos e salários, e começou a mostrar como eles eram mais baixos na ET. Mesmo levando em conta a tendência ao exagero de Carnegie, e a falibilidade de relatos em segunda mão, sem dúvida algo como isso aconteceu, pois a ET, que ainda não produzira um lingote sequer, recebeu a mesma fatia que a Cambria, a maior no *pool*. O fato de seu primeiro ano de produção mal cobrir os 9% que lhe foram designados originalmente não parecia preocupar Carnegie: ele estava marcando sua posição como um agente desestabilizador. A história também ilustra o conhecido desprezo de Carnegie pelos *pools*. Ele não se importava em se juntar a eles e era vigilante no cumprimento de suas determinações quando era de seu interesse temporário fazê-lo, e as violava com a mesma tranquilidade quando não eram.

Em vinte anos, a Carnegie Steel Inc. – fruto de reorganizações sucessivas que consolidaram todos os ativos de Carnegie relacionados à indústria do aço, incluindo a ET, as instalações do alto-forno Lucy, as usinas Union Iron, aquisições como a da usina Homestead e um bom número de produtores de coque, carvão e minério – era a maior empresa siderúrgica do mundo. Tinha uma produção total de cerca de metade da britânica e um quarto da americana. Também era a mais lucrativa por léguas de vantagem, e todos a viam como a líder do mercado. Nos anos 1880, seus manuais de estruturas de aço, que traziam projetos de vigas e cortes, assim como tabelas de capacidade de carga e fadiga, eram a bíblia da indústria. Seus grandes recursos de capital permitiram que mantivesse a pressão durante tempos bons e ruins. Como disse um estudioso britânico: "Quando a demanda caía, a firma com o equipamento mais moderno – normalmente a de Carnegie – via que suas perdas eram menores (ou a de seus rivais maiores) quando reduzia seus preços para continuar funcionando com plena ocupação". Com a compra da Frick Coke Co., a Carnegie Steel assumiu uma posição dominante em coque, e suas aquisições de grandes reservas de minério no lago Superior deram a ela uma vantagem quase esmagadora em minério de alta qualidade.

O crescimento da Carnegie Steel não estava baseado em qualquer vantagem oculta ou em superioridade técnica. Carnegie entrara relativamente tarde na indústria, e todos os seus concorrentes americanos usavam, basicamente, as mesmas usinas de Holley que ele. A usina siderúrgica Vulcan em St. Louis, por exemplo, era quase uma duplicata da ET; o próprio Holley certa vez descreveu a usina de laminação da ET como a melhor nos Estados Unidos, "com a exceção da usina da

Bethlehem Iron Company, quando estiver pronta", o que Holley, é claro, naquele momento, em 1878, estava prestes a concluir. A vantagem competitiva da empresa, parece, era principalmente Carnegie – a pressão implacável, a busca da redução de custos, o talento instintivo para fechar qualquer negócio que mantivesse suas usinas ocupadas, a insistência em sempre reinvestir os ganhos em usinas cada vez maiores, no equipamento mais moderno e nas melhores tecnologias. Outras empresas passaram por ciclos de prosperidade e declínio. Quando os fundadores estavam em situação confortável, os acionistas exigiam receber dividendos, e os bons tempos permitiam que trabalhadores e gerentes relaxassem um pouco – como fez quase toda a indústria siderúrgica britânica após a grande expansão ferroviária dos anos 1880. Mas por 25 anos Carnegie nunca perdeu o pique.

Apesar de Carnegie não ter qualquer cargo, sem dúvida era o chefe: a própria ambiguidade de seu papel pode ter aumentado seu poder, pois não havia canais ou protocolos que pudessem limitar seu acesso. Até a morte do capitão Jones, em um acidente em um alto-forno em 1889, eles mantiveram uma correspondência regular na qual ele estimulava Jones com os números de produção da Cambria, apesar de a ET quase sempre superá-los: o "pangaré da ET chegou na frente de novo", exultava Jones em meados de 1881. A correspondência também sugere o grau de envolvimento de Carnegie nos assuntos do dia a dia. Em 1883, por exemplo, Jones descreve uma grande mudança em um método para eliminar uma etapa no processo de fabricação de trilhos que fora abraçada por Holley:

> Esta semana tentei laminar direto da saída dos fornos, mas confesso que não gostei, e tenho certeza de que vai aumentar nosso percentual de segundos, além de forçar demais o maquinário... o melhor e mais barato, e também o melhor plano, é reaquecer em meu novo esquema, do qual espero ter planos prontos em algumas semanas para lhe mostrar o que estou almejando.

Carnegie também insistiu em uma contabilidade de custos igual à feita pelas ferrovias, com resultados impressionantes. Os relatórios mensais de Jones descreviam os custos de mão de obra de cada produto e procedimento, registravam toda a entrada de matéria-prima e percentuais de desperdício e refugo, capacidade de produção e períodos ociosos dos principais componentes da usina, como fornos e conversores. Tendências mês a mês e comparações eram separadas por tonelada produzida, por forno, por tipo de minério, por fonte de coque, por tipo de transporte. Alguns relatórios eram resultado evidente de análises especiais, como uma feita sobre processos alternativos de conversão e um estudo das perdas de metal feito em 1883, que era um dos fantasmas de Holley. As amostras de relatórios que sobreviveram nos arquivos normalmente trazem muitas anotações na letra rápida e elegante de Carnegie. Mais tarde ele disse que os administradores odiavam os relatórios e que levou anos para que estes saíssem a contento. Carnegie tinha um bom olho para talento, mas era um administrador de alta tensão, que martelava seus sócios com perguntas sobre anomalias, ou deslizes, e especialmente sobre problemas de qualidade, o que ele abominava, escrevendo, por exemplo, que as reclamações de uma ferrovia eram:

> ...na verdade, muito tristes. Ninguém pode manter a cabeça erguida ao olhar para eles. Isso não pode e não vai se repetir. Seria a ruína entregar trilhos ruins, especialmente para as linhas do Leste, onde a inspeção é sempre cuidadosa. ...Eu prefiro pagar US$ 5 mil do meu bolso para que uma falha vergonhosa como essa não ocorra.

O papel quase oficial de Carnegie nos primeiros anos era de vendedor da companhia, um cargo que ele ocupou de maneira esplêndida. Na época, a produção da ET era quase 100% dedicada a trilhos, e os contatos de Carnegie no meio ferroviário eram amplos e sólidos. Ele também adorava barganhar, e, ao passo que odiava perder um negócio devido a preço, nunca saía perdendo dinheiro. As negociações de preço com John Garrett, o cabeça da B&O, um regateador tão devotado quanto Carnegie, eram verdadeiras batalhas. Em uma negociação prolongada, quando a Cambria apresentou uma proposta insignificantemente inferior à da ET, Carnegie manteve seu preço, mas conseguiu fechar a venda ao demonstrar que os lucros da B&O e o frete para a entrega iriam superar os descontos da Cambria, que tinha de enviar pela Pennsylvania. (Como era típico de Carnegie, ele se manteve firme e impassível quando o argumento contrário foi apresentado por Henry Frick, que se tornou presidente da Carnegie Bros., a controladora da ET, em 1889: Frick queria que Carnegie relaxasse em sua guerra contínua contra os preços de transporte ferroviário, já que as ferrovias eram seu principal cliente.)

O papel duplo de acionista majoritário e vendedor principal deu a Carnegie a situação vantajosa ideal para ajustar produção e preços e avaliar a lucratividade do novo investimento. Ele entendia as absorções sutis de custos fixos que aumentavam margens à medida que a produção aumentava dentro da curva possível. Como ele colocou no início da existência da ET:

> Os dois caminhos estão abertos para uma nova empresa como a nossa – 1º recuar timidamente, com medo de "quebrar o mercado" [ou]... 2º tomar uma decisão de oferecer para certos clientes lotes a preços que vão garantir pedidos. De minha parte, prefiro trabalhar a plena capacidade no ano que vem, mesmo se ganharmos apenas US$ 2 por tonelada.

Carnegie amava a devoção de Jones ao *hard-driving*, ou operar nos limites de capacidade dos fornos, sempre buscando atingir temperaturas maiores nos fornos e conversores. Os britânicos achavam que a operação no limite da capacidade gerava desperdício, já que o revestimento das fornalhas precisava ser substituído com maior frequência, mas Carnegie tinha o número dos custos para apoiar suas estratégias. Essa prática era mais eficiente com altos-fornos muito grandes, o que se adequava perfeitamente ao gosto de Carnegie. Ele deve ter rangido os dentes quando não conseguiu apresentar uma proposta para uma encomenda importante da Pennsylvania em 1878 porque a ET não tinha capacidade disponível; e houve acréscimos importantes na usina em 1879 (incluindo um novo alto-forno imenso). Por fim, como Carnegie viajava mais que qualquer outro na empresa e estava constantemente à procura de novas tecnologias, ele estava entre as pessoas mais bem-informadas da companhia sobre desenvolvimentos técnicos.

Com o passar dos anos, o imperativo de reinvestimento se tornou uma fonte importante de disputa entre Carnegie e seus sócios. Carnegie insistia em manter baixos os salários, pois seus sócios queriam enriquecer por meio de suas ações. (A exceção era Bill Jones. Ele não queria ações – dizia ser um homem simples –, mas achava que merecia ser o superintendente mais bem pago da indústria. Ele pediu US$ 20 mil por ano, mas disse que aceitaria US$ 15 mil. Carnegie, em uma jogada brilhante, deu a ele US$ 25 mil, garantindo sua lealdade por toda a vida.) O pagamento de dividendos também era muito baixo, cerca de apenas 1%, uma quantia ridícula pelos padrões do século XIX. O próprio Carnegie não tinha problemas para financiar um estilo de vida régio, pois possuía blocos muito grandes de ações de suas companhias, e, além disso, tinha muitos outros investimentos. Mas seus sócios, apesar de estarem bem de vida, não tinham nem de perto a renda de seus equivalentes em empresas de menor sucesso. Também houvera sobreavaliação de ações quando dois sócios se afastaram sob circunstâncias litigiosas. As regras para a retirada de sócios finalmente foram padronizadas em 1887, com um acordo chamado Iron-Clad Agreement. Ele estipulava que um sócio que se retirasse receberia um pagamento referente ao valor nominal, com a previsão de retiradas maiores por um período de anos. Um sócio também podia ser forçado a sair com o voto de três quartos dos sócios – uma cláusula que, obviamente, não se aplicava a Carnegie, já que ele detinha mais da metade das ações.

Sempre havia um padrão diferente para Carnegie e seus sócios. Ele era inflexível, por exemplo, que eles não pudessem ter negócios externos, apesar de nos anos 1880 ele ter passado metade do seu tempo no Reino Unido brincando de magnata da imprensa. Diferente de Rockefeller, Carnegie sempre demonstrou uma relação de aproximação e distanciamento com suas empresas. Quando precisava, como na época em que trabalhava nas ferrovias do exército ou quando foi superintendente da Pennsylvania no Oeste, ele podia mergulhar no trabalho. Mas há suspeitas de que isso era uma grande demonstração de força de vontade, pois seu instinto sempre era de se afastar da realidade árida e dos trabalhadores comuns. Ele costumava ficar bem longe de Pittsburgh. Preferia administrar por meio de relatórios por escrito e correspondência (ele insistia em dizer que não estava administrando, apenas expressando opiniões). Isso pode tê-lo deixado mais eficiente. Ao ficar longe das responsabilidades operacionais, tinha a liberdade de criticar e fustigar sem se preocupar com possíveis limitações e falhas em seu próprio desempenho. (No início, era responsável pelas vendas, claro, mas nenhum vendedor teme sua cota se tem a palavra final sobre o preço.) Se tivesse se envolvido mais e tivesse de prestar mais contas, talvez não fosse tão obstinadamente irracional, tão relutante em compreender como podia haver um carregamento defeituoso, ou orçamentos estourados, ou períodos ociosos imprevistos nos altos-fornos. A convivência com ele poderia ter sido mais fácil, mas talvez não fosse um magnata tão bem-sucedido.

Gould volta do túmulo

Os homens astutos e experimentados de Wall Street tinham visto Jay Gould ser enterrado em segurança com uma estaca sangrenta cravada em seu coração em 1872. Para sua surpresa, apenas dois anos depois, ele andava outra vez sobre a terra, quando assumiu repentinamente o controle da Union Pacific, uma das maiores ferrovias americanas, e talvez a que tivesse mais problemas. Considerando seu comportamento sombrio nas Guerras da Erie e no *Gold Corner*, os investidores demonstravam publicamente a preocupação de que ele fosse apenas "roubar todo o dinheiro [da UP] disponível... e deixar os antigos acionistas com uma mão na frente e outra atrás". O *New York Times* foi mordaz em relação à "ascensão do sr. Gould... resultante de uma carreira infame".

De todas as ferrovias atingidas pelo *Crash* de 1873, a UP pode ter sido a que ficou em pior situação. A UP era a ligação intercontinental entre o Atlântico e o Pacífico, a pedra fundamental do programa de desenvolvimento *whig* aprovado às pressas pelo Congresso nos dias mais sombrios da Guerra Civil. Também foi um dos feitos de engenharia mais heroicos de seu tempo. Comboios de carroças puxadas por mulas enfrentaram tempestades de neve para arrastar os trilhos até o alto dos passos das Montanhas Rochosas. Túneis de extensão extraordinária foram explodidos através de rocha sólida, e pontes se equilibravam como teias de aranha acima de abismos praticamente sem fundo. Os operários eram mortos por índios, devorados por ursos selvagens e pumas e morriam em consequência de quedas ou pela ação dos elementos quando se separavam do grupo na imensidão selvagem sem deixar rastros. Mas quando o "Grampo de Ouro" ligou a UP com a Central Pacific em um ponto pouco acima do grande Salt Lake em Utah, em maio de 1869, a ferrovia estava bem perto de seu cronograma e orçamento.

A engenharia pode ter sido um de seus menores problemas. Como criação do Congresso, a UP esteve infestada de políticos em todas as fases de sua existência. Decisões críticas, como escolher o ponto no Leste onde a linha terminaria, motivavam um *lobby* alucinado. Um problema essencial era que, em seu zelo em proteger o bolso do povo, congressistas desconfiados encheram a legislação com cláusulas de proteção que tornaram os papéis das ferrovias praticamente invendáveis. Portanto, os empresários, entre eles o senador por Massachusetts Oakes Ames e seu irmão, voltaram-se para um artifício comum de financiamento de ferrovias: a construtora independente. Como a ferrovia tinha direito a receber subsídios federais à construção à medida que cada trecho era completado, a construtora podia vender suas próprias ações e títulos e reembolsar os investidores quando recebesse o subsídio. Mas como os mesmos homens administravam tanto a construtora quanto a ferrovia, havia uma oportunidade quase irresistível para se aproveitar de informações confidenciais em transações pessoais. Os administradores chamaram perversamente a construtora de Crédit Mobilier of America, como um famoso banco de desenvolvimento francês (eles gostavam da marca). Os congressistas das cidades pequenas naturalmente perceberam influência estrangeira, e as suspeitas aumentaram quando o banco francês faliu em meio a um ruidoso escândalo em 1867.

O escândalo do American Crédit Mobilier, que veio à tona em 1872, marcou para sempre o governo Grant com partes iguais de impostura e escândalo. Cartas mostraram que Oakes Ames espalhara ações do Mobilier entre congressistas para conseguir a aprovação de uma legislação importante cinco anos antes. Mas Ames, que afirmava nada ter feito de errado, ficou revoltado quando todos os congressistas negaram qualquer envolvimento com ele ou o Crédit Mobilier. Então apresentou suas anotações à comissão, com nomes, datas e a quantia de dinheiro envolvida, forçando os investigadores em pânico a uma retirada envergonhada. Isso quase arruinou a carreira de James Garfield – ele recebera um cheque de US$ 370 de Ames – enquanto o vice-presidente Schuyler Colfax, que recebera ações de Ames quando era o porta-voz da Casa, foi retirado da chapa de Grant para a reeleição presidencial.* Ames acabou censurado por tentativa de corrupção, mas em meio a muitas piadas na imprensa, os congressistas

---

* Pelos padrões da Erie, o escândalo do Crédit Mobilier foi sem dúvida café pequeno. A reconstituição cuidadosa de Robert Fogel chega à conclusão que, considerando os riscos assumidos, os empresários, que investiram muito de seu próprio dinheiro, não receberam retorno injusto. Entretanto, Ames mentiu em relação a um ponto fundamental. Quando estava testemunhando sobre o valor dos reembolsos da construção em 1886, ele disse que a UP ainda não tinha encontrado uma passagem adequada para atravessar o divisor de águas continental. Na verdade, pouco antes de seu depoimento, um destacamento da cavalaria resgatara uma equipe de engenheiros da UP que estava sob ataque de um grupo de guerreiros *crow*. O corajoso engenheiro chefe, Grenville Dodge, notou como os *crows* desapareceram rapidamente quando a cavalaria apareceu. Ele seguiu os *crows* em fuga e encontrou a passagem oeste há muito procurada. A correspondência de Ames não deixa dúvidas de que ele fora informado. Supostamente, se o Congresso soubesse disso, teria estabelecido um reembolso menor, e, nesse sentido, os retornos dos investidores da UP foram excessivos. O estudo de Dodge resgata o sabor do heroísmo que fazia parte da rotina da UP. (N.A.)

foram perdoados com a justificativa de que não tinham entendido as intenções de Ames – como se a classe dos congressistas tivesse direito de argumentar responsabilidade diminuída em sua defesa.

Como Gould contou mais tarde, ele se envolveu com a UP quase por acaso. Ele tinha saído de sua espoliação da Erie como um homem rico, e o aumento repentino das ações da Erie durante a expansão acelerada do mercado em 1872 e no início de 1873 fizeram com que ficasse ainda mais rico. Colaborou em algumas operações lucrativas com ações das ferrovias, por incrível que pareça, com os Vanderbilts, por meio da figura do genro de Cornelius, Horace Clark. Quando os Vanderbilts compraram uma posição na UP, Clark tornou-se o presidente da empresa. Segundo Gould, Clark disse que eram ações atraentes, por isso ele instruiu seu corretor que comprasse tudo o que estivesse disponível abaixo de 30. Quando Clark morreu, depois de uma doença fulminante na primavera de 1873, seus corretores liquidaram seus ativos da UP, causando uma forte queda de preço. O corretor de Gould comprou tudo, e Gould, de forma inesperada, viu-se em uma posição de controle. Foi só então que ele descobriu que a ferrovia tinha problemas sérios, incluindo US$ 5 milhões em empréstimos sujeitos a rescisão imediata e US$ 10 milhões em títulos com vencimento em poucos meses. Pior: as operações estavam com dificuldades devido a um longo período de lideranças sem rumo.

A história da compra de ações pode ser real, já que as histórias fantasiosas de Gould sempre tinham um fundo de verdade, mas é inconcebível que ele tenha assumido o controle da ferrovia inadvertidamente ou sem compreender seus problemas. Antes de comprar suas ações da UP, Gould se tornara um dos principais acionistas da Pacific Mail, uma empresa de fretamento e barcos a vapor que concorria diretamente com a UP pelo comércio com a Ásia, por isso devia ter uma compreensão excelente do cenário competitivo. Gould não era mais apenas o corretor de ações que se tornara uma lenda de seu tempo. Tinha sido mordido pela mosca da ferrovia, e a UP era o veículo perfeito para reconstruir sua reputação.

A maneira tranquila com que Gould assumiu o controle no início de 1874 também sugere uma considerável preparação nos bastidores, pois ele conseguiu isso com a total cooperação do grupo-chave dos investidores de Boston. Oakes Ames morreu menos de um ano depois do golpe do Crédit Mobilier, mas Oliver Ames se manteve no conselho e o filho de Oakes assumiu o assento do pai. Gould não assumiu qualquer cargo, mas tinha uma cadeira no comitê executivo e quatro assentos adicionais no conselho, que preencheu com seus corretores. Sidney Dillon foi nomeado presidente da UP. Ele era de Nova York, mas estava envolvido com os bostonianos. Era um homem de 61 anos energético e imponente e um dos executivos mais importantes do ramo de construção de ferrovias; pelo resto de suas vidas, ele e Gould foram aliados extremamente próximos. Russell Sage, que tinha sido presidente da Pacific Mail, também se tornou muito próximo de Gould. Desse ponto em diante, nas palavras do historiador Maury Klein, "o sinal mais certo de que Jay assumira o controle de uma empresa era a admissão no conselho de Gould, Sage e Dillon".

O desempenho de Gould na UP logo transformou os maus presságios de Wall Street em hosanas. Para a maioria das pessoas, foi a primeira vez que se viu o seu talento empregado em uma causa construtiva. Em menos de um ano, em uma operação de mercado sustentada que fascinou os profissionais, o problema das dívidas da UP foi equacionado, enquanto a Pacific Mail passou para o controle firme da UP*, removendo assim uma fonte importante de instabilidade de preços. A administração tinha sido organizada, melhorada e centralizada sob o comando de Silas Clark, um homem de ferrovia de carreira que também se tornou leal a Gould para o resto da vida. Os custos haviam sido reduzidos e os preços em geral foram fortalecidos. Gould trabalhou pessoalmente com pecuaristas do Oeste para aproximar a UP dos produtores de gado, enquanto venda de terras, ganhos com carvão e outras receitas não previstas estavam todas em alta. O faturamento cresceu 27% em 1873 e mais 30% em 1875. No início de 1875, os títulos da UP estavam perto do valor nominal, e o preço das ações tinha quadruplicado. As negociações com ações da UP frequentemente eram responsáveis por mais de metade da atividade na Bolsa de Valores.

Quando Gould anunciou o primeiro pagamento de dividendos da história da UP na primavera de 1875, ele se transformou em uma figura quase mítica. Um jornal especializado em ferrovias elogiou a "vara de condão" de Gould e foi além. "A verdade é que um homem detém poder quase incontestável sobre os movimentos da Bolsa de Valores. ...Nessas circunstâncias extraordinárias, escrever sobre a Bolsa de Nova York é simplesmente descrever os movimentos de Jay Gould." Aos poucos, os profissionais admitiram que ele estava ali para ficar, não apenas para maquiar a UP para uma rápida venda de ações. Até Collis Huntington, o temível sócio principal da Central Pacific, que por muito tempo esteve envolvido em disputas com a UP, começava a mudar de opinião. Ainda temia que Gould pudesse "nos enganar, apesar de não ter certeza de haver qualquer motivo para pensar dessa forma".

Mas a UP ainda estava em situação complicada, pois suas obrigações com o governo estavam muito enroladas. A legislação da Pacific Road, que regia tanto a UP quanto a CP, de Huntington, definia os subsídios de construção como empréstimos, e os juros seriam pagos com 5% do faturamento líquido assim que a ferrovia fosse completada. Mas não havia definição de "completada" – o governo afirmava ter sido em 1869, quando o Grampo de Ouro foi cravado; a UP, não sem

---

* Quando discussões sobre uma fusão com a Pacific Mail fracassaram, Gould executou um de seus *bear raids* clássicos, provocando a queda do preço das ações e, em seguida, comprando-as todas em segredo por verdadeira pechincha. Quando os executivos da Pacific acordaram, descobriram que estavam trabalhando para a UP. Isso foi um aviso para todos, à exceção das grandes companhias, de que, com Gould no leme, a UP tornava-se perigosa. (N.A.)

razão, achava que tinha sido em 1874, quando as ferrovias se qualificaram para as concessões de terra. O governo também definiu "faturamento líquido" como faturamento antes do pagamento dos juros, enquanto as ferrovias afirmavam que "líquido" significava após o pagamento de juros. Enquanto durou essa disputa sobre os juros, o Tesouro se recusou a pagar suas contas por serviços postais, uma parte importante do frete transcontinental.

Grant e seu gabinete assinaram um compromisso, em 1875, que previa um cronograma claro de pagamentos fixos, mas por alguma razão nunca o submeteu ao legislativo – possivelmente devido a apelos dos *bears* da Bolsa de Valores que tinham sido muito atingidos pela valorização dos papéis da UP. No ano seguinte, o último do governo Grant, as emendas da Pacific Road se perderam em meio a uma violenta campanha lobista conduzida por Tom Scott para salvar a sua falida Texas & Pacific. Salvar a T&P tornou-se um ponto importante no famoso "Compromisso de 1877": Rutherford B. Hayes obteve um apoio crucial no Sul para sua acirrada disputa presidencial com James G. Blaine em troca de acabar com a política de reconstrução, retirar as tropas do Norte e financiar a ferrovia de Scott e alguns projetos de controle de enchentes. Collis Huntington, que devia estar ao lado de Gould, gastou a maior parte de suas energias na oposição à T&P para manter Scott fora da Califórnia. No fim, Hayes recebeu os votos fundamentais do Sul, mas nunca aprovou a lei das ferrovias. Scott foi distraído pelas greves ferroviárias de 1877 e depois de 1878 estava doente e parcialmente paralisado. Ele se aposentou da Pennsylvania em 1880 e morreu no ano seguinte. Enquanto isso, memórias do Crédit Mobilier e do *Gold Corner* eliminavam qualquer esperança de uma ação parlamentar em relação às ferrovias Pacific.

Os anos de 1878 e 1879 foram difíceis para Gould. A única lei sobre ferrovias aprovada pelo Congresso na verdade piorou a posição da UP, acabando com suas esperanças de um acordo razoável com o governo. Para piorar, ele teve grandes perdas com operações a descoberto na Bolsa de Valores, antecipando a volta dos Estados Unidos para o padrão-ouro. (A retomada foi tão tranquila que provocou um pequeno *boom*. A genialidade de Gould estava nas finanças corporativas; sua ficha como analista de mercado era, na melhor das hipóteses, medíocre.) Havia muitos boatos de que Gould estava com problemas, e ele podia estar mesmo.

Mas os seus inimigos que se animaram com suas lamúrias estavam cometendo um erro. Uma década antes, ele tinha assumido o controle da Erie após uma batalha devastadora que dizimou o tesouro da Erie, enriqueceu seus principais adversários e o deixou em uma posição competitiva que parecia perdida. Sua resposta foi atacar em todas as frentes, contra todos os seus concorrentes ao mesmo tempo. Em 1879 ele estava arrasado e difamado, mas não tão fraco como estivera em 1869. E novamente partiu para o ataque, e dessa vez redesenhou o mapa ferroviário do país e tornou-se o operador financeiro mais poderoso dos Estados Unidos, bem próximo de tornar-se o senhor de tudo o que seu olhar alcançava.

Gould (quase) conquista tudo

Por volta de 1883, depois de quatro anos de ataques incansáveis para todos os lados, Gould assumiu o controle de praticamente todo o centro do sistema ferroviário americano, mesmo enquanto expandia agressivamente suas operações na direção do oeste, nordeste e sudoeste. Ele também controlava o sistema de trens urbanos Rapid de Manhattan e fortalecera sua imagem investindo em jornais; e como principal proprietário da empresa Western Union, dominava o sistema nacional de telegrafia. Seus poderes tinham se tornado a matéria-prima da lenda, e ele merecia isso, levando em conta a precariedade de sua posição inicial. O *New York Times* ficou reduzido a um assombro impotente:

> Mas logo nos asseguram que "JAY GOULD" está por trás de todo o incidente, pois hoje em dia dizem que ele está por trás de tudo o que acontece. Temos fortes suspeitas de que vamos descobrir que ele... teve algo a ver com o inverno rigoroso, o congelamento dos canos e as contas extravagantes dos encanadores. Ele deve ter feito algum acordo com os bombeiros hidráulicos em algum momento do verão passado, então produziu esse frio terrível, para poder botar toda a sua máquina em funcionamento.

E mais tarde:

> O iate do sr. JAY GOULD, segundo consta, atropelou, ontem, um rebocador, em uma tentativa de abalroar uma escuna que estava do outro lado. A conjectura natural de que o sr. GOULD tinha "posições a descoberto" nos dois barcos avariados vai, acreditamos, revelar-se infundada... mas é melhor ele não tentar pilhar nossa marinha mercante.

Seus adversários buscavam segurança na paranoia. Um executivo de ferrovia, lamentando o controle da Western Union por Gould, escreveu a um colega: "Estou tão convencido de que Gould... lê todas as mensagens que se parecem mensagens das ferrovias que não ouso confiar nos telégrafos, exceto por meio de um código que mudo todos os dias". Uma avaliação mais prática foi dada por um executivo da Texas & Pacific depois que Gould comprou a linha de Tom Scott em 1881:

> Nunca tive muito respeito pela habilidade de Tom Scott em realizar qualquer grande empreendimento. Com um passe de mágica ele pode fazer com que

todos digam que ele é um bom sujeito – mas não é um homem a quem se possa confiar US$ 100 ou 200 dólares em dinheiro para tocar um projeto próprio. ...[Gould é] o oposto de Scott; é uma máquina de um homem só; não consulta ninguém, não pede conselho a ninguém, não confia em ninguém, não tem amigos, não gosta de ninguém... é arrojado. Sempre pode levantar US$ 200 ou US$ 300 mil para concretizar seus planos e fará isso se achar que vale a pena.

A maioria dos homens de ferrovia na época de Gould entendia que as ferrovias eram monopólios naturais, já que poucos lugares tinham tráfego suficiente para sustentar duas linhas concorrentes. A solução convencional era entrar em um acordo de cavalheiros em torno de limites preestabelecidos para a concorrência, dividindo o tráfego de forma "amigável". Esses acordos de *pool* tornaram-se prática-padrão na década que se seguiu às Guerras da Erie – ver Scott quase levar a Pennsylvania para o buraco em sua reação furiosa ao ataque de Gould em 1869 foi um alerta suficiente para se proteger das armadilhas da concorrência desenfreada. O decano dos *pools* era Albert Fink, que fizera carreira na Baltimore & Ohio antes de se tornar um dos principais executivos da Louisville & Nashville, onde organizou um *pool* abrangente para as linhas do sudeste em meados dos anos 1870. Fink, então, tornou-se o primeiro encarregado da Eastern Trunkline Association, um *pool* ainda maior e, por meio de registros meticulosos e um fervor quase religioso, logo recrutou quase todas as ferrovias a leste do Mississippi. Foi um ponto alto na busca infrutífera de relações comerciais racionalmente organizadas que tanto preocupava os homens de negócios do fim do século XIX, principalmente Pierpont Morgan. A contribuição duradoura de Fink pode ter sido a de defensor da contabilidade de custos, em parte para assegurar a receita e os acordos de preço entre os membros de seu *pool*.

Gould não pensava como a maioria dos homens de ferrovia. Como Carnegie e Rockefeller, via os *pools* como refúgios para os fracos, apesar de úteis para mascarar intenções predatórias. A solução para o estado fragmentado das ferrovias era consolidar, não negociar acordos acionários complicados. As ferrovias que quisessem se unir à sua rede encontrariam nele um comprador justo; as pessoas que demorassem a assinar em busca de condições mais vantajosas sofreriam forte ataque no mercado de ações. Como as enormes exigências de capital das ferrovias só podiam ser cumpridas com grandes emissões de títulos, mesmo as ferrovias fortes estavam vulneráveis. Gould escolhia suas batalhas com discrição e nunca se envolveu em lutas sem sentido com homens tão capazes e determinados quanto ele, como Huntington. (Uma vez ele sugeriu a Huntington um acordo de *pool* local, e como ele o projetara com cuidado para atender aos interesses dos dois, foi imediatamente compreendido e aceito, durando por quase cinquenta anos.) Mas ele era rápido em identificar homens como William H. Vanderbilt, que os deuses que cuidam dos operadores das bolsas puseram na terra para serem tosquiados.

Como filho mais velho de Cornelius, Willie assumiu a administração dos negócios da família após a morte de seu pai em 1877, e Gould tomou um a um seus grandes lotes de ações e títulos de ferrovias e telégrafos, da mesma maneira que um lobo arranca a mordidas pedaços de um cervo em fuga.

Em 1883, Gould tinha se tornado o principal sócio, acionista majoritário ou diretor executivo de literalmente dezenas de ferrovias, algumas delas apenas por breves períodos. A confusão de atividade lançava sobre os concorrentes ondas de choque alarmantes mesmo quando deixavam satisfeitos os *traders* de ações, muitos dos quais enriqueceram adivinhando o que Gould estava tramando e seguindo em sua esteira. Não era fácil, pois suas intenções sempre estavam escondidas por nuvens de falsos indícios. Mesmo os que compreendiam que ele não estava apenas atuando como *jobber**, mas queria dirigir uma grande fatia do sistema ferroviário, ficaram confusos com sua identificação com a Union Pacific. Mas assim que Gould perdeu as esperanças de entrar em acordo com o governo em relação às dívidas da UP, ele em silêncio se desfez de seus papéis, usando os lucros para mudar para outras linhas. Agiu com tanta rapidez e silêncio que os concorrentes que achavam que tinham uma trégua com a UP ficaram chocados em se ver sitiados por Gould – descobrindo tarde demais que Gould estava por trás da Kansas Pacific, ou da Missouri Pacific, ou da Wabash.

Quando estava na Erie, Gould atacou simultaneamente os quatro principais sistemas que ficavam entre ele e o Meio-Oeste. Forçou uma grande reestruturação de tarifas e da cobertura do sistema, mas acabou perdendo quando não teve dinheiro para dar prosseguimento a suas vitórias iniciais. Uma década mais tarde, ele tinha muito dinheiro, mas a situação era muito mais complexa, envolvendo muito mais ferrovias. A UP controlava a principal artéria transcontinental, mas estava cercada por combinações formidáveis com a ambição de roubar um pedaço de seu privilégio. Para o Leste havia o *pool* de Iowa, uma reunião de oito linhas, com uma estratégia comum de se expandir na direção do Oeste. Charles E. Perkins, um dos executivos de ferrovia mais competentes e determinados da época, demonstrou ser um inimigo formidável, mas em 1878 seus colegas executivos do *pool* de Iowa ainda não estavam dando ouvidos a seus alertas sobre Gould. No extremo Oeste, Huntington e seus três sócios, Mark Hopkins, Charles Crocker e Leland Stanford, tinham praticamente garantido o controle de toda a Califórnia. Mas o importante comércio de minério pelas Montanhas Rochosas, centralizado em torno de Denver e espalhado do Novo México a Montana, e para o leste até as Black Hills, ainda estava bem aberto, apesar de haver uma variedade de competidores ambiciosos. Por fim, o Sudoeste estava salpicado com as esperanças despedaçadas dos primeiros empresários, como simbolizados pelo que restara da

---

* *Jobber*: especulador que operava no atacado, em geral comprando ou vendendo ações para corretores ou investidores. Seu rendimento, ao contrário do destes, não vem de comissões dos clientes, mas da diferença entre os preços de compra e venda de suas operações. (N.T.)

Texas & Pacific de Tom Scott. Mas Gould tinha trabalhado duro para conquistar os criadores de gado na UP e sem dúvida compreendia como a indústria frigorífica estava transformando a criação de gado no Sudoeste.

Quando a poeira baixou, Gould era o diretor executivo e principal sócio de uma das maiores linhas do *pool* de Iowa, a Wabash; tinha posições de controle ou de quase controle em várias outras; e estava destruindo os acordos cuidadosos do *pool* sobre tarifas e divisão de mercado. Ele tinha assumido as duas principais linhas das Montanhas Rochosas, a Kansas Pacific e a Denver Pacific, e as duas foram absorvidas pela UP, recebendo uma grande compensação em ações da UP. Ele também controlava o principal portão de entrada do Sudoeste para St. Louis por intermédio da Missouri Pacific, e usara essa posição para tomar praticamente o total controle das ferrovias do Sudoeste, incluindo a ressuscitada Texas & Pacific. Entre as linhas que ele, de uma maneira ou de outra, controlava, estavam a Northwestern; a St. Joseph & Denver City; a Denver & South Park; a Denver & Rio Grande; a Central Branch Union Pacific (sem relação com a UP); a Pueblo & St. Louis; a Bee Line; a Delaware, Lackawanna & Western; a Kansas & Texas; a Quincy; a Iowa; a Peoria; a Hannibal; a New Orleans Pacific; a Iron Mountain; a East St. Louis & Carondelet; a International Great Northern; a Wilmington; a Reading; a Central of New Jersey; além de várias pontes importantes, como a St. Louis, que ele tirara das mãos dos Morgans por um preço que deixou Junius e Pierpont envergonhados. E essa lista não está completa.

Quase todos os acordos foram negociados pessoalmente por Gould, o que é surpreendente. O processo de tomada de controle da indústria do refino por Rockefeller estava acontecendo ao mesmo tempo, mas os acordos das refinarias em geral exigiam apenas o acerto do preço segundo o valor contábil com alguns sócios proprietários. A ampla distribuição de títulos de ferrovias significava que mesmo os acordos pequenos podiam envolver um grande número de partes, muitas delas com interesses conflitantes, e muitas delas estrangeiras, o que multiplicava o fardo do trabalho de análise e preparação jurídica. Diferente de Morgan, que montou um grupo notável de sócios importantes para trabalhar na sua reestruturação de ferrovias nos anos 1890, Gould fez a maior parte do trabalho sozinho. Ele tinha advogados em quem confiava e se aconselhava sempre com Dillon e Sage e frequentemente com o magnata dos telégrafos Cyrus Field, mas todo o trabalho pesado de análise e estratégia era dele. Ao mesmo tempo, de alguma forma permaneceu ativamente envolvido no gerenciamento estratégico de suas principais ferrovias, reestruturando as finanças, lançando grandes programas de construção e ampliação e tranquilizando investidores. (Maury Klein, principal especialista em Gould, afirma que, ao contrário da lenda, e com a grande exceção da Erie, Gould não era um saqueador de ferrovias; era, ao contrário, um estrategista excelente e um administrador acima da média, que muitas vezes botava mais dinheiro em suas ferrovias do que tirava.)

Em meio a esse esplendor de atividade, ele permaneceu a mesma figura frágil e encurvada, que guardava suas opiniões e falava tão baixo que mal se ouvia, e manteve suas maneiras esquisitas.

Vanderbilt o detestava, e Gould o atacava por todos os lados. Em 1879, sob muita pressão de Gould em suas rotas para o Oeste, Vanderbilt resolveu vender um grande bloco de ações da New York Central através do Drexel, Morgan. Gould exigiu tomar parte do grupo de bancos de investimento que realizaria a operação, ou seja, conseguiria informação confidencial sobre o preço e ainda receberia uma comissão pela intermediação. Parecia um humilhante e intencional exercício de poder. Gould, é claro, podia justificar a aquisição de uma posição na New York Central, apesar de não manter muitas das ações, e havia um valor em reputação em ter seu nome associado ao Drexel, Morgan em uma operação como aquela, mas ele também estava treinando Vanderbilt nos níveis adequados de medo. O fato de Vanderbilt deixar que isso acontecesse deve ter merecido o desprezo de Gould.

Ao mesmo tempo, Gould estava usando seu império ferroviário para atacar a Western Union, a joia da coroa da carteira de Vanderbilt. Ferrovias e telégrafos eram negócios simbióticos. Os caminhos abertos para os trilhos eram ideais para estender fios, e chefes de estação podiam trabalhar também como telegrafistas locais, já que todas as ferrovias usavam o telégrafo para controle de tráfego. Gould, que sempre teve olho para receitas suplementares, foi atraído pela telegrafia desde seus dias na Erie. Sua aquisição da Western Union foi completada em 1881 e é uma ilustração clássica da inexorabilidade de uma ofensiva de Gould.

Quando Gould assumiu o controle da Union Pacific, ela tinha a casca de uma empresa de telégrafos, a Atlantic & Pacific, mas arrendava suas linhas para a Western Union. Gould e alguns outros diretores compraram a A&P a preço de banana, injetaram uma pequena quantia em dinheiro e começaram a disputar contratos de ferrovias com a Western Union. Alguns anos antes, Carnegie também havia comprado uma pequena empresa de telégrafo e obtivera um lucro rápido vendendo-a para a Western Union. Gould repetiu o procedimento com a A&P, conseguindo um preço melhor incluindo no negócio uma ferrovia que Vanderbilt cobiçava. Mas isso era apenas uma técnica de combate. Ele esperou um pouco e, quando a Suprema Corte deu um veredicto contrário a contratos de exclusividade das ferrovias com fornecedores de serviços telegráficos – e ele tinha reunido um fundo de guerra maior e um portfólio de ferrovias muito maior –, Gould criou outra empresa de telégrafo, a American Union.

Logo todas as linhas importantes de Gould começaram a assinar com a American Union, em termos que a Western Union achava perniciosos. Então Gould atacou o bastião da Western Union no Leste, fechando um contrato para operar a empresa de telégrafo independente Baltimore & Ohio, que era de propriedade de John Garrett, um antigo adversário de Vanderbilt. As ferrovias de

Gould começaram a reduzir as conexões da Western Union e substituí-las pelas da American Union. (Isso era vandalismo puro e violava abertamente a decisão judicial celebrada por Gould de "acabar com a exclusividade".) Os jornais de Gould – nessa época, ele era dono do *New York World* e fizera amizade com outros editores – publicaram suas declarações sobre os males do monopólio dos telégrafos, no mesmo momento em que um misterioso *bear raid* se materializou sobre as ações da Western Union. As ações caíram ainda mais quando se revelou o quanto a guerra de preços da American Union tinha reduzido os lucros da Western Union. Gould, é claro, usou a queda dos preços para comprar uma grande posição. O golpe de misericórdia foi o anúncio de Gould de que a Pennsylvania ia cancelar seu contrato com a Western Union e assinar com a American. Os termos eram absurdamente favoráveis à Pennsylvania, mas quem se importava?

Nesse ponto, tudo estava terminado. O conselho de Vanderbilt estava confuso; eram sobretudo investidores passivos que queriam apenas seus velhos dividendos. Um grupo de representantes do conselho fez uma visita a Gould e o encontrou todo receptivo, igualmente desejoso de paz e de um acordo. (Como Rockefeller, Gould nunca pôs um bom negócio em perigo por tentar arrancar até o último centavo de vantagem.) Tudo seguiu de acordo com o roteiro. A Western Union comprou a American Union em um negócio envolvendo apenas ações que fez de Gould acionista majoritário, com o controle do conselho. Vanderbilt disse que estava satisfeito com o resultado – como disse um estudioso, satisfeito em "entregar parte do patrimônio criado por seu pai para Gould, o arqui-inimigo de seu pai".

Os investidores não tiveram motivos para ficar desapontados. Gould em pouco tempo disciplinou as empresas de cabos transatlânticos que estavam dando uma surra de preços na Western Union com o lançamento de sua própria empresa de cabo e forçando um acordo muito mais favorável. Alguns anos mais tarde, Robert Garrett, filho de John, que após a morte do pai o sucedeu na B&O e em seu negócio de telégrafos, deu início a uma guerra de preços para forçar a venda da Western Union. Gould não disse nada e não se envolveu em negociações; em vez disso, permaneceu impassível e, passo a passo, baixou seus preços mais do que Garrett, levou-o à insolvência e comprou a empresa a um preço baixo. Nas palavras de Klein, Garrett, infelizmente, "não era um Gould, e o homem do outro lado da mesa era". A partir desse ponto, a Western Union permaneceu segura no topo de sua indústria, e Gould manteve o controle da empresa pelo resto de sua vida.

Gould nunca alcançou seus objetivos com as ferrovias, apesar de sua influência ser enorme. Mais que qualquer outro indivíduo, ele determinou a forma final do sistema nacional; os muitos milhares de quilômetros de trilhos construídos depois que ele saiu de cena apenas preenchiam o mapa básico à medida que o povoamento se adensava. No processo, ele também definiu as armadilhas e potenciais dos mercados de valores, expondo sem piedade especificações descuidadas

Depois de tomar o controle da Western Union, uma versão de Jay Gould de aspecto um tanto travesso publicada na *Puck Magazine* diverte-se com seu controle sobre o comércio e a imprensa.

de direitos e prioridades, dando uma grossa camada de verniz nos métodos mais velhos de manipulação do mercado e ainda inventando uma série de outros novos. Raros são os métodos para atrair compradores de ações, mesmo nos *booms* mais recentes do mercado, que não tenham sido criados de alguma forma por Jay Gould. Pierpont Morgan estava entre os que aprenderam bem essas lições: durante sua reestruturação financeira da indústria ferroviária nos anos 1890, seus títulos e hipotecas foram montados quase ponto a ponto, para eliminar as armadilhas ocultas que eram sempre tão óbvias para Gould.

De forma perversa, foi o gênio de Gould como manipulador do mercado que minimizou suas conquistas. Sua estratégia essencial era alinhar ativos coerentes e conseguir no mercado o controle sobre eles, mas ele nunca administrou seu império como uma entidade consolidada. Na Western Union, podia travar lutas localizadas com os recursos de toda a empresa; mas cada unidade de seu crescente império ferroviário pertencia a um grupo diferente de investidores. Se uma ferrovia era levada a ter prejuízos para assegurar o tráfego para um conjunto maior de empresas, os operadores atacavam suas ações, e surgiam vários processos de investidores. Uma estratégia com base no mercado, além disso, está sempre à mercê dos movimentos do mercado. A queda de uma ação pode prejudicar outras. A depressão séria do mercado em 1883, assim que ele alcançou o pico de seu poder, lançou-o em uma busca aparentemente sem esperanças por dinheiro. Poucos observadores achavam que ele poderia sobreviver a esse episódio. O fato de fazê-lo com certa facilidade e de ter conseguido voltar ao controle da Union Pacific em 1890 demonstra sua determinação e inteligência extraordinárias. Mas então ele já estava morrendo, apesar de manter isso em segredo enquanto tentava levar seu filho, George, ao comando de suas empresas. George, como Willie Vanderbilt, parecia ser um homem perfeitamente capaz, inteligente e um trabalhador razoavelmente dedicado, mas sem a centelha do gênio de seu pai.

O economista Joseph Schumpeter uma vez escreveu que o *boom* ferroviário americano significava "construir antes da demanda na aceitação mais arrojada da frase", uma estratégia que subentendia "déficits operacionais por um período impossível de estimar com qualquer precisão". É de se perguntar até que ponto isso era compreendido. Um jornal britânico fez um comentário sobre uma das emissões de títulos de Gould em 1881:

> As circulares dos corretores, que chegam por correio em toda casa no campo e paróquia, certa vez estavam cheias de informações sobre a Wabash. Nem uma pessoa em mil tinha a menor ideia de onde ficava essa ferrovia, ou que tipo de homem dirigia seus negócios. ...As pessoas corriam para comprar as ações de olhos fechados.

Deixando de lado a permanente ingenuidade do pequeno investidor, sem dúvida o argumento fundamental de Schumpeter está correto, pelo menos em relação às ferrovias do Oeste.* Os investimentos em ferrovias no pós-guerra normalmente eram do tipo "se você construir, eles virão". É extraordinário pensar que tamanha capitalização – na época provavelmente a maior e mais concentrada na história do mundo – foi feita para empresas que, em sua maioria, não tinham clientes. As grandes extensões de terra que costumavam acompanhar as concessões de ferrovias no Oeste, afinal de contas, foram projetadas especialmente para gerar demanda; colonos do Oeste às vezes conseguiam melhor negócio com terra das ferrovias do que com as cedidas por meio do Homestead Act. Entretanto, grandes movimentos no mercado costumam ser baseados em verdades fundamentais, enquanto uma eventual grande bolha econômica não. Empresários do ramo ferroviário, assim aconteceu com a Internet nos anos 1990, estavam certos em sua percepção de que uma revolução no negócio e no consumidor estava prestes a acontecer, assim como os maiores ganhos ficariam com os que fizessem os primeiros movimentos. Só quando a revolução foi absorvida em rotinas cotidianas é que reflexões posteriores sóbrias enfocaram o desperdício. Para as

---

* Durante o primeiro período de construção intensa de linhas férreas nos anos 1840 e 1850, a maioria das ferrovias foi aparentemente lucrativa desde o começo. Mas elas foram construídas em estados densamente colonizados do Leste, ou na área mais a leste do "Oeste", onde normalmente havia demanda. (N.A.)

ferrovias, a transição chegou em algum momento dos anos 1880. Um bom marco é o comentário feito por Charles Perkins, em 1882, de que a fase empreendedora do desenvolvimento ferroviário estava basicamente acabada; depois disso o maior desafio seria "a manutenção econômica da máquina". Outra forma de dizer isso era falar que a era de Gould estava terminando, e a era de Morgan – e sob seu guarda-chuva protetor também a era da administração corporativa – estava prestes a começar.

A máquina de Rockefeller

As ferrovias, especialmente a Pennsylvania, costumam ser vistas como precursoras da administração corporativa moderna. Mas a Standard Oil pode ser comparada a qualquer uma delas. Era tão grande e complexa quanto qualquer ferrovia, suas operações se espalhavam por todo o globo, e pode ter sido o único grande negócio a controlar toda a sua cadeia de valor, da produção e processamento de matéria-prima até a distribuição para atacadistas e, em muitos lugares, até para o varejo.

Poucos produtos de consumo se espalharam com tanta rapidez quanto o querosene para iluminação. Pouco mais de uma década após a descoberta do poço do coronel Drake em Titusville, ele era a opção do mundo para a iluminação. Hamlin Garland, em suas histórias de uma infância difícil em uma fazenda isolada nas Grandes Planícies, conta sobre a noite em que chegou em casa dos campos em 1869 e encontrou a maravilhosa transformação vinda de um lampião a querosene sobre a mesa da sala de jantar, e logo os horários diurnos se reorganizaram para aproveitar as vantagens de um dia mais longo. Foi no mesmo ano em que as irmãs Stowe, Harriet Beecher e Catherine avisaram aos leitores de sua *America's Womans Home* que o querosene proporciona "a melhor luz que se pode desejar", sugerindo um "lampião de estudante" para permitir o estudo até tarde da noite. Lampiões a querosene – simples para as pessoas comuns e com decoração extremamente elaborada para os mais abastados – eram onipresentes, assim como o querosene, que era vendido em farmácias e mercados. As latas azuis brilhantes de 5 galões (18,9 litros) da Standard eram conhecidas em todo o mundo, com fatias de mercado na Europa, na Rússia e na China similares às que detinha nos Estados Unidos.

Rockefeller já havia tomado o controle total de Cleveland antes do *crash* de 1873. De qualquer forma, os mercados financeiros tinham um impacto mínimo sobre a indústria petrolífera, e menos ainda sobre o ímpeto permanente de Rockefeller no rumo da consolidação. Como a Standard já atendia a um mercado mundial, estava protegida de solavancos temporários nos Estados Unidos. Pessoalmente,

Rockefeller era muito rico* e começou a se mover com sua habitual destreza em uma expansão nacional assim que suas aquisições em Cleveland foram digeridas. Em meia dúzia de anos, Rockefeller tinha adquirido mais ou menos toda a capacidade de refino americana e, em meados dos anos 1880, controlava a distribuição de petróleo e tinha começado a avançar na produção.

As aquisições nacionais foram completadas com rapidez e tranquilidade extraordinárias. O primeiro estágio veio em 1874 e 1875, quando Rockefeller, em silêncio, comprou as principais empresas em cada centro de refino – a refinaria de Charles Pratt em Nova York; os interesses de Warden (Atlantic Refining) na Filadélfia; a Lockhart, Waring and Frew em Pittsburgh; e as maiores refinarias da região petrolífera, incluindo a de John Archbolds. Essas transações foram impressionantemente fáceis e sem disputas, como se tivessem acontecido por consenso. Seus alvos iniciais eram os mais poderosos e tecnicamente avançados da indústria; todos os seus executivos tinham conquistado um papel de liderança em uma região importante do país e não estavam acostumados a receber ordens. Mesmo assim, todos eles parecem ter sido convencidos por sua insistência silenciosa de que a consolidação era o caminho da salvação; que a Standard seria a entidade que sobreviveria às fusões; e que ele era o homem para comandá-los. O filho de Warden recorda que seu pai foi convidado a examinar os livros da Standard e ficou impressionado com sua lucratividade, da mesma forma que Oliver Payne ficara em Cleveland alguns anos antes. Cada uma das aquisições foi executada com ações da Standard que, nas estimativas de preços desses acordos, valiam três vezes mais do que nas aquisições de Cleveland. A sequência inteira é testemunho do poder pessoal hipnótico do "guarda-livros" de Tarbell.

As aquisições também foram feitas com grande discrição. Uma condição expressa na primeira rodada de aquisições era que elas deviam ser mantidas em segredo. Todas as empresas adquiridas mantiveram suas equipes administrativas e seus nomes, e, pelo menos nominalmente, suas próprias ações. Cada uma delas, então, empreendia uma estratégia de aquisições regionais em seu nome e com suas próprias ações ou dinheiro. O processo variava um pouco em relação ao de Cleveland em cada região; assim que os primeiros acordos eram fechados, a oportunidade de se unir tornava-se irresistível. Quase todo mundo estava no esquema no fim de 1878, com alguns acordos posteriores se estendendo por 1879. O nome de Rockefeller ainda não era muito conhecido, e mesmo os especialistas da

---

* Os demonstrativos financeiros pessoais anuais de Rockefeller têm uma forma muito parecida com os de Carnegie. Encontrei demonstrativos de um dos dois de vários anos desse período, mas só um, de 1889, para o mesmo ano. Comparado aos ativos de US$ 2,1 milhões de Carnegie em 1873, por exemplo, o demonstrativo de Rockefeller de 1875 mostra US$ 1,1 milhão. Cerca de 45% disso eram em ações da Standard e 40% em imóveis, com apenas uma pequena parcela de outras ações. Em meados de 1880, ele tinha claramente ultrapassado Carnegie. Em 1889, registrava ativos de US$ 37,4 milhões, comparados aos US$ 13,6 milhões de Carnegie. (N.A.)

indústria não tinham certeza do que tinha acontecido até que um lugar-tenente de Rockefeller, Henry Rogers, que tinha entrado na Standard com a aquisição da Pratt, afirmou em 1879 que a Standard controlava "de 90 a 95% das refinarias do país".

Será que o segredo deu à Standard uma vantagem injusta? É claro que sim, apesar de Rockefeller nunca ter se desculpado por isso. Sem dúvida, fazia sentido do ponto de vista comercial, já que mesmo em Cleveland empresas sem nenhum valor tinham surgido do nada quando a informação de que a Standard estava comprando tudo se espalhou. Um caso em que o "injusto" nitidamente resvalou para o "antiético" foi em Baltimore. John Garrett da Baltimore & Ohio resolveu organizar seus próprios interesses nas refinarias locais em oposição tanto à Pennsylvania Railroad quanto à Standard. Ele estabeleceu uma aliança com as refinarias Camdem, o maior dos operadores locais, e fez planos anti-Standard elaborados sem saber que a Camdem há muito tempo se tornara propriedade da Standard. Não havia, claro, regras claras para reger aquisições corporativas, então nenhuma lei foi violada, mas Garrett sem dúvida tinha um caso com possibilidade de vitória contra a Camdem e a Standard por fraude, com base na lei costumeira.

Na maior parte das vezes, parece que Rockefeller pagou preços razoáveis. John Archbold, um dos críticos mais duros de Rockefeller antes de se unir ao esquema, era uma figura de ponta na região petrolífera. (Ele acabou se tornando presidente da Standard e, mantendo a coerência, foi o executivo da Standard mais beligerante, às vezes desrespeitoso, em sua relação com o governo.) Durante um frenesi de aquisições em 1877 e 1878, as cartas de Archbold para Rockefeller sugerem nitidamente que a velocidade era mais importante que o preço: durante um período de várias semanas ele registrou praticamente um acordo a cada dois dias. É óbvio que ele tinha autoridade o bastante para fechar as transações.

Por exemplo, Archbold chamou a Valley Oil Works de "uma empresa pequena e muito bem localizada". Ele começou com uma oferta entre US$ 8 mil e US$ 10 mil e fechou o negócio em US$ 11 mil, que ele reconheceu ser um "preço alto pela propriedade + não há dúvida" que ele podia ter esperado que baixasse. "A questão é se essa diferença vale o problema", o que estava exatamente de acordo com a abordagem habitual de Rockefeller. Outras empresas estimavam seu valor contábil em US$ 15 mil e pediam US$ 25 mil. Archbold relatou que elas alegavam estar apenas fazendo um "lucro justo" e que preferiam "arriscar e continuar [sozinhas]. ...Duvido que consigamos fechar por números muito inferiores aos citados." Em dois outros negócios, ele parecia preocupado, achando ter ido alto demais: "Como telegrafei ontem, completei a compra de uma refinaria + seus ativos por uma soma de... US$ 12 mil. Foi um negócio muito difícil + fui forçado a fazer algumas concessões às partes que me desagradaram muito". E em outra: "Tenho quase certeza de que, em vista de todas as circunstâncias relacionadas com o caso, você vai concordar comigo que foi uma transação justa". Archbold também reclamava sobre a quantidade de refinarias que se abriam: "Os tolos, como você vê, não estão todos mortos", mas mais tarde ele chegou à conclusão que eles eram "simplesmente operadores chantagistas".

A tomada de controle da distribuição foi muito mais barulhenta, mas estava terminada por volta de 1883; as disputas, da maneira que aconteceram, foram as últimas na história petrolífera americana por um longo período. A mais espetacular, em 1877, colocava a Standard contra Tom Scott, que vinha observando o avanço de Rockefeller com cada vez mais medo e inveja. As transportadoras aliadas naturais de Rockefeller eram a Erie e a New York Central, que transportavam a partir de Cleveland. No início dos anos 1870, ele assumiu a operação de carregamento e transporte de óleo das duas ferrovias em Nova Jersey e no Brooklyn e investiu pesado em sua expansão e modernização. A maior parte do petróleo era exportada, e, sob a liderança de William Rockefeller, o domínio da Standard sobre o mercado internacional tornou-se ainda maior do que nos Estados Unidos. Scott viu uma ameaça direta às suas próprias instalações de carga na Filadélfia, que ele controlava por meio de uma subsidiária, a Empire Transportation Co.

A Empire nascera como uma expedidora de frete ferroviário, uma das muitas empresas criadas por Scott e Thomson para pegar os ossos mais suculentos deixados na mesa da Pennsylvania. Seu maravilhoso diretor executivo, o coronel Joseph Potts, transformara-a em uma empresa transportadora de méritos próprios, com uma posição particularmente forte no petróleo. Além de possuir frotas de vagões-tanque, foi uma das criadoras dos primeiros oleodutos na região petrolífera, recebendo petróleo direto dos poços em campos centralizados de tanques de armazenagem com conexões ferroviárias. As ambições de Potts não tinham limite: ele acreditava que empresas de transporte rápido, com o controle dos pontos de transferência de carga, instalações de carregamento e vagões especializados como vagões-tanque podiam se tornar um elemento de equilíbrio nos fretes e de determinação de tarifas para todo o tráfego ferroviário. A participação cruzada com a Pennsylvania garantia que as instalações da Empire fossem projetadas para otimizar o tráfego da Pennsylvania. Rockefeller, é claro, reconhecia muito bem a importância das instalações de armazenagem. No início dos anos 1870, ele tinha montado uma rede ainda maior orientada na direção de Cleveland e Nova York.

O momento definitivo para Rockefeller foi nefasto para os negócios de Scott e Potts, então eles uniram forças no início de 1877 para pressionar a Standard. Sua estratégia incluía tanto guerras de tarifas quanto operações competitivas. A Empire reduziu os custos de utilização dos oleodutos a quase zero para assegurar as poucas refinarias independentes que restavam, enquanto Scott fez grandes reduções preferenciais de tarifas nos fretes da Empire. Potts comprou uma refinaria independente em Long Island, começou a construir uma refinaria nova na Filadélfia e enviou agentes para a região petrolífera com a missão de pagar qualquer preço para açambarcar o fornecimento de óleo cru.

Quando posou para este retrato, John D. Rockefeller estava com mais de cinquenta anos e no auge de seu poder, apesar de que, em pouco tempo, iria se aposentar da empresa. A imagem capta a aura de autoconfiança absoluta que permitiu que ele dominasse uma indústria global rebelde sem, ao que parece, jamais levantar a voz.

Foi uma ilusão. A Pennsylvania era mais dependente do petróleo que as outras ferrovias, e a Standard, apesar de sua preferência pelos portos de Nova York, ainda assegurava dois terços de seu tráfego de petróleo. Oleodutos que traziam petróleo para os tanques de armazenagem cercavam os da Empire, e a região foi inundada com um fornecimento excedente de cru. Rockefeller fez uma visita à sede da Pennsylvania em março e pediu que eles desistissem; quando Scott se recusou, Rockefeller imediatamente deu início a uma guerra total. As refinarias da Standard em Pittsburgh foram fechadas até que uma conexão fosse construída com a Baltimore & Ohio, para que nem um litro de produto da Standard fosse transportado pela Pennsylvania. Um programa urgente de construção de vagões-tanque forneceu seiscentos novos carros à Erie e à New York Central para resolver o problema. Essas duas ferrovias sempre igualavam as reduções de preço de Scott, os oleodutos da Standard cobravam ainda menos que os de Potts, e os agentes da Standard sempre superavam as ofertas de Potts por suprimentos de cru. A saída dramática do negócio do refino e embarque de petróleo da Filadélfia provocou gritos de dor dos petroleiros locais, enquanto a queda drástica do faturamento da Pennsylvania alarmou os acionistas de Scott. Com fartos fundos de guerra e sem acionistas minoritários, Rockefeller podia lutar uma guerra sem quartéis pelo tempo que Scott e Potts estivessem dispostos a sangrar. Como sempre, ele manteve sua guerra bem focalizada. Como A.J. Cassatt, mais tarde presidente da Pennsylvania, contou a uma comissão do Congresso: "Eles simplesmente afirmaram que não podiam fazer qualquer acordo conosco para o transporte de seu petróleo enquanto esse transporte fosse feito por uma organização que era sua rival no negócio do refino. ...Eles insistiam apenas nesse ponto." As consequências para a Pennsylvania foram muito além da simples perda de dinheiro. Afogado em dívidas, Scott fez grandes reduções nos cronogramas de produção e nos pagamentos que precipitaram os mortíferos confrontos trabalhistas de 1877 em Pittsburgh. Com Pittsburgh em chamas e seus negócios arruinados, ele não teve escolha além de capitular.

Rockefeller não resistiu a escarnecer de Scott em particular: pela maneira como aquele grande homem entrou em uma sala cheia de executivos da Standard para apresentar sua rendição, como se estivesse carregando os louros da vitória. Mas ele não se importava em permitir que Scott fizesse isso. Rapidamente se chegou a um acordo para a aquisição da Empire; como a Pennsylvania controlava sua empresa, Potts não teve voz na questão. Nas palavras de Cassatt: "Chegamos à conclusão de que era um erro". A Pennsylvania ficou com todos os carros de Potts, enquanto a Standard pegou os oleodutos e todas as instalações de armazenamento e embarque de petróleo. Como sempre, Rockefeller não regateou o preço de US$ 3,4 milhões. Permitiu até que Scott conseguisse receber US$ 2,5 milhões em dinheiro em 24 horas, o que exigiu visitas apressadas dele e de William a seus banqueiros de Nova York e Cleveland para reunir os fundos. Quando seus outros sócios se negaram a incluir uma frota de balsas lacustres antiquadas no acordo, o próprio Rockefeller as comprou. Não havia ressentimentos em relação a Potts, e ele acabou se tornando um diretor atuante da subsidiária de oleodutos da Standard. Depois de várias outras aquisições menores, todos os oleodutos estavam sob controle da Standard.*

Havia mais um conflito de alto nível a ser vencido, e ele surgiu porque Rockefeller, daquela vez, não tinha acompanhado o ritmo das novas tecnologias. Um grupo de empresários das regiões petrolíferas, liderados por um certo Byron Benson, começou a trabalhar em um oleoduto costeiro, o Tidewater. Eram homens experientes que tinham feitos grandes esforços na construção de oleodutos a fim de escapar do sítio à Empire, antes de serem esmagados por Scott. Um oleoduto costeiro era uma nova espécie de desafio, envolvendo distâncias bem maiores sobre terreno montanhoso muito difícil, usando tubos muito maiores e pressões sem precedentes. Mesmo com tubos muito pesados, na verdade o oleoduto se retorcia conforme as mudanças de pressão e temperatura faziam o metal dançar. Benson e seus colegas chegaram a um acordo com uma ferrovia independente, a Philadelphia & Reading, em 1877, e o presidente da Reading, Franklin Gowen, entrou com metade de seu capital; eles também levantaram dinheiro adicional com investidores de Nova York, entre eles George F. Baker, presidente do poderoso First National Bank. Na primeira fase, iriam levar o petróleo por oleodutos até um terminal da Reading em Williamsport, no leste da Pensilvânia, e a ferrovia ficaria responsável pela segunda perna, que o levaria até as refinarias costeiras. Benson e seu grupo também deram início à construção de sua própria refinaria perto da Filadélfia, para escapar das pressões da Standard.

---

* Os produtores acusaram a Standard de exploração quando a produção aumentou após duas grandes novas greves em Bradford, Pensilvânia, em meados dos anos 1870. Os indícios são ambíguos. Como eram muito fragmentados, e como a maioria dos contratos de arrendamento dos poços era feita para garantir uma exploração rápida, os perfuradores costumavam produzir tanto petróleo quanto pudessem, sem se preocupar com a demanda. Os oleodutos levavam petróleo para terminais ferroviários onde ficava armazenado até ser embarcado em vagões-tanque. Aparentemente, os custos de utilização do oleoduto incluíam armazenagem; na verdade, o produtor considerava isso gratuito. Com o crescimento da produção de Bradford, a Standard, que depois de 1877 era a única empresa de oleodutos e armazenagem, não podia aumentar a capacidade de transporte com rapidez suficiente para acompanhar o excedente ou preferiu assim não fazer. Sua solução foi se recusar a armazenar petróleo que não tivesse sido vendido, forçando os produtores, eles alegaram, a vender – a preços muito baixos – para a Standard, é claro, que era praticamente o único comprador. Do ponto de vista da Standard, a produção excedente nada tinha a ver com ela. Ela acabou por construir uma "capacidade de armazenagem prodigiosa" em Bradford, mas, por maldade ou não, arrastou-se lentamente por cerca de um ano antes de se comprometer com um programa rápido na escala exigida. Uma leitura possível é que a Standard resistiu por um tempo às demandas dos produtores (apesar de ainda estar construindo muitos novos tanques) usando seu poder de se recusar a armazenar petróleo não vendido. Mas finalmente decidiu que a má publicidade resultante não compensava e construiu tanques para acomodar a produção excedente. Na verdade, como aqueles novos tanques provavelmente seriam excedentes assim que o mercado se equilibrasse, é extremamente improvável que empresas independentes sem os recursos da Standard tivessem respondido tão bem. (As instalações da Empire em Bradford eram bastante inadequadas antes da aquisição da Standard.) (N.A.)

As ferrovias eram quem mais tinham a perder e estavam determinadas a não desistir sem lutar. A posição da Standard não era tão clara, mas, aparentemente, após algum debate interno, ela resolveu cerrar fileiras com as ferrovias. Na batalha que se seguiu, só a Tidewater se cobriu de glória. A Standard e as ferrovias responderam com redução de tarifas, aquisição de terras na rota da Tidewater, obstrução de encomendas de tanques e carros e uma boa dose de corrupção política. A Tidewater venceu todos os obstáculos. Em certo momento, com uma concessão crítica em risco se a distância não fosse coberta em determinado prazo, as operações prosseguiram durante uma tempestade de neve de um metro e meio. Os homens carregaram tubos por sessenta quilômetros sem parar e cumpriram seu prazo com apenas sete horas de antecedência. O momento do triunfo chegou no fim da primavera de 1879, quando uma multidão que aguardava em Williamsport escutou o rugido surdo do ar empurrado para a frente pelo óleo que chegava.

Foi uma grande vitória para a Tidewater. Sempre realista, Rockefeller reconheceu que o futuro do transporte de óleo estava em oleodutos de longa distância e deu início a um gigantesco programa de construção que em pouco tempo ofuscou a Tidewater. De sua parte, Benson e seus acionistas tinham indicado desde o começo que ficariam felizes em ser comprados. Mas em vez de uma aquisição, é interessante que a Standard e a Tidewater tenham entrado em um acordo de divisão de mercado que assegurava a percentagem de 11,5% que a Tidewater tinha sobre o negócio de oleodutos de longa distância e protegia de forma implícita suas refinarias costeiras. Rockefeller, como sempre, não guardava ressentimentos e tinha muito respeito por Benson. A partir daí, a Tidewater Oil gozou de um sucesso prolongado como uma espécie de independente de estimação, que prosperou sob a sombra protetora da Standard. Rockefeller tinha resolvido que 90% da indústria eram o suficiente.

O compromisso da Standard com oleodutos de longa distância foi o início do fim do papel dominante das ferrovias no transporte de petróleo. Rockefeller começou a negociar o que eram na verdade acordos de abatimentos posteriores, garantindo às ferrovias um retorno mínimo por manter suas instalações petroleiras usando-as ou não. O último passo na conquista do domínio total da indústria foi a integração retroativa da produção de petróleo, que aconteceu de forma gradual ao longo dos anos 1880.

Em uma indústria como a do petróleo, fatores estruturais como os que Rockefeller explorava favoreciam empresas maiores e mais integradas; mas, normalmente, esperava-se que surgissem três ou quatro principais vencedores, como aconteceu, digamos, nos setores siderúrgico, automobilístico, de equipamentos elétricos e outras indústrias. Mas com Rockefeller no leme da Standard, ela não era apenas a empresa petrolífera número um do mundo; simplesmente não havia um segundo lugar.

Operando a máquina

É bom falar um pouco de Rockefeller como administrador, pois ele talvez seja não apenas o primeiro grande executivo, mas um dos maiores de todos os tempos. Ele tinha o raro talento de se adaptar a cada novo estágio do crescimento da Standard. Ele aproveitou a oportunidade inicial com o petróleo nos anos 1860 com visão e energia empresarial extraordinárias; ele sempre parecia ver o futuro com clareza e agia de maneira incansável para botar a Standard à frente de todos, ajustando táticas com rapidez a cada curva da estrada. Depois de consolidar Cleveland, ele demonstrou igual capacidade para gerir o que era um empreendimento muito grande para seu tempo. Ele sabia delegar bem, mas também permanecia em contato próximo com as operações. Mesmo quando as operações de Cleveland cresceram ao ponto de empregar milhares de trabalhadores, ele tinha a fama de conhecer quase todos pelo nome. E fazia tudo isso ao mesmo tempo em que expandia agressivamente o alcance de suas conquistas estratégicas.

Então, enquanto a Standard crescia para se tornar a maior – e de maior alcance mundial – empresa da história até então, ele mudou suas operações para Nova York, o novo centro de gravidade da companhia, e demonstrou ser um excelente administrador de grande empresa, construindo uma organização moderna que era ao mesmo tempo altamente descentralizada e muito unificada. Um século antes de Ralph Cordiner e Jack Welch criarem os famosos sistemas de acompanhamento e gerenciamento da GE, Rockefeller fazia algo muito parecido na Standard. Ida Tarbell, a mais dura crítica de Rockefeller, diz sobre o assunto:

> Na investigação de 1879, quando os produtores tentavam descobrir a verdadeira natureza da aliança da Standard, eles ficaram bastante intrigados com o testemunho sob juramento de certos homens da Standard de que as fábricas que controlavam concorriam, e com energia, com a Standard Oil Co. de Cleveland. Como isso pôde acontecer? Com o coração amargo e a língua incauta, os petroleiros denunciaram as declarações como perjúrio, mas elas eram a verdade literal. Cada refinaria na aliança devia fazer a cada mês um relatório detalhado de suas operações. Esses relatórios eram comparados, e os resultados, divulgados. Se a Acme em Titusville tivesse refinado a um custo mais baixo naquele mês que qualquer outro membro da aliança, o fato era revelado. Se esse preço baixo se repetisse outras vezes, os outros eram enviados para estudar os métodos da Acme. Sempre que se desenvolvia uma melhoria ou um aperfeiçoamento, os outros eram enviados para descobrir o segredo. Isso resultava em grande rivalidade – cada unidade tinha suas próprias características.

Se alguém personificou a imagem de William Dean Howell do engenheiro no centro do motor de Corliss – de vez em quando pousando seu jornal para ajustar "algum ponto no corpo do gigante com uma gota de óleo" – seria Rockefeller. A ascensão de Carnegie ao topo da indústria siderúrgica é quase hormonal – energia ilimitada, agressividade e ambição canalizados em algo construtivo. Rockefeller parece muito mais um caso de pura inteligência na busca de uma escala cada vez maior de elegância e ordem. Carnegie pressionava e fustigava, jogava descaradamente executivos uns contra os outros e muitas vezes esmagava seus melhores homens, como Henry Frick. O estilo administrativo de Rockefeller, em contraste, era silencioso e razoável, apesar de, ao contrário de Carnegie, ele nunca ter possuído um bloco majoritário na Standard. Se ele tinha a palavra final, era porque seus executivos extremamente talentosos de fato acreditavam que ele era mais inteligente que qualquer outro.* Ele sempre procurava os melhores executivos que pudesse encontrar, dava a eles muito espaço de manobra e apoio e mantinha a maior parte deles ligada a ele pelo resto de suas carreiras. Para uma empresa tão agressiva e aquisitiva, a relativa falta de rancor nas batalhas pelo controle e a disposição para trazer antigos inimigos para suas fileiras são prova maior da grande inteligência no coração da companhia. O estilo de Rockefeller não era destruir bons homens ou boas empresas, mas alistá-los em sua causa. Quando Rockefeller se retirou de um papel administrativo ativo, por volta de 1895, Archbold, da região petrolífera, o sucedeu na presidência, enquanto Rogers, das refinarias Pratt, tornou-se vice-presidente.**

No geral, foi um desempenho extraordinário. O passado de Rockefeller e seus anos tardios foram marcados pelo eventual repúdio público violento contra sua empresa, o que ele nunca compreendeu. Sua incapacidade em compreender, ou em se envolver com, o público mais amplo pode ter sido o outro lado da moeda de suas habilidades misteriosas dentro de um contexto de negócios, em que sucesso e fracasso eram relativamente ambíguos, e os objetivos, quantificáveis e fáceis de definir. Parafraseando Henry Adams sobre os fundadores da nação, o alcance de Rockefeller pode ter sido estreito, mas dentro dele era supremo.

---

* Esta é mais uma área em que há semelhanças entre a Standard de Rockefeller e a Microsoft de Bill Gates. Mesmo depois de a Microsoft se tornar uma organização bem grande, seus quadros de executivos muito talentosos costumavam obedecer a Gates não porque ele fosse o maior acionista, mas porque ainda era o garoto mais esperto da rua. (N.A.)

** A equipe original se desfez nos anos 1890, depois de um período de 25, 30 anos. O próprio Rockefeller parece ter se aposentado bem antes que o resto do mundo descobrisse. Flagler se apaixonou pela Flórida e, depois de 1892, tornou-se o primeiro magnata de ferrovias e desenvolvimento imobiliário da Flórida. No fim da década, Rogers e William Rockefeller estavam gerindo operações que quase rivalizavam com as do banco de Morgan, apesar de manterem suas mesas na Standard. Archbold permaneceu dedicado à empresa, mas é quase consenso que a Standard não foi bem servida por seus instintos combativos durante os anos de combate aos trustes. (N.A.)

6. A primeira sociedade de consumo de massa

A Exposição do Centenário não foi a única grande inauguração da Filadélfia em 1876. Quase tão espetacular foi a abertura do "Grande Depot", de John Wanamaker, que ele anunciava como um "novo tipo de loja" e o "maior espaço no mundo dedicado ao varejo em um único andar". A estação ferroviária da Pennsylvania transformada ocupava um quarteirão inteiro entre a Thirteenth e a Market Street no centro da cidade e deslumbrava com cores e movimento. Iluminada de dia pelo teto de vidro colorido e por centenas de pontos de gás à noite, tinha balcões arrumados em círculos concêntricos de mais de um quilômetro de comprimento, com 1.100 bancadas, para que as senhoras pudessem se sentar e discutir suas compras. E, na verdade, as setenta mil pessoas que foram até lá no dia da inauguração eram na maioria mulheres, como pretendia Wanamaker, iguais às jovens de camisas engomadas que eram a maioria de sua equipe de vendas. Os machos mais visíveis eram os chefes de sessão arrogantes que espiavam por entre os balcões em suas casacas. Em 1890, as mulheres estavam penetrando até mesmos nos níveis executivos. Edward Filene chamou sua loja de Boston um "Éden sem Adão".

Wanamaker foi o primeiro a usar o termo "loja de departamento", mas sua loja seguia o estilo de *grand magasin* criado pelo Bon Marché de Aristide Boucicault em Paris e realizado pela primeira vez nos Estados Unidos no "Palácio de Ferro Forjado" de A.T. Stewart de 1862 na Broadway, em Nova York. Stewart e Boucicault se revezavam em superar um ao outro em grandiosidade e estabeleceram um padrão para a proliferação dos palácios de compras dos Estados Unidos metropolitano. A cidade de Nova York podia se gabar de lojas como Macy's, Bloomingdale's, Lord & Taylor e B. Altman, enquanto o Brooklyn tinha a sua Abraham & Straus, Boston sua Filene's, Detroit sua Hudson's, Chicago sua Marshall Fields, São Francisco sua Emporium; até Indianápolis e Milwaukee tinham uma Gimbels.

A maioria das lojas de departamento tinha departamentos masculinos, mas o alvo do marketing eram as mulheres. Além de roupas, todas as lojas vendiam tecidos, fitas, material de costura, objetos do lar, máquinas de costura, vestidos prontos, *lingerie*, lençóis e fronhas, artigos para bebês, perfumes, sabonetes e artigos de toucador, cada um com seu próprio departamento e equipe treinada. O mármore, as estátuas, os candelabros dourados, tudo era feito para fazer das "compras" uma forma elegante de recreação com objetivo: uma senhora podia alternar a exploração dos vários departamentos com uma parada no salão de chá, ou nos salões bem-decorados, ou até ouvir um recital de órgão. Algumas lojas de Nova York tinham como público-alvo uma clientela de renda mais elevada, mas a maioria das lojas de departamento tinha como alvo as donas de casa de "classe média". Elas ficavam impressionadas e lisonjeadas com a elegância dos ambientes e com a consideração das balconistas, mas varejistas sagazes compreendiam que sua dona de casa não era rica e tinha instintos de parcimônia e austeridade estampados em seus genes. Eles podiam atraí-las com espetáculos, tratá-las por "senhora" e estimulá-las a permanecer lá por mais tempo, mas não podiam convencê-las a comprar a menos que oferecessem bons preços, qualidade confiável e devoluções sem perguntas. Os clientes gostavam de olhar para um xale de US$ 300, mas as camisolas bordadas de 75 centavos eram os itens que mais vendiam.

As lojas de departamento eram a manifestação externa de uma reformulação tectônica das estruturas econômicas e sociais americanas que estava se acelerando nos anos 1870 e 1880. Poucos anos antes, as mulheres no campo faziam seu sabão e suas velas com barris de gordura animal fervida, uma das tarefas femininas mais sujas. Nos anos 1840 e 1850, as mulheres do campo com melhor situação compravam seu sabão e suas velas de produtores regionais, como a Procter & Gamble de Cincinatti, que alcançou os oitenta empregados e US$ 1 milhão em vendas antes da Guerra Civil. A P&G tomou gosto pelas operações em larga escala com os contratos de fornecimento de guerra, mas a proliferação de lampiões de querosene no pós-guerra afetou muito seu negócio de velas. Então, um acidente de sorte em 1879 – um trabalhador deixou uma batedeira de sabão ligada por tempo demais – produziu um sabão que boiava, que eles chamaram de Ivory. Depois de arriscar US$ 11 mil em uma campanha publicitária, a P&G se tornou uma das primeiras marcas de consumo de sucesso nacional. Em menos de uma década eles vendiam mais de trinta marcas de sabonete, as vendas tinham quadruplicado e eles estavam disputando com a Colgate e a Palmolive o primeiro lugar nos corações e carteiras das americanas.

Nenhum dos Morgans, ou Loebs, ou Belmonts, ou Barings, que ganhavam bilhões de dólares com ferrovias, telégrafos, siderúrgicas e minas de carvão e ferro americanas, tinha pensado em vender sabonete perfumado e embalado para senhoras. Mas descobriu-se que era para isso que servia toda aquela infraestrutura. A P&G usava resina de árvores no lugar de sebo animal, então as vendas crescentes do Ivory exigiam grandes operações de extração, processamento e transporte de madeira, máquinas de aço para a produção de sabonetes, geradores movidos a carvão e usinas de aquecimento e resfriamento, corte, embalagem, armazenagem e transporte cada vez mais mecanizados. Havia também pequenos exércitos de trabalhadores para preencher os pedidos e legiões de funcionários e contadores para preparar as cargas, enviar faturas, registrar pagamentos e

A grande inauguração da Wanamaker's em uma estação ferroviária modificada. O teto era de vidro colorido, e os balcões de um quilômetro de extensão faziam círculos no espaço amplo. Observe as placas de "Artigos femininos", "Luvas", "Rendas" e "Artigos de cama".

monitorar a produção. Oferecer preços mais baixos, maior variedade e qualidade consistente, como prometia Wanamaker, ainda mais com um ambiente de compras agradável, só era possível em escala. E grandes operações de varejo exigiam escalas cada vez maiores ao longo de toda a linha – as P&Gs e os Wanamakers estavam caminhando lado a lado.

Ocorreram baixas. A produção de sabão era uma linha de negócio secundária para a maioria das farmácias urbanas, e o *American Journal of Pharmacy* lamentava em 1884:

> ...é necessário produzir uma variedade de sabões, a preços baixos. ...Isso foi provocado pela concorrência e a falta de capacidade do público para diferenciar um sabão bem-feito de um comum. ...Os sabões mais baratos, por dissolverem com mais facilidade na água, produzem espuma com mais rapidez que o sabão puro, e como o público não costuma fazer testes comparativos dos poderes duradouros... as vendas deste último caíram consideravelmente, e ele foi substituído pelos tipos mais baratos.

Provavelmente os farmacêuticos estavam certos em relação aos méritos do sabão feito à mão comparado ao produzido em massa, flutuasse ele ou não. Mas os milhões de pessoas de baixa renda só conheciam os sabões amarelos nojentos vendidos na mercearia. Nos Estados Unidos do último quarto do século XIX, havia um rugido ao fundo que impressionava e alarmava os árbitros da virtude pública, como aconteceu desde então nas sociedades em desenvolvimento: era o rugido de uma florescente nova categoria demográfica – a classe média – que exigia mais produtos.

A nova classe média

"A classe mais valiosa em toda comunidade é a classe média", proclamou Walt Whitman em 1858, "os homens de meios moderados, que vivem com cerca de mil dólares por ano". Observe que Whitman teve de definir o termo, pois a noção de uma "classe média" em meados do século estava apenas começando a se tornar corrente. O historiador Stuart Blumin observa que nos Estados Unidos a "classe média" tem uma conotação bem diferente das "classes médias" da Grã--Bretanha, um estrato rígido de pequenos artesãos e comerciantes espremidos nervosamente entre a elite dominante e a massa proletária. Nos Estados Unidos, a classe média era menos um estrato social definido que um estado de mente, um compromisso com a fluidez, como observou o sempre perspicaz Alexis de Tocqueville nos anos 1830:

> Não estou dizendo que haja qualquer falta de indivíduos ricos nos Estados Unidos; na verdade, não conheço outro país onde o amor pelo dinheiro tenha alcançado tamanho domínio nas afeições dos homens. ...Mas a riqueza circula com uma rapidez inacreditável, e a experiência mostra que é difícil encontrar duas gerações subsequentes que a desfrutem de forma plena.

O historiador David Potter faz eco com Tocqueville ao definir o americano característico do século XIX como "o homem móvel completo, que se movimenta com liberdade de uma localidade para outra, de uma posição econômica para outra, de um nível social para níveis superiores". Na verdade, a mobilidade é essencial ao épico nacional americano. Um argumento-chave no caso de Lincoln contra a escravidão era que ela sustentava uma aristocracia determinada a minar a promessa americana de que "o mais humilde dos homens [tem] a mesma chance de ficar rico que qualquer outra pessoa".

Os historiadores empreenderam pesquisas prodigiosas para determinar a verdade dessa mitologia tão apreciada: os Estados Unidos eram mesmo esse lugar de oportunidades? As pessoas comuns realmente conseguiam subir acima de sua posição? Os Estados Unidos estavam realmente se transformando em uma verdadeira sociedade de classe média? A resposta é "sim" – um "sim" sem dúvida com muitas qualificações –, mas no fundo o quadro convencional da fluidez social e econômica americana tem base em fatos.

A economia tradicional pressupõe que a desigualdade deve aumentar em uma sociedade em desenvolvimento, já que a formação de capital tende a se concentrar entre as classes mais altas. Os resultados americanos no máximo são uma fraca confirmação dessa hipótese. A desigualdade de riqueza era muito grande na era dos Barões Ladrões, claro, mas é ainda mais alta hoje em dia. (Ver detalhes nas notas do capítulo.) A mobilidade econômica do século XIX, entretanto, era muito alta, e para os dois lados, apesar de a suposição de Tocqueville de que as famílias ricas tinham tendência a perder sua posição não ser verdadeira. Os 20% mais ricos e os 20% mais pobres normalmente mantinham suas posições, enquanto movimentos rápidos para cima e para baixo se concentravam nos restantes 60% intermediários.

A mobilidade ocupacional foi substancial: em duas cidades do Leste, entre 35 e 40% dos trabalhadores manuais dos níveis mais baixos obtiveram ocupações melhores durante suas carreiras profissionais. Amostras extraídas de períodos mais curtos em uma gama maior de cidades mostra que de 10 a 20% dos trabalhadores de colarinho azul (*blue-collar*) moveram-se para empregos de colarinho branco (*white-collar*), o que era um passo muito maior do que é hoje. Nas áreas rurais, a mobilidade ocupacional era pelo menos igualmente alta. Durante o período de dez anos entre os censos, pelo menos 50% dos trabalhadores rurais de Utah foram reclassificados como fazendeiros, enquanto 15% mais ou menos se tornaram artesãos qualificados. A mobilidade rural no Wisconsin era mais ou menos a mesma: a maioria dos trabalhadores do campo e arrendatários se tornou dona de fazendas em uma ou duas décadas. A mobilidade ascendente foi ainda mais forte ao longo de gerações: uma amostra de 1890 de filhos de trabalhadores de colarinho azul revelava que 43% tinham empregos de colarinho branco. Mudanças de riqueza mostravam padrões similares. O fazendeiro médio de Wisconsin triplicou o valor de suas propriedades entre 1860 e 1870. Mesmo em uma cidade relativamente estagnada como Newburyport, Massachusetts, onde houve pouca mudança na estrutura ocupacional local, 48% dos trabalhadores possuíam propriedades em 1870, em comparação a apenas 11% em 1860.

Viajantes europeus ficavam maravilhados com a prosperidade dos trabalhadores americanos, apesar de sua remuneração ser tão baixa que suas esposas tinham de fazer serviços de faxina ou costura para equilibrar as despesas. Em parte porque os americanos realmente estavam mais bem de vida que seus semelhantes na Europa, mesmo com a baixa remuneração geral. Os trabalhadores ingleses comiam menos da metade da carne que os trabalhadores americanos, enquanto os irlandeses praticamente não comiam carne alguma. Uma fração substancial dos trabalhadores inferiores americanos, além disso, era de imigrantes recentes que costumavam ser jovens e solteiros e gastavam desproporcionadamente em roupas e diversão, então a impressão de viver a boa vida tinha parte de verdade. Ainda assim, a imigração em grande escala – 5,2 milhões de imigrantes só nos anos 1880, para uma base populacional de 50 milhões – exercia uma pressão constante para baixo nos salários dos recém-chegados. (Mas a mobilidade ascendente era bem alta entre alguns grupos de imigrantes. Imigrantes alemães em Poughkeepsie subiram a escada ocupacional mais de duas vezes mais rapidamente que trabalhadores nativos.)

Ser de classe média era muito mais que uma questão de dinheiro. Era um estilo de falar, vestir e se comportar, toda uma abordagem de vida. Segundo um comentário contemporâneo, a classe média tornou-se muito ligada a categorias de trabalho não manual. Apesar de uma balconista de loja de departamento ganhar muito menos que um trabalhador qualificado, ela tinha mais possibilidade de ser considerada de classe média. As lojas de departamento se esforçavam muito para transmitir essa imagem e dedicavam grande esforço no treinamento para melhorar sua fala e seu comportamento – queriam damas para servir damas. No início, a mão de obra feminina era chamada de *shop girls*, o que soava de mau gosto. A maioria das lojas mudou para *saleswomen*, e nos anos 1890 as próprias balconistas insistiam em *salesladies*. Para uma garota irlandesa imigrante, ser balconista na Wanamaker's era algo que conferia um status enorme, e só as melhores e mais inteligentes conseguiam chegar lá. O trabalho era muito duro; dias de dezesseis horas eram padrão na época de Natal. Mas as reclamações de especialistas em história do trabalho de que o emprego de balconista era um emprego "sem futuro" parece anacrônica. As garotas estavam muito satisfeitas em escapar do trabalho doméstico ou em fábricas, e o ambiente da loja era empolgante.

A baixa remuneração das balconistas era uma exceção; o pagamento da maioria dos trabalhadores não manuais era surpreendentemente alto – cruzar a linha divisória entre manual e não manual era um grande passo financeiro na direção do estilo de vida de classe média. A *Harpers* publicou um artigo em 1887 sobre um trabalhador "típico" americano e sua família, que tinha uma casa agradável com jardim no Brooklyn. O pai era um carpinteiro que ganhava cerca de US$ 900 por ano, perto do máximo que um carpinteiro podia esperar. Suas duas filhas e seu filho viviam em casa, e todos estavam empregados. As moças trabalhavam em uma fábrica de chapéus de palha, levando para casa, juntas, US$ 712 (apesar de terem vergonha de dizerem às amigas que trabalhavam em fábrica), mas o filho, que era funcionário de escritório em um grande armazém, ganhava US$ 1.092 – em suma, era o único qualificado como classe média segundo o teste dos US$ 1 mil por ano de Walt Whitman.

Apesar de empregos *white-collar* responderem por apenas 7% do emprego total em 1880, eram sem dúvida a onda do futuro. Entre 1870 e 1880,

A primeira sociedade de consumo de massa

o número de funcionários e copistas de escritórios quadruplicou, o número de guarda-livros e contadores dobrou, as equipes dos escritórios de seguradoras dobrou, as equipes dos escritórios das ferrovias e bancos dobraram, e o número de caixeiros-viajantes quadruplicou. Os funcionários de escritório eram em sua maioria homens. Se os salários iniciais eram muito baixos, o progresso podia ser rápido. O jovem John Rockefeller não tinha a intenção de passar sua vida como um guarda-livros assistente, mas era uma maneira perfeita de aprender realmente do que se tratava um negócio. Edward Tailer, um contemporâneo de Rockefeller, não era nenhum magnata, apesar de bastante ambicioso. Ele deixou a escola para trabalhar no escritório de um importador de artigos de armarinho de Nova York, mas reclamou do pagamento, apenas US$ 50 por ano. Quando tinha 21 anos, estava ganhando US$ 450 por ano; no ano seguinte, foi para outra firma por US$ 1 mil, então se tornou caixeiro-viajante por US$ 1,2 mil e aos 25 anos tinha seu próprio negócio. "Comerciante aprendiz" era uma descrição de trabalho melhor que escriturário.

O especialista em história empresarial Olivier Zunz analisou as inscrições para cargos em escritórios em uma ferrovia com base em Chicago nos anos 1880 e 1890. Quase todos os candidatos tinham menos de 25 anos, eram nascidos nos Estados Unidos, tinham frequentado a escola secundária e suas cartas eram bem-redigidas e claras, escritas em letra muito legível ou bem datilografadas. Eles destacavam seus hábitos profissionais, seu caráter e confiabilidade, sua sobriedade e ambição. Muitos, como Rockefeller, tinham alguns anos de faculdade de administração. O ganho médio de um escriturário de ferrovia em 1880 era de US$ 800 por ano, bem acima da norma da área de US$ 500 para um trabalhador qualificado e US$ 300 por um não qualificado. Um funcionário de seguradora, que ganhava US$ 1,2 mil por ano, aos trinta anos tinha sua própria casa, uma esposa e quatro filhos e podia pagar uma cozinheira. Os salários de muitos empregos de colarinho branco costumavam ser muito mais altos. Quase todos os escriturários homens do Tesouro tinham salários anuais acima de US$ 1,2 mil em 1881. Compradores homens e mulheres do Macy's em 1871 tinham salários-base entre US$ 1,2 mil e US$ 1,5 mil, provavelmente mais comissões, e um comprador no fim dos anos 1800 ganhava US$ 4 mil garantidos. Contadores e guarda-livros ganhavam US$ 2 mil mesmo nos primeiros anos desse período, enquanto salários de US$ 1,5 mil aparentemente eram comuns em empresas seguradoras. (Os salários crescentes, ainda por cima, coincidiam com preços em queda consistente.) Esposas que trabalhavam eram raras nas casas de trabalhadores de colarinho branco.

Entre 1870 e 1885, 25% dos jovens funcionários de escritório de Boston tinham se tornado profissionais ou empresários independentes, apesar de quase o mesmo número, de modo surpreendente, ter se tornado trabalhador manual, mesmo que principalmente em categorias qualificadas. Mas em 1885, a ascensão não exigia mais abrir um negócio. O crescimento exponencial de abrangência e extensão das ocupações de colarinho branco significava que um jovem ambicioso normalmente podia conquistar status, poder e uma boa renda ao longo de uma carreira em uma única empresa. Com o crescimento da população *white-collar*, houve uma presença "étnica" cada vez maior nos quadros. Uma amostragem de funcionários de escritório em 1890 na Filadélfia mostrou que 31% eram étnicos – provavelmente alemães ou irlandeses –, enquanto os trabalhos manuais eram ocupados por italianos ou pelos imigrantes recém-chegados da Europa Oriental.

A rigidez da separação entre trabalhadores de colarinho azul e os de colarinho branco estava sob desafio constante, especialmente por artesãos que tinham conquistado um estilo de vida de classe média. A renda declarada por artesãos-proprietários na verdade costumava ser baixa, mais ou menos o mesmo dos trabalhadores qualificados comuns. Mas isso pode ser um fenômeno provocado pela forma dos relatos: homens de negócios que começaram como artesãos e geravam rendas de classe média sólida costumavam rotular a si mesmos de gerentes ou negociantes. E conforme seus negócios cresciam, as tarefas de colarinho branco ocupavam muito mais de seu tempo – com vendas, encomenda de suprimentos, contratação e treinamento de trabalhadores, contabilidade. Já em meados do século, empresários-artesãos de sucesso podiam ser vistos buscando com determinação uma posição sólida de classe média, sem perder o contato com seu ofício. Uma maneira era participar de sociedades "científicas" mecânicas que examinavam novas ferramentas e tecnologias, recomendavam padrões de qualidade, ou faziam *lobby* pela proteção comercial. A ASME, durante a presidência de Alexander Holley nos anos 1870, foi uma das primeiras e mais bem-sucedidas dessas organizações. Uma decisão que virava o estômago do pequeno fabricante que valorizasse seu relacionamento com seus artesãos era adotar ou não processos mecanizados que eliminariam a necessidade de habilidade para realizar o trabalho.

A casa de uma pessoa era o sinal mais visível de status. No início do século, a maioria vivia em fazendas familiares que se pareciam e cheiravam como fábricas rurais. A sobrevivência era questão de trabalho brutalmente duro e muitos filhos. As casas eram pintadas apenas uma vez, quando construídas, se é que eram pintadas. Os quintais eram cheios de lixo e de animais; o sabão era usado para roupas, não pessoas. O crescimento acelerado nos anos 1840 e 1850 e a comercialização estável da agricultura se refletiam em casas de fazenda maiores, mais mão de obra contratada, melhor higiene e uma quantidade de coisas como talheres e carpetes. Em 1870, a maioria dos americanos não morava mais no campo, e a distância crescente entre o trabalho e a residência, reforçada pelo trânsito público, transformou a casa no coração dos laços familiares após as atividades do dia – um "lar". Com a inauguração da ponte do Brooklyn em 1883, o Brooklyn logo se transformou em um subúrbio-dormitório de Manhattan. As lanchonetes – um "chiqueiro na hora da comida" – espalhavam-se por todas as áreas comerciais.

A tecnologia impulsionou a transição. A *balloon house* de estruturas com vigas criada no Meio-Oeste de pouca madeira nos anos 1830 reduziu drasticamente os custos de matéria-prima e permitiu projetos maiores e mais flexíveis.* Máquinas de trabalhar madeira sempre foram uma especialidade americana, e as fábricas de móveis, muitas delas em torno das florestas de madeira dura de Michigan, produziam grandes quantidades de móveis decentes e bem baratos. Mesmo nos anos 1850, como tinham descoberto os investigadores britânicos do "sistema americano", uma fração substancial das portas e madeiras era produzida em massa em ambientes de fábrica. Nos anos 1870, kits para montar uma casa, produzidos por máquinas, podiam ser comprados pelo correio: um fabricante anunciava uma variedade que ia de casas de três aposentos de US$ 350 a uma igreja com torre e quatrocentos assentos de US$ 5 mil. Havia uma enorme variedade de estilos de projeto – "Romanesque Revival", "Chateau" e "Queen Anne" eram muito populares – e a disponibilidade imediata e fácil de ornamentos produzidos por máquinas, como cornijas e ornatos. Teares mecânicos reduziram o preço de um tapete de lã decente para bem menos de um dólar por metro. Quando as máquinas conseguiram moer os pigmentos em grãos finos o suficiente para serem solúveis em óleo, a produção de tinta deu um salto de ofício para indústria, com múltiplas opções de cor armazenadas em latas de metal seladas e produzidas em massa. O custo das casas novas caiu a níveis acessíveis para trabalhadores manuais, se eles pudessem financiá-las. As hipotecas eram curtas, normalmente de cinco a sete anos, e exigiam sinais substanciais, mas sociedades de construção e empréstimo se multiplicaram às dezenas de milhares para compensar a falta de poupança.

Os espaços domésticos tornaram-se mais formais e padronizados. O lar de classe média tinha um vestíbulo de entrada, uma sala de visita formal, ou *sitting room*, normalmente uma sala de estar menos formal, uma sala de jantar (que realmente era usada para as refeições), uma cozinha e uma área de serviço no primeiro andar. A escada dos fundos da cozinha era para crianças e empregados, enquanto a entrada do vestíbulo na frente era reservada às descidas estilizadas para receber convidados. Os quartos e banheiros ficavam no segundo andar. As crianças normalmente tinham suas próprias camas, mas ainda dividiam quartos. Conforme as casas cresceram em tamanho, tornou-se normal ter pensionistas, mesmo em áreas de classe média; na verdade, quartos alugados em casas de família passaram a ser a moradia-padrão para pessoas solteiras nas cidades, e elas

---

* *Balloon houses* (casas-balão) foram um precursor conceitual do arranha-céu de estrutura de aço. Até então, as paredes se autossustentavam, o que exigia uma construção pesada. Mas quando a estrutura passou a dar a sustentação, a parede pôde se tornar uma barreira muito mais fina contra o clima. (N.A.)

normalmente eram tratadas quase como membros da família. No campo, as casas seguiam projetos parecidos – o fazendeiro reclamando que sua casa era "maior que o celeiro" era uma piada corrente.

A falta de saneamento retardou o crescimento populacional por várias décadas. Doenças transmitidas pela água, como o cólera e o tifo, foram assassinos perigosos até boa parte do século XX, responsáveis por 25% de todas as mortes por doenças infecciosas em 1900. As mulheres e criados ainda usavam bombas manuais para obter água nos anos 1870, mas no fim da década a maioria das cidades grandes levava água (sem filtragem ou cloração) até as casas em muitas, se não na maioria, de suas áreas residenciais. Os banheiros não eram conectados a sistemas de esgoto. A latrina do quintal – ou, em muitas áreas mais pobres, a latrina da vizinhança – foi substituída por privadas internas. Descargas de água que despejavam os dejetos em uma fossa eram apropriadas para áreas menos densamente povoadas, enquanto urbanistas faziam experiências com uma série de dispositivos de "sanitários de terra". Muitas cidades tinham iluminação a gás, pelo menos nos melhores bairros, e quase todo mundo tinha um lampião a querosene. Foi marcante quando Pierpont Morgan conectou sua casa à eletricidade em 1882 – isso exigia um gerador no porão –, mas a eletricidade residencial não seria padrão até os anos 1920.

O papel das mulheres de classe média foi transformado junto com suas casas – as esposas se tornaram "donas de casa", árbitras da vida doméstica, a força civilizadora oficialmente escolhida pela sociedade. Elas tinham de ensinar seus homens a comer com garfos, a parar de derramar o chá no pires para esfriar e a nunca, nunca, cuspir na casa. A *Harpers* observou que as esposas "legislavam por nossas roupas, etiqueta e maneiras sem medo de veto. ...Na verdade, é a influência mais sutil e onipresente em nossa terra." Cursos de economia doméstica proliferaram nas escolas secundárias e nas faculdades resultantes das concessões estaduais de terra. O "consumidor educado" era um papel absolutamente novo, e havia uma torrente de livros de aconselhamento e manuais de instrução sobre como tirar o melhor proveito da fartura. De repente, ser de classe média era uma estratégia de vida, não apenas uma categoria econômica, e uma estratégia administrada principalmente por mulheres. As táticas incluíam famílias menores, maior concentração na criação e educação dos filhos, administração cuidadosa do orçamento para manter os símbolos de status necessários sem extravagância e transmitir às crianças hábitos de prudência e comportamento respeitável.

As classes médias altas, que não chegavam a ser ricas, viviam muito bem. Os March, Isabel e Basil, protagonistas de *A Hazard of New Fortunes*, de William Dean Howells (1890), têm mais de quarenta anos, e, quando a história começa estão de mudança de Boston para Nova York. Basil está trocando um trabalho chato em uma empresa de seguros por um cargo editorial que paga US$ 3,5 mil por ano, enquanto a herança de Isabel dá a ela US$ 2 mil. Sua renda conjunta, em valores atualizados, seria de cerca de US$ 66 mil.* Eles estão muito preocupados com a mudança, especialmente em relação a dinheiro. Eles têm uma casa própria em Boston; têm uma empregada que mora, Margaret, e uma lavadeira; são muito viajados, sempre de primeira classe e com muitas malas; eles têm duas filhas e um filho, Tom, que está terminando o secundário. Tom tinha planejado, naturalmente, entrar para Harvard e está irritado com a perspectiva de ter de ir para Columbia. Quando eles começam a procurar uma casa, Isabel estabelece suas exigências para um apartamento em Nova York:

> Para começar, elevador e aquecimento a vapor são *sine qua non*, e não pode ser acima do terceiro andar. Cada uma de nós deve ter um quarto, e você, o seu estúdio e eu, minha sala íntima; e cada uma das duas meninas deve ter seu quarto. Com a cozinha e a sala de jantar, quantos são? ...E a cozinha deve ser clara. ...E *todos* os quartos devem ter iluminação externa. E o aluguel não pode passar de US$ 800 pelo inverno. Só vamos conseguir US$ 1 mil por toda a nossa casa, e precisamos guardar um pouco disso para cobrir as despesas da mudança. [Mais tarde eles concordam que também devem ter um quarto para Margaret. Tom vai morar na faculdade.]

Howells conta de maneira muito divertida o choque dos March com os preços de Nova York e sua decisão de aceitar apenas seis aposentos e um banheiro por um preço bem mais alto do que esperavam pagar – Margaret pode ser espremida, em algum lugar, e as meninas vão dividir um quarto, Basil vai abrir mão de seu estúdio, e elas vão mandar as roupas para lavar fora. Nova York, é claro, era um caso especial, assim como é hoje. Um projeto de casa muito popular na Filadélfia, "para pessoas de meios moderados", segundo o projetista, tinha 312m² em três andares. Ela podia ser construída por US$ 3 mil a US$ 3.500, um preço que estaria facilmente ao alcance dos March. Stuart Blumin observa que tais casas eram "muito maiores do que aquelas do homem médio do fim do século XVIII". (Muito provavelmente bem maior do que a casa do próprio professor Blumin; é cerca de 50% maior que a residência média hoje nos Estados Unidos.) É claro que uma casa desse tamanho supunha a existência de criados.

O comportamento e os valores de classe média se infiltraram por grande parte da população. Mesmo nos menores lares dos trabalhadores manuais, as esposas diligentemente acrescentavam pequenos toques às suas salas para que ficassem

---

* Aqui, a questão interpretativa é entre o uso de comparações monetárias e paridades de poder de compra (PPC), que tenta corrigir as diferenças de preço. Hoje, por exemplo, um chinês de classe média pode adquirir serviços pessoais muito baratos, como empregadas domésticas e serviços afins, que não são capturados em comparações monetárias entre o dólar e o dólar/renminbi. Índices de PPC fazem com que o lar chinês pareça muito mais rico. Com base no PPC, os March estavam em situação muito melhor que o típico gerente intermediário de uma seguradora dos nossos dias, mas as cestas de compras são muito diferentes para construir comparações significativas. (N.A.)

mais parecidas com salas de estar – retratos de família, carpetes, algumas flores. O salário real dos trabalhadores cresceu consistentemente durante os anos 1870 e ainda mais rápido nos anos 1880, e as mulheres das classes mais baixas começaram a ajustar sua renda – produzindo atividade de acordo com seus deveres domésticos, apesar de, em sua maioria, ainda terem de trabalhar. Em suma, as mulheres mais pobres ficavam com o pior dos dois mundos, como costuma acontecer nas famílias de mais baixa renda de nossos dias. Mas havia mudanças perceptíveis nos padrões de emprego; por exemplo, mulheres irlandesas começaram a receber pensionistas em vez de trabalhar fora. Crianças da classe trabalhadora não ficavam na escola pelo mesmo tempo que as da classe média, mas ainda assim seus índices de frequência cresceram. Escolas urbanas, públicas e paroquiais e centros comunitários catequizaram as virtudes de classe média da higiene, prudência, parcimônia e trabalho duro.

Os anos 1880 e 1890 viram um grande aumento do interesse reformista na educação pública, que entrou por boa parte do século XX. Grande parte dele foi motivada pela exigência dos negócios por trabalhadores capacitados e tinha um tom assustadoramente funcional – como em "o estudante deve ser capaz de se adaptar rapidamente aos rigores da linha de montagem industrial" – e havia uma canalização consciente dos filhos de imigrantes e das classes trabalhadoras para cursos de treinamento manual. Esse mesmo período viu a introdução em todas as partes de escolas com níveis – acabaram as escolas de apenas uma sala – e testes padronizados e padrões e certificações mínimos para professores. A taxa de matrícula aumentou muito nos anos 1870, então retrocedeu depois de 1880. A queda provavelmente reflete o crescimento da imigração, pois as matrículas nas escolas secundárias aumentaram 150% só na década de 1890. Escolas de treinamento comercial que ofereciam cursos noturnos se espalharam como cogumelos.

Os valores de classe média se espalharam tão rápido em parte porque o status era alcançável por quase qualquer pessoa jovem com energia e ambição. Os romances de Horatio Alger voavam das prateleiras. As recompensas de andar para frente eram palpáveis porque, de repente, havia muitas coisas para comprar.

Coisas

Se você quisesse comprar um piano em 1895, podia procurar um piano de armário "Windsor" no catálogo da Montgomery Ward. Por US$ 170, eles lhe enviavam um instrumento novo, com teclas de marfim e o mais moderno posicionamento cruzado das cordas*, feito em "madeira dura polida e com acabamento

---

* O posicionamento diagonal ou cruzado das cordas de baixo do piano conhecido por overstringing ainda era uma inovação bem recente que possibilitava um som de baixo melhor e mais cheio. O catálogo trazia boa quantidade de informação técnica dirigida ao comprador versado. (N.A.)

em imitação de pau-rosa, ébano ou mogno". Por mais US$ 40, conseguia um instrumento ainda melhor, um projeto com três pedais e em mogno. O catálogo explicava como era fácil e seguro encomendar:

> Enviamos qualquer tipo de órgão ou piano Windsor para qualquer terminal ferroviário de carga dos Estados Unidos servido para ser testado e examinado, desde que sejam observadas as seguintes condições: ao recebermos a encomenda, enviamos o instrumento por nossa própria conta, com uma fatura pagável em seu banco. Quando a encomenda chegar ao destino, o comprador deve depositar no banco o valor do instrumento, com a certeza de que o dinheiro ficará ali guardado por quinze (15) dias. Esse é um período em que o instrumento pode ser testado e examinado com cuidado em sua própria casa. ...Se achar que ele não é absolutamente satisfatório, basta devolver o instrumento ao agente da estação a qualquer momento antes que expire o prazo especificado, resgatar a fatura paga e, apresentando-a ao banco, receber o reembolso integral de todo o valor.

O catálogo de 1895 enchia 623 páginas grandes com letras pequenas e repletas de gravuras para ilustrar todos os produtos. Havia uma profusão de selas, ferramentas, facas e armas; páginas e páginas de mesas de biblioteca, "conjuntos" de quarto e estantes; mais de quarenta estilos de capas de verão para senhoras, camisas masculinas de 25 centavos a US$ 2 cada e dez tipos diferentes de ternos masculinos, de um estilo folgado informal a trajes de noite; além de uma grande quantidade de joias, vidros de perfume coloridos, porcelana, artefatos de cozinha, fogões, brinquedos e jogos, roupas e carrinhos de bebê, espartilhos, "fronhas de alta qualidade" e material de encanamento. O catálogo da Sears de 1897 incluía bolachas de arsênico para a saúde ("absolutamente inofensivas quando usadas segundo as instruções"); "pílulas para os nervos e o cérebro" que faziam promessas parecidas com as do Viagra; láudano (uma mistura de ópio com álcool); e um apavorante "Desenvolvedor de Bustos Princesa" que parecia um desentupidor de privada feito de ferro, mas prometia seios "redondos, firmes e bonitos" com seu uso regular.

Ward era um jovem vendedor de ferramentas quando, em 1872, enviou uma lista de produtos de uma página para seus clientes nas fazendas de Illinois, listando peças de roupa prontas difíceis de comprar em áreas rurais. Sua ideia era que ele podia comprar e enviar esses objetos de Chicago e repassar a economia em administração de estoques e o custo dos atravessadores. A ideia pegou de maneira maravilhosa, e ele imprimiu novas folhas de produtos praticamente a cada dois meses até 1874, quando lançou seu primeiro catálogo – oito páginas encadernadas de 8 x 13 cm. Ele incluiu uma gravura de cada produto em 1880, e em 1884 o catálogo crescera para 240 páginas, listando mais de 10 mil itens.

A operação de Ward em Chicago de repente tornou-se um negócio grande, com exércitos de balconistas e estoquistas e mais de US$ 500 mil em estoque.

Esquerda: Os primeiros anúncios do sabonete Ivory eram densos de tanto texto e cheios de conselhos sobre limpeza. Mas, nos anos 1890, os anúncios da Procter & Gamble com a "Senhorita Blossom" vendiam um "estilo de delicadeza".

Abaixo: Os cartazes de Albert A. Pope, fabricante de bicicletas e evangelista, tornaram-se uma forma de arte menor. Este cartaz anuncia as bicicletas de "segurança" Columbia de Pope.

A primeira sociedade de consumo de massa

Muitos de seus produtos, como os pianos Windsor e a máquina de costura Montgomery Ward, eram marcas produzidas com exclusividade, tirando proveito de seu poder de compra para conseguir uma redução de preços. Todos os clientes estavam permanentemente convidados a visitar suas instalações, e 285 mil pessoas fizeram isso durante a Exposição Columbian de Chicago, em 1893. Richard Sears, cujas operações superaram as de Ward no início dos anos 1900, começou vendendo relógios pelo correio em 1886; Alvah Roebuck juntou-se a ele como relojoeiro. A maior inovação de Sears era a publicidade agressiva, algumas vezes ultrajante. Nos anos 1880, quase todas as lojas de departamento tinham suas próprias operações de venda por correio: se uma senhora da Califórnia quisesse comprar na Bloomingdale's, só precisava escrever e pedir seu catálogo. Quando John Wanamaker tornou-se diretor geral dos correios, assegurou que os catálogos de reembolso postal tivessem as tarifas mais favoráveis, já que eles "ajudavam a disseminar o conhecimento".

Todos esses negócios funcionavam sob a tela de radar de megacapitalistas como os Morgans. Seus gastos de capital eram na aquisição de imóveis e estoque, que podia ser financiada por hipotecas tradicionais e linhas de crédito bancário para o capital de giro. Mas isso só acontecia porque eles podiam "externalizar" todo o custo de infraestrutura de transporte, pela qual Morgan, os Barings e outros já haviam pagado. O catálogo da Bloomingdale's de 1896, por exemplo, orientava os compradores a enviar selos com o pedido e os advertia a enviar nova correspondência se não recebessem uma confirmação em dez dias, ou quinze se morassem na costa do Pacífico. (Menos de vinte anos antes, grande parte da área coberta pela Bloomingdale's só podia ser alcançada por carroça.) Em 1890, a velocidade dos trens era quase a mesma dos dias de hoje, e havia várias companhias "expressas" que usavam o telégrafo para gerenciar o transporte de carga por suas linhas e por empresas contratadas locais desde o terminal de embarque de uma empresa até a porta da casa do cliente. Na maior parte do país, os prazos de entrega eram de trinta dias ou menos, um ciclo de tempo que mudou muito pouco até a popularização das empresas aéreas de carga, quase um século mais tarde.

Quando os homens das ferrovias e seus bancos de investimentos adotaram a estratégia do "se você construir, eles virão", não estavam pensando em uma revolução no consumo: Gould, Vanderbilt e Scott travaram batalhas por fretes de grãos, ferro e petróleo, não fitas e espartilhos. Os administradores da Pennsylvania, que tinham muito orgulho pelo funcionamento bem azeitado e sincronizado de sua máquina de transporte, tiveram uma surpresa desagradável nos anos 1890, quando se viram envolvidos em uma confusão cada vez maior de cargas pequenas e prazos mais curtos. Os consumidores estavam tomando conta, e houve grande confusão administrativa até a ferrovia aprender a se ajustar.

Julius Rosenwald, que se juntou à Sears em 1895 e assumiu a responsabilidade operacional de Richard Sears, difícil de lidar, provavelmente foi o primeiro gênio da administração do varejo. Sears fez a primeira emissão de pública de ações no varejo em 1906 por intermédio do Goldman, Sachs, um dos novos exemplos de bancos de investimentos judeus (Lehmans era outro) que se concentravam no negócio do varejo e dos bens de consumo desprezados pelos Morgans e Kuhne Loebs do mundo. Rosenwald precisava dessa injeção de capital para construir um sistema de gerência de estoques e de distribuição de produtos de processo contínuo, mecanizado e com base em transporte ferroviário, de maneira muito parecida com o que fez o pioneiro do aço, Alexander Holley.

A emissão de ações de Rosenwald marcou uma etapa final do aumento da consciência empresarial. Desde 1870 aos poucos se tornava claro que os desejos do consumidor não têm limites. A mãe em um romance sobre a vida dos imigrantes conta como, quando ela e suas duas filhas estavam todas trabalhando, substituiu os trapos velhos por "toalhas normais" e começou a adquirir pratos e talheres,

> para que todos pudéssemos nos sentar à mesa ao mesmo tempo e comer como gente... Nós nos acostumamos tão rápido às toalhas normais que agora queríamos escovas de dentes... Conseguimos escovas de dente e passamos a desejar pó para escovar nossos dentes, em vez de cinzas. E quanto mais tínhamos, cada vez queríamos mais coisas.

A história nunca tinha visto uma explosão de produtos novos como nos Estados Unidos nos anos 1880 e 1890. Alimentos de marca, nos anos 1880, começaram a seguir o caminho aberto pelos frigoríficos. As prateleiras das lojas ofereciam Cream of Wheat, panquecas Aunt Jemima's, bebida sabor de café Postum, cereais Kellogg's, chicletes Juicy Fruit, cerveja Pabst Blue Ribbon, molhos de salada Durkee's, biscoitos Uneeda, Coca-Cola e aveia Quaker. As farinhas Pillsbury e Gold Medal acabaram com os moinhos locais. (As donas de casa começaram a comprar misturas para bolos nos anos 1890, mas assar o próprio pão ainda era questão de honra.) A publicidade prosperou junto. (N.W. Ayer, uma das primeiras grandes empresas de publicidade, começou com a loja de John Wanamaker.) Por isso, Jell-O era a sobremesa "fácil e rápida"; a cerveja Schlitz era feita com "água filtrada"; as sopas Huckin's eram "hermeticamente fechadas"; os chocolates "Workdipt" da Stacey's não eram tocados por mãos humanas. H.J. Heinz instalou em Times Square, em 1896, um picles elétrico de quinze metros de altura – com 1.200 lâmpadas. O letreiro piscava com as "57 boas coisas para a mesa" da Heinz's, listando todas elas em luzes. Você "Andaria uma milha" por um Camel e cantarolaria o *jingle* do cereal "Sunny Jim". A Great Atlantic and Pacific Tea Company, A&P, foi a primeira cadeia nacional de mercados, e as *nickel-stores* (lojas de cinco centavos) de Frank Woolworth se espalhavam por todo o país.

A velocidade do triunfo dos alimentos de marca pode ter sido motivada pela ingenuidade dos consumidores, ou talvez pela qualidade execrável da comida de

Na Exposição de Chicago de 1893, um talento espetacular de engenharia estava a serviço da pura diversão. A famosa roda-gigante erguia-se a 80,5 metros de altura. Cada carro era maior que um vagão Pullman, e ela podia levar 2 mil pessoas por vez.

barril das lojas locais. É possível que tenha sido pelos dois; os nostálgicos costumam supor que os consumidores eram enganados. Marcas embaladas levavam para pessoas em vastas regiões do país seu primeiro acesso a dietas mais variadas. Muitas mercearias locais, além de tudo, eram pocilgas de péssima higiene, condições de armazenagem ruins, adulteração e fraude deslavada, como vender banha de porco por manteiga, por exemplo. A indústria de alimentos embalados tinha seus próprios escândalos, sobretudo envolvendo carne, mas segurança e consistência provavelmente foram um grande avanço sobre os pequenos mercados. Como dizia um exemplo de poesia popular do século XIX:

> As coisas raramente são o que parecem;
> Leite desnatado disfarçado de creme;
> Toucinho e sabão comemos por queijo;
> A manteiga não passa de gordura de lubrificar eixos.

Uma ampla gama de produtos tornou a vida mais simples: escovas de tapete Bissell, aparelhos de barbear de "segurança Gillette" com lâminas descartáveis, botas de borracha e sapatos, zíperes, geladeiras (normalmente com uma abertura em uma parede externa da casa para que o geleiro pudesse enchê-la), calças Levi's para trabalhadores. Ou tornou a vida mais divertida: os patins foram mania nos anos 1870; as bicicletas, nos 1890. A máquina automática de fazer cigarros de James Bonsack entrou em produção na fábrica de James Duke em 1886. Em 1900, os americanos compravam mais de quatro bilhões de cigarros por ano, quase todos de Duke, incluindo marcas que existem até hoje, como Lucky Strike. Um fabricante de cigarros anterior a Duke inventou o *baseball card*, a figurinha de beisebol em cartão. As moças não eram encorajadas a fumar, mas tinham "mania" de cosméticos. As bolsas nas lojas já vinham com ruge e batom. Helena Rubinstein e Elizabeth Arden, entre elas, dominavam o negócio no início dos anos 1900. As paredes das casas eram cobertas por litografias coloridas, reproduções a cores de obras de artistas americanos como Audubon, Bierstadt e Winslow Homer. Currier e Ives foram os primeiros a produzir pinturas especialmente para litografia. O ianque do Connecticut de Mark Twain sabe que está em um lugar estranho porque o castelo medieval não tem gravuras nas paredes.

Serviços postais residenciais provocaram uma mania de cartões-postais e depois de cartões de felicitações. Postais com cenas pornográficas eram objetos de coleção populares; uma empresa sozinha produziu 16 mil imagens diferentes. Thomas Edison inventou o fonógrafo em 1879, mas Emile Berliner o suplantou em 1889 com seu popular "gramofone" e o disco plano; seu sistema podia fazer milhares de discos a partir de uma única matriz. Versões do *jukebox*, a moderna vitrola automática, proliferaram nos anos 1890 e eram um acompanhamento natural do balcão de sorvetes e refrigerantes das *drugstores** – o dono de um estabelecimento do tipo podia faturar US$ 500 por semana em moedas de cinco centavos. Os dois eram sinais do crescimento do tempo de lazer entre os jovens. Os pais de classe média mantinham seus filhos na escola em vez de mandá-los para as fábricas e começavam a descobrir que a faixa etária entre a infância e a idade adulta era uma espécie totalmente nova e desconhecida.

As vendas na área de entretenimento doméstico tiveram um enorme crescimento – kits para tênis e croqué, jogos de tabuleiro e estereoscópios. Dois slides

---

* *Drugstore*: as *drugstores* americanas têm uma oferta de produtos mais variada que as farmácias brasileiras; tradicionalmente comercializam alimentos e algumas possuem até balcões junto aos quais se pode sentar e tomar café. (N.E.)

estereoscópicos eram iluminados por trás e, vistos por um visor, produziam uma cena tridimensional. Foram produzidos milhões de imagens – maravilhas naturais, histórias, temas religiosos; Oliver Wendell Holmes Jr. uma vez gabou-se de ter visto mais de cem mil imagens em estéreo. George Eastman introduziu o rolo de filme de celuloide para sua câmara Kodak em 1888. Um concurso de fotografia patrocinado pela Kodak em Nova York em 1897 atraiu 26 mil pessoas. Em 1900, o país tinha mais de 1,5 milhão de telefones. Aperfeiçoamentos nas tecnologias de impressão produziram uma grande quantidade de revistas, romances baratos e jornais locais. A iluminação das fábricas possibilitou a publicação de jornais matutinos, e os editores atraíram leitores com páginas de esportes, quadrinhos, passatempos e colunas de aconselhamento. A coluna de Dorothy Dix começou a ser publicada em 1896. Diversão profissional – beisebol, boxe, teatro de vaudevile, o circo Barnum's e o "parque de diversões" – era atração até nas menores cidades. A roda-gigante da Exposição de Chicago de 1893 tinha 80,5 metros de altura e cada um de seus carros era maior que um vagão Pullman. Ela podia receber mais de duas mil pessoas de uma vez.

A volta da prática de arsenal

Os efeitos completos da riqueza de uma sociedade de consumo de massa não podem ser capturados por simples dados de renda. As pessoas médias não tinham apenas mais dinheiro. A tecnologia criava classes inteiramente novas de produtos enquanto ao mesmo tempo reduzia drasticamente os custos de outros bens que, antes, eram acessíveis apenas à elite. Nesse ponto, o *boom* do consumo americano representou o último florescer da tradição industrial do vale do Connecticut de Thomas Blanchard, John Hall e os grandes superintendentes do Arsenal de Springfield.

A mulher que quebrava a bobina de sua máquina de costura enquanto fazia cortinas em casa e o soldado no campo com uma fecharia defeituosa apresentam o mesmo problema: nenhum deles consegue o máximo de rendimento de seu produto sem a manutenção de um artesão qualificado. A distribuição mundial da máquina de costura de Isaac Singer foi um novo capítulo no marketing de consumo, mas só nos anos 1880 ele finalmente entendeu a necessidade de assistência ao consumidor. O negócio de Singer passou por ajustes dolorosos durante grande parte dessa década para que sua produção se aproximasse cada vez mais dos padrões de precisão de arsenal: se uma peça se quebrasse, era só aparafusar outra no lugar. A indústria de bicicletas que alimentou o entusiasmo dos ciclistas nos anos 1880 e 1890 foi uma das primeiras em que os fabricantes compreenderam desde o princípio a importância de padrões de arsenal, e isso ilustra muito bem a transferência direta de genes das práticas do vale para a indústria de consumo de massa.

O "pai" da bicicleta nos Estados Unidos foi Albert A. Pope, um empresário de Boston que se encantou com bicicletas quando viu um velocípede de roda grande britânico na Exposição da Filadélfia em 1876. Ele viajou para a Europa, aprendeu como elas eram produzidas e retornou para criar uma indústria de bicicletas nos Estados Unidos. Pope parece ter compreendido a oportunidade para a indústria de produção em massa desde o começo, porque estava determinado a fazer com que, ao contrário dos produtos europeus, os seus fossem feitos com "peças intercambiáveis", uma vantagem que ele alardeava nos primeiros folhetos.

Pope contratou a produção de suas primeiras bicicletas na Weed Sewing Machine Co., que, junto com a Singer e a Willcox & Gibbs, era uma das três fábricas de máquinas de costura originais. Tanto a Weed quanto a Willcox & Gibbs usavam produtores diretamente da comunidade do vale – Brown and Sharpe para Willcox & Gibbs, e a Robbins & Lawrence/Sharps Rifle Co. para a Weed. A Robbins & Lawrence tinha trabalhado junto com Simeon North, o primeiro fornecedor externo dos rifles de John Hall; e foi um rifle Robbins & Lawrence que levou a medalha de ouro na Exposição do Crystal Palace, em 1851. Mas Weed e Willcox entendiam mais de tecnologia que de marketing e jamais obtiveram mais que um pequeno percentual do negócio – entretanto, quando foram contratados por Pope, a Weed já tinha assumido a fábrica Sharps e a produção de máquinas de costura tornara-se sua principal linha de negócio.

Grande empresário e homem de marketing, Pope comprou todas as patentes americanas de bicicleta que encontrou e catequizou seus ciclistas financiando revistas de ciclismo e patrocinando clubes de ciclismo, competições, feiras e exposições. Ele organizou grupos locais de pressão, coordenados por intermédio de sua "American Wheelmen's Association", para exigir melhores estradas, e seus cartazes publicitários, alguns feitos por Maxwell Parrish, tornaram-se objetos de arte popular. Pope alcançou volumes impressionantes até mesmo com seus velocípedes de roda grande, que eram um desafio atlético e um pouco perigosos – mais um esporte que um meio de transporte. O negócio decolou de verdade com a introdução da "bicicleta de segurança", que tinha essencialmente o mesmo projeto que uma Schwinn dos anos 1950. Quase todo mundo podia andar numa delas.

Pope introduziu sua bicicleta de segurança Columbia em 1890 e comprou a Weed para ter o controle da produção. A Weed era uma fabricante excelente, que nunca se afastava muito das práticas de arsenal estabelecidas e sempre mantinha outras linhas de manufatura. Pope eliminou a produção de tudo que não fosse bicicletas, reorganizou a fábrica e introduziu inovações no forjamento, na montagem e nos processos de acabamento, onde os mercados de consumo apresentavam desafios muito mais exigentes do que os encarados pelos fabricantes de armas. Em meados dos anos 1890, a produção americana de bicicletas ultrapassou a marca de 1,2 milhão de unidades ao ano.

Pope nem sempre foi o maior produtor, mas nunca perdeu a reputação de ter a maior qualidade. Quase todos os seus outros concorrentes também vinham da tradição de produção de máquinas de costura e armas leves de Connecticut. Inovações importantes na produção de outras fábricas de bicicleta incluíam carimbos de aço e linhas de produção primitivas, passos importantes, ainda que vacilantes, no rumo da mãe de todos os sistemas de produção em massa – o criado para o Modelo T de Henry Ford, para o qual, naquele momento, faltavam menos de vinte anos. O próprio Pope foi um pioneiro na experimentação da produção de automóveis e talvez tenha feito a primeira motocicleta comercial (com uma corrente de bicicleta normal para o caso de problemas no motor).

O início dos anos 1890 hoje nos parece uma época muito remota. É por isso que as descrições da "casa-modelo" do Pavilhão da Eletricidade da Exposição Columbia de 1893 são tão surpreendentes. Ela tinha luz elétrica, fogão elétrico, máquina de lavar elétrica, limpadores elétricos de tapete, campainhas elétricas e alarmes de incêndio. Em suma, se parece com a gente. Pessoas comuns estavam colhendo os benefícios das grandes construções dos titãs da Era de Ouro. Isso nada tinha de paradoxal. Infraestrutura de larga escala permitia que muitas indústrias de bens de consumo, como a de tintas, a de móveis e a indústria de ferramentas e utensílios domésticos, alcançassem eficiência competitiva em escalas bem modestas. A eletricidade libertou os pequenos produtores da tirania do motor a vapor ou do moinho de água. A cidade de Cleveland, por exemplo, tornou-se um centro importante de indústrias relacionadas com eletricidade no último quarto do século, repetindo mais ou menos o padrão de desenvolvimento em torno do rio Connecticut cinquenta anos antes. Fabricantes de porte médio conquistaram o acesso aos mercados nacionais por intermédio de varejistas em grande escala. Como explicou mais tarde um executivo da Sears com uma perspicácia considerável, seu sucesso vinha da concentração de "dinheiro, organização e cérebros no campo da distribuição e – em paralelo a isso – do crescimento da eficiência dos pequenos produtores". Um Sears ou um Wanamaker eram empresários da concorrência de marcas e presidiram sobre a competição desenfreada em preço, qualidade e variedade que gerou a espiral que resultou na produção em massa dos bens de uma sociedade moderna de consumo de massa.

O país que tremia no limiar da modernidade na época da morte de Lincoln descobriu que tinha dado o salto. E era assustador.

Ansiedade

O outro lado da mobilidade americana era a ansiedade por status. A relação direta entre a posição de um pai na sociedade e a de seu filho, guias confiáveis de comportamento que eram firmemente arraigados à situação de uma pessoa, já não existia mais. Os custos psicológicos podiam ser altos. De Tocqueville, como sempre, foi um dos primeiros a observá-lo:

> Portanto a democracia não apenas faz com que todos os homens se esqueçam de seus ancestrais, mas ela esconde seus descendentes e separa dele seus contemporâneos; ela faz com que ele dependa apenas de si mesmo e, no fim, ameaça confiná-lo totalmente à solidão de seu próprio coração.

Mas não eram apenas os indivíduos em busca de seu próprio caminho que estavam ansiosos. Aqui, o moralista quase oficial, Henry Ward Beecher, nos anos 1840, soa quase como um imame dos dias de hoje:

> Abrimos nossas ruas, erguemos nossas escolas, respeitamos todas as leis municipais, e esses são *nossos* rapazes; nossos filhos, nossos irmãos, nossos protegidos, funcionários ou aprendizes. ...[Mas há] toda uma raça de homens, cujo acampamento é o teatro, o circo, o turfe, a mesa de jogos... uma raça cujo instinto é destruição, que vive para corromper e vive da corrupção que pratica. ...E quando oferecem corromper toda essa juventude... e nós temos a coragem de dizer que preferimos que não – que o trabalho e a honestidade são melhores que a maestria na vigarice –, eles se viram para nós com grande indignação. *Por que você não cuida da sua própria vida – por que está se metendo onde não é chamado?*

A ironia, ou mordacidade, nas fulminações de Beecher é que ele também era vulnerável ao extremo. Apesar de seus guias de aconselhamento condenarem totalmente os sedutores, ele se envolveu em um escandaloso caso com uma mulher de sua congregação na década de 1870, e parece que também era viciado em compras. Fazia palestras compulsivamente, exigindo cachês bem altos em seus incontáveis discursos nos quais vendia a prudência e a frugalidade, em grande parte para custear seus gastos compulsivos. É de se esperar que ele tenha sido ao menos uma alma torturada – iria, pelo menos, inspirar simpatia.

Os Estados Unidos eram um arquipélago de cidades pequenas, no qual a hierarquia impunha o respeito, e a opinião local determinava os comportamentos. Mas a extraordinária mobilidade social e geográfica do país estava criando uma sociedade horizontal. Quando todos os homens e mulheres são livres para se recriar constantemente, ninguém sabe quem deveria ser. Tampouco, coisa igualmente assustadora, quem é a pessoa com quem está se encontrando. Em seu estudo maravilhoso, *Confidence Men and Painted Women*, Karen Halttunen descreve os rituais sociais elaborados que se desenvolveram durante a era vitoriana americana, os sistemas de funcionamento nervoso de sinalização social para identificar quem era real, quem era uma fraude e quem era perigoso.

A ansiedade era aumentada pelas mudanças rápidas para a riqueza com base em papel. O romance de Herman Melville de 1857, *O vigarista*, passa-se em uma viagem num barco a vapor, que se transforma em uma espécie de "Barco dos tolos" à medida que os passageiros são envolvidos em uma série crescente de golpes e contos do vigário. O medo da fraude levou, em meados do século, a um culto da candura e da simplicidade. Então, de maneira cômica, levou a novos paroxismos de ansiedade à medida que se percebeu que a pessoa realmente falsa pareceria ser a mais sincera de todas – o que provocou um crescimento absurdo de instruções e conselhos sobre como identificar a pessoa desonesta por seu rosto ou suas mãos. Na década de 1870, as classes médias pareciam estar amadurecendo, pois começaram a zombar de seus próprios cânones de correção e pompa cada vez mais numerosos.

Mas havia razões suficientes para a ansiedade da classe média. Algumas delas atingiam características essenciais da vida familiar tradicional. Para a maioria dos casais, manter o controle doméstico firme sobre as crianças e investir em seu progresso educacional – elementos-chave na estratégia de vida de classe média – só era possível com famílias pequenas. Além de abrir mão da contribuição econômica de seus filhos, também ampliavam seu período de dependência. O casal Basil e Isabel March, de William Dean Howells, tem uma vida melhor do que a da maioria dos de classe média e evidentemente gosta muito de seu estilo de vida – a habilidade de Isabel em procurar atividades literárias, a flexibilidade para considerar a mudança para Nova York. É impossível imaginar ter sido acidente o fato de eles terem apenas três filhos, pois ter muitos mais teria colocado grande parte daquilo em risco.

As taxas de fertilidade americanas caíram consistentemente ao longo do século XIX, mas as razões para esse declínio mudaram com o passar do tempo. Na primeira metade do século, o declínio foi malthusiano; sua origem está principalmente em casamentos mais tardios e a morte mais precoce das mulheres. Mas a tendência de queda na segunda metade do século parece intencional, pois se concentra principalmente em famílias de classe média. Se levarmos em conta as taxas de mortalidade infantil, a classe média mal chegava aos níveis de substituição, ou mais ou menos as mesmas taxas atuais dos Estados Unidos.

Hoje sabemos surpreendente muito sobre como eles fizeram isso, graças a um projeto de documentação conduzido por trinta anos por uma mulher incrível chamada Clelia Duel Mosher, que só recentemente foi exumado e analisado por pesquisadores. Mosher nasceu em 1863. Como toda boa moça vitoriana, ouviu o conselho de seu pai, que cuidava de um pequeno negócio de plantas, e foi morar em casa depois da escola secundária. Ela ficou lá até juntar dinheiro suficiente para ir para a faculdade de medicina. Ela estudou em Wellesley, Wisconsin e Stanford, onde se formou e obteve mestrado em biologia, antes de obter o diploma de medicina na Johns Hopkins. Mais tarde, passou vários anos no corpo docente de Stanford, com um interesse especial na área da saúde da mulher. O interessante aqui é seu registro detalhado de práticas reprodutivas e contraceptivas entre as mulheres educadas de sua própria idade (nascidas entre 1860 e 1870). Todas as pessoas que responderam tinham terminado a escola secundária, a maioria tinha ido para a faculdade e todas eram casadas com homens bem-educados.

As respostas muito francas às questões de Mosher mostram que praticamente todas essas mulheres administravam de forma consciente o tamanho de suas famílias por meio de práticas de contracepção e pelo limite da frequência coital. Comparadas com as mulheres com nível universitário da mesma idade no relatório Kinsey de 1955, praticavam sexo com cerca de metade da frequência – cerca de uma vez por semana em comparação a quase duas vezes na amostragem de Kinsey, apesar de muito poucas recorrerem à abstinência. Elas usavam uma variedade de métodos contraceptivos. Em cerca de um terço dos casos, a contracepção dirigia-se principalmente ao homem – camisinhas e/ou coito interrompido, que eram igualmente pouco eficientes, considerando a qualidade duvidosa dos preservativos da época. O restante confiava em técnicas dirigidas à mulher, sobretudo lavagens e controle dos períodos de fertilidade. (Apesar de os médicos ainda não compreenderem os ciclos de ovulação, modelos estatísticos sugerem que o controle dos períodos de fertilidade combinado com a mencionada frequência coital deve ter sido tão eficiente quanto qualquer outra técnica disponível.) Algumas experimentavam novos produtos, como tampões cervicais; o diafragma só surgiu no século XX. Mosher não perguntou sobre aborto, mas há sugestões de que os índices de aborto nesse grupo eram bastante baixos.

Os dados de Mosher tanto confirmam velhas expectativas quanto apresentam várias surpresas. Os números sustentam a pressuposição tradicional de que a redução na fertilidade entre as mulheres de classe média foi uma estratégia econômica consciente. E considerando a disciplina conjugal exercida por esses casais, é razoável supor que a moderação pública vitoriana em assuntos sexuais tenha evoluído para reforçar uma política de "amor cuidadoso". Mas as mulheres de Mosher confiavam muito menos na abstinência e muito mais em técnicas artificiais do que muitos historiadores imaginavam – e isso muito antes de Margaret Sanger, pioneira da aceitação do controle de natalidade. A aparente baixa taxa de aborto, se a suposição está correta, também contraria as expectativas dos historiadores. Um dado final interessante: quando as mulheres de Mosher chegavam à menopausa, faziam sexo praticamente com a mesma frequência da amostragem de Kinsey e quase com a mesma frequência que em seus primeiros anos de casamento, sugerindo mais uma vez que a baixa frequência coital nos primeiros anos era mais uma estratégia adaptativa que uma consequência do puritanismo generalizado.

Em uma sociedade oficialmente puritana, o caricaturalmente erótico vestido de cintura fina e anquinhas que era padrão das mulheres de classe média é especialmente estranho; pode ter sido uma estratégia infantilizadora, um último bastião de resistência à crescente independência feminina. Mas o controle exercido pelas mulheres dentro dos limites da vida familiar, como consumidoras, gerentes de estilo de vida e parceiras sexuais, já estava se transmutando em posições públicas muito mais relevantes, em causas como o voto feminino, o controle de natalidade e a abstinência de álcool. No início do século XX, essa energia desembocaria em uma agenda de reformas muito mais ampla e em geral comandada por mulheres.

Recentemente, um estudioso escreveu sobre a China moderna: "À medida... que mais e mais chineses conquistam o acesso aos luxos da vida, a economia doméstica chinesa se torna por si só um poderoso motor de crescimento". Os Estados Unidos do século XIX foram os pioneiros desse ciclo virtuoso de crescimento impulsionado pelo consumo e apresentavam aos industrialistas e financistas uma ordem inteiramente nova de demandas – alcançar escalas cada vez maiores, mas com uma variedade muito maior de produtos e padrões mais altos de precisão. O desafio técnico estava além da capacidade da maioria dos empresários e administradores. Para lidar com ele, as empresas tinham de formar novos tipos de organização administrativa e técnica. Ou seja: a era do consumidor não poderia existir a menos que concomitante à era da corporação.

7. Tigres de papel

Provavelmente não foi culpa da vaca da sra. O'Leary, mas não há dúvida que a cidade demorou demais para reagir. Quando o primeiro grupo de bombeiros chegou ao incêndio no celeiro de Patrick O'Leary nos cortiços da zona sul de Chicago em uma noite de muito vento em outubro de 1871, pelo menos cinco prédios já estavam em chamas, e o fogo estava fora de controle. Levou dois dias para que o *Chicago Tribune* publicasse a reportagem sobre o acontecimento, pois seu próprio prédio "à prova de fogo" se perdeu no sinistro. Foi um "verdadeiro mar de chamas que se erguiam no ar. ...Nenhum obstáculo parecia capaz de deter o avanço do fogo. As paredes de pedra desmoronavam diante dele, que alcançou os telhados mais altos e varreu da terra tudo o que era combustível."

Chicago era uma das cidades que cresciam mais rápido no país, com um governo local notoriamente corrupto. Ninguém tinha dado muita atenção ao zoneamento urbano ou a regras para proteção e combate a incêndios, ou mesmo assegurara um fornecimento de água razoável para seus bombeiros. A maioria de suas construções era de madeira, e as estruturas de alvenaria também não eram à prova de fogo – em suma: a cidade era um barril de pólvora. O "Grande Incêndio" queimou cerca de mil hectares de terra de primeira; milhares de construções se perderam, ou cerca de um terço do número estimado de toda a cidade. Cem mil pessoas perderam suas casas.

A boa notícia era que a cidade tinha de ser reconstruída. Chicago tornou-se o local da mais espetacular e duradoura explosão de desenvolvimento arquitetônico na história do país. Especialmente nos anos 1880 e 1890, a Chicago School of Urban Architecture – seu grande expoente foi Louis Sullivan – foi pioneira em projetos limpos, de vidro e estrutura de aço, com vários andares e elevadores, com um mínimo de ornamentação, bem-iluminados, com espaços interiores abertos e áreas e elevadores de serviço separados. Como disse um importante arquiteto de Chicago:

> Tendo em mente que nosso prédio é um prédio comercial, devemos compreender tudo o que isso significa... Esses prédios, que se erguem em meio à correria de milhares de homens apressados... devem representar as ideias da vida moderna – simplicidade, estabilidade, amplitude, dignidade. ...As exigências comerciais e de construção são tão imperativas que todos os detalhes arquitetônicos usados para expressá-las devem ser modificados por

elas. Sob essas condições, somos levados a... nos imbuir de toda a alma da época, para que possamos dar à sua arquitetura verdadeiras formas de arte.

Os desafios técnicos superados pela escola de Chicago e o desenvolvimento de uma estética da funcionalidade são por si só histórias fascinantes. Mas, para nós, a questão interessante é: por que as empresas de repente começaram a comprar grandes prédios comerciais? Ou mais exatamente, por que equipes *white-collar* começaram a crescer com tanta rapidez que o gerenciamento de papel – formulários e livros-caixa, pastas, sistemas de arquivamento, máquinas de contabilidade, máquinas de escrever e papel carbono, gráficos e tabelas comerciais – tornou-se por si só uma indústria importante nos anos 1890?

A conquista dos escriturários

Os economistas dizem que as maiores empresas precisam de trabalho de escritório como substituto para mercados internos. É um bom argumento. Nos tempos de Lincoln, um fabricante de machados comprava madeira e aço semiacabados e vendia o produto final para atacadistas. Enquanto houvesse vários fornecedores e distribuidores, ele tinha uma razoável certeza de conseguir preços justos nos dois extremos. Mas a vida era muito diferente para uma Carnegie Steel. Nos anos 1880 e 1890, ela fornecia seu próprio coque e minério de ferro, seu próprio ferro-gusa, e detinha grande parte de suas instalações de transportes por trilhos ou pelos lagos, além de manter sua própria força de venda. Em consequência disso, como computar os lucros com o aço? Primeiro era necessário somar os custos do coque, do minério, do transporte e todo o resto. Mas na ausência de faturas normais de fornecedores externos, era necessário um cuidadoso registro interno de custos, o que exigia um exército cada vez maior de escriturários.* As operações da Standard Oil eram espalhadas por lugares ainda mais distantes e eram ainda mais integradas, enquanto as grandes ferrovias abrigavam uma grande diversidade de negócios, como suas próprias minas de carvão, florestas para a extração de madeira e operações imobiliárias. Não é surpresa que todas essas empresas prestassem muita atenção ao registro de custos desde seus primeiros dias.

Mas as explicações dos economistas passam ao largo das texturas cotidianas dos negócios. Em escalas maiores e velocidades mais altas, os pequenos detalhes se tornavam ainda mais cruciais. Ninguém entendia isso melhor que Alexander Holley, o guru da siderurgia americana. Até sua morte em 1882, ele era um

---

* Hoje chamamos isso de "precificação de transferência" (*transfer pricing*). É uma das mais acirradas arenas de batalha dentro das companhias, já que não há uma maneira "certa" de alocar custo e receita, e pequenas alterações podem afetar muito os bônus dos executivos. (N.A.)

maremoto de um homem só de sugestões de produtividade. Em seus relatórios para a Bessemer Association e discursos para sociedades profissionais, repreendia seus clientes por seu atraso. Tecnologia de máquinas a vapor de melhor prática podiam ter economizado o equivalente a um quarto dos custos de mão de obra na maioria das fábricas. Altos-fornos ineficientes estavam desperdiçando por oxidação grandes quantidades de metal. Os alemães estavam passando à frente no uso de correias de transporte elevadas. Era um desperdício absurdo manter 119 padrões de formatos de trilho. O melhor gerenciamento dos revestimentos dos fornos, o reprocessamento mais inteligente de sucata e a aplicação mais agressiva do processo contínuo representavam alto custo e grandes oportunidades. Era impossível discutir com Holley: ele era tido por muitos como o melhor engenheiro siderúrgico do país, estava frequentemente viajando pelo mundo em busca de práticas melhores e podia documentar muito bem suas recomendações. O objetivo de todo o seu trabalho era forçar produtores de aço a abandonar suas antigas operações com base em regras práticas em troca de um gerenciamento com base em análise.

Duas crises relacionadas na indústria do aço no fim dos anos 1880 poderiam ser verdadeiras lições do catecismo de Holley. A primeira envolveu uma mudança para padrões de trilho mais pesados. O peso das locomotivas e dos vagões de carga padrão e a intensidade do tráfego tinham praticamente dobrado. Isso sobrecarregava os trilhos, e sua vida útil caiu muito. As ferrovias responderam com o aumento das especificações dos trilhos de 50 (22,68 kg) a 60 libras (27,21 kg) por jarda (0,91m) para 84 (38,10 kg) a 100 libras (45,36 kg). Mas os trilhos novos grandes tinham uma ficha de serviço terrível, trazendo à tona memórias dos problemas com trilhos de ferro de vinte anos antes. A segunda crise estava relacionada com o aço de estruturas. Com sua larga experiência na construção de pontes, as empresas de Carnegie dominavam o aço de estrutura nos anos 1880, especialmente em Chicago. Eles não só faziam as maiores e mais resistentes vigas, como produziam a bíblia dos projetos da indústria, o "Manual" Carnegie, que incluía seções com padrões da indústria – detalhes de juntas, soldas e outros segmentos críticos –, assim como fórmulas sofisticadas para calcular vigas de metal e relação de capacidade de carga. Entretanto, em 1890, uma grande viga da Carnegie para um prédio importante de Chicago se espatifou quando caiu do vagão no qual era transportada, causando enorme consternação na indústria.

Levou quase até o fim do século para chegar à conclusão de que os dois problemas vinham dos métodos de produção no limite da capacidade das usinas Bessemer americanas. A pista é que não havia problemas de desempenho com trilhos ou vigas feitos de aço de forno aberto, que estava apenas começando a fazer sua invasão nos anos 1880. Revelou-se que a diferença é que o aço de forno aberto era produzido de forma mais lenta. Aço de alta durabilidade exige não apenas a química certa, mas também estruturas moleculares sólidas e finas. A laminação (ou a martelagem) força a reestruturação molecular, mas isso ocorre em saltos e depende da temperatura – quanto mais frio o trilho ou a viga, melhor. Como os componentes mais pesados do aço levavam mais tempo para esfriar, precisavam ser laminados ou modelados mais lentamente: em suma, métodos de produção no limite da capacidade em modernos componentes de escala maior resultavam em um produto cheio de problemas. (Holley há muito tinha avisado sobre trabalhar o aço a temperaturas excessivamente altas.)

Foi um golpe muito duro para Carnegie, que tinha sido um dos principais defensores dos métodos *hard-driving* e que tinha resistido à invasão gradual do forno aberto. Por isso, Carnegie de repente se viu sem ação e sem rumo, à medida que a indústria de estruturas se afastou em massa do aço Bessemer. Quando percebeu seu erro, entretanto, ele agiu com a velocidade habitual, e em meados dos anos 1890 as usinas Homestead tinham sido quase inteiramente convertidas a forno aberto, tanto para o mercado de chapas de blindagem quanto para o de estruturas. O mercado de trilhos levou outra década para fazer essa mudança.

As iniciativas de Holley e os problemas preocupantes nos trilhos e no aço estrutural eram característicos dos novos desafios encarados por todas as empresas na mudança para os modos modernos de produção. Manter-se atualizado inevitavelmente envolvia várias novas categorias de trabalho. A Pennsylvania pode ter sido a primeira a se mover, com a contratação de Charles Dudley, um Ph.D. em química, para organizar um laboratório de teste e pesquisa em 1870. Em pouco tempo as empresas siderúrgicas começaram a contratar químicos. Nos anos 1890, agregaram também físicos para analisar a estrutura molecular das vigas. Em meados dos anos 1880, a Standard Oil tinha montado um laboratório de petróleo completo; seu negócio de lubrificantes, por exemplo, tinha se expandido por dúzias de diferentes linhas, com base em uma pesquisa de mercado sobre aplicações-alvo e suas prováveis condições de desempenho – resistência ao calor ou ao frio, uso em interiores ou ao ar livre, as velocidades, presença de agentes contaminantes. Os laboratórios das ferrovias desenvolveram especificações e protocolos de análise e realizaram testes rigorosos de modalidades de falhas de componentes para ter o controle sobre seus fornecedores. As companhias começaram a manter históricos dos fornecedores e registros de desempenho de produto. Os comitês da indústria se espalharam às dezenas e serviam como fóruns multiempresariais para solucionar questões técnicas e desenvolver formatos-padrão de trilho, convenções de freio e sinalização, fórmulas de carga estrutural, medidas de segurança e muito mais. Os manuais de operação ficaram mais volumosos, assim como documentos de propostas de fornecimento e o material contratual. A autoridade sobre os fretes ferroviários estava mudando dos principais executivos para agências regionais de fretamento, cujo estoque disponível era informação detalhada sobre tendências locais de negócios, demanda de tráfego e inventário de vagões e equipamento.

O casamento consciente entre a pesquisa acadêmica e a prática industrial provocou um *miniboom* nas organizações profissionais. Entre 1870 e 1900, havia mais de 245 sociedades profissionais nos Estados Unidos – de químicos, engenheiros, metalúrgicos, advogados, médicos, economistas, entre outros com o objetivo de melhorar os padrões e a qualificação profissionais, assegurar a disseminação da pesquisa acadêmica mais recente e influenciar o governo e a política industrial. A crescente "matriz institucional" de uma indústria com base na ciência era alimentada pelo impressionante investimento americano em educação superior, incluindo a grande rede de faculdades criadas por meio das concessões de terra do Morrill Act de 1862. O número de universitários cresceu de 52,3 mil em 1870 para 237 mil em 1900, e o número de pós-graduandos subiu de menos de 50 para cerca de 6 mil. A qualidade, é claro, era muito irregular, mas nenhum país europeu chegava sequer perto de igualar essa amplitude de oportunidade. Os Estados Unidos também eram um recrutador agressivo de "astros" da ciência de universidades alemãs, e os alemães tiveram um papel importante na criação de laboratórios de pesquisa industrial na General Electric e na AT&T em 1900. Em geral, o efeito costumava ser de maior sistematização no desenvolvimento de produtos e processos, aplicação cada vez mais intensiva de padrões e melhor previsibilidade das operações – em uma palavra, burocratização em seu sentido mais pleno.

Ao mesmo tempo, as complexidades das finanças corporativas cresciam a passo acelerado. Por muito tempo, as ferrovias foram praticamente o único negócio a levantar capital em mercados semipúblicos. Uma nova linha férrea, sobretudo no Oeste, tinha de investir milhões em trilhos e carros antes de ganhar um centavo. Em contraste, quando Rockefeller entrou no refino de petróleo, ele e alguns amigos podiam arcar com os custos sozinhos e começar a operar e a lucrar em alguns meses. Quase todo seu crescimento a partir desse ponto foi financiado internamente. (Rockefeller tomava empréstimos bancários de modo agressivo, mas eram em sua maioria empréstimos de fluxo de caixa rapidamente pagos, não aplicações de capital de longo prazo.) As pontes e minas de carvão costumavam ser financiadas por meio de títulos, mas os investidores as tratavam, com certa razão, como financiamento das ferrovias. Carnegie vendeu títulos por meio de Junius Morgan para financiar a usina Edgar Thomson, mas isso foi uma exceção, provocada por sua situação delicada devido ao *crash* de 1873. Na maior parte das vezes, Carnegie preservava sua independência de bancos de investimentos e mercados de ações tão apreensivo quanto Rockefeller.

Entretanto, nos anos 1880, Wall Street começou a construir um mercado de "empresas industriais", basicamente ações em negócios que não fossem ferrovias ou bancos. Ao mesmo tempo em que ofereciam maior flexibilidade de financiamento para as grandes companhias, as bolsas multiplicaram as exigências de registros e correspondência. Por ironia, a mais autofocada de todas as compa-

À medida que as empresas corporativas cresciam em escala, o trabalho de escritório tornava-se por si só uma grande indústria. A expansão rápida desse tipo de trabalho abriu novas possibilidades de carreira para mulheres. Na foto, um escritório de empresa seguradora em meados dos anos 1890.

nhias, a Standard Oil, foi uma das primeiras responsáveis pelo ímpeto por ações de empresas industriais.

A regulamentação dos negócios era território dos estados americanos. Em geral, as corporações não podiam ter ações de outras corporações, e normalmente havia restrições pesadas a corporações de fora do estado. A tomada de Cleveland por Rockefeller foi finalizada com a fusão das aquisições criando a Standard Oil, uma empresa de Ohio. Mas o status jurídico da ampla gama de aquisições nos anos 1870 era cada vez mais anômalo. A questão chegou a um ponto crítico quando John Archbold se juntou à Standard e liderou as aquisições das refinarias da região petrolífera em 1879 e 1880. Rockefeller não conseguiu aprovar uma lei na legislatura da Pensilvânia que teria permitido que ele reorganizasse e consolidasse os diferentes ativos. (Lembranças da South Improvement Company ainda faziam dele *persona non grata* no estado. Essa situação não durou: cerca de uma década mais tarde, brincava-se que Rockefeller tinha "feito de tudo com a legislatura da Pensilvânia, menos refiná-la".)

A solução foi o "Standard Oil Trust", invenção de Samuel C.T. Dodd, um importante advogado da região, que entrou para a Standard mais ou menos na mesma época que Archbold e se tornaria por muitos anos seu conselheiro geral. A estrutura do truste de Dodd tornou-se técnica-padrão para grandes combinações por toda a década de 1880, até se tornar desnecessária com o Holding Company Act de Nova Jersey de 1890, que permitia especificamente estruturas corporativas de muitos níveis e muitos estados. Nessa época, o termo "truste" tinha se tornado sinônimo de qualquer grande combinação empresarial, independentemente de sua forma legal.

A criação de Dodd era tão simples quanto inteligente. As ações de todas as empresas que constituíam a Standard, que chegaram a 39, foram postas nas mãos de um conselho de curadores em troca de certificados do truste. Em teoria, a única função legal dos curadores, como observou uma comissão do Congresso em 1889, era "o recebimento dos dividendos declarados pelas várias empresas e a distribuição do seu total aos titulares dos certificados do truste, *pro rata*". O truste nem mesmo tinha propriedades: o prédio da Standard Oil em Nova York onde os curadores trabalhavam pertencia à Standard de New York. A razão para esse elaborado subterfúgio, nas palavras da comissão, era proteger "os trustes e seus participantes de qualquer acusação de burlar as leis de conspiração dos vários estados, ou de ser uma combinação para regular ou controlar o preço ou a produção de qualquer commodity". Manter a ficção exigia mentiras deslavadas, como quando Henry Flagler insistiu em afirmar à comissão que o papel dos curadores era "apenas de aconselhamento. Sem usar qualquer tipo de poder", e afirmou nunca ter ouvido falar de um sistema de divisão de mercado de vários estados que tinha obviamente sido criado na matriz. A charada terminou em 1892, quando foi incorporada como uma *holding* de Nova Jersey com ações da Standard de Nova Jersey.

Uma consequência não intencional do formato do truste era que todas as empresas que formavam a controladora deviam emitir ações como denominador comum para os papéis da empresa administradora. Apesar de a reorganização da Standard não ter envolvido qualquer capital novo – os acionistas simplesmente trocaram uma forma de título por outra – seus imitadores, como o Cotton Oil Trust, o Linseed Oil Trust, o Lead Smelting Trust, o Whiskey Trust*, entre outros, normalmente precisavam de dinheiro e emitiam grandes quantidades de novas ações. Deu-se o mesmo com uma série posterior de combinações que não eram trustes na indústria siderúrgica, como a American Steel and Wire, a American Tin Plate e a National Tube.**

A reputação das ações de empresas industriais foi muito valorizada por seu desempenho durante o *crash* de 1893 – pelo menos eles se saíram muito melhor que as ferrovias, que mais uma vez tinham crescido além da demanda. Depois

---

* Óleo de algodão, óleo de linhaça, fundição de chumbo e uísque. (N.T.)
** Aço e arame, folha de flandres e tubulações. (N.T.)

do *boom* de fusões entre empresas industriais nos primeiros anos do século XX, suas ações alcançaram mais ou menos a mesma presença de mercado que as ferrovias. A criação do Índice Industrial Dow Jones e do Manual Industrial de John Moody em 1900 foram marcos de sua crescente importância. A carteira pessoal de Rockefeller em 1896, para dar um exemplo, tinha cerca de 30% em ações de empresas industriais, excluindo suas ações nas áreas de petróleo e gás, enquanto o resto de seus papéis era de ferrovias e linhas de barco a vapor. A proliferação do formato corporativo e o crescimento e distribuição cada vez maior de ações de corporações multiplicaram muito as exigências de papelada – de relatórios anuais, contabilidade multiempresarial de relatórios financeiros e todos os sistemas de acompanhamento interno para assegurá-los. Considerando a insuficiência dos auxílios mecânicos, o tamanho e a sofisticação dos sistemas financeiros em uma empresa como a Carnegie Steel da virada do século são muito impressionantes. Os sistemas de controle de custos do alto-forno, por exemplo, listavam cerca de 8 mil itens. Os superintendentes dos altos-fornos se encontravam todos os meses para avaliar resultados e sugerir melhorias. A companhia calculou que o sistema economizou US$ 4 milhões em seu primeiro ano de vigência.

Por fim, uma última consequência da mudança para empresas maiores e mais burocratizadas foi a reestruturação radical da relação entre trabalhadores e chefes.

Organizações trabalhistas tinham longa história nos Estados Unidos, e paralisações por salários e jornadas de trabalho eram comuns; mas antes dos anos 1870, os sindicatos costumavam ser locais e com base em um ofício: se os chapeleiros de Nova York resolvessem fazer uma greve, provavelmente não estariam coordenados com seus irmãos da Filadélfia ou de Boston. No modo artesanal de produção que predominava antes da Guerra Civil, além disso, os proprietários gerentes das fábricas normalmente eram profissionais dos mesmos ofícios que seus empregados, e a maioria dos estabelecimentos era pequena o suficiente para criar um espírito de empreendimento comunitário. Investigadores britânicos nos anos 1850 ficaram particularmente impressionados com esse detalhe. Mesmo em fábricas grandes, o modo artesanal sobreviveu aos anos 1880 graças a um sistema de contratação interno: várias operações eram subcontratadas, com base em salário-tarefa, junto a especialistas locais, que forneciam seu próprio equipamento e artesãos e recebiam seu próprio espaço no chão de fábrica.

A consolidação e o aumento proporcional do negócio do processo contínuo de produção no estilo Holley nos anos 1870 e 1880 – além de no ferro e no aço, no petróleo, em produtos químicos, farinha e carne – eliminaram muitas categorias tradicionais de trabalho. Especialistas em história do trabalho às vezes falam da "desqualificação" da manufatura, o que não é totalmente exato. Era necessário muito tempo de trabalho e experiência para ser um operador sênior em uma usina de laminação de alta velocidade, e normalmente as tarefas eliminadas eram as mais perigosas e exaustivas, como derramar manualmente aço derretido em moldes de lingote. Uma equipe britânica em visita nos anos 1880 comentou que os trabalhadores siderúrgicos americanos "têm de ser atentos no controle das operações e rápidos no acionamento de alavancas... [mas eles] não trabalham tão duro quanto os homens na Inglaterra". Mas mesmo que o trabalho fosse mais fácil, o modelo do novo processo resultava em grande perda de poder para os artesãos estabelecidos. As habilidades exigidas na fábrica moderna foram inventadas e controladas pelo empregador, e não eram necessários anos de aprendizado para serem adquiridas. Os mesmos visitantes ficaram impressionados com os períodos curtos de treinamento exigido para mãos não qualificadas nas usinas americanas; um dos executivos de Carnegie afirmava poder transformar um garoto do campo em fundidor, antes uma das posições mais qualificadas, em um período de seis a oito semanas. Operações integradas também eliminaram os grandes vestígios de contratação interna. Agora, os trabalhadores em linha simplesmente trabalhavam apenas para outros empregados, aumentando sua distância psicológica dos gerentes principais. Um especialista em história do trabalho resumiu a transição como uma transição "de artesãos para operários".

O novo modelo de fábrica provocou os primeiros movimentos na direção dos sindicatos industriais; um "operário em usina siderúrgica" tornou-se uma categoria mais importante que "pudlador de ferro", então não fazia sentido fragmentar o trabalho de acordo com as antigas linhas com base em ofícios. O crescimento explosivo dos Cavaleiros do Trabalho nos anos 1870 foi uma das primeiras expressões desse movimento, mas os cavaleiros acabaram após a explosão de uma bomba na Hay Market Square em 1886, vítimas de pesada repressão e de sua própria desorganização. (A Haymarket Square, em Chicago, foi cenário de uma manifestação trabalhista após um confronto violento na McCormick Reaper. O responsável pela bomba nunca foi encontrado, mas mais provavelmente foi um anarquista – eles eram muito atuantes em Chicago – que um Cavaleiro, apesar de ambos os grupos estarem envolvidos na organização da manifestação. Sete policiais foram mortos, apenas um deles pela bomba, o resto vítima de tiros, que podem ter sido disparados principalmente por eles mesmos.)

Os trabalhadores do Amalgamated Iron and Steel formavam um dos sindicatos industriais mais fortes surgidos após a debacle dos Cavaleiros do Trabalho, apesar de, oficialmente, ainda representar apenas profissionais qualificados. O confronto entre o Amalgamated e a Carnegie Steel na Usina Homestead em 1892 não é apenas uma mancha permanente na história das relações trabalhistas americanas – as mortes podem ter chegado a 35. É uma marca desfigurante na personalidade e na reputação de Andrew Carnegie. Vista à distância, a intervenção do governo contra os grevistas de Homestead, e dois anos mais tarde durante a famosa greve da Pullman perto de Chicago, foi tão rápida, decidida e esmagadora que desmontou o movimento sindical industrial. Depois de

Homestead e da Pullman, um movimento trabalhista intimidado recuou para a estratégia cautelosa e as táticas com base em ofício da American Federation of Labor (AFL) de Samuel Gompers – até John L. Lewis reacender a causa ao liderar a saída de seus mineiros da AFL em 1935.

Homestead

Questões trabalhistas criavam conflitos terríveis para Carnegie. Ele ansiava pela adulação pública e não resistia a uma plateia, mesmo quando isso o expunha a acusações de hipocrisia descarada. Desde o início dos anos 1880, ele começara a passar metade de cada ano na Inglaterra e na Escócia, onde, alardeando suas raízes chartistas* escocesas, comprou alguns jornais radicais e contribuiu com generosidade para causas radicais ("radicais" eram, grosso modo, o equivalente dos modernos "liberais"). Quando começou a publicar ensaios que defendiam amplamente os direitos do trabalho contra seus executivos incivilizados, reformadores gladstonianos** praticamente o canonizaram como o protótipo do capitalista esclarecido moderno. E, na verdade, como eles poderiam ter resistido a um magnata angelical e de bolsa aberta que soltava suas máximas reformistas com elegância? Eis uma amostra das pregações de Carnegie:

> Acredito convictamente nas vantagens dos sindicatos profissionais e nas organizações de trabalhadores em geral, pois creio que elas são os melhores instrumentos educativos a nosso alcance.
>
> Esperamos muito mais da parte presumivelmente mais bem informada que representa o capital do que do trabalho; e não é pedir demais... que eles dediquem parte de sua atenção a descobrir as causas de desafetos entre seus empregados.
>
> Esperar que uma pessoa que dependa de seu salário diário... fique tranquila ao ver outro homem ocupando seu lugar é esperar demais. ...É melhor que o empregador tolere um pouco de preguiça de seus trabalhadores ...do que empregar o tipo de homem que pode ser induzido a tomar o lugar de outros homens. ...Há uma lei não escrita entre os melhores trabalhadores: "Não tomarás o emprego do próximo".

---

* Movimento que, em meados do século XVIII, defendia no Reino Unido os direitos das pessoas comuns. Para alguns, radicais perigosos; para outros, pioneiros da democracia. (N.T.)
** O liberalismo gladstoniano é uma doutrina política, batizada em homenagem ao primeiro-ministro britânico William Ewart Gladstone, que consistia em redução de impostos, rígido controle dos gastos públicos e ênfase no livre-comércio. (N.T.)

As características mais deploráveis da tragédia de Homestead – o empenho em reduzir salários apesar dos lucros crescentes, a insistência em acabar com o sindicato, o uso de seguranças da Pinkerton para proteger os fura-greves – normalmente são consideradas responsabilidade do principal executivo da empresa, Henry Frick. Enquanto em público apoiava Frick, em particular Carnegie sempre jogava a culpa sobre seu sócio "mais jovem e um tanto precipitado". Todos os aspectos do episódio de Homestead, entretanto, eram consistentes com as políticas anteriores de Carnegie. Ele costumava se concentrar na redução de salários, e apenas o capitão Jones resistia a ele: "Não gosto da [perspectiva] de uma redução salarial". Jones escreveu a ele em 1878 que "nossos homens estão trabalhando com afinco e dedicação... preste atenção no que vou dizer a você. Nossa mão de obra é a mais barata do país." E em 1884: "Não podemos reduzir o pagamento dos mecânicos em mais de 10%. No momento não estamos pagando a eles um salário extravagante".

A principal vitória de Jones foram os três turnos de oito horas por dia com o argumento de que estava "totalmente fora de questão esperar que seres humanos de carne e osso trabalhassem sem parar por doze horas". Ele também argumentava que o aumento na produtividade mais que cobriria os custos adicionais. Sob a direção de Jones, a usina Edgar Thomson era a única fábrica com três turnos do país*, e, apesar de também ser a mais eficiente e lucrativa como ele prometera, Carnegie odiava a ideia de que outras empresas pudessem ter menores custos trabalhistas. A aquisição da Homestead em 1883, uma fábrica de dois turnos, além de trazer uma força de trabalho rebelde, criou perfis de gerenciamento de pessoal conflituosos dentro do império de Carnegie. Em 1888, o período de suas declarações pró-sindicato mais notórias, Carnegie estabeleceu que a ET iria funcionar em turnos de doze horas. Os operários da ET entraram em greve, e Carnegie fechou a fábrica. Ele se encontrou pessoalmente com os líderes da greve e achou que tinha chegado a um acordo. Quando este desmoronou, Jones recebeu ordens de contratar agentes da Pinkerton e reabrir a fábrica com fura-greves, enquanto Carnegie se refugiou em Atlantic City. Apesar de pouca repercussão externa, o confronto durou quase cinco meses apenas com as "desordens de hábito" e "pequena

---

* Os dois sistemas (de dois e três turnos) funcionavam com semanas de sete dias. Nas fábricas de Carnegie, o Natal era o único dia livre normalmente previsto. Na prática, os homens tinham tempo livre quando as encomendas caíam ou as fábricas eram reformadas (o que em geral levava uma semana ou mais em janeiro), mas esses períodos funcionavam como dispensas temporárias, então os homens não recebiam. Não havia qualquer benefício no sentido moderno, apesar de Jones ter implantado um sistema para ajudar os operários a financiar casas construídas pela empresa com taxas favoráveis. Por fim, todas as fábricas pareciam ter uma mistura de duração de turnos. Os homens que faziam o trabalho mais duro, do tipo que era mais frequentemente mecanizado, podiam cumprir turnos mais curtos; e mesmo nos dias de três turnos na ET, um homem que na verdade apenas puxasse alavancas provavelmente seria colocado em um sistema de dois turnos. (N.A.)

perda de vidas". Houve mais violência na ET em 1891 (a morte de Jones em um acidente com um alto-forno ocorreu em 1889), mas a empresa usou seus próprios homens armados, investidos de autoridade pelo xerife local, em vez de homens da Pinkerton. Pelo menos um trabalhador foi morto nos conflitos, aparentemente por outros trabalhadores.

Frick estava se tornando um bode expiatório conveniente e tentador para a Homestead. Quatorze anos mais jovem que Carnegie, com apenas vinte e poucos anos ele tinha transformado sua H.C. Frick Co. na principal fornecedora de coque para a produção de ferro-gusa; aos trinta estava milionário. Apesar de poder ser muito sedutor, ninguém dizia que ele era amável. Muito respeitado como excelente administrador, era taciturno, de uma severidade intensa e sujeito a ataques explosivos – ele não escondia sua antipatia pelos trabalhadores organizados. Carnegie era admirador da empresa de coque, e Frick, que tinha fome de capital para crescer, o encorajou a investir até o ponto em que Carnegie e suas empresas possuíam uma posição majoritária. Carnegie recrutou Frick para o negócio do aço depois da morte de seu irmão Tom, e de sua própria doença séria, em 1886, e Frick se tornou presidente da Edgar Thomson em 1889. Incitado por Frick, em 1892 Carnegie fez a fusão de todos os seus ativos siderúrgicos em uma nova companhia, a Carnegie Steel, a maior organização siderúrgica no mundo, com Frick como presidente e presidente do conselho. A relação entre eles nunca foi fácil. Com a grande exceção de Jones, Carnegie não era tolerante com executivos independentes; apesar de ser nominalmente apenas um acionista e "conselheiro", ele insistia em ser informado sobre tudo, sempre passava por cima dos homens supostamente no comando, e podia ser muito condescendente ao fazer isso.* Como disse John W. Gates, outro executivo da indústria siderúrgica: "Ninguém nas organizações Carnegie controlava o sr. Carnegie, mas ele controlava todos os homens".

Não há muita dúvida sobre fatos básicos da greve da Homestead. Na época da greve, era a única fábrica sindicalizada de Carnegie, no sentido de que em 1889 o Amalgamated, para grande irritação de Carnegie, tinha conseguido se estabelecer como único agente de negociação para os cerca de oitocentos operários nas categorias qualificadas. O Amalgamated, entretanto, tinha uma visão esclarecida do progresso tecnológico, aceitando expressamente que os pagamentos feitos com base na tonelagem produzida iriam cair com o aumento da produtividade e que a mecanização iria gradualmente eliminar categorias de trabalho tradicionais.

---

* Em um telegrama longo e cheio de queixas para Frick em que listava as deficiências deste, Carnegie deu a seguinte instrução: "Favor ler para os gerentes". Ele também tinha o hábito de misturar suas instruções com notas leves sobre suas viagens: "Mas boa noite. Amanhã viajo para Veneza". Ou: "Mensagem de 19 recebida ao retornar da viagem de barco", como se para sublinhar as diferenças entre sua posição e a do workaholic Frick. (N.A.)

(Os executivos da indústria siderúrgica britânica teriam achado essa flexibilidade extraordinária.) Entretanto, os executivos de Carnegie detestavam fazer das classificações profissionais uma questão de discussão sindical, já que os acordos costumavam se transformar em precedentes obrigatórios e regras práticas.

O sindicato não esperava um confronto sério em 1892; a única negociação prevista era um reajuste salarial bastante rotineiro. Por outro lado, tanto Carnegie quanto Frick estavam decididos a acabar com aquilo; como disse um diretor, o "Amalgamated impôs um imposto sobre o progresso; portanto, o Amalgamated tinha de ser eliminado". Em determinado ponto, Carnegie chegou a rascunhar um pronunciamento em que retirava o reconhecimento do sindicato, mas Frick preferiu primeiro chegar a um impasse na negociação e deu início a preparações ativas para uma longa greve, estocando suprimentos, reforçando as cercas da fábrica e formando um grande estoque de produtos de alta margem de lucro.

Uma questão-chave na avaliação do que ocorreu em Homestead é a atitude de Carnegie em relação ao uso de fura-greves, que em particular ele insistia em afirmar ser "uma tolice... repugnante para todos os sentimentos de minha natureza". Antes de partir para a Escócia, Carnegie se encontrou com Frick em Nova York e entregou a ele um memorando no qual reafirmava sua posição pública contra o uso de fura-greves. É difícil interpretar esse memorando, sobretudo porque o próprio Carnegie tinha usado fura-greves na ET não muito tempo antes. Talvez ele já tivesse reprimido essa memória, como era absolutamente capaz de fazer, ou pode ter se arrependido da atitude. Mas o uso de um memorando escrito em uma discussão particular no lugar de uma apresentação oral enérgica faz parecer que ele estava falando aquilo *pro forma*. É possível que Carnegie tenha achado que uma declaração por escrito seria um freio saudável aos impulsos antitrabalhadores de Frick. É mais provável, porém, que estivesse criando uma trilha de documentos para a posteridade. Como os dois homens já tinham mantido "longas conversas sérias" sobre uma possível greve, é difícil acreditar que o tema dos fura-greves não tivesse sido abordado. Seria típico de Carnegie expressar reservas sobre os fura-greves, mas deixar Frick com liberdade para agir, enquanto ao mesmo tempo limpava os registros caso as coisas saíssem errado. Frick não teria se importado muito, pois estava muito satisfeito com a partida de Carnegie. Quando Frick ainda administrava sua própria empresa de coque, Carnegie, como acionista majoritário, forçou um acordo favorável aos trabalhadores para encerrar uma greve porque a perda de fornecimento de coque estava custando a ele grandes lucros com aço. Frick se demitiu e teve de ser convencido por Carnegie a voltar, mas não tinha confiança em sua consistência ou julgamento.

No fim, Frick e o sindicato quase chegaram a um acordo, e as negociações foram levadas a um ponto em que Carnegie insistiu para que ele acabasse com aquilo. Mas elas fracassaram com o fim do velho contrato, e Frick fechou a fábrica. Quando as intenções da administração ficaram claras, o Amalgamated também fez uma preparação cuidadosa, especialmente para que toda a força de trabalho agisse em conjunto. Em 1º de julho, os comitês dos operários, com muitos homens armados, tomaram a fábrica para assegurar o fechamento completo. Quando o xerife local se recusou a atacar a fábrica, Frick convocou uma força de trezentos homens da Pinkerton, que ele tinha reunido na Filadélfia, para tomar a fábrica a partir do rio. Os Pinkertons, quase todos recrutas inexperientes sem treinamento e que recebiam ainda menos que os operários da siderúrgica, chegaram no dia 6 de julho em uma balsa rebocada rio Monongahela acima. Os operários tinham se reunido em um local alto, acima do ponto de desembarque, e os emboscaram sob uma saraivada de balas. No meio da batalha que se desencadeou, o rebocador foi embora e deixou a balsa indefesa. Depois de algumas horas, e com a balsa em chamas, os Pinkertons se renderam e tiveram a permissão de desembarcar. Na margem, eles se depararam com uma turba enfurecida, em sua maioria mulheres, e tomaram uma grande surra antes de serem levados para a cidade como prisioneiros. Uma estimativa-padrão – não há números precisos – é que um Pinkerton e sete trabalhadores tenham sido mortos no tiroteio inicial e mais três outros foram mortos pela multidão. (Números de baixas posteriores incluem estimativas de mortes por doença e outros fatores durante a longa paralisação.)

Quando a luta terminou, os comitês dos trabalhadores estavam no controle da fábrica e da cidade, mas eles tiveram a sensibilidade de desistir quando 8 mil milicianos chegaram em 12 de julho. Carnegie, enfurecido na Escócia, telegrafou avisando que voltaria para reassumir o controle, mas seus sócios o dissuadiram. Então ele permaneceu por lá, enviando montes de cabogramas para os Estados Unidos, enquanto se escondia da imprensa e dos líderes políticos republicanos, que temiam que o confronto pudesse lhes custar as eleições presidenciais do outono. (O democrata Grover Cleveland acabou derrotando o presidente Benjamin Harrison.) Uma de suas primeiras reações de raiva, para seu primo e colega de diretoria, George Lauder, entretanto, está relacionada às táticas: "As coisas em casa não estão bem – que fiasco enviar os homens de barco e deixar espaço entre o rio e as cercas para que eles enfrentassem fogo e resistência ao desembarque. Mas ainda assim devemos nos manter em silêncio e fazer o possível para apoiar Frick e os outros do conselho de guerra".

A simpatia do público mudou radicalmente quando Alexander Berkman, um anarquista e companheiro de longa data de Emma Goldman, entrou no escritório de Frick em 23 de julho, disparou dois tiros em seu pescoço e o esfaqueou três vezes. Surpreendentemente, Frick ainda teve forças para lutar com Berkman, derrubá-lo e evitar que ele engolisse um veneno letal quando era submetido pelos guardas. Frick então permaneceu em sua escrivaninha, recusando anestesia para guiar um cirurgião na remoção das balas alojadas nas suas costas e em seu pescoço. Depois de cuidar de seus ferimentos, ele ficou no escritório por mais um tempo organizando papéis e preparando uma declaração: "Não acho que vou morrer, mas, independentemente disso, a empresa manterá a mesma política". Em casa, um filho, nascido no dia do conflito com os Pinkertons, estava morrendo. Frick foi ao enterro do bebê uma semana e meia depois. Alguns dias mais tarde, pegou seu bonde elétrico habitual para o escritório. Seu comportamento de tranquilidade sobrenatural mereceu grande admiração, apesar da observação de seu biógrafo de que isso também sugeria "uma espécie de qualidade fanática".

Sob a proteção da milícia, mil homens, ou mais de um quarto do número normal, estavam de volta ao trabalho no fim de julho – muitos deles dormiam na fábrica para evitar represálias em casa. As outras fábricas de Carnegie permaneceram em relativa tranquilidade, apesar de a usina Duquesne, recentemente adquirida por Frick, ter parado por uma semana. Samuel Gompers fez discursos nos quais chamava por um boicote dos produtos da Carnegie, mas se recusou a convocar greves de solidariedade. Em outubro, Carnegie demonstrava irritação com o fato de a fábrica ainda não estar operando a toda capacidade. O sindicato oficialmente jogou a toalha em novembro, precipitando seu declínio rápido. As fábricas de Carnegie, a partir daí, deixaram de ser sindicalizadas, e depois das fusões na indústria siderúrgica de 1901, a U.S. Steel permaneceu uma fábrica sem sindicato até o fim dos anos 1930. A administração tirou o máximo de proveito de sua vitória. Após dar alguns meses para que os ânimos em Homestead esfriassem, houve fortes cortes salariais, de até 60%, segundo um jornal local, que noticiou que "são os menores níveis neste ramo, com ou sem sindicato".

A resistência da empresa a cronogramas de trabalho e produção negociados é compreensível. Em apenas três anos o acordo de trabalho do Amalgamated com a Homestead tinha acumulado 58 páginas de notas de rodapé para explicar as regras de classificação dos empregos. Mas o compromisso firme de Carnegie e Frick com a redução de pagamentos quase não faz sentido, especialmente quando provocava greves debilitantes com tanta regularidade. Os anos 1890 marcaram o auge do impulso de mecanização que caracterizou a empresa de Carnegie desde seu início, e a quantidade de trabalho para produzir uma tonelada de aço continuava a cair contínua e dramaticamente. Já em 1883 o capitão Jones relatou ter reduzido os custos de trabalho nos trilhos em um quarto, de 20% para 15%. Um novo maquinário em 1885 eliminou 57 dos 69 homens dos altos-fornos e 51 dos 63 na usina de trilhos. Na negociação da Homestead de 1892, a empresa esperava eliminar 325 dos 800 postos de trabalho qualificado. Em 1897, a Homestead tinha 25% menos homens que em 1892, apesar de ter uma produção muito maior. Apenas entre 1896 e 1897, os custos de mão de obra por tonelada de aço Bessemer foram reduzidos em 20%, enquanto no método de forno aberto a redução dos custos de mão de obra foi de cerca de um terço.

A produtividade extraordinária das usinas da Carnegie as colocava em uma classe diferente de seus concorrentes. Durante uma guerra de preços de trilhos em 1897, a Carnegie Steel empurrou as outras companhias contra a parede reduzindo os preços dos trilhos de um valor já baixo de US$ 28 por tonelada para apenas US$ 18 e, em determinado ponto, para quase inimagináveis US$ 14. O presidente da Illinois Steel, sua maior concorrente no mercado de trilhos, reconheceu que ninguém podia igualar os custos da Carnegie. Em um ano em que praticamente nenhuma outra das siderúrgicas operou com lucro (na verdade, a Illinois começou a preparar a documentação de falência), a Carnegie Steel obteve a marca impressionante de US$ 7 milhões em lucros, um número que triplicou nos dois anos seguintes. Na época da greve da Homestead, os custos de mão de obra na Carnegie Steel eram de apenas 15,7% do faturamento, enquanto os ganhos sobre esse valor eram de 8,6%. Uma oferta de aumento salarial de 5%, que os empregados teriam achado bastante generosa, teria custado aos sócios menos de 10% dos ganhos de US$ 4 milhões daquele ano. No fim da década, o percentual de ganho sobre o faturamento bruto chegou a impressionantes 20%, enquanto os custos de mão de obra tinham caído para apenas 10,5%. Como um historiador escreveu sobre toda a indústria, suas "políticas trabalhistas funestas representaram uma opção social por reter lucros em vez de distribuí-los na forma de salários" – uma observação que se aplica com cada vez mais força a Carnegie que a seus concorrentes.

Reduzir os níveis salariais não era sequer uma decisão de negócios inteligente. A Standard Oil dava um exemplo instrutivo. Rockefeller detestava os sindicatos tão abertamente quanto Frick, mas uma comissão do Congresso que investigava os trustes relatou que "[um especialista em trabalho] concordava com praticamente todas as outras testemunhas que comprovavam que a Standard Oil pagava bons salários e oferecia emprego estável". Não é de surpreender que, enquanto a empresa não teve sindicato, praticamente esteve livre de disputas trabalhistas.* Depois dos problemas na Homestead, Carnegie fez um protesto ao primeiro-ministro inglês, William Gladstone: "As usinas não valem uma gota de sangue humano. Preferia que elas tivessem afundado". Ou seja, ele teria aberto mão imediatamente das usinas, mas não tinha condições de aumentar dez centavos nos salários diários.

O problema ia além da questão salarial. As condições de vida nas cidades siderúrgicas de Pittsburgh, como concordavam todos os observadores, eram revoltantes. Hamlin Garland escreveu uma terrível descrição de Homestead em 1894:

---

* A mancha mais séria na ficha trabalhista de Rockefeller foi o famoso "Massacre de Ludlow" de 1914 (alguns anos após a frase proferida a Gladstone), que custou a vida de vinte mineiros de carvão e seus parentes. A mineradora não era administrada pelos Rockefellers, mas a família era sua acionista majoritária, e John D. Jr., que geria os interesses da família, estava muito bem informado. No início, ele defendeu o acontecido, mas Ludlow acabou por trazê-lo para a causa das reformas trabalhistas. John D. tinha 75 anos na época e estava praticamente aposentado dos negócios. (N.A.)

Uma cidade siderúrgica da Pensilvânia nos anos 1890. Um viajante as chamou de "O inferno com as janelas fechadas".

As ruas da cidade eram horríveis; os prédios eram pobres; as calçadas eram cheias de poças, escorregadias e cheias de buracos, e os cruzamentos eram de pedras pontudas como em um leito de rio. Em toda parte a lama amarela das ruas formava uma massa grudenta, através da qual grupos de homens magros e pálidos caminhavam em roupas puídas, sombrios e tristes sob a fuligem e o óleo das usinas.

A cidade era tão suja e desagradável quanto era possível imaginar, e as pessoas eram principalmente do tipo desanimado e taciturno encontrado em todos os lugares onde o trabalho alcança níveis brutalizadores de rigidez. ...Essas cidades se espalham pelas colinas da Pensilvânia. ...São americanas apenas no sentido em que representam a ideia americana de negócios.*

---

* Apesar de Garland não fazer qualquer comentário sobre o assunto, há um sentimento perceptível em suas entrevistas de que, por mais terrível que fosse a vida, os homens gostavam das usinas – operários de siderurgia orgulhosos, eles tinham uma excitação masculina com o perigo e se gabavam disso. (N.A.)

Observadores britânicos ficaram igualmente deprimidos. Stephen Jeans, secretário da British Iron Trade Association, que era um grande admirador de Carnegie e escreveu um relatório arguto sobre as usinas siderúrgicas americanas, ficou surpreso com as condições de vida dos trabalhadores, que "deixavam muito a desejar" em comparação com a dos trabalhadores britânicos. Outro visitante britânico do mesmo período foi mais gráfico:

> Se Pittsburg é o inferno de portas abertas, Homestead é o inferno com as janelas fechadas. Nunca um lugar recebeu nome tão equivocado. Aqui nada mais há que sofrimento e tristeza sem alívio. ...Não fiquei surpreso com o trabalhador inglês que me disse que se alguém desse a ele US$ 5 por semana ele iria para casa viver como um cavalheiro no Black Country. ...O sindicalismo tem sido reprimido com mão de ferro e banhada em sangue... mas é uma planta que não morre quando tem algo com que se nutrir, e aqui ela tem muito. ...A administração demonstra sinais óbvios de nervosismo em relação ao assunto, e nervosismo é fraqueza.

A falsidade de Carnegie em questões trabalhistas é impressionante. Ele daria uma piscadela e um sorriso diante de rumores pré-Homestead de que seus homens ganhavam até US$ 25 por dia. Poucos anos depois de Homestead, ele escreveu que as pessoas "podem ficar surpresas ao saber que pagamos os salários mais altos do mundo. Todo homem em Homestead no ano passado ganhou em média US$ 2,90 por dia. Isso inclui trabalho comum e também qualificado." Se alguém pagava salários mais altos, insistia ele, "eu nunca soube". Na verdade, os níveis salariais mal passavam de um terço desse valor. Quando Stephen Jeans ficou assombrado com histórias de que as usinas de Carnegie pagavam uma média de US$ 4 por dia em salários, conferiu pessoalmente com Carnegie, que garantiu a ele que a média real era de US$ 2,25, o que ainda era bastante bom. Jeans então ficou intrigado com a informação de um superintendente de usina de que os salários eram muito mais baixos que isso. Nunca passou pela cabeça dele que Carnegie simplesmente mentiria.

Uma atitude de Carnegie digna de crédito depois de Homestead foi o fato de ter ido à usina no ano seguinte para falar com os homens. Ele foi até lá, disse, não "para criar problemas, mas para enterrar o passado", e enquanto destacava não ter "nem o poder nem a disposição para interferir... na gerência do negócio", enfatizou seu forte apoio a Frick, um homem de "habilidade, justiça e coragem". Por outro lado, é possível vê-lo testando narrativas para Homestead. Ele escreveu a um importante político republicano que a empresa "achava que os três mil homens antigos manteriam a promessa de trabalhar e em consequência abriu as usinas para eles. O único objetivo dos [Pinkertons] era protegê-los." Outras ficções incluíam uma carta de última hora ordenando que Frick recusasse, mas que por algum motivo não chegara a tempo, e finalmente o apelo desesperado de seus trabalhadores, "Estimado mestre, diga-nos o que deseja", que viera "infelizmente, tarde demais". E havia, é claro, o memorando conveniente que ele deixara com Frick. Mas alguns contemporâneos já começavam a ver por entre toda essa confusão. Vejam o que diz o *St. Louis Post-Dispatch*:

> Nenhum homem pode ser considerado feliz até estar morto. Há três meses, Andrew Carnegie era um homem a ser invejado. Hoje é objeto de uma mistura de pena e desprezo. Na opinião de nove décimos das pessoas pensantes dos dois lados do oceano, ele não apenas mentiu sobre tudo o que fez, mas se confessou um covarde moral. É de se supor que caso tivesse um grama de consistência, para não dizer decência, em sua composição, teria sido favorável, em vez de contrário, à organização de sindicatos profissionais entre seus trabalhadores de Homestead. É de se supor que, caso tivesse um grama de hombridade, para não dizer coragem, em sua composição, teria ao menos estado disposto a encarar as consequências de sua inconsistência. Mas o que faz Carnegie? Foge para a Escócia para se livrar dos problemas e esperar o resultado da batalha que ele era pusilânime demais para lutar. Uma única palavra dele poderia ter evitado o conflito – mas essa palavra jamais foi dita. Desde aquele dia sangrento até hoje, ele tampouco disse coisa alguma, exceto que "tinha confiança implícita nos administradores das usinas". O correspondente que finalmente obteve essa informação valiosa é da opinião que o "sr. Carnegie não tem intenção de voltar agora para os Estados Unidos". Ele poderia ter acrescentado que os Estados Unidos podem muito bem dispensar o sr. Carnegie. Dez mil "Bibliotecas Públicas Carnegie" não compensariam o país pelos males diretos e indiretos resultantes da greve de Homestead. Podem dizer o que quiserem de Frick, mas ele é um homem corajoso. Podem dizer o que quiserem de Carnegie, mas ele é um covarde. E Deus e os homens odeiam os covardes.

A criação da Carnegie Company

Em 1895, com Frick no leme da Carnegie Steel há apenas três anos, o relacionamento estava claramente se deteriorando. Carnegie deu início ao rompimento, exibindo grande animosidade em relação a Frick, talvez reflexo de antigos ressentimentos de Homestead. Por sua parte, Frick estava absolutamente farto do acúmulo de irritações de viver sob o jugo de Carnegie – como ele explicou com a clareza característica:

> Sr. Carnegie, ...desejo me afastar em silêncio, causando o menor dano possível aos interesses dos outros, porque fiquei cansado de seus métodos de negócio, suas absurdas entrevistas para os jornais, observações pessoais e interferências irresponsáveis em questões sobre as quais o senhor nada sabe.

Pelo menos alguns sócios ficaram alarmados. Chegou-se finalmente a um acordo. Frick abriria mão da presidência, mas manteria o título de presidente do Conselho. John Leishman, que ainda não tinha completado quarenta anos, foi nomeado presidente, e Frick cedeu a ele um interesse de 5% na companhia tirado de seu próprio bloco de 11%. Henry Phipps, um sócio de longa data praticamente aposentado, declarou em uma carta a seu sobrinho estar muito aliviado que "A.C. tenha descido até o fundo de longa escadaria". Em todas as opiniões, Frick estava fazendo um bom trabalho, especialmente na integração dos negócios tão espalhados da Carnegie Steel em uma operação unificada. Carnegie tinha organizado cada componente importante como uma empresa separada – provavelmente porque isso aumentava seu controle sobre os administradores. Frick construiu a "Union Railroad" para ligar todas as usinas da Carnegie e aos poucos desenvolveu uma estrutura de negócios totalmente integrada, do minério à distribuição inicial, de forma bem parecida com o que fizera Rockefeller. O último elo na corrente, uma linha de barcos a vapor nos Grandes Lagos, foi inaugurado em seu último dia na empresa, em 1899. Como escreveu James Bridge, um historiador especializado nos primeiros anos da empresa, naquele ponto a Carnegie Steel controlava "cada movimento de seu material e todas as suas operações, da extração do minério bruto ao transporte do aço acabado, sem pagar qualquer preço a alguém de fora".*

As tensões entre Frick e Carnegie se reduziram nos primeiros dias da nova estrutura administrativa. Frick permaneceu muito ativo na companhia, mas aliviou seu horário de trabalho, começou a viajar mais e deu início à sua famosa coleção de arte (ele tinha um olho surpreendentemente bom). Mas a sorte se voltou outra vez contra Frick quando Leishman, pesaroso, renunciou à presidência no início de 1897 e foi substituído por Charles Schwab, de apenas 34 anos, mas talentoso e em franca ascensão profissional, e um favorito especial do velho.

Schwab provou ser um dos maiores executivos de siderurgia americanos. Ele era um balconista de loja quando chamou a atenção do capitão Jones e, aos dezessete anos, começou na empresa fincando estacas a um dólar por dia. Seis meses mais tarde, Jones o encarregou de um grande programa de construção de um

---

* Ver as notas do capítulo para mais detalhes sobre o desempenho de Frick. Em defesa de Carnegie, ele e Frick costumavam divergir sobre a propensão de Frick para entrar, e se aferrar, em acordos de divisão do mercado de aço e de manutenção de preços. Carnegie não se incomodava em participar de pools, mas em termos econômicos, sempre que o preço do pool era mais alto do que o do mercado, Carnegie reduzia preços e aumentava sua participação. A citação da frase anterior de John W. Gates sobre a tendência à instabilidade de Carnegie referia-se especificamente ao rompimento por Carnegie de um acordo de preços. Mas enquanto Frick tinha seus defeitos, a empresa prosperou com força sob seu comando, e é difícil ver o comportamento de Carnegie como qualquer outra coisa além de destrutivo. O problema essencial pode ter sido a falta de habilidade de Carnegie para dividir os refletores. (N.A.)

alto-forno. Aos 25 anos, Schwab foi jogado no meio de um problemático processo de pós-aquisição da usina Homestead (que ele resolveu), a qual tinha sido muito mal administrada durante sua curta história, e, depois da morte de Jones em 1889, Schwab tornou-se seu sucessor natural. Um belo retrato do estilo presidencial de Schwab pode ser obtido das atas das reuniões semanais dos comitês de operação: ele era resoluto e determinado, muito bem-informado e com uma facilidade de comando colegial. Os trabalhadores mais simples da usina o adoravam; era um deles e uma presença habitual no chão de fábrica, apesar de ter uma linha tão dura com custos e salários quanto Carnegie e Frick. Ele também era um autodidata extraordinário nos aspectos técnicos da produção de aço e controlava o segredo para investimentos em tecnologia. Acima de tudo era um homem sedutor e brincalhão, com apenas um toque de adulação que o fazia cair no gosto de Carnegie. Apesar de Schwab ter mantido uma boa relação com Frick, sua simples presença estimulava a tendência de Carnegie em adotar um favorito de cada vez e tornar infelizes todos os demais. Sem a presença de Leishman e com "Charlie" de cabelos claros escondido na presidência, as energias do mau humor de Carnegie se voltavam inevitavelmente para Frick.

A esses problemas juntou-se o inusitado rumo cauteloso adotado por Carnegie nos anos 1890. Em vez de seu ânimo habitual por novos investimentos, ele mudou para algo mais perto de uma conduta obstrutiva. Ele resistiu à tendência no rumo do aço de forno aberto no mercado de estruturas e vetou a aquisição dos ricos veios de minério de Mesabi ao redor dos Grandes Lagos, permitindo que John D. "Reckafellows", como Carnegie o chamava, tomasse o controle da região mineradora bem debaixo de seu nariz. Rockefeller mais tarde afirmou ter ficado "assombrado que os produtores de aço não tivessem sentido a necessidade de controlar seu fornecimento de minério". Para a sorte de Carnegie, Rockefeller estava mais preocupado com seus interesses em transporte nos Grandes Lagos que em ferro e arrendou os campos para a Carnegie Steel por preços muito atraentes. A mineradora subsidiária da Carnegie quase imediatamente violou os acordos de concessão, provocando uma reação chocada de Frederick Gates, que geria a carteira de Rockefeller. Pela segunda vez, Rockefeller perdera a chance de pressionar Carnegie – e aceitou um acordo razoável.

Em algum momento no início de 1898, os sócios de Carnegie, liderados por Frick e Henry Phipps, defenderam a ideia de vender a empresa ou comprar a parte de Carnegie. O que eles mais queriam, na verdade, era ficar ricos. O mercado de transações estava se aquecendo, e a abordagem mão-fechada de Carnegie em relação aos dividendos não permitira que eles tivessem acumulado uma riqueza proporcional ao valor de seus blocos. Mas também há dicas discretas da atração de tocar o negócio sem a permanente ingerência da Escócia. Carnegie hesitou por muito tempo com essa ideia – às vezes se deleitando com a noção de uma aposentadoria gloriosa e uma carreira na filantropia, às vezes insistindo que seus melhores dias ainda estavam por vir e que nenhuma venda poderia pagar seu valor real. Phipps começou a passar grande parte do seu tempo na Escócia, tentando obter o apoio da esposa de Carnegie para uma venda, e enviando semanalmente a Frick atualizações sobre o humor de seus principais sócios.

As discussões de avaliação foram tensas. Frick achava que só a sua empresa de coque valia US$ 70 milhões, o que era muito mesmo em valores atualizados. Carnegie estava considerando um valor de US$ 250 milhões para o negócio do aço, o que também era muito, mas mais próximo da realidade. A produção de aço de repente estava crescendo ao ritmo de 20 a 25% ao ano, e os lucros aumentaram em dois terços, chegando a US$ 11,5 milhões em 1898, e parecia que iam continuar a crescer com força. Para Carnegie, só contemplar tais avaliações era um afastamento violento de seu antigo hábito de desprezar os números exagerados de seus colegas industriais. A prática conservadora se focalizava no valor nominal: uma empresa não valia mais que o investimento real na fábrica, estoques e outros ativos sólidos, além de lucros não distribuídos, menos passivo e depreciação. O valor nominal da Carnegie Steel em 1898 era de US$ 49 milhões, enquanto a empresa de coque valia US$ 5 milhões. Qualquer coisa acima disso, na visão tradicional, era apenas "água", uma suposição incerta de sucesso futuro. Entretanto, as regras normais de avaliação estavam apenas começando a ser viradas do avesso pelos acordos altamente capitalizados de Pierpont Morgan na siderurgia e em outras indústrias. Para a frustração de seus sócios, o aquecimento do mercado de transações levou Carnegie a fantasias sobre quanto mais ele poderia ganhar se esperasse apenas mais alguns anos.

Por fim, na primeira semana de 1899, em uma reunião dos sócios em sua casa em Nova York, Carnegie deu o sinal verde para a venda no valor de US$ 250 milhões, observando que seu consentimento viera apenas "com grande relutância" e apenas em respeito a seu "sócio mais antigo", Phipps. Ele imediatamente começou a se preocupar que o preço estivesse baixo demais, já que esperava ganhos muito altos em 1899 (que, na verdade, resultaram ainda melhores). Mas Frick recebera os poderes de fechar a venda, enquanto Carnegie permanecia ansioso e indeciso ao fundo.

Para grande desapontamento de Frick, os representantes dos interesses de Rockefeller desistiram de fazer uma oferta, e logo surgiram discussões entre os representantes de Morgan. Eles achavam que o preço de Carnegie estava alto – também podiam estar sem disponibilidade imediata de fundos – e insistiram em um negócio envolvendo apenas ações, enquanto Carnegie queria metade em ações e a outra em títulos de ouro. (Elbert Gary, que cuidava informalmente dos interesses de Morgan na área de siderurgia, disse que "não recebeu qualquer encorajamento" de Morgan, mas também observou que Morgan ainda não tinha se voltado para seus negócios com aço e pouco conhecia deles.) Os sócios exploraram uma recapitalização própria – na verdade, abrindo o capital da empresa –, mas também se envolveram em discussões sobre a avaliação.

Frick então foi contatado pelo "juiz" William H. Moore, protótipo de um influente mestre em aquisições dos anos 1980. Ele e seu irmão John tinham acabado de organizar grandes acordos na área siderúrgica, assim como as fusões que criaram a National Biscuit e a Diamond; em suma, ele era exatamente o tipo de operador que Carnegie detestava. Para piorar as coisas, Moore certa vez zombara de Carnegie por saber apenas como se faz aço e por nada saber sobre como "fazer ações preferenciais, ordinárias e títulos". Carnegie conseguiu US$ 1 milhão por uma opção de compra de noventa dias para Moore ao mesmo preço oferecido a Morgan. O preço da opção foi posteriormente recalculado em US$ 1,17 milhão, mas Frick e Phipps entraram eles mesmos com o valor adicional entendendo que Carnegie não ficaria com o dinheiro se o negócio não saísse. (Não havia um acordo por escrito sobre isso, mas Carnegie confirmara essa intenção em uma nota para o conselho.)

Rumores do acordo iminente logo vazaram. A *Iron Age* publicou um artigo extremamente elogioso sobre a "aposentadoria de Andrew Carnegie", apesar de Carnegie provavelmente ter ficado incomodado pela atenção dispensada a Frick, que eles chamavam de "principal fator para o desenvolvimento fenomenal [da empresa]", assim como "um dos principais fatores no desenvolvimento industrial dos Estados Unidos". John Gates escreveu a Carnegie um telegrama de congratulações, enquanto Schwab e Frick projetavam satisfeitos como eles esperavam que os lucros de 1899 cobrissem com facilidade as dívidas da aquisição. Mas então Moore de repente teve problemas com seu financiamento. Apesar de ter conseguido montar outra proposta, e de as notícias entusiasmadas continuarem correndo na imprensa, não havia mais chance de fechar o negócio dentro do período de opção.

Frick e Phipps foram em peregrinação ao castelo de Carnegie na Escócia para conseguir uma extensão. Carnegie foi frio: "Nem uma hora", disse a eles; era chegado o momento de os sócios voltarem suas "atenções para o negócio". O encontro parece ter terminado de maneira razoavelmente cordial, com alguma discussão sobre recapitalizar por conta própria. Mas uma raiva queimava lentamente dentro de Carnegie, o que é compreensível, sobretudo para alguém tão consciente e zeloso de sua reputação. Sua criação pessoal, a maior empresa siderúrgica do mundo, tinha sido vítima de um financiamento problemático intermediado por um operador mal-afamado, e ele se sentiu um tolo. E culpou Frick.

Quando a opção expirou no início de agosto, Carnegie não apenas ficou com o pagamento de US$ 1 milhão de Moore pela opção, mas disse a Frick e Phipps que também ficaria com os US$ 170 mil deles. Segundo Carnegie, ele ficou chateado porque não sabia que Moore ia cumprir o acordo e, além disso, tinha acabado de descobrir que Frick e Phipps haviam combinado dividir US$

O magnata do aço: Andrew Carnegie no fim dos anos 1890.

5 milhões em ações de bonificação se o acordo fosse fechado, o que eles negaram indignados. Os dois lados estavam exercendo memória seletiva. É bastante improvável que Carnegie não soubesse de Moore. Ele nunca teria permitido que um grupo anônimo comprasse sua empresa, e sua exigência de um grande pagamento pela opção era consistente com sua desconfiança de Moore. Além disso, o mundo das transações era muito pequeno, e Carnegie estava bastante envolvido nele, então não podia evitar saber quem estava envolvido. Por outro lado, também não há dúvida que Frick e Phipps fizeram o ofensivo acordo de bonificação. Mas isso não era segredo, pois eles o descreveram em um cabograma para Carnegie no início da negociação. Provavelmente, se tivesse se oposto a ele, eles o teriam abandonado. De qualquer maneira, ele não era tão repreensível quanto os que ele costumava fazer nos seus negócios envolvendo pontes.

As relações entre Frick e Carnegie nunca se recuperaram. A explosão final ocorreu em torno de preços de coque. Carnegie argumentava que a Frick Coke tinha se comprometido a vender seu coque a um preço permanente de US$ 1,35 por tonelada, ou menos da metade do preço de mercado. Na verdade, não existia tal contrato, apesar de Frick admitir que tinha negociado um com Carnegie. Como Frick também observou, ele era apenas um sócio minoritário na empresa de coque e não tinha autoridade para fazer contratos. Além disso, a canalização dos lucros crescentes da Frick Coke para as contas da siderúrgica lesava os interesses dos acionistas minoritários da companhia. Frick sem dúvida tinha razão quanto aos méritos, mas Carnegie compreendeu sua posição como uma "Declaração de Guerra", como Frick esperava que fizesse.

Carnegie escreveu imediatamente a seus sócios mais próximos e a Schwab que Frick tinha de sair e que ele estava indo para Pittsburgh para assumir o despejo. De sua parte, Frick não tinha qualquer interesse em continuar; ele logo apresentou sua demissão e partiu em uma viagem curta de férias. Mas agora Carnegie estava no modo de ataque total e estava determinado não apenas a retirar Frick, mas a determinar o preço do coque e assumir o controle da empresa de coque. Sua arma se tornaria o "Iron Clad Agreement"* que ele e seus sócios assinariam após a morte de Tom em 1886. Esse acordo permitia a expulsão de um sócio por três quartos dos votos; nesse caso, o sócio excluído receberia apenas o valor nominal de suas ações, o que teria reduzido em cerca de 80% o valor dos ativos de Frick.

Carnegie pressionou pelo voto de expulsão. Era claramente um ato vingativo, já que Frick havia se demitido, mas apenas Phipps e outro acionista minoritário se recusaram a assinar. Quando Frick voltou de suas férias no início de janeiro de 1900, Carnegie enviou seu ultimato pessoalmente: aceitar o acordo que ele queria, ou ser expulso com base no acordo Iron Clad. Pessoas que estavam do outro lado da porta ouviram a explosão de Frick: "Há muitos anos sei que não existe sequer um osso honesto em seu corpo. Mas agora sei que você é um maldito ladrão!". Os relatos divergem se Frick realmente saiu da sala correndo atrás de Carnegie. Foi a última vez que os dois homens se encontraram ou se comunicaram diretamente.

No fim, por uma das únicas vezes em sua vida, Carnegie foi forçado a uma retirada quase total. Frick o levou aos tribunais e o processou reivindicando uma avaliação justa de seus ativos. Logo se chegou à conclusão que o acordo Iron Clad não se aplicava a Frick e que, para começar, sua retirada da sociedade podia ter sido feita de maneira imprópria. As normas não tinham sido respeitadas. Os advogados de Frick também exigiram que as contas da Carnegie Steel fossem abertas, e então os repórteres de economia e finanças começaram a publicar detalhes dos lucros extraordinários da empresa, em uma época em que as tarifas americanas sobre a importação de aço estavam em discussão no Congresso. Carnegie e Frick receberam inúmeros apelos para desistir daquela idiotia – Mark Hanna, o influente político republicano, e George Westinghouse chegaram a intervir pessoalmente.

---

* O acordo férreo. (N.T.)

Em março, finalmente se chegou a um acordo, que foi tudo o que Frick poderia esperar. Uma nova corporação, a Carnegie Co., foi criada como uma *holding* de Nova Jersey, com uma capitalização no mercado de US$ 320 milhões, metade em títulos de dívida, com juros de 5%, e a outra metade em ações, com dividendos de 5%. Todas as ações das velhas empresas foram convertidas meio a meio em títulos e ações da Carnegie Co. A Carnegie Co. era uma *holding* pura: detinha ações da empresa de coque e aço e de outras doze empresas relacionadas com o negócio do aço, a maioria delas bem pequena, e amealhou seus dividendos para atender ao serviço dos pagamentos de seus próprios papéis. Carnegie ainda era o verdadeiro chefe, mas seus sócios, que passaram por muito tempo de sofrimento, finalmente receberam seu pagamento. O pagamento anual de juros em dividendos foi de cerca de US$ 1,8 milhão para Phipps e pouco menos de US$ 1 milhão para Frick, enquanto a parte de 60% de Carnegie ficou com impressionantes US$ 9,6 milhões.

Pouco antes de o acordo ser fechado, Carnegie foi tomado por dúvidas sobre as avaliações, pois ele escreveu um bilhete ansioso para o tesoureiro da empresa, Lawrence Phipps, no qual perguntava como podia se assegurar que aqueles papéis realmente valiam tanto. A resposta foi tranquilizadora, mas não renovou muito sua confiança. As ações da empresa não eram comercializadas em bolsa, e Phipps escreveu com bastante acerto que "os diretores eram da opinião que as ações das empresas operadoras tinham valor integral... de maneira que os livros da Carnegie Company devem ser abertos sobre essas bases". Sem um mercado público, isso queria dizer que as ações valiam o que quer que seus diretores dissessem que valiam.

Na verdade, as avaliações foram altas demais. As estimativas sobre os valores de face se elevaram de maneira extremamente agressiva. A empresa de coque foi avaliada em US$ 70 milhões, ou a estimativa elevada de Frick, de treze vezes o valor real, enquanto a siderúrgica foi avaliada em mais modestas 3,7 vezes mais. Entretanto, o que realmente importava era o peso dos juros e dos dividendos, que, na casa dos US$ 16 milhões, podiam ter sido paralisantes. O lucro recorde de US$ 21 milhões em 1899 deixou uma margem confortável, mas foi o primeiro ano em que os ganhos teriam sido suficientes para cobrir o novo nível de pagamentos de juros e dividendos.* (O pagamento de dividendos, é claro, ao contrário dos juros,

---

* Os ganhos em 1898 normalmente são registrados como de US$ 16 milhões. Os ganhos com aço e coque, na verdade, foram de US$ 11,5 milhões, mas a companhia também registrou vários itens extraordinários: US$ 2 milhões por um pagamento de direitos de passagem de ferrovia e US$ 2,5 milhões de lucros sobre uma variedade de acordos sobre estimativa de valores de títulos. Essas estimativas eram um desvio da prática normal da empresa de declarar os papéis de suas subsidiárias por seu preço de custo. Minha opinião é que Frick e Phipps estavam em silêncio fazendo seu caso pela recapitalização ou venda da empresa. Nas anotações de Carnegie, ele normalmente riscou os US$ 16 milhões e escreveu no lugar US$ 11,5 milhões. A empresa não contabilizava a depreciação, e o pagamento de juros e dividendos devia ser feito sobre os ganhos registrados. (N.A.)

não era obrigatório. Mas na época dava-se grande importância a cumprir os compromissos dos dividendos, e Carnegie teria sido motivo de piada se descobrissem que ele tinha perdido um dividendo imediatamente após o acordo.)

Carnegie esperava confiante ganhos de US$ 40 milhões, ou mesmo de US$ 50 milhões em 1900, o que teria sido uma margem bastante ampla. Mas depois de um início espetacular, os negócios desaceleraram bruscamente na primavera e no verão, e os ganhos totais não superaram muito os de 1899.* Uma vez no fechamento, chegou-se a um valor de US$ 12,9 milhões em dividendos e bonificações, que a companhia sem dúvida esperava pagar principalmente em dinheiro. Mas com a exceção de uma distribuição inicial de dinheiro *pro rata* de US$ 750 mil, nenhum outro pagamento em dinheiro foi feito em 1900. Carnegie e vários outros diretores mais ricos concordaram em receber seus dividendos em papéis, enquanto para quase todos os demais o pagamento simplesmente foi protelado. Apesar de a empresa ter bastante caixa no início do ano, começou a ter problemas no outono. O faturamento da empresa siderúrgica em novembro foi de apenas US$ 362 mil, ou menos de um décimo dos lucros mensais médios no primeiro trimestre e nem perto de ser o bastante para cobrir mesmo a carga mensal de juros. Em julho, Carnegie sugeriu atrasar o pagamento dos juros dos títulos da dívida para financiar o investimento contínuo; Schwab e os outros diretores ficaram educadamente revoltados. Na verdade, a declaração de renda pessoal de Carnegie daquele ano sugere que ele recebeu muito menos do que a quantia total à qual tinha direito em juros e nenhum dividendo.

É impressionante ver Carnegie, o inimigo juramentado dos balanços inflados, aceitar uma estrutura pesadas como essa. Nem toda a culpa pode ser atribuída a Frick. A avaliação de US$ 320 milhões estava entre as mais altas discutidas dentro da companhia. E apenas um mês antes, Carnegie tinha rejeitado sem pestanejar uma oferta de acordo de Phipps e Frick de apenas US$ 250 milhões. Os sócios de Carnegie estavam pressionando por um acordo mais elevado – sua sede por um grande dia de pagamento, afinal de contas, estava aumentando há quase trinta anos. Mas ele estava acostumado com isso e podia facilmente ter insistido em algo mais baixo. É bem possível que estivesse cheio da publicidade que envolvia a série de fusões de mais de US$ 200 milhões na indústria siderúrgica pelo consórcio de Morgan e dos Moores, entre outros. Montar um acordo ainda maior pode ter salvado um ego ainda ferido pela transação malsucedida do verão anterior.

Sem dúvida, fosse qual fosse o problema entre Carnegie e Frick, foi o estímulo das grandes fusões de Pierpont Morgan que levou essas avaliações tão elevadas

---

* Ver Apêndice I para mais detalhes. Carnegie afirmava, e outros historiadores repetiram, que a empresa fez US$ 40 milhões em 1900. Isso é cerca de um terço mais alto que o número verdadeiro. (N.A.)

para a esfera da discussão racional. Havia outros operadores no mercado, como os Moores, mas eles teriam credibilidade limitada a menos que Morgan tivesse confirmado suas avaliações com suas próprias transações. Durante os dez anos entre aproximadamente 1895 e 1905, as transações de Morgan e as de figuras menores como os Moores transformaram os contornos dos negócios nos Estados Unidos; elas serão o assunto principal do próximo capítulo. Outra consequência dessa inundação súbita de grandes corporações foi um crescimento das atividades chamadas de antitruste.

Caça aos trustes

Nenhum outro país levou os ânimos antitrustes ao nível do que ocorreu nos Estados Unidos. Todos os governos coçaram a cabeça pensando na melhor forma de lidar com as empresas muito grandes que surgiam em todos os lados no fim do século XIX, mas nenhum outro lugar fez da caça aos trustes, como colocou Richard Hofstadter, "um credo e um meio de vida". A maioria dos outros países, sobretudo no continente, concedia livremente monopólios em ferrovias e negócios similares e costumava encorajar o crescimento em nome da competitividade nacional.

O fervor antimonopólio nos Estados Unidos tem origens em Andrew Jackson, ou mesmo antes. Hofstadter o localiza em uma cultura de "fazendeiros e empresários de cidade pequena – ambiciosos, com mobilidade, especulativos, antiautoritários, igualitários e competitivos". O caminho para a salvação segundo a linha principal do protestantismo americano era de profunda solidão existencial: humanos insignificantes caminhando semicegos por uma planície sombria assolada por forças frias, cósmicas e violentas. Isso também era uma boa descrição para o trabalho de um fazendeiro produtor de trigo de Minnesota, ou de um pequeno fabricante pego em um pânico financeiro de Wall Street. A mesma atitude mental dava status quase bíblico a uma forma rigorosa de economia *laissez-faire*. A concorrência nos negócios se encaixava muito bem na metáfora de luta permanente: ela forjava o caráter e a disciplina exigidos para a batalha maior.

Na época do Interstate Commerce Act (1887) e do Sherman Antitrust Act (1890), entretanto, a força do milenarismo religioso e o impulso de reforma agrária estavam se atenuando, especialmente em relação às ferrovias. Como os fazendeiros tinham sido os beneficiários de uma queda prolongada e muito acentuada nos preços dos fretes, o tema dos preços máximos mal foi abordado durante as audiências. A questão mais controvertida para os defensores do Interstate Commerce Act (ICA), em vez disso, era a inconsistência patente entre as taxas para frentes de grande distância e as taxas de custas para distâncias proporcionalmente bem mais altas. Nessa época, a parte mais prejudicada eram os negociantes do Leste.

Fazendeiros-empresários do Oeste há muito tempo tinham compreendido que era exatamente essa discriminação tarifária que os mantinha no negócio.

Não havia mistério na definição de preços das ferrovias: elas cobravam o que achavam que o tráfego iria suportar. Quando as linhas de longa distância do Oeste foram abertas, as ferrovias estabeleciam suas tarifas em proporção às distâncias e conseguiam muito poucos negócios. O trigo do Oeste só conseguiu dominar os mercados mundiais quando as ferrovias tornaram muito barato para eles chegar à costa. Os fazendeiros de Nova York e negociantes de grãos foram os maiores perdedores, mas as chances de o Congresso exigir que as ferrovias aumentassem as tarifas dos fretes do Oeste eram de aproximadamente zero.* Por outro lado, o que importava aos fazendeiros era a volatilidade das tarifas, já que as frequentes guerras de preços costumavam causar um sobe e desce de tarifas. A Eastern Traffic Association, maior *pool* ferroviário do Leste, administrado com grande competência por Albert Fink durante boa parte dos anos 1880, trouxera certa estabilidade para as tarifas no Leste, pelo menos em tempos de prosperidade. Enquanto poucos congressistas podiam contradizer abertamente os anos de retórica *antipool*, muitos passaram a acreditar que um *pool* regulamentado poderia oferecer o caminho mais razoável para se alcançar estabilidade tarifária.

Muito dessa mesma ambivalência cercou a aprovação do Sherman Antitrust Act. Preocupações do homem comum sobre "monopólio" tinham temporariamente enfraquecido: Prata Livre foi a única plataforma populista que William Jennings Bryan precisou adotar para receber o endosso do Partido Populista em 1896. Ao mesmo tempo, figuras acadêmicas emergentes, como John Bates Clark e Richard Ely, fundador da American Economics Association, estavam começando a questionar a validade dos cânones tradicionais do *laissez-faire*, e pelo menos alguns congressistas estavam cientes do que eles pensavam. Também havia um início de percepção de que, em indústrias como a do aço e a do petróleo, a competitividade global exigia produção e unidades de distribuição em larga escala. Assim como no ICA, muitos anos de energia reformista tinham levado a um ponto em que o público esperava ação, mas de repente não era claro como um programa legislativo devia se parecer.

Em suma, não eram necessariamente a corrupção ou a incompetência que geravam compromissos inócuos no Interstate Commerce Act original e no Sherman Antitrust Act. Os congressistas podem ter montado conscientemente cláusulas que iriam "esperar para ver" se pegavam. A nova comissão surgida do ICA tinha amplos poderes de fiscalização sobre que tarifas eram "razoáveis e justas", mas nenhum poder ou poderes de definição ou aplicação de tarifas além de mover uma

---

* O historiador Albro Martin observou que as tarifas ferroviárias prejudicavam todos os negócios em relação aos seus similares no Oeste e, de forma parecida, conferiam uma vantagem "injusta" sobre qualquer negócio no Leste. Nova York, infelizmente, ficava onde o Leste terminava. (N.A)

ação na corte federal. Enquanto havia uma proibição de discriminação de tarifas de fretes de longa e curta distância, ela foi arruinada pela observação de que se aplicava apenas sob "condições ou circunstâncias substancialmente similares", o que os tribunais começaram a interpretar de maneira bastante estrita – a simples presença de concorrência bastava para derrubar o teste do "substancialmente similar". Apenas abatimentos posteriores e *pools* foram mais especificamente proibidos. Como indicativo do apoio fragmentário à lei, um de seus defensores, o senador de Nova York Orville Platt, que tinha aprendido sobre o processo de definição de tarifas ferroviárias com Fink, recusou-se a assinar devido à cláusula contra os *pools*.

A linguagem do Sherman Act era igualmente cautelosa. A proibição de atitudes que limitassem a "competição total e livre" dos primeiros rascunhos foi substituída por formulações tradicionais de direito costumeiro: a lei proibia apenas contratos e combinações "em restrição ao comércio" ou tentativas de "monopolizar qualquer parte do ...comércio". Congressistas sofisticados estavam bastante conscientes da flexibilidade dos precedentes da lei costumeira. Os reformistas achavam que tinham vencido um *round* com a imposição de penalidades terríveis para violações – prisões, multas altas e o confisco de bens e ativos corporativos. Mas quando ficou claro que as cortes nunca iriam aplicá-las, mesmo os reformistas fizeram *lobby* por reduções.

O cfcito não intencional das duas leis foi acelerar o ritmo das fusões. Pela primeira década, mais ou menos, após a aprovação do Sherman Act, a Suprema Corte, por pequenas maiorias, seguiu uma linha interpretativa estrita: se a lei proibia "qualquer" combinação em restrição ao comércio, significava *qualquer* – enquanto a minoria insistia que mesmo a interpretação estrita implicava um padrão de razoabilidade, já que todo contrato em teoria age como restrição do comércio. No início dos anos 1900, a corte aos poucos começou a se inclinar por uma posição de acomodação mais semelhante à abordagem da lei costumeira britânica. Na época da liquidação forçada da Standard Oil em 1911, a bandeira da "razoabilidade" tinha tomado o campo, apesar de a suposta fatia de "90%" do mercado da empresa ser considerada prova suficiente de concentração fora dos limites razoáveis, enquanto os mais de 50% do mercado detidos pela U.S. Steel estava à altura das exigências. (Em um triunfo do preconceito sobre a lógica, por muitos anos os tribunais, além de insistir que os sindicatos eram "combinações em restrição ao comércio", também se recusavam a aplicar os mesmos testes de razoabilidade usados para combinações empresariais.)

A visão benevolente dos tribunais sobre as fusões, entretanto, tinha paralelo em um padrão muito estrito para examinar acordos entre empresas com o propósito de dividir mercados ou manter preços. No caso Northern Securities Co. *versus* Estados Unidos (1904), a corte não permitiu que uma *holding* gerida e projetada por Morgan fosse designada para solucionar uma guerra de muitos anos entre as linhas de E.H. Harriman e James J. Hill para o extremo Noroeste. Uma das características ofensivas da estrutura, segundo o tribunal, é que ela não era a verdadeira "proprietária das ações da ferrovia", mas apenas "a curadora ou depositária". O caso da Northern Securities culminou em uma longa série de decisões que não deixou dúvida quanto à hostilidade da justiça a combinações "frouxas" como os *pools* de ferrovias de Albert Fink. Não era preciso um advogado genial para descobrir que se você queria fazer uma combinação, uma fusão "sólida" autêntica tinha as melhores perspectivas de sobrevivência, enquanto permanecesse abaixo de um limite de "irrazoabilidade" na escala da Standard.* O sistema ferroviário nacional acabou por se consolidar em torno de seis ou sete grandes redes, e a Interstate Commerce Commission (ICC) finalmente recebeu poderes para determinar todas as tarifas ferroviárias em 1906. Assim que a comissão começou a determinar tarifas, em geral os preços subiram.

Refletores sobre a Standard

A Standard, como nenhuma outra empresa, atraía avaliação e exame antitruste minuciosos, intensos e indignados, principalmente depois que a história da Standard Oil escrita por Ida Tarbell e lançada em capítulos na *McClure's Magazine* chegou a quase dois anos de publicação em 1903. Entre 1904 e 1906, pelo menos vinte processos antitruste importantes foram abertos contra a Standard por vários promotores públicos estaduais, e, no fim de 1906, o Bureau de Corporações dos Estados Unidos abriu seu próprio processo, dando início ao caso que acabou por levar à liquidação forçada da Standard cinco anos mais tarde.

Na época em que o caso chegou à Suprema Corte em 1910, o processo, nas palavras da corte, era

> Excessivamente volumoso ...reunindo cerca de 12 mil páginas contendo vasta quantidade de testemunhos confusos e conflitantes em relação a inumeráveis transações comerciais complexas e variadas se estendendo por um período de quase quarenta anos...
> Tanto em relação à lei quanto aos fatos, as questões controversas na discussão são numerosas e inconciliáveis em todos os aspectos.
> Por um lado, com uma pertinência implacável e análise minuciosa, insiste-se que os fatos determinam que a combinação em questão nasceu com o objetivo

---

* Oliver Wendell Holmes Jr., em uma bem conhecida decisão discordante em relação à Northern Securities, concentrou sua atenção na fraqueza lógica da distinção entre sólido/frouxo. O governo finalmente decidiu abandoná-la, e a divisão antitruste agora analisa propostas de fusão por seu efeito anticoncorrência, independentemente de seu formato legal. (N.A.)

de obter riqueza contrariando a lei, oprimindo o público e destruindo os direitos justos dos outros. ...[como resultado, a Standard] é uma ameaça aberta e permanente a toda a liberdade de comércio e é um exemplo vergonhoso para aos métodos econômicos modernos.

Por outro lado, em uma análise ponderada dos fatos, insiste-se que... [a Standard é] o resultado de métodos competitivos legais, guiados por gênios econômicos da mais alta ordem, sustentados por coragem, por uma percepção arguta das situações comerciais, resultando na obtenção de grande riqueza, mas ao mesmo tempo servindo... para ampliar muito a distribuição de derivados de petróleo a um custo muito mais baixo do que, de outra forma, seria vigente.

(A corte conseguiu evitar ter de decidir entre essas posições polarizadas e baseou sua decisão de liquidação forçada apenas no fato de a Standard na prática ter adquirido um monopólio.)

Ao contrário da corte, muitos historiadores parecem considerar o caso do governo contra a Standard como provado, apesar de o registro verdadeiro não ser tão claro assim. Um dos maiores argumentos do governo, por exemplo, era a acusação de precificação predatória, ou da prática de preços abaixo do custo para tirar algumas empresas independentes específicas do negócio. Entretanto, quando o historiador John McGee examinou todos os casos de suposta precificação predatória, ele não conseguiu encontrar "uma única ocasião em que a Standard tenha usado reduções de preço predatórias". Enquanto havia alguns casos que permaneceram ambíguos, a maioria parecia resultado apenas de diferenças de preços regionais, que McGee considerou quase sempre justificadas por questões econômicas locais. Em vários casos em que houve guerras de preços, elas foram iniciadas pelos independentes queixosos. Outra linha importante das acusações sobre a fixação de preços envolvia um experimento da Standard com centros de distribuição *self-service* no atacado para varejistas, o que os intermediários locais acusaram de ataque predatório sobre seus negócios. Mas a Standard não mudou seus preços; na verdade, abriu postos nos quais os varejistas podiam encher seus latões de querosene ao mesmo preço vendido para os atravessadores – possivelmente quando a Standard começou a aprender truques de distribuição com os frigoríficos. Além disso, os queixosos costumavam ser petroleiros bastante bem-sucedidos. Lewis Emery, por exemplo, que mais tarde tornou-se um legislador da Pensilvânia radicalmente contrário à Standard, fez sua carreira abrindo empresas petrolíferas e depois as vendendo para a Standard; a Standard chegou mesmo a financiar a alavancagem de uma de suas empresas.[*] Na época

---

[*] Alguns desses juízos são, obviamente, estabelecidos pelos olhos de quem vê. Outra análise, com base nos mesmos dados, sugere que Emery pode ter sido um "especulador serial" mais que um desejoso vendedor em série, apesar de não levar em conta o fato de que a Standard também era uma investidora de Emery. (N.A.)

de sua ação, Emery era um dos principais investidores na Pure Oil Co., uma das independentes mais bem-sucedidas. Jeremiah Jenks, o diretor incumbido das audiências de 1899 na Comissão Industrial, examinou as práticas de precificação da Standard e concluiu que "muitos casos" de mudanças arbitrárias de preços para prejudicar a concorrência "podem ser consideradas válidas e razoáveis", apesar de, em um caso que ele examinou detalhadamente, ter descoberto que os casos não sustentavam a acusação.

Também havia muitas queixas de uso discriminatório da posição poderosa da Standard com oleodutos. Mas até a lei ser emendada em 1906, os oleodutos sem dúvida não eram uma transportadora comum sob o Interstate Commerce Act, que cobria apenas "o transporte de passageiros ou propriedade inteiramente por ferrovia, ou parcialmente por ferrovia e parcialmente por água". E a suspeita de conluio com as ferrovias e o pagamento de abatimentos posteriores ilegais nunca morreu. Archbold, nas audiências da Comissão Industrial, admitiu abertamente que a Standard tinha negociado uma grande variedade de abatimentos posteriores e reembolsos antes que estes fossem proibidos pelo Interstate Commerce Act, mas depois disso não o fizera mais, e apresentou cartas de todos os principais presidentes de ferrovias atestando a veracidade de sua afirmação. Mas as acusações persistiram. A mais espetacular foi um caso aberto pelo governo em 1906 e que resultou na imposição à Standard, nas palavras de Ron Chernow, "da maior multa na história corporativa por uma prática que supostamente havia abandonado muito tempo atrás". O caso merece ser examinado em mais detalhes.

Em seu processo, o governo alegou que a Standard Oil de Indiana tinha recebido uma taxa com desconto de seis centavos por 100 libras, quando a tarifa vigente era de dezoito centavos, sobre o petróleo transportado de sua refinaria em Whiting, Indiana, pela ferrovia Chicago and Alton. Depois que o júri decidiu pelo governo, o juiz da corte distrital, Kenesaw Mountain Landis (mais tarde um famoso e inovador dirigente de beisebol), determinou que 1.462 vagões de petróleo tinham sido transportados durante o período de três anos mencionado pela acusação (1903-1905) e impôs uma multa de US$ 20 mil por vagão, ou US$ 29,24 milhões, que calculou ser cerca de um terço do valor líquido da empresa matriz, a Standard Oil Co. de Nova Jersey.

Segundo os registros desse caso, a Alton tinha determinado uma tarifa de transporte de commodities de dezoito centavos por 100 libras; a tarifa incluía uma longa lista de produtos, mas não mencionava petróleo. Uma decisão subsequente de uma comissão de Illinois, entretanto, determinou que o petróleo estava dentro de uma das classificações tarifárias de 1895. Em um depoimento excluído por Landis, o gerente de frete da Standard disse que, quando perguntou sobre as tarifas de frete de petróleo na Alton, ele recebeu uma tabela de preços da matriz que mostrava o preço de seis centavos e uma cópia do pedido de requerimento de tarifa para o ICC. O agente de tráfego ferroviário, em outro depoimento excluído,

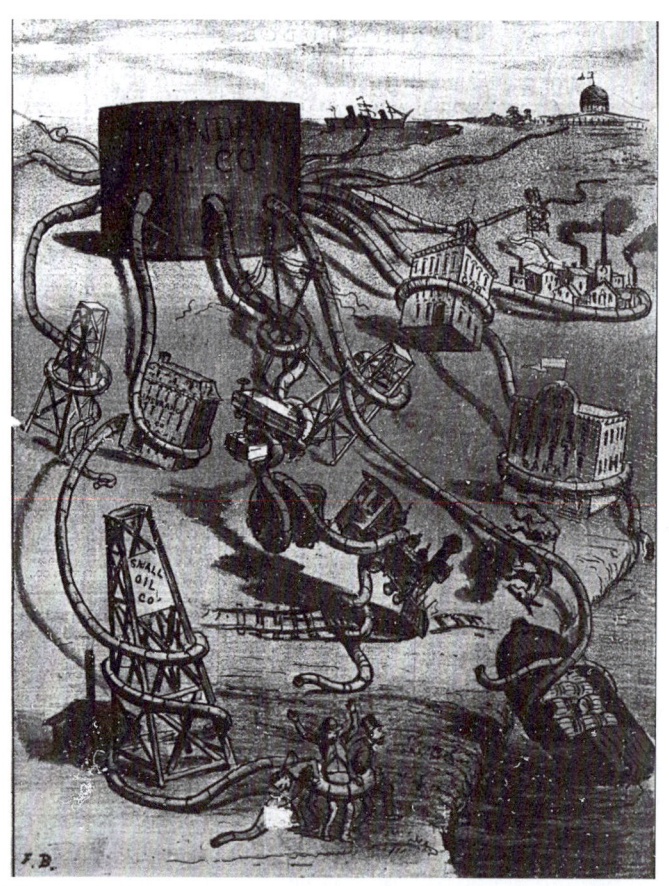

Depois da publicação da *History of Standard Oil* de Ida Tarbell, a empresa se tornou o principal alvo da caça aos trustes no país. Ironicamente, obteve lucros enormes com a liquidação, que provocou a alta valorização das ações de todas as empresas separadas.

confirmou o relato do gerente da Standard e disse que nunca tinha ouvido falar de outra tarifa. Entretanto, aparentemente em consequência de um erro de registro, a tarifa de seis centavos para o petróleo na verdade não foi praticada até depois do período em questão.

A principal defesa da Standard é que ela tinha confiado na representação da ferrovia, e também destacou que a única outra ferrovia que atendia aquela rota, a Eastern Illinois, também cobrava tarifa de seis centavos. Mas Landis também considerou inapropriada a tarifa da Eastern Illinois. A Eastern Illinois, um mês depois de se unir à Alton no acordo tarifário sobre frete de commodities em 1895, estabeleceu uma tarifa de seis centavos para petróleo. Entretanto, em 1903, "confirmou" a tarifa de dezoito centavos determinada em 1895. Ao que parece, a ferrovia percebeu que o novo preço possivelmente entrava em conflito com a tarifa separada para petróleo de 1895, então no dia seguinte anunciou uma correção e voltou à tarifa de seis centavos para petróleo. Mas a Eastern Illinois não terminou de registrar e praticar de maneira apropriada essa correção até depois de 1905. Landis decidiu que era responsabilidade da Standard determinar se as tarifas das ferrovias estavam sendo praticadas e registradas de maneira apropriada e, como não havia fatores atenuantes, ele impôs a maior multa permitida pela lei.

A posição da Standard em Indiana é relevante para compreender o caso. A refinaria Whiting era a maior em seu sistema e, quando foi inaugurada em 1890, era a maior do mundo. Ela era em grande parte um projeto pessoal de Rockefeller, e a posição dominante da Standard na região de Indiana-Illinois podia ser considerada sua última grande contribuição à empresa. Os petroleiros sabiam há muito tempo da existência de grandes reservas de óleo cru no Meio-Oeste, mas o solo produzia óleo "azedo", rico em enxofre, sem qualquer utilidade comercial. Rockefeller sempre se preocupou com a queda de produção dos poços da Pensilvânia e pressionou por aquisições importantes no Meio-Oeste para assegurar o fornecimento contínuo de cru. Em certo momento, depois que seus sócios votaram contra as aquisições, ele anunciou que iria seguir em frente com o próprio dinheiro. (Mais tarde, eles mudaram de ideia.) Depois de assegurar sua base de óleo cru no Meio-Oeste, Rockefeller impulsionou a criação do laboratório de pesquisa em petróleo da Standard e recrutou Herman Frasch, um químico alemão que mais tarde foi um dos pioneiros das indústrias química e de mineração de enxofre americanas e que, em meados dos anos 1880, inventou um processo prático e barato de dessulfurização.

Durante o período coberto pelo processo, a Standard controlava cerca de 70% da produção de petróleo cru da região, e, na verdade, não havia qualquer competição local no refino. Como suas patentes de dessulfurização ainda tinham alguns anos de validade, os poucos independentes foram forçados a se concentrar em produtos de custo mais alto para nichos específicos. A cidade de Whiting, como as cidades petroleiras da Pensilvânia, tinha crescido em torno da refinaria e seus empregados. A produção da refinaria era transportada por uma malha complexa de conexões ferroviárias, oleodutos de Rockefeller e linhas de barcos a vapor que, em sua maioria, eram propriedade de Rockefeller. Nenhuma outra refinaria ou transportadora de petróleo era servida pelas duas ferrovias em questão.*

---

* A ausência de refinarias concorrentes na região pode explicar a confusão nos procedimentos burocráticos das ferrovias. Os registros mostram que a Alton registrava e praticava 386 tarifas de commodities – cada um dos registros um longo documento jurídico. Testemunhos mostram que a tarifa de seis centavos para petróleo tinha sido praticada por vários anos, enquanto uma audiência posterior diante de um examinador federal também mostrou que o valor de seis centavos para commodities era comum na região. Sem a necessidade de manter uma comunidade de clientes atualizada com regularidade sobre tarifas, seus registros podem ter sido deixados de lado. (N.A.)

Uma questão óbvia é por que o governo dedicou atenção a esse caso? E como ele surgiu, em primeiro lugar? A suposta violação era extremamente sutil. A tarifa crucial da Alton tinha de ser "decifrada", nas palavras da corte de apelações, já que ela tinha de ser comparada com material do estado de Illinois para determinar até se ela se aplicava ao petróleo, e havia provas substanciais de que a violação, se houve uma, não fora intencional. Não havia outra transportadora para reclamar de discriminação, e o dinheiro envolvido era pouco; o suposto desconto de doze centavos, ao longo dos três anos, seria o equivalente a cerca de US$ 91 mil, ou 0,03% da multa de Landis, durante um período em que a Standard ganhou mais de US$ 200 milhões.

A impressão clara é que os procuradores tinham pesquisado em muitos anos de registros de tarifas em busca de possíveis violações da Standard, mesmo que fossem técnicas. Em suma: isso parece perseguição – uma impressão reforçada pelo pedido do governo no momento de um novo julgamento, depois que uma apelação tinha sido rejeitada, para que a defesa apresentasse uma lista de provas para cada um dos 1.462 vagões. Os historiadores frequentemente comentaram sobre o desprezo maldisfarçado que Archbold e Rogers às vezes exibiam em tribunais do governo. Sua falta de diplomacia era uma forma cara de autoindulgência, indigna de executivos tão importantes e prejudicial à imagem pública da empresa. Entretanto, o caso de Indiana sugere que eles podem ter sido submetidos a muita provocação.*

O caráter aparentemente falso das acusações de Indiana, é claro, não demonstra a inocência da companhia. Archbold, por exemplo, foi vergonhosamente exposto por pagar "comissões", isto é, suborno para, entre outros, um senador dos Estados Unidos, um deputado e um legislador da Pensilvânia. E ainda é necessário mencionar que mesmo tão tarde quanto nas audiências da Comissão Stanley de 1910, centenas e centenas de páginas de depoimentos remexiam material de décadas de idade, como sobre a South Improvement Company e as guerras dos oleodutos dos anos 1880. Os recursos muito substanciais do governo dedicados ao caso de Indiana também tornam plausíveis as conclusões de McGee sobre a fragilidade das acusações de "precificação predatória".

Na verdade, a Standard tinha todo o incentivo para se comportar como uma corporação cidadã respeitadora da lei pelo menos depois dos últimos anos do século XIX. Em uma época em que não tinha qualquer interesse em aumentar sua fatia de mercado, táticas predatórias contra independentes como a Tidewater e a Pure Oil não teriam feito sentido. E a empresa estava longe de não ter concorrência. Como um dos primeiros negócios globais integrados, 70% de suas vendas vinham

---

* A decisão de Landis foi mudada na apelação. Após a apresentação de provas no novo julgamento, o juiz deu um veredicto favorável à Standard, na verdade determinando que o governo não conseguira montar um caso sustentável. (N.A.)

do exterior. Seu período de monopólio mundial terminou quando os formidáveis irmãos Nobel abriram os campos russos de Baku no início dos anos 1880 e patentearam tecnologia de refino possivelmente superior à da Standard. Mais ou menos na mesma época, a Royal Dutch Shell fez novas descobertas importantes nas Índias Orientais e investiu pesado na tecnologia de navios petroleiros oceânicos. Todos os críticos admitiam que os preços da Standard caíram consistentemente depois que Rockefeller conquistou a posição dominante na indústria, e mesmo o muito hostil Bureau de Corporações reconhecia que ela era o mais eficiente dos produtores americanos.

Ao mesmo tempo, em especial sob o comando de Archbold, há sinais claros de que a companhia estava começando a se estabelecer e se adaptar confortavelmente para aproveitar sua posição de quase monopólio enquanto ela durasse – pelo menos no mercado interno –, pois a Standard sempre cobrou preços mais baixos em arenas estrangeiras muito disputadas do que em casa. Os lucros e dividendos também aumentaram muito. De 1883 a 1896, sob comando de Rockefeller, os ganhos médios sobre o valor nominal eram saudáveis, mas não desproporcionais, 14,9%; de 1900 a 1906, saltaram para 24,5%; os dividendos nos mesmos períodos foram de uma média de 10,1% para 16,4% (ver Apêndice II).

O grande salto nos ganhos é perfeitamente consistente com as provas de que a Standard no início dos anos 1900 estava perdendo rapidamente sua vantagem competitiva. O analista político Charles Ferguson observou que não é o monopólio agressivo e eficiente o que mais deve ser temido. Custos econômicos muito maiores são infligidos por beneficiários complacentes e sem importância de monopólios. Para citar um exemplo moderno, considere a explosão de comunicação que se seguiu à liquidação da AT&T em 1984; e mesmo hoje, uma empresa como a Verizon é muito mais adaptável e tecnicamente avançada em seu negócio competitivo, como comunicação *wireless*, do que no tradicional. Sinais de complacência com monopólios surgiram na Standard já nos anos 1880, quando ela tentou impor um óleo de lampião "grosso e de combustão lenta" no mercado europeu. A montanha de reclamações foi rebatida com a resposta condescendente de que os clientes estavam usando as camisinhas de lampião erradas. A empresa relutou a encarar o problema, o que só fez após uma reunião longa e desagradável com todos os seus representantes no mercado europeu – apesar de o término da ferrovia transcaucasiana/Baku dos Nobels sem dúvida ter ajudado a se chegar a uma decisão.

A "fadiga administrativa", como definiu um historiador, parece ter começado a se instalar, em particular após a saída de Rockefeller. Na época da liquidação, apesar de sua lucratividade, a vantagem competitiva da Standard estava claramente ameaçada. O centro da produção de óleo cru tinha mudado de sua base na Pensilvânia e no Meio-Oeste para o Texas, onde ela não tinha qualquer presença, e para a parte central do continente (do Kansas ao Colorado) e os campos da Califórnia, onde sua posição era fraca. A Gulf Oil, a Texaco, a Sun Oil e a Union Oil da Califórnia surgiam como independentes muito mais formidáveis do que a Tidewater e a Pure Oil jamais tinham sido. Apesar de a Standard demonstrar muita criatividade para obter mais produção de campos em decadência, o grande investimento na extração e em instalações de distribuição no Leste e no Meio-Oeste se transformou em uma espécie de elefante branco. Como os britânicos, para seu pesar, haviam descoberto em relação ao aço, é quase impossível manter uma vantagem tecnológica em meio a um declínio na produção, e os enormes oleodutos e refinarias novos no Texas e na Califórnia estavam inevitavelmente uma geração à frente dos da Standard. Na época em que a decisão pela liquidação foi tomada, a suposta "fatia de 90%" do mercado doméstico de refino da Standard estava próxima dos 65% e em queda, enquanto sua posição em outros setores da indústria era muito menor que isso. Pior de tudo: sua principal premissa de negócio estava desmoronando com velocidade assustadora. A difusão e a popularização acelerada da eletricidade iam claramente acabar com o mercado de querosene, e a empresa demorou para perceber a oportunidade com os automóveis.

Caçadores de trustes achavam que estavam matando um monstro perigoso com a liquidação da Standard em 1911. Na verdade, estavam fazendo um grande favor aos acionistas, em especial a John Rockefeller. Quando as ações das empresas individuais foram listadas sob seus próprios nomes e elas puderam concorrer livremente, seus valores de mercado se multiplicaram muitas vezes, e a riqueza de Rockefeller elevou-se a níveis com os quais nem mesmo Andrew Carnegie sonhara.

O "bom" magnata

Ironicamente, sempre que um órgão oficial queria apontar um industrial honesto e competitivo em contraste com barões ladrões como Rockefeller, citava o exemplo de Andrew Carnegie. Entretanto, por qualquer padrão de avaliação, a ficha de todas as empresas siderúrgicas, entre elas as de Carnegie, no início da vigência do Interstate Commerce Act e do Sherman Antitrust Act era de violação flagrante e persistente da lei.

Por anos Carnegie tinha atacado a prática da Pennsylvania de cobrar tarifas mais altas das usinas siderúrgicas de Pittsburgh do que de seus concorrentes na área de Chicago e dos Grandes Lagos. Ele acabou por chamar sua atenção quando abriu sua própria ferrovia partindo de Pittsburgh em 1896 e obteve grandes abatimentos posteriores, logo uma das poucas práticas claramente proibidas pelo ICA. O arranjo foi desfeito quando A.J. Cassatt assumiu a presidência da

Pennsylvania em 1899 e acabou com todos os reembolsos e abatimentos.* Carnegie ficou revoltado, ameaçou com uma barreira de represálias, e não foi detido por uma mensagem um tanto chocada do intermediário de Cassatt que dizia que a empresa *não tinha a permissão* de fornecer reembolsos e abatimentos. Carnegie sem dúvida compreendeu que "os abatimentos que você estava recebendo não apenas eram ilegais, mas, se [Cassatt] tivesse insistido com eles após saber de sua existência, estaria cometendo um crime". É claro que Carnegie compreendeu, mas nada disso importava quando lucros estavam em jogo.

Atas de reuniões do conselho de junho de 1900 incluem um caso claro de tentativa de ocultar a prática de abatimentos. A Carnegie Steel tinha um contrato de transporte de minério que assegurava um abatimento de 40% nas tarifas afixadas, mas a ferrovia estava preocupada em pagar isso em violação à lei. Como a ferrovia tinha sido adquirida recentemente pela Federal Steel, a Carnegie Steel – trabalhando diretamente com Elbert Gary – desenvolveu um contrato de transporte de longo prazo de fachada que assegurava pagamentos da Federal Steel por frete na linha usada para minério equivalentes aos abatimentos, para, como as atas explicam com clareza, "evitar a aparência de abatimentos nos fretes".

De maneira parecida, entre as poucas práticas claramente proibidas pelo Sherman estavam os *pools* de determinação de preços entre a concorrência. Mas Carnegie e seus colegas executivos de siderúrgicas com frequência criaram *pools* assim durante os anos 1890: havia precificação contratual e acordos de divisão de mercado cobrindo trilhos, folhas de flandres, argolas e arame, assim como várias outras "associações" para ferro-gusa, produtores de lingotes, entre outros. Todos eles tinham algum elemento de fixação de preço. Carnegie, apesar de suas constantes declarações públicas contra os *pools*, unia-se a eles com a mesma facilidade que os outros executivos, obtendo lucros altos quando os tempos eram bons. Sua maior diferença era a disposição em romper os acordos dos *pools*; sempre disposto a "operar a toda velocidade", ele rapidamente abandonava os *pools* quando os mercados se estagnavam. (Os *pools* funcionavam abertamente na Era do Ferro, mas uma comissão do Congresso se declarou chocada quando eles foram revelados uma década mais tarde.)

Ainda mais infame foi o conluio com a Bethlehem Steel em torno de contratos de chapas de blindagem. A Bethlehem chegou a deter todo o negócio de blindagem, mas a Carnegie Company conseguiu penetrar em 1890, em parte porque obteve cópias antecipadas dos documentos confidenciais de propostas da concorrência.

---

* O coque de Frick também foi grande fonte de reembolsos e abatimentos posteriores, e a ação de Cassatt reduziu muito seus ganhos. A tentativa de Frick de elevar os preços do coque em 1899 – que precipitou o rompimento com Carnegie – provavelmente foi motivada pela perda dos abatimentos. Carnegie até então não sabia da extensão dos abatimentos da empresa, e ficou furioso quando soube deles – não porque eram ilegais, mas porque não tinham sido pagos à siderúrgica. (N.A.)

Depois de alguma disputa, as duas empresas chegaram a um acordo sobre a divisão do mercado em 1893 que foi seguido com "precisão aritmética" por toda a década seguinte. (Em 1895, quando as empresas estavam cobrando US$ 600 por tonelada do governo, a Bethlehem foi pega vendendo o mesmo produto para a Rússia por US$ 250.) O descaramento daquela barganha é captado em uma proposta de uma terceira empresa, a Midvale Steel, que esperava entrar no negócio em 1900. Como resumiu Schwab para o conselho da Carnegie Steel: "A proposta era que eles ficassem com três quartos das forjaduras feitas nesse país, fosse para armas ou outra coisa, e, além disso, US$ 2 milhões em dinheiro. Se sua proposta fosse aceita, eles não fariam qualquer investida sobre chapas". Em vez disso, anos mais tarde as três empresas concordaram em alocar uma quantidade fixa dos negócios para a Midvale: como dizia um memorando da Bethlehem, "provavelmente o procedimento menos suspeito seria se a Carnegie e a Bethlehem seguissem a prática geral de fazer cada uma a mesma oferta de preço por tonelada e deixar [a Midvale] baixá-la em alguns poucos dólares por tonelada para garantir as 2.060 mencionadas". A combinação irregular de propostas gerava margens extraordinárias: no fim dos anos 1890 as empresas receberam entre US$ 345 e US$ 420 por tonelada de chapa de blindagem (um compromisso após o constrangimento do negócio da Bethlehem com a Rússia) contra custos de produção de talvez uns US$ 150. Com essa quantidade de dinheiro em jogo, que patriota deixaria passar a oportunidade de fraudar seus concidadãos?

8. A era de Morgan

O veleiro de Pierpont Morgan, o *Corsair*, tinha a metade do tamanho de um navio de guerra, e fora projetado para alcançar o máximo de velocidade. Tinha casco negro, estofado negro e dourado, grandes estantes e, intencionalmente, uma aparência veloz. O próprio nome falava muito da opinião de Morgan sobre o banqueiro moderno. (Jay Gould construiu um veleiro ainda maior, mas ele não foi aceito no Iate Clube de Nova York devido à sua fama de "barão ladrão".)

Em uma manhã quente de julho de 1885, o *Corsair* levou Morgan e seu amigo Chauncey DePew, presidente da New York Central e mais tarde senador dos Estados Unidos, a um atracadouro em Jersey City onde eles apanharam George Roberts e Frank Thomson, os dois principais executivos da ferrovia Pennsylvania. Os quatro passaram o resto do dia sob o agradável toldo listrado no convés, subindo e descendo o Hudson enquanto discutiam como se livrar de Andrew Carnegie. Morgan era o principal banqueiro da New York Central e um dos diretores da companhia, enquanto as exigências bancárias da Pennsylvania ficavam a cargo de seu sócio, Tony Drexel. (Não parecia importar que Carnegie também fosse um cliente de longa data e estivesse incluído entre os "amigos da firma" no escritório de Junius em Londres.)

Estava em questão uma nascente guerra entre as duas ferrovias, fomentada e parcialmente financiada por Carnegie. Depois de passar anos irritado e impotente em relação à política de aumento de preços de seus clientes com base em Pittsburgh, Carnegie tinha finalmente encontrado uma maneira de revidar por intermédio de William Vanderbilt, principal proprietário da New York Central. Vanderbilt tinha ficado quase o tempo todo longe das batalhas com a Pennsylvania, já que as duas linhas tinham poucos territórios em comum. Mas, em silêncio, a Pennsylvania tinha apoiado a renovação de uma linha moribunda, a West Shore, para atacar o coração da concessão da New York Central que subia o Hudson até os Grandes Lagos. Furioso, o normalmente conciliatório Vanderbilt descobrira que tinha entre seus ativos uma concessão de ferrovia que não havia utilizado. Para sua sorte, era uma linha que podia conectar as siderúrgicas de Carnegie do outro lado das Alleghenies com a Philadelphia & Reading, rompendo o monopólio da Pennsylvania sobre o tráfego interestadual. A linha férrea seria cara – pelo menos US$ 15 milhões – e passava por um terreno montanhoso difícil, mas assim que Carnegie soube disso, organizou um consórcio de fabricantes de Pittsburgh para levantar um terço do capital. Na época do passeio do *Corsair*, as obras na ferrovia progrediam a passo acelerado. Vinte e seis trabalhadores tinham morrido, mas os túneis através das montanhas estavam abertos; os desfiladeiros artificiais, recortados na rocha; os pilares para pontes sobre rios, erguidos; e os trilhos, encomendados – tudo atendendo a cobranças impacientes e insistentes de Carnegie.

Mas o que os fabricantes de Pittsburgh viam como um novo dia ensolarado de tarifas mais justas e serviço melhor parecia uma catástrofe absoluta para Pierpont e Junius Morgan. Como a maioria dos banqueiros de sua época, eles usavam as palavras "nociva" e "concorrência" como se elas fossem unidas por hífen. Depois de subir muito no crescimento acelerado do mercado entre 1879 e 1882, o preço dos papéis das ferrovias tinha caído muito na recessão curta de 1883, e a última coisa que os banqueiros queriam eram tarifas mais baixas.* A energia dedicada por Junius e Pierpont para evitar um confronto ressalta a importância que davam a isso. Quando Vanderbilt estava na Europa na primavera, Junius fez o possível para dissuadi-lo de sua jogada na Pennsylvania. Quando viu que isso não tinha dado resultado, ele convenceu seu cliente, Cyrus Field, o magnata do telégrafo e um dos principais investidores na nova linha, a protelar uma reunião de acionistas que estava marcada, para que Pierpont pudesse correr para a Europa e acompanhar Vanderbilt na velejada de volta para casa.

Poucos homens poderiam resistir a uma semana inteira com Morgan, e Vanderbilt nunca foi muito dotado de força de caráter. Quando eles desembarcaram, o acordo estava fechado. Se a Pennsylvania concordasse, as duas ferrovias iam comprar as novas linhas uma da outra; como havia obstáculos legais a uma aquisição direta da linha que cortava as Allegheny pela Pennsylvania, os Morgans iriam comprá-la para ela e trocá-la por ações equivalentes algum tempo mais tarde. Conseguir a assinatura da Pennsylvania exigiu um dia inteiro da eloquência de DePew a bordo do *Corsair*. Durante a maior parte do tempo, Pierpont ficava apenas com o olhar fixo e balançando seu charuto. Eles só chegaram a um acordo quando desembarcaram à noite. (Os Morgans o haviam tornado tão atraente que Roberts ficou desconfiado.) Carnegie não tinha ideia do que estava acontecendo até receber um bilhete secreto de Vanderbilt dizendo que a construção da nova linha tinha sido suspensa. As duas ferrovias abandonaram suas novas aquisições, jogando fora milhões em investimento. Os desfiladeiros e túneis abertos nas montanhas Allegheny, construídos a um custo humano tão cruel, foram deixados para desaparecer sob a floresta até serem descobertos com enorme satisfação pelos

---

* Os banqueiros adoravam o domínio americano sobre o mercado mundial de grãos e a consequente força do dólar, mas não pareciam ligar isso às tarifas de frete absurdamente baixas e à construção descuidada e sem planejamento de ferrovias no Oeste nas duas décadas anteriores. (N.A.)

Andrew Carnegie posou em frente a um túnel aberto para a ferrovia que Morgan o obrigou a abandonar em 1885, desperdiçando um investimento de muitos milhões de dólares. Mais tarde, o túnel acabou utilizado para a auto-estrada da Pensilvânia.

engenheiros que faziam o projeto da rodovia expressa sob cobrança de pedágio da Pensilvânia.

Morgan estava entre a primeira geração de banqueiros cujos clientes eram principalmente corporações privadas em vez de governos, mas havia continuidades substanciais na abordagem. Sua mediação entre os barões das ferrovias era feita muito na tradição do serviço financeiro/diplomático supranacional operado pelos Rothschilds e os Barings na Europa da metade do século. Apesar de seus enormes lucros ocasionais com financiamento de guerras, as grandes casas bancárias detestavam as guerras: os problemas nos negócios simplesmente não compensavam. Os principais sócios tinham contato próximo com todos os ministros do continente, costumavam apelar diretamente às famílias reais e, ainda que nunca usassem seus lendários poderes quase ditatoriais, podiam recusar o financiamento de governantes belicosos e em algumas ocasiões chegaram a tomar nas mãos o controle de portos ou ferrovias para evitar um conflito. Morgan teve um papel muito parecido durante toda a sua carreira, com a diferença de que ele estava evitando guerras entre empresas privadas concorrentes.

O acordo do *Corsair* foi um marco importante na ascensão de Pierpont à liderança dos interesses bancários do Morgan. Ele chegou em um momento em que Junius estava aos poucos reduzindo seu envolvimento diário na firma, apesar de Pierpont continuar a mantê-lo bem-informado e procurar seu conselho com regularidade. Quando Junius morreu em um acidente de carruagem em 1890, e Tony Drexel, sócio majoritário nominal do Drexel, Morgan, morreu em 1893, Pierpont – aos 56 e no auge de seus poderes – já era o líder reconhecido do banco nos dois lados do Atlântico. A firma de Nova York foi rebatizada de J.P. Morgan & Co. em 1894, com uma filial na Filadélfia (Drexel & Co.) e outra em Paris (Morgan, Harjes). A J.S. Morgan & Co. permaneceu uma sociedade separada em Londres, com Pierpont como seu sócio principal.

Na virada do século, Morgan possivelmente já era o principal banqueiro do mundo, e nenhuma outra firma sequer se aproximava da autoridade que ele exercia nos Estados Unidos. Ele não apenas intermediou mudanças substanciais no perfil dos negócios americanos, mas, considerada a vergonhosa falta de instituições financeiras no país, também funcionou como seu banco central de fato.

"Júpiter"

O famoso retrato de Morgan fotografado por Edward Steichen em 1903 o captou como o "Júpiter" dos mercados – a presença maciça e de uma fúria represada; o olhar sério e penetrante; a energia explosiva mal contida. As pessoas tinham grande respeito por Morgan – ele possuía "a força motriz de uma locomotiva", segundo um comentarista – ou simplesmente medo. Seu poder era real, com base em seu papel único de canalizar o montante crescente da poupança americana. De um jeito ou de outro – por meio do controle de conselhos, sociedades em investimentos, ou apenas o entendimento implícito de que o comitê de investimentos de um banco ou empresa de seguros seguiria o comando de Morgan –, ele e seus sócios dispunham de talvez 40% do capital comercial, financeiro e industrial líquido dos Estados Unidos, de longe o maior *pool* de dinheiro no mundo.

Da virada do século até o início da Primeira Guerra Mundial, todo financiamento americano de mais de US$ 10 milhões era gerido por Morgan ou apenas outras quatro firmas: duas de Boston, Kidder, Peabody e Lee Higginson; o National City Bank; e o Kuhn, Loeb, primeira das grandes casas bancárias judaicas americanas. Todas elas reconheciam a primazia de Morgan. Como observou Jacob Schiff, sócio principal no Kuhn, Loeb, ao recusar um negócio envolvendo ferrovias: "Isso é assunto de J.P. Morgan. Não quero interferir com qualquer coisa que ele queira fazer".

Ao contrário da expansão da burocracia em um banco moderno, o poder do banco Morgan também era muito pessoal. Durante a carreira de Morgan, em

O banqueiro do mundo: J. P. Morgan, fotografado por Edward Steichen em 1903.

momento algum houve mais de doze ou treze sócios, nem mais de oitenta empregados no total. Se você passasse pelo escritório, podia ver a escrivaninha de Morgan alinhada com as dos outros sócios em salas envidraçadas que podiam ser vistas de qualquer lugar do andar. Os sócios principais normalmente eram muito discretos ao fechar seus próprios negócios, mas a "palavra do sr. Morgan" em quase tudo era final. Mesmo os homens mais importantes não gostavam de discutir com ele ou pedir uma nova reunião sobre o assunto depois de ele ter dito "Não".

A grande reputação do banco na Europa era chave para sua posição nos Estados Unidos. Os europeus permaneceram compradores importantes de ações e títulos americanos por todo o século XIX e sem dúvida prefeririam papéis que tivessem o nome de Morgan. Como Pierpont teria sido o primeiro a reconhecer, esse respeito era uma homenagem às muitas décadas de desempenho bancário sólido e conservador de Junius. Um sinal indicativo da estatura mundial do banco veio em 1890 quando a casa bancária dos Barings quase faliu depois de uma aposta desastrosa em títulos argentinos. Com a maioria das empresas londrinas correndo atrás de cobertura, o Banco da Inglaterra pediu que Pierpont cuidasse do processo de recuperação do Barings: por quase cinco anos Morgan foi na realidade o interventor do Barings, o que fez dele um operador importante nas bolsas londrinas.

Nos Estados Unidos, Morgan foi principalmente um banqueiro de ferrovias até meados dos anos 1890 e uma figura dominante na reestruturação das finanças das ferrovias depois do *crash* de 1893-1894. As manchetes de economia anunciaram "Pânico" nos anos 1870, e outra vez em 1883, mas essas crises foram sobretudo fenômenos do mercado financeiro com efeitos relativamente suaves na economia real. Entretanto, a quebra de 1893-1894 foi uma história diferente. A queda de 6,5% na produção em 1894 é de longe o pior desempenho em todo o século XIX, exceto pelos anos da Guerra Civil. Como resultado da crise de 1893-1894, cerca de 192 ferrovias, com 66 mil quilômetros de trilhos e uma capitalização no mercado de US$ 2,5 bilhões, ou cerca de um quarto de todo o sistema ferroviário, estavam em diferentes estágios de falência.

No fim dos anos 1890, as ferrovias americanas tinham mais ou menos se unido em meia dúzia de sistemas sem conexões muito firmes, mantidos juntos por participação acionária ou redes de diretores em comum, e Morgan foi um personagem importante em quatro delas. Ele foi banqueiro de três das principais redes – a da Pennsylvania, as linhas de Vanderbilt e as de James J. Hill no Oeste e no Noroeste – e controlava outro grupo substancial de linhas por meio de seu poder de indicar os comitês de finanças. As duas redes restantes, a de George Gould, filho de Jay, que assumira o império do pai, e a de E.H. Harriman não estavam sob influência direta de Morgan, e suas relações com elas variaram de antagônicas a meramente corretas. Apesar de Gould ter feito um bom trabalho na condução das linhas de seu pai ao longo do declínio na atividade econômica dos anos 1890, ele era um administrador pouco atento que deixou poucas marcas na indústria. Harriman chegou tarde nesse negócio, mas na virada do século tinha emergido como um dos grandes executivos modernos de ferrovias.

A reestruturação da Philadelphia & Reading empreendida por Morgan em 1885, uma de suas primeiras, é um protótipo de suas operações dos anos 1890.

Apesar de viver à sombra da Pennsylvania, a Reading era uma das principais ferrovias do país e uma das maiores transportadoras de carvão. Seu principal sócio, Franklin Gowen, enérgico, beligerante e com uma queda por publicidade, tinha sido um dos protagonistas das terríveis guerras dos campos de carvão entre Pinkertons e Molly Maguires em meados dos anos 1870 e novamente nas greves ferroviárias letais de 1877. Ele também tinha sido o sócio ferroviário na tentativa do oleoduto Tidewater de reduzir os preços da concessão de transporte da Standard Oil-Pennsylvania e também um sócio-chave na nova ferrovia de Vanderbilt e Carnegie – a Reading teria fornecido a ligação com a costa quando a ferrovia tivesse cruzado as Alleghenies. A Reading também estava sob intervenção, em grande parte devido aos grandes problemas resultantes da derrota na guerra dos oleodutos. Não pode ser coincidência que Morgan tenha concordado em retirar a linha de intervenção apenas alguns meses antes do acordo do *Corsair*, com a condição expressa de que Gowen se demitisse. Nos acordos territoriais europeus dos Rothschilds, eles sempre faziam o máximo para eliminar todos os elementos potenciais de ruptura. Gowen teria ficado revoltado com o fato de Morgan aniquilar seu acordo com Vanderbilt e Carnegie. Por isso, o surgimento súbito da Reading como cliente de Morgan, e a rápida partida de Gowen, parece outro exemplo do banqueiro diplomata fechando um negócio.

As reestruturações do século XIX funcionavam mais ou menos da mesma forma que as de hoje. O balanço de uma empresa com problemas é uma prova de reveses comerciais do passado devido a decisões administrativas equivocadas – as pilhas de dívidas e ações preferenciais se amontoam como cicatrizes à medida que a empresa é forçada a voltar aos investidores uma vez depois da outra em busca do dinheiro para navegar por mais um período conturbado. No século XIX, orientado para ativos tangíveis, dívida "flutuante" – ou sem garantia – significava que uma empresa não tinha mais ativos tangíveis para hipotecar – um sinal claro de problemas terminais. A Reading estava afundada em dívidas faltantes de curto prazo, pronta para uma dose dos remédios amargos de Morgan. Dívidas antigas e ações preferenciais foram eliminadas e substituídas por ações ordinárias por uma fração das avaliações anteriores (hoje chamamos isso de *cramdown*). Uma estrutura simplificada de dívida e ações preferenciais para novos investidores reduziu os juros e os dividendos a níveis administráveis. O capital votante da Reading foi colocado em um truste sob controle de Morgan por um período de cinco anos – outra condição-padrão de Morgan – e o cumprimento dos acordos financeiros era garantido e controlado por meio de demonstrativos contábeis regulares e auditados. Os honorários cobrados por Morgan por seus aborrecimentos eram muito altos, quase sempre pelo menos 5% – às vezes chegando a 10% do novo dinheiro levantado. Para fazer justiça, em geral ele recebia a maior parte disso em ações, de maneira que seus interesses se alinhassem com o de seus investidores.

A reestruturação da Reading foi uma das primeiras geridas por Charles Coster, um novo sócio de Morgan que ia ser o maior engenheiro financeiro de seu tempo, uma verdadeira planilha ambulante. Coster tornou-se muito rico com seu trabalho com Morgan, mas tinha pouco tempo para desfrutar disso. O analista de mercado John Moody o descreveu como "um homem nervoso, de rosto branco, que corria de uma reunião para outra e à noite levava seu trabalho para casa". Morgan contava com ele para a análise e a precificação de todos os seus negócios com ferrovias, e Coster tinha assento em dúzias de comitês financeiros e conselhos até sua morte em 1907, aos 56 anos, ainda em plena atividade. Apesar de sua morte ter sido atribuída a um resfriado não tratado, poucos duvidavam que ela fora consequência de anos de excesso de trabalho.

Entretanto, o desenlace do refinanciamento da Reading foi uma lição saudável sobre os limites do poder do banqueiro. A empresa reestruturada naturalmente permaneceu como cliente bancário de Morgan, e, quando a ferrovia começou a dar sinais de uma forte recuperação, foi liberada da exigência do controle externo em menos de dois anos. Alguns meses mais tarde, na primavera de 1888, as casas de Londres e da Filadélfia emitiram orgulhosas dois novos lotes de títulos da dívida da Reading, o que mereceu caloroso elogio de Morgan à nova administração da Reading. Surpreendentemente, um ano e meio depois disso, a Reading estava outra vez à beira da insolvência, provocando uivos de fúria dos investidores de Londres. A raiva em Londres é compreensível; mas nem tanto o fato de o banco Morgan não perceber o que estava para acontecer. A nova administração tinha embarcado em um programa agressivo de expansão – incluindo o pecado imperdoável de desafiar outra das ferrovias com problemas de Morgan, a New Haven. Em outras palavras, exatamente o comportamento que mecanismos de supervisão e exigências de registros e relatórios deviam evitar.

Foram necessários quase cinco anos para realizar outra reestruturação. Quando a Reading propusesse um novo acordo em termos brandos, Morgan nada teria a ver com isso; mas a filial da Filadélfia acabou por organizar a venda de papéis de longo prazo para refinanciar a dívida, que eles eram embaraçosamente difíceis de colocar. Se o pânico do mercado de 1893 não foi o bastante para eliminar qualquer disposição em direção à brandura, a morte de Tony Drexel no mesmo ano sem dúvida foi – os Drexels eram pilares da Philadelphia e estavam há muito tempo identificados com a Reading. Morgan finalmente assumiu ele mesmo o negócio e acabou por forçar uma reestruturação dura, que incluiu a substituição por atacado de gerentes desonestos com termos estritos para livrá-los de outras punições. O fato de o próprio Morgan estar à frente da transação foi suficiente para atrair o interesse dos investidores, e, à medida que a economia voltava a crescer, a ferrovia entrou em um longo período de estabilidade.

As dificuldades da Reading eram apenas mais uma confirmação da convicção firme de Morgan de que a expansão irresponsável era a razão de todos os problemas das ferrovias. Morgan era um *bull*, que sempre apostava no crescimento dos Estados Unidos; foi um dos primeiros a financiar Thomas Edison e um banqueiro importante para a nascente indústria telefônica, portanto, não era um luddita.* Intelectualmente, compreendia muito bem que preços agressivos e a competição tecnológica expandiam mercados e aceleravam o crescimento. Mas sempre que podia optar, ficava ao lado dos cartéis e da estabilidade.

A insustentável simulação de paz

Ainda lutamos com o desafio de administrar a competição entre indústrias essenciais de custos fixos altos. O problema básico é que uma ferrovia, uma empresa telefônica ou uma linha aérea precisam investir grandes quantidades de capital antes de poderem ganhar um centavo. Então quando a infraestrutura está pronta, faz sentido vender serviços a praticamente qualquer preço para ajudar a se proteger da ameaça constante dos custos fixos. A livre concorrência, portanto, leva a uma disputa de preços mortal e à desordem financeira, como na competição arrasadora entre a AT&T, a Worldcom e a MCI nos anos 1990, ou a onda contínua de falências na indústria da aviação. Infelizmente, a experiência de modo geral sinistra com monopólios regulados faz com que o darwinismo perverso da livre competição seja quase atraente. Considere só o desempenho assustadoramente ruim das empresas reguladas como as de eletricidade, sob quase qualquer critério.

Nosso próprio entendimento sombrio das dinâmicas da concorrência entre grandes negócios, apesar das doutrinas *du jour* produzidas por consultores e acadêmicos, deve moderar nossos juízos em relação a Morgan e seus contemporâneos. Nos anos 1960 e 1970, por exemplo, o especialista em história empresarial Alfred Chandler, entre outros, observou a impressionante estabilidade da lista das grandes empresas americanas ao longo do meio século anterior. Ele e seus alunos identificaram as grandes, estáveis e perenes líderes como empresas "centrais", com características em comum: eram "verticalmente integradas" e desfrutavam de "custos unitários mais baixos obtidos por meio de ciclos de produção longos", como notou um estudo de 1984. Infelizmente, essa observação foi publicada em uma época em que as empresas americanas de ciclos de produção longos estavam sendo completamente superadas pelo estilo japonês de produção de mudança rápida de modelo. O longo ciclo de produção revelou-se um calcanhar de Aquiles, uma adaptação preguiçosa aos dias de pouco consumo, quando todo mundo ficava feliz

---

* Luddismo foi um movimento que teve início na Inglaterra no princípio do século XIX, contrário à mecanização do trabalho e visando à destruição da máquina, que seria a responsável pelo desemprego e pela miséria. (N.E.)

com um telefone preto, e os concorrentes externos eram com frequência destruídos por guerras. Hoje seus últimos redutos estão na Rússia e nas empresas estatais chinesas. Vinte anos mais tarde, a maior companhia americana, com 250 bilhões de dólares em vendas anuais, é a Wal-Mart, que nem é verticalmente integrada no sentido de Chandler, nem tem qualquer ciclo de produção. A siderúrgica que cresce com maior rapidez nos Estados Unidos, com um valor de mercado duas vezes maior que o da U.S. Steel, é a Nucor, uma empresa que evita expressamente a integração vertical. Por fim, quem teria adivinhado, em 1984, que uma pequena fornecedora de software da região de Seattle logo representaria um dos maiores desafios do monopólio global? Em resumo: Morgan podia não acertar sempre, mas sem dúvida desde então ganhou cada vez mais companhia.

No fim dos anos 1880, até Jay Gould dava sinais de exaustão após vinte anos de guerras ferroviárias – apesar de, no caso de Gould, a exaustão ser reforçada por uma batalha perdida, apesar de bem escondida, contra a tuberculose. Mas permanece o fato de que mesmo um guerreiro tão intrépido como Gould foi atraído pela noção de um cartel em grande escala. Nessa época, ele estava com relações relativamente boas com Morgan. Morgan cuidara da venda da empresa de telégrafos Baltimore & Ohio para Gould e tinha uma vaga no conselho da Western Union de Gould. Ele também era diretor e, às vezes, banqueiro para os interesses de Gould nos trens urbanos de Manhattan e ajudou a promover um ressurgimento teatral de Gould como parte controladora da Union Pacific em 1890.

O principal pensador e estudioso das questões regulatórias da época era Charles Francis Adams Jr., irmão dos historiadores Henry e Brook e descendente dos dois presidentes. Depois de servir com méritos como oficial no exército da União durante a guerra, e sem necessidade de ganhar a vida, Adams procurou algo útil para fazer e acabou por se estabelecer nas ferrovias. Seu artigo de 1869 para uma revista, "Chapters of Erie", ainda é o relato clássico das guerras da Erie e uma das principais fontes da lenda sinistra de Jay Gould. Adams foi uma das forças motrizes por trás da criação da Massachusetts Railroad Commission naquele mesmo ano, onde trabalhou por dez anos como comissário e mais tarde foi diretor do *pool* de ferrovias do Leste para determinar tarifas liderado por Albert Fink, a quem ele admirava muito. Próximo dos Ames de Boston, que ainda eram acionistas importantes na Union Pacific, ele tinha sido um diretor do governo na UP e foi eleito para o conselho por seus próprios méritos em 1883. Foi mais ou menos na mesma época em que Gould e Sidney Dillon, sócio de Gould e presidente da UP, estavam se retirando dela para se concentrar em suas linhas no Sudoeste. Com um grande apoio dos acionistas de Boston e sua impressionante reputação de integridade, Adam foi a escolha natural para a presidência da UP em 1884.

Adams era o homem racional em essência; sua fé no poder da informação e na inteligência das elites antecipou os reformistas progressistas do início do século XX. Apesar de se preocupar com o poder sem controle das grandes corporações, aceitava que as ferrovias provavelmente eram monopólios naturais e ficou intrigado com o desafio de montar um regime de supervisão eficiente. Sua solução favorita e modelo para o grupo de Massachusetts era a "comissão *sunshine*". Reúna bons dados, assegure-se que todos estão trabalhando sobre a mesma base de informação, e as melhores e mais eficientes soluções vão surgir por si só, inevitavelmente. Uma vez ele comentou que se todos os presidentes de ferrovias morassem na mesma rua e caminhassem juntos para o trabalho de manhã, não se envolveriam em suas guerras devastadoras. Tampouco, provavelmente, teriam construído a enorme capacidade excedente lamentada igualmente pelos homens mais sábios da época e por gerações posteriores de estudiosos.

Adams e Gould se detestavam, por isso o fato de trabalharem juntos para tomar as rédeas das guerras das ferrovias mostra a importância que davam a isso. Foi Gould quem fez os primeiros movimentos. Em 1888, ele e Collis Huntington, o poderoso magnata das ferrovias do Oeste, com quem ele há muito tempo mantinha uma espécie de trégua profissional entre dois escorpiões em uma garrafa, tentaram criar um acordo para repartir tráfego e regular tarifas entre as ferrovias do Oeste. Mas eles esperavam ir ainda mais longe e criar uma verdadeira autoridade executiva única sobre as ferrovias. Gould transferiu a iniciativa para Morgan como o corretor honesto, e Morgan se encontrou com todos principais diretores de ferrovias do Oeste em sua casa em Nova York no final do ano. Juntos, Adams e Gould criaram um plano que Adams chamava de "Interstate Commerce Association", um acordo de cartel que ele esperava que fosse operar com a cooperação expressa da nova Interstate Commerce Commission.* Morgan fez o possível, mas depois de muita negociação, conseguiu montar apenas um *pool* muito fraco. Gould ficou muito desapontado, mas ainda se juntou na primavera, quando o *pool* já estava desmoronando. Ele perguntou a um de seus executivos se deviam comparecer na reunião seguinte, ou "apenas mandar flores para o enterro".

O cenário competitivo mudou de forma dramática quando Gould reassumiu o controle da Union Pacific em 1890. O mandato de Adams tinha sido turbulento; todas as suas teorias caíram ao solo nas mesmas armadilhas financeiras que afundaram seus antecessores. Uma quebra na bolsa depois do *crash* do Barings em 1890 deixou Adams e sua ferrovia em posição difícil. Para a surpresa de todos, Gould aproveitou a oportunidade para comprar grandes blocos de ações da UP e outras ferrovias do Oeste. As manchetes proclamavam em voz alta: "JAY GOULD

---

* A característica intrigante da Interstate Commerce Association de Adams é que a seção 5 do Interstate Commerce Act proíbe *pools* com uma linguagem bem clara. Parece que os executivos de ferrovias estavam tão convencidos da importância de alcançar algum tipo de acordo de estabilização de tarifas que supuseram, provavelmente com razão, que os comissários iriam concordar com isso. (N.A.)

A era de Morgan

Um Jay Gould de aparência exausta, pouco antes de sua morte em 1892. Depois de duas décadas provocando guerras entre ferrovias, ele passou seus últimos anos tentando negociar uma paz.

NOVAMENTE A FORÇA MOTRIZ DE WALL STREET". Morgan foi conversar com Gould sobre suas intenções e levou a Adams as más notícias de que se esperava que ele entregasse a linha. Quando eles se encontraram para fechar o negócio, Gould, como sempre, tratou Adams com maneiras impecáveis, enquanto Adams, com sua visão de mundo autocentrada, só conseguia interpretar as manobras de Gould como um exemplo da reação das classes mais baixas contra seus superiores. Sem saber que Gould estava morrendo, observou que ele parecia:

menor, mais perverso, cansado e com o rosto mais enrugado e mais murcho e com vergonha de si mesmo que de costume, suas roupas pareciam grandes demais, e os olhos não procuravam os meus, mas permaneciam fixos nos botões superiores de meu paletó. Senti como se, no momento de minha derrota, eu o estivesse intimidando – e parecia que ele sentia isso também.

Apesar de Gould provavelmente ter gostado muito de despachar o pomposo Adams, ele não estava fazendo isso por vingança. Na verdade, estava reforçando sua posição na esperança de forçar um acordo entre as linhas do Oeste. Foi a primeira ordem de negócios à qual ele se submeteu, e ele convenceu Morgan a organizar outra assembleia de presidentes de ferrovia no fim do ano, só para ficar novamente desapontado quando a reunião logo acabou em briga. Foi a última aparição importante de Gould no cenário das ferrovias. A tuberculose já estava em estado crítico; sua capacidade de trabalhar diminuiu fortemente durante o ano seguinte, e ele morreu em 1892.

Da parte de Morgan, o fracasso dos acordos de preço fez com que deixasse de acreditar na utilidade dos *pools*, e a partir desse ponto a fusão acionária tornou-se seu caminho favorito para a racionalização do mercado. O que todos os planos de cartel deixavam de lado – o que é surpreendente no caso de Gould e de Adams – era o elemento de irracionalidade na mente empreendedora. O fato de as ferrovias terem se espalhado pelas planícies desertas com tamanha irracionalidade, em desafio aberto a todos os princípios da economia tradicional e do senso comum, foi um fator importante para a enorme taxa de crescimento americana. Essa lição foi ensinada outra vez por E.H. Harriman, cuja carreira meteórica na primeira década do século XX – ele morreu de câncer em 1909 – o coloca como o herdeiro natural de Gould. Mais que qualquer outra pessoa, ele foi o responsável por completar a malha ferroviária originalmente idealizada por Gould. E, como este, estava sempre em desacordo com Morgan – e estava do outro lado da mesa na maior fusão de ferrovias de Morgan, a Northern Securities Co.

Harriman e Morgan

Edward Henry Harriman – seus amigos o chamavam de Henry – era um corretor de ações muito bem-sucedido que ficou fascinado com as ferrovias depois de participar de vários conselhos e comitês executivos de ferrovias. Mas ele tinha cinquenta anos quando conseguiu realmente administrar uma delas. Quando a recuperação econômica começou a ganhar forças no fim dos anos 1890 e o ritmo do desenvolvimento do Oeste se acelerou perceptivelmente, ele tinha identificado a Union Pacific, sob intervenção depois da morte de Gould, como uma das ferrovias americanas mais subvalorizadas. Homem pequeno, belicoso, forte e atlético, com uma personalidade marcante e um raciocínio extremamente rápido, Harriman adquiriu ações da UP suficientes para influenciar no processo de reorganização e, conforme seus talentos se tornaram óbvios, tornou-se presidente quando a ferrovia saiu da falência em 1898. Foi crucial para Harriman, dado seu relacionamento com Morgan, a perda de interesse deste pela UP e sua boa disposição em ceder o negócio para Jacob Schiff.

Harriman foi um dos primeiros a perceber que os problemas da capacidade excedente tão lamentada por todos os administradores de ferrovia e banqueiros inteligentes estavam prestes a ser eliminados por um novo impulso de desenvolvimento. Um dos seus primeiros atos ao assumir a presidência da UP foi implementar um programa de melhoria de US$ 25 milhões, em uma era em que os banqueiros viam US$ 1 milhão como soma muito grande para gastar em uma ferrovia que bem pouco tempo antes estava insolvente. Quando o investimento rapidamente se pagou com volumes muito mais elevados, tarifas mais baixas e lucros excelentes, Harriman e Schiff usaram o fluxo de caixa resultante e a reputação crescente de Harriman para fazer operações lucrativas para "harrimanizar" uma fatia cada vez maior das ferrovias do Oeste. Juntos, eles gastaram somas em uma escala na qual Gould jamais sonhara: US$ 160 milhões na Union Pacific nos dez anos depois que assumiu (em 1898), em seguida US$ 250 milhões na Southern Pacific em apenas oito anos após 1901 – representando uma taxa anual de gastos até vinte vezes mais alta que antes. A maior parte disso não foi investida na construção de novas linhas, mas em trilhos mais pesados, redução dos graus de inclinação das linhas, pontes mais resistentes e nas novas locomotivas gigantes e vagões necessários para atender às demandas do desenvolvimento muito intenso do Oeste – um desenvolvimento que teria sido retardado por anos se as ferrovias não estivessem esperando por ele. Em 1903, quando expandia seus interesses no transporte ferroviário para barcos a vapor e outras empresas nos Estados Unidos e no exterior, ele controlava o maior império de transporte no mundo. Na época de sua morte, com apenas 61 anos, ele tinha investido mais de meio bilhão de dólares para elevar suas ferrovias aos mais altos padrões de seu tempo. Também era um administrador excelente e, mais que qualquer outra pessoa, foi o responsável pelo sistema nacional de primeira classe de que o país dispunha às vésperas da Primeira Guerra Mundial.

A Northern Securities Co. cresceu a partir de uma disputa pelo controle do tráfego ferroviário na região Noroeste dos Estados Unidos entre a UP de Harriman e duas linhas de Morgan, a Great Northern de James Hill e a Northern Pacific, velha linha de Jay Cooke, todas com rotas paralelas similares entre os Grandes Lagos e as costas dos estados de Washington e Oregon. Quando as linhas de Morgan tentaram forçar a saída de Harriman, ele montou, em silêncio, um pesado ataque camuflado sobre a Northern Pacific bem ao estilo de Gould. Quando Harriman e Schiff estavam próximos de uma posição de controle na

Northern Pacific, suas compras provocaram grandes flutuações nos papéis das ferrovias, mas eles mascararam tão bem seus movimentos que Wall Street acreditou que era a UP que estava sob ataque. Como a Northern Pacific era controlada por intermédio de uma cessão dos direitos de voto das ações para Morgan, o próprio banco Morgan estava inconscientemente fazendo grandes vendas para Harriman e Schiff.

Mas quando Harriman estava prestes a assumir o controle, ele pode ter sido traído por Schiff, que estava muito preocupado com um confronto direto com Morgan. Curiosamente, Schiff revelou a forte posição de Harriman na Northern Pacific para Hill, que não tinha ideia do que estava acontecendo. No dia seguinte, Harriman, que estava em casa por causa de um resfriado, descobriu que sua posição acionária ainda não era invulnerável. Ele detinha ações preferenciais suficientes para controlar a administração, mas ainda precisava de uma maioria das ordinárias, já que estas podiam retirar os direitos administrativos das preferenciais. Ele precisava de apenas 40 mil ações para obter a maioria das ordinárias, por isso ligou para o escritório de Schiff e ordenou a compra. Era sábado, Schiff estava na sinagoga. Quando um sócio o encontrou para assinar a ordem, Schiff disse a ele para não fazer aquilo, que ele assumiria a responsabilidade. Àquela hora, um ansioso Hill já havia avisado a um sócio de Morgan, que enviou um cabograma para Morgan na Europa solicitando poderes para defender a Northern Pacific. O cabograma só chegou no domingo, o que teria sido tarde demais se Schiff não tivesse segurado a ordem de Harriman.

Na segunda-feira, o banco Morgan lançou uma forte campanha de compra em disputa com Harriman e um Schiff agora em pânico. Os dois lados tinham fundos de guerra praticamente ilimitados, e, em meados da semana, as ações da Northern Pacific tinham pulado de pouco mais de cem, o que já era muito alto, para mais de mil. Como ninguém além dos principais envolvidos sabia o que estava acontecendo, muitas corretoras venderam a Northern Pacific a descoberto, só para descobrir depois horrorizadas que Morgan e o Kuhn, Loeb tinham imobilizado praticamente todas as ações em circulação. Sem ter como cobrir suas posições, empresas por toda Wall Street encararam a falência, assim como os bancos que estavam financiando suas posições; Harriman não tinha escolha além de abandonar a luta, então Morgan e Schiff puderam se desfazer de suas posições e evitar um *crash*. O acordo final era que a Northern Securities Co., uma corporação de New Jersey, ficaria com as ações das ferrovias em disputa; Harriman ficou com assentos no conselho, mas Hill permaneceu no controle.

Quando a Suprema Corte declarou que aquilo era uma violação do Sherman Antitrust Act, Hill e Morgan aproveitaram o processo de dissolução que se seguiu para excluir Harriman quase totalmente.

Harriman saiu perdendo na Northwest, mas foi uma de suas raras derrotas – e mesmo nesse caso ele ainda saiu ganhando com as ações que manteve na dissolução. Ao expandir permanentemente sua posição muito lucrativa pelo centro do país, ele se tornou não apenas o magnata de ferrovia mais poderoso, mas possivelmente o banqueiro de ferrovia mais importante dos Estados Unidos, com posições majoritárias em uma série de outras linhas. Menos hábil na política que com as ferrovias, entrou em conflito com Theodore Roosevelt e tornou-se um dos principais alvos das incursões de caça aos trustes de Roosevelt. Mais que qualquer outra coisa, foi o crescente poder de Harriman que levou o Congresso a ampliar a autoridade da Interstate Commerce Commission em 1906 e a trazer a definição de tarifas para sua jurisdição. Harriman já estava morto quando a comissão começou a fazer experiências com seu novo poder; mas, nessa época, até Morgan tinha concordado que era chegada a hora de o governo tentar promover a "estabilidade" que ele falhara tão claramente em criar por meio de persuasão.

O banqueiro central acidental

O papel de Morgan como banqueiro central de fato para os Estados Unidos foi consequência da destruição ignorante provocada por Andrew Jackson da maravilhosa infraestrutura financeira legada por Alexander Hamilton. As reformas dos tempos de Guerra Civil tentavam compensar algumas das depredações de Jackson, mas com o crescimento do poder econômico americano, a falta de uma autoridade bancária central tornou-se clara e perigosa. O enorme prestígio pessoal de Pierpont Morgan é confirmado pelo fato de, em dois momentos críticos de falência institucional nos Estados Unidos – o pânico do ouro de 1893-1895 e o pânico da Bolsa de Valores de 1907 –, ele ter sido capaz de assumir o papel que atualmente esperamos de um banco central ou de um presidente de comissão de valores mobiliários, e fez isso sem qualquer fragmento de autoridade legal ou institucional.

O pânico do ouro foi um caso de percepção externa lenta do poderio econômico americano, estimulado pela empolgação com o novo governo de Cleveland. Estrangeiros, que ficaram nervosos com a indecisão democrata em relação ao padrão-ouro durante as eleições de 1892, começaram a se desfazer dos papéis de ferrovias com base em ouro depois do *crash* de Wall Street de 1893.* As vendas especulativas aumentaram à medida que as reservas de ouro norte-americanas despencavam para a marca de US$ 100 milhões, a reserva de segurança mínima prometida informalmente na retomada dos pagamentos em espécie. Esse era o tipo de crise que bancos centrais competentes podiam ter resolvido com alguns dias de cabogramas – os britânicos tinham todo o interesse em manter a convertibilidade

---

* Os republicanos tinham motivo para reclamar que era tudo culpa de Carnegie. Sem o desastre em Homestead, eles podiam ter mantido a Casa Branca, e os estrangeiros não teriam motivos para se preocupar com o compromisso americano com o ouro. (N.E.)

do dólar, e o Bank of England podia ter montado rapidamente acordos de crédito para acalmar investidores. O problema é que não havia um interlocutor no lado americano. O novo homem no Tesouro dos Estados Unidos tinha dúvidas até mesmo sobre sua autoridade legal para agir, e queria, em especial, ser visto como independente dos banqueiros. Sua estratégia inicial – vender títulos de ouro diretamente do Tesouro – na verdade aumentou a pressão sobre as reserves de ouro, já que sua rede atingiu primeiro os compradores domésticos que tinham de converter seus ativos em papel em ouro para poder comprar os novos títulos.

No início da crise, Morgan propôs em particular ao Tesouro arranjar um empréstimo de US$ 100 milhões em ouro em conjunto com os Rothschilds. Ele calculou que um empréstimo dessa magnitude acabaria com a especulação, especialmente se pelo menos metade dele fosse colocada no exterior. Em particular, ele tinha grandes receios, e sua insistência em administrar toda a transação por meio das duas casas refletia sua convicção bastante razoável de que nenhum outro banco poderia fazer isso. O governo recusou a oferta e deu início a medidas esporádicas próprias ao longo de 1894, mesmo enquanto as reservas americanas continuavam em sua alarmante espiral descendente.

O Tesouro finalmente pediu a ajuda de Morgan e dos Rothschilds no início de 1895. Depois de uma série de negociações rápidas, Morgan enviou um cabograma para Londres no qual dizia ter montado um pacote vendável. Para sua surpresa, no dia seguinte recebeu a notícia de que o Tesouro desistira do acordo, preferindo administrar a venda por conta própria. Morgan telegrafou para o Tesouro avisando que estava indo para Washington e pediu a eles que segurassem o anúncio. As cenas do dia seguinte estão entre as mais marcantes na carreira de Morgan. Cleveland disse que não iria recebê-lo, mas Morgan invadiu o gabinete presidencial onde estava acontecendo uma reunião sobre a crise e passou a maior parte do dia fumegando quieto em um canto, fumando charutos, à medida que relatórios assustadores chegavam. Por fim, à tarde foi anunciado que o Tesouro tinha apenas US$ 9 milhões em ouro. Morgan anunciou grosseiramente que seu escritório tinha uma dívida de US$ 10 milhões em ouro a receber que vencia naquele dia. Será que os cavalheiros estariam dispostos a discutir sua proposta?

Os termos finais que Morgan negociou com o Tesouro incluíam compromissos que nenhum banqueiro teria considerado imprudente – o empréstimo não só seria menor do que ele achava necessário, mas ele também prometeu que a reserva de ouro não seria tocada durante o outono, quando a receita das exportações da safra iria aliviar a pressão. Na verdade, Morgan estava prometendo administrar a taxa de câmbio entre o dólar americano e a libra esterlina*, o que exigia entrar nos

---

* A libra esterlina servia como equivalente para o ouro, de maneira bem parecida com o dólar após a Segunda Guerra Mundial. Enquanto o dólar mantivesse uma paridade sólida com a libra, os investidores não teriam razão para se dar ao trabalho e ao incômodo de manter o ouro. (N.E.)

A figura benevolente de Morgan, retratado como uma cegonha, restaura a confiança em Wall Street depois da crise do mercado de 1907.

mercados de câmbio estrangeiros para comprar dólares, ou vender libras esterlinas sempre que o dólar balançasse. Essa é uma função clássica de banco central – extremamente arriscada para uma sociedade privada sem acesso aos recursos públicos, e uma delegação inapropriada de poder governamental. A demora da Casa Branca devido ao medo de parecer servil aos banqueiros, em outras palavras, levou a questão a um ponto em que os banqueiros, ou pelo menos um deles, estavam na verdade administrando a política monetária americana. Em qualquer caso, tanto o empréstimo quanto a administração do câmbio foram levados a cabo com sucesso, mesmo que com um pouco de esforço.

Reflexos do pânico do ouro persistiram por todo o ano de 1896, o verão do discurso da "Cruz de ouro" de William Jennings Bryan. Morgan intermediou outro empréstimo grande – Cleveland admitiu que deveria ter optado pelo empréstimo maior em 1895 – e criou outro consórcio de administração cambial para manter o dólar firme durante as eleições de 1896. Nesse ponto, os títulos de ouro vendidos sob pressão no ano anterior estavam exigindo prêmios tão espetaculares que os banqueiros estavam sendo acusados de extorsão.

Na verdade, os ataques ao dólar americano da década de 1890 foram os últimos espasmos de um *ancien régime* que ainda precisava entender como a articulação e as bases do poder econômico mundial estavam mudando. Os Estados

Unidos alcançaram pela primeira vez um saldo na exportação de produtos quando as ferrovias abriram a produção de grãos do Oeste nos anos 1870. Os saldos positivos na exportação cresceram continuamente depois disso, e eles ainda foram superados por grande fluxo de entrada de investimentos. Mas a poupança americana também estava crescendo com rapidez, então o fluxo de capital americano, combinado com as exportações, aos poucos estava conseguindo equilibrar as contas. O ano do auge do ataque ao dólar americano, em 1895, marcou o último déficit externo americano até a era moderna. Durante a década que começou em 1897, o saldo comercial em bens alcançava uma média de US$ 600 milhões por ano, enquanto a balança geral – incluindo comércio, turismo, serviços, fluxo de investimentos etc. – mostrava consistentemente saldos de cerca de US$ 400 milhões. As importações no exterior cresceram até o pico de US$ 3,3 bilhões em 1896 e começaram a cair constantemente a partir daí. Em vinte anos, a Europa teria de ir aos Estados Unidos tomar emprestado o dinheiro para lutar sua Grande Guerra.

Morgan assumiu a administração das intervenções da crise do ouro em um momento em que estava no auge de suas forças; mas na segunda vez em que foi forçado a assumir o comando das finanças americanas, no rescaldo do *crash* de Wall Street de 1907, ele já tinha setenta anos, estava semiaposentado e com a saúde debilitada. A quebra do mercado foi extremamente severa: o declínio do índice Dow Jones, ano após ano, ainda é o segundo maior já registrado. As piadas culpavam o governo por confundir os investidores: uma longa investigação sobre a indústria de seguro de vida de Nova York revelara um terrível uso de informação privilegiada por executivos, e Roosevelt estava em plena campanha contra os trustes, apesar de sua retórica ser muito mais dura que suas ações. Na verdade, há muito tempo uma correção já se fazia necessária; os mercados estavam há muitos anos inflados, a compra em margem tinha passado dos limites e os bancos tinham emprestado dinheiro demais para corretores que não tinham condições de cumprir com suas obrigações. A falta de regras financeiras significativas – negligenciando a qualidade dos empréstimos bancários, controlando o crédito em tempos melhores, conferindo a honestidades dos relatórios das corporações – praticamente garantia que as oscilações do mercado seriam grandes e provocariam rupturas.

O *crash* de 1907 teve efeitos tão rápidos por toda a comunidade financeira que ameaçou uma trombose sistêmica. Muitos bancos quase faliram, várias grandes corretoras ficaram por um fio, houve uma corrida aos bancos de Nova York, e tanto a cidade quanto a Bolsa de Valores de Nova York ficaram temporariamente insolventes. Morgan foi chamado para assumir o leme, quase por aclamação, depois que figuras de menor importância fracassaram em restaurar a ordem. Por quase um mês Morgan montou gabinete na biblioteca de sua casa na Madison Avenue, agindo como presidente de uma junta de comando informal formada por ele, James Stillman, presidente do National City Bank, e George Baker do First National. Benjamin Strong, o jovem presidente do Bankers' Trust e mais tarde o primeiro (e por muitos anos) presidente do Federal Reserve, agia como secretário do comitê, o que na verdade foi um grande aprendizado para seu cargo futuro.

Apesar de sua idade, Morgan trabalhou de doze a quinze horas por dia, às vezes indo até três horas da manhã. Convocava repentinamente os presidentes das sociedades fiduciárias, os presidentes das corretoras e os membros do banco de compensação, e eles quebravam a cabeça para solucionar os piores problemas do dia, ministrando as punições e recompensas. Foi uma demonstração extraordinária de grande autoridade pessoal. O secretário do Tesouro tinha pouco mais que um papel de coadjuvante, e até o Bank of England e o Banque de France tiveram apenas pequenas pontas na trama. Ninguém recusava um chamado de Pierpont Morgan nem discutia muito suas ordens. Até o presidente concordou satisfeito que a U.S. Steel pudesse comprar uma empresa siderúrgica da carteira de uma corretora falida sem disparar um inquérito antitruste.*

Quando a crise passou, e as notícias do que Morgan tinha conseguido fazer foram difundidas, o público teve reação parecida com um choque. Houve muitas sugestões de que os banqueiros, ou mesmo Morgan pessoalmente, tinham projetado a crise para enriquecer. Todos os abalos reorganizam a hierarquia social de Wall Street, e não há dúvida de que os financistas mais argutos saíram da crise em melhor situação do que entraram nela; mas não há base para acusações de que a crise foi planejada, ou que os atos de Morgan tivessem base em qualquer coisa além de um sentido de dever público. Mas a sensação de choque ainda estava bem forte; independentemente de considerar Morgan um patriota ou um manipulador plutocrático, aquilo não era jeito de governar um país. A crise de 1907 foi, pelo menos, um fator importante na construção de um consenso legislativo para a criação do sistema Federal Reserve em 1913.

O grande movimento de fusão

O que disparou a campanha de caça aos trustes de Teddy Roosevelt e as grandes demonstrações de ansiedade na imprensa nacional foi o grande crescimento do

---

* A compra da Tennessee Coal and Iron Co. de uma corretora insolvente mais tarde foi objeto de uma barulhenta investigação parlamentar e é um dos exemplos mais citados de se levar vantagem de uma situação. Acusações de que a U.S. Steel praticamente roubou a empresa ou planejou o ataque à corretora não têm base em provas. A siderúrgica podia desejar que a empresa aumentasse seu controle sobre reservas de minério, mas Morgan não estaria envolvido a esse nível fino de estratégia. A corretora precisava ser salva, e a TC&I era seu maior ativo, então Morgan pediu a Elbert Gary, presidente da U.S. Steel, e Frick, que era membro de seu conselho, que dessem uma olhada naquilo. Frick não gostou do negócio, mas Gary disse que compraria se o governo o autorizasse antecipadamente. (N.E.)

número de fusões por volta da virada do século. Mas o próprio *boom* de fusões demonstrava o crescente conforto da nação com a noção de empresas muito grandes. Afinal, era difícil imaginar como uma empresa pequena poderia atender uma área do tamanho da servida pela Union Pacific, ou alcançar a lendária eficiência administrativa da Pennsylvania, ou o domínio global da Standard Oil. Sem dúvida, muitos americanos tinham um orgulho patriótico do fato de a Carnegie Co. estar tomando a liderança mundial no aço dos britânicos, ou que uma recém-chegada como a American Telephone & Telegraph estivesse operando a maior rede telefônica do mundo. De qualquer forma, em 1900, cerca de 425 mil pessoas trabalhavam para as maiores empresas. Isso era um percentual pequeno da população ativa, mas ainda era um conjunto de eleitores muito grande para ser assustado com movimentos políticos que pudessem afetar seus empregos. Samuel Compers, da AFL, em grande parte compartilhava com Morgan da mesma opinião sobre as grandes companhias: elas eram "um avanço sobre empresas pequenas e destrutivamente competitivas". Darwinistas sociais ainda iam além: mais que monumentos vergonhosos ao banditismo em larga escala, as grandes empresas eram uma ordem mais elevada das conquistas humanas – as catedrais de uma Idade das Máquinas. Roosevelt esforçava-se para destacar que não se opunha às grandes empresas, apenas aos monopólios; aos olhos da Suprema Corte, nem mesmo a gigantesca U.S. Steel se encaixava nesse padrão.

Uma listagem cuidadosa de fusões em grande escala incluiu 157 transações diferentes entre 1895 e 1904 (sem contar transações com ferrovias). Dois terços delas estavam concentrados em apenas três anos, de 1899 a 1901, sendo 63 das principais transações só em 1899. Com exceção do malfadado movimento de conglomeração dos anos 1960 e 1970, nenhum período de intensa atividade de fusões envolveu um número tão grande de companhias. Em anos recentes, houve uma intensa atividade de fusões na área de bancos, linhas aéreas e indústria farmacêutica, mas os acordos típicos envolvem apenas duas ou três empresas. A fusão da indústria de folhas de flandres em 1899, entretanto, envolveu cerca de quarenta firmas diferentes. É possível que 1.800 empresas tenham desaparecido nas consolidações do período entre 1895 e 1904. As empresas resultantes geralmente também tinham enorme poder de mercado. Dos 93 acordos para os quais há dados de divisão de mercado, 72 deles absorveram pelo menos 40% de sua indústria, enquanto 42 ficaram com pelo menos 70%. Em resumo, o grande movimento de fusões da virada do século mudou fundamentalmente a estrutura das maiores indústrias do país.

Houve um aspecto quase espontâneo nesse *boom* de fusões. Os grandes bancos de investimento, como o Morgan, estavam envolvidos em apenas alguns dos maiores acordos. O restante foi intermediado por corretoras de ações e bancos comerciais ou por grupos especializados em fusões e aquisições, como o dos irmãos Moore, que Carnegie tanto desprezava. William Rockefeller e Henry Rogers, o antigo químico especializado em destilação que alcançara os mais altos escalões da Standard, também surgiram como financistas independentes importantes e se divertiram muito brincando no jogo de acordos com a mistura característica de Rockefeller de astúcia e empenho. A consolidação da Amalgamated Copper em 1899 foi um negócio de Rockefeller. Rockefeller e Rogers também eram importantes investidores em ferrovias, em geral em conjunto com Harriman, e eles participaram dos acordos siderúrgicos de Morgan anteriores à U.S. Steel. (John D. não estava muito envolvido; estava preocupado com a avaliação de Rogers, e era uma restrição preventiva contra William.)

O "Grande Movimento de Fusões" estava relacionado principalmente à concorrência de preços. O evangelho de Morgan de substituir a "concorrência nociva" por "cooperação" tinha evidentemente encontrado um público muito amplo e receptivo. Nos tempos de Lincoln, quando os negócios eram algo eminentemente local, muitas empresas gozavam de minimonopólios modestos. Mas quando as ferrovias, telégrafos e empresas de venda por correio nacionalizaram os mercados, a concorrência tornou-se mais feroz, e as guerras competitivas dos anos 1880 e 1890 foram especialmente violentas.

A empresa típica varrida pela mania de fusão, segundo um perfil desenvolvido pela historiadora Naomi Lamoreaux, era uma firma de tamanho médio em uma indústria com custos fixos razoavelmente altos e crescimento rápido. A indústria de papel é um bom exemplo. A explosão dos meios de comunicação impressos nos anos 1880 e 1890 e as máquinas modernas de fazer papel de Fourdrinier criaram oportunidades tentadoras para empreendedores ambiciosos. Mas máquinas tinham um preço quase acessível demais – exatamente na área nebulosa em que uma empresa média podia comprar uma, mas então não poderia se permitir deixá-la ociosa. O resultado foi um ciclo mortal de escassez temporária, ondas de novos concorrentes, guerras de preços e eliminação de competidores, seguidas por outra rodada de escassez e outra leva de iniciantes.* Fabricantes de arame, pregos e folhas de flandres (lâminas de aço revestido para fazer latas de metal e telhas) mostravam um padrão praticamente idêntico. No caso das folhas de flandres, o mercado era impulsionado tanto pelo *boom* dos produtos enlatados quanto pela tarifa de importação pesada sobre a folha de flandres britânica estabelecida em 1890.

Depois de uma sequência de guerras de preços particularmente perversa durante o declínio na atividade comercial de 1893-1894, várias indústrias tentaram

---

* De maneira parecida com a moderna indústria de software (apesar de os ciclos de software serem movidos pela obsolescência, não pela escassez). Embora a Microsoft tenha conseguido alcançar a "disciplina", no sentido de Morgan, em softwares para computadores pessoais, não existe um líder claro no mercado de software. Software é um negócio enganadoramente fácil de se entrar, mas os custos fixos podem ser muito altos (para testes, documentação, manutenção de compatibilidade entre plataformas, o fluxo necessário de novas características etc.), por isso cada estágio de inovação de produto costuma ser marcado por um ciclo de competição letal e uma eliminação perversa dos pequenos concorrentes. O hardware de computadores já está em um estágio de precificação econômica quase sem atritos. Mesmo as maiores e mais bem-sucedidas empresas não têm margem para tropeços – observe a vida curta da Compaq. (N.E.)

organizar cartéis. Nenhuma foi bem-sucedida. O cartel dos produtores de arame e pregos foi um dos mais eficientes e durou cerca de dezoito meses, mas acabou quando os lucros consistentes atraíram outras empresas, entre elas algumas grandes siderúrgicas. Foi a falência dos cartéis que levou às fusões. Os fabricantes de folhas de flandres, quando não conseguiram montar um cartel, convidaram os Moores para agir como seus representantes em 1899, o que resultou na American Tin Plate Co., com cerca de 90% da capacidade produtiva do país. Os Moores foram em frente e criaram mais três consolidações na área siderúrgica – a American Sheet Steel Co., a American Steel Hoop Co. e a National Steel, uma produtora de aço primário como a Carnegie Steel. John W. Gates, que começou sua carreira como vendedor de arame farpado, organizou a American Wire & Steel Co. em 1898, que começou com cerca de doze empresas e compreendia cerca de 70% da capacidade de produção de arame e 55% da de pregos; então, ao longo do ano seguinte, ele conseguiu atrair todo o resto. A International Paper, uma fusão de dezessete fábricas de papel realizada em 1898 com cerca de 60% do mercado de papel para jornais, foi uma das poucas consolidações a decolar sem a ajuda de especialistas em fusões – as empresas resolveram tudo entre elas mesmas.

Executar uma fusão era principalmente uma transação que envolvia apenas a troca de papéis; poucas delas exigiam grandes quantidades de financiamento externo. (O acordo de US$ 1,4 bilhão da U.S. Steel envolveu apenas US$ 25 milhões em dinheiro novo; o restante era o valor nominal dos papéis emitidos em troca dos ativos dos participantes da fusão.) O trabalho de promotores como os Moores era intermediar a seleção de participantes, desenvolver um método para repartir a propriedade, supervisionar o trabalho jurídico e criar um plano de negócios. As empresas consolidariam as operações, ou permaneceriam unidades separadas? Como iriam lidar com o marketing e o *branding*? Se os participantes não pudessem entrar com o capital de giro, ele providenciaria o financiamento, de um banco ou possivelmente por meio de uma oferta de títulos. Quando o acordo era fechado, os participantes recebiam ações na mesma proporção de sua propriedade. As ações e títulos preferenciais iam para investidores externos que entravam com o capital de giro. Acordos maiores, como o de Gates para a American Steel & Wire, que necessitavam financiar grandes operações de reestruturação, registravam suas ações nas bolsas nacionais.

As pessoas na época costumavam ficar chocadas com a extrema hipercapitalização das empresas e com os altos honorários recebidos pelos promotores, de 10% ou mais do valor do acordo. As duas reclamações são exageradas. Promotores como os Moores em geral recebiam seu pagamento totalmente em ações ordinárias. Se o acordo fosse um sucesso, os Moores ganhavam muito dinheiro. Se não fosse, eles tinham perdido vários meses de trabalho – e forjar um consenso sobre a avaliação e a estratégia de negócios entre dúzias de antigos ex-concorrentes irritadiços era trabalho duro, com muitas viagens difíceis, trabalho noite adentro e refeições terríveis. A impressão de sobrecapitalização vem principalmente da insistência do século XIX em estabelecer um valor nominal para as ações ordinárias. (Alguns contemporâneos como Charles Francis Adams tinham começado a perceber que os valores de face nada significavam. Hoje, praticamente todas as novas ações não têm valor nominal determinado ou têm valores de face insignificantes, tanto para as preferenciais quanto para as ordinárias.) A sobrecapitalização é um problema se traz junto consigo pagamentos obrigatórios de juros ou dividendos, mas o grande número de ações não tem qualquer efeito, já que elas rapidamente mudam de preço para refletir o verdadeiro valor da companhia. Os honorários dos Moores, claro, reduziam a participação dos consolidadores, mas o efeito em casos específicos era desprezível.

Alfred Chandler fez uma afirmação conhecida. Para ele, as entidades que sobreviveram ao grande Movimento de Fusões – cerca de um terço faliu em menos de um ano – só conseguiram fazê-lo porque alcançaram eficiências operacionais importantes por meio da integração vertical. Em alguns casos, sem dúvida isso é verdade, como na fusão e racionalização da indústria nacional de explosivos pela DuPont. Mas na maioria dos casos, as provas de eficiência são, no máximo, ambíguas. Sem dúvida as entidades sobreviventes utilizavam diversas técnicas de competição que pouco tinham a ver com eficiência, como obter monopólios de matérias-primas, comprar concorrentes ou usar poder de mercado para punir distribuidores que trabalhavam com produtos concorrentes. Entretanto, no caso da U.S. Steel, até Chandler reconheceu que a combinação nada tinha a ver com eficiência.

O nascimento do grande aço

Morgan entrou tarde nas ações de empresas industriais. Sua relação com Thomas Edison o levou a patrocinar a consolidação da General Electric em 1892*,

---

* A General Electric foi uma fusão entre a Edison Electric e a Thomson-Houston, principalmente para solucionar disputas de patentes. Edison tinha resistido à mudança da Westinghouse/Thomson para a corrente alternada, que podia ser transmitida por longas distâncias, e insistira em continuar com a corrente contínua, que exigia redes de pequenos geradores. O acordo nasceu como uma aquisição de controle da Thomson-Houston por Edison, mas quando Coster percebeu como a Edison Electric era mal administrada, ele e Morgan insistiram que a equipe administrativa da Thomson-Houston assumisse o controle da nova firma. O espetacular projeto Cataract nas cataratas do Niágara demonstrava as reais possibilidades comerciais de geração de energia para longa distância em 1896. A eletricidade permitiu uma descentralização eficiente das instalações industriais, e foi aí que ela se espalhou primeiro. Mas, em 1900, apenas 5% das fábricas americanas tinham sido eletrificadas, e o uso residencial da eletricidade só se popularizou nos anos 1920. Edison não ficou muito satisfeito com a aquisição da Thomson-Houston, apesar de isso tê-lo deixado muito rico. Ele odiou perder a discussão da corrente alternada contra a corrente contínua e sentia falta de seu nome no letreiro. (N.A.)

mas isso foi uma exceção. O banco Morgan estava finalizando seus dois primeiros acordos siderúrgicos quando Henry Frick defendeu a ideia da aquisição da Carnegie Steel no fim de 1898, mas Morgan preferiu deixar passar a oportunidade. Ele deve ter se torturado por isso, pois pouco mais de dois anos mais tarde acabou pagando o dobro por ela.

Uma investigação do Congresso em 1911 resumiu muito bem a transação da U.S. Steel: "A United States Steel Corporation, ao comprar a Carnegie Company, pagou não apenas pelos ativos tangíveis, mas também – e caro – por sua capacidade de faturamento e, talvez, ainda mais importante, pela eliminação do sr. Carnegie". Os três principais produtores de aço (trilhos, vigas e aço não acabado) no consórcio da U.S. Steel eram a Carnegie, a Federal e a National. A Carnegie tinha cerca de 42% de sua capacidade combinada, enquanto a Federal e a National dividiam o restante. Mas o acordo final avaliou cada tonelada da capacidade da Carnegie Co. por US$ 105, em comparação a US$ 55 para a Federal e apenas US$ 31 para a National. Mais de 60% do preço de venda da Carnegie, além do mais, foram pagos em títulos hipotecários de ouro, enquanto os acionistas de todas as outras empresas receberam apenas ações. Como esses títulos eram negociados a um preço muito mais alto que as ações, a verdadeira relação por tonelada paga à Carnegie era seis vezes maior que a paga à Federal, e nove vezes o preço da National. Não havia como justificar esse prêmio, sugeriam os membros do comitê, exceto como o "preço da paz" – na verdade, um suborno para tirar Andrew Carnegie do negócio.

Elbert Gary, o advogado que administrou a U.S. Steel, reconheceu isso abertamente. Gary tinha sido conselheiro da Illinois Steel, a maior concorrente da Carnegie Steel durante a guerra de preços de 1897-1899, e tornou-se presidente da Federal Steel, uma consolidação de Morgan que incluiu a Illinois, depois de impressionar Morgan com seu trabalho na fusão. Referindo-se à experiência marcante e dura das guerras em torno dos trilhos, Gary disse:

> Acredito que, talvez, se a concorrência irrestrita destrutiva e sem controle tivesse continuado, a Illinois Steel Co. teria sido eliminada, ou talvez algo pior. Não digo isso com a intenção de expressar opinião sobre a administração de qualquer pessoa, mas não é certo que, se a administração que estava no controle na época tivesse permanecido, a Carnegie Co. teria eliminado todas as empresas siderúrgicas dos Estados Unidos.

O acordo da U.S. Steel, resumiu ele, era uma ação necessária para "prevenir uma desmoralização absoluta e a concorrência destrutiva que costumava prevalecer".

Carnegie, na verdade, não iniciou a guerra de preços de 1897 – isso foi feito por um pequeno fabricante de trilhos, a Lackawanna Steel –, mas Carnegie não precisava de muita desculpa para entrar em guerra, já que há muito tempo tinha restrições em relação à disposição de Frick e Schwab para respeitar acordos de *pool*. Durante 1897, a Carnegie Steel reduziu os preços dos trilhos aos níveis mais baixos em todos os tempos, abaixo dos custos de produção da maioria das outras empresas – e ainda obteve lucros recorde. Uma forte recuperação das ferrovias, entretanto, estimulou uma nova onda de construção; os preços do aço e os volumes cresceram com muita força durante os dois anos seguintes, salvando toda a indústria e levando ao restabelecimento do *pool*.

Para infelicidade de Carnegie, quase todas as empresas usaram os lucros do *boom* para fazer investimentos importantes em suas instalações industriais. Walter Scranton, presidente da Lackawanna, chamou a guerra dos trilhos de uma "lição exemplar" e construiu uma usina inteiramente nova às margens do lago em Buffalo. John W. Gates, na época presidente da Illinois Steel, disse a seus acionistas em 1898 que a empresa não podia mais "fazer negócios com base em grandes lucros sobre tonelagem comparativamente pequena. ...Temos de enfrentar a concorrência e reduzir o custo de produção ao mínimo". Ao se unir à fusão da Federal Steel, a Illinois Steel também adquiriu recursos substanciais de minério e transporte para reduzir ainda mais a vantagem da Carnegie nos custos. O próprio Carnegie lamentou em 1899: "O outono do ano passado parecia um momento tão bom para tirar do negócio [uma lista de empresas siderúrgicas] quanto qualquer outro. Mas não foi assim. Veio o *boom* e isso nos custou uma grande soma de dinheiro". Dados disponíveis e outros relatórios sugerem que, nessa época, a Federal Steel e várias outras, como a Jones & Laughlin, estavam alcançando a Carnegie na corrida da produtividade.

O aumento da produção, dos preços e dos lucros levou paz à indústria siderúrgica em 1898 e 1899, até que uma forte quebra do mercado em 1900 disparou os eventos que levaram à formação da U.S. Steel. Mas, dessa vez, a batalha seria por produtos de aço acabado, não aço primário, e novamente foram os concorrentes de Carnegie que lançaram o desafio, deixando-o sem alternativa além de reagir.

A fusão da National Tube, feita por Morgan no início de 1899, reuniu 85% dos produtores nacionais de canos e tubulações de aço. Junto com as fusões muito velozes em argolas, folhas de flandres, chapas de aço e arame e pregos, mudou completamente o perfil da produção de aço acabado. Todas as novas grandes combinações eram quase monopólios, mas nenhuma era tão poderosa quanto parecia no papel. O "axioma" (palavra de Schwab) do século XIX de que maior era sempre mais eficiente era aproximadamente verdade em apenas algumas das maiores indústrias. O aço acabado não era uma delas: economias de escala na produção de arames, argolas ou folhas de flandres não eram nem de perto o suficiente para impedir a entrada no mercado de concorrentes com preços menores. Era só a produção de aço *primário* que desfrutava de grandes economias de escala, devido ao custo fixo enorme da integração do minério ao ciclo do aço em processo contínuo. Não foi por acaso que os poucos produtos acabados que exigiam investimentos maciços como trilhos, chapas blindadas para navios e vigas estruturais eram produzidos pelas empresas de aço primário.

Para proteger seu quase monopólio no aço acabado, portanto, todas as consolidações foram pressionadas a fazer integrações retroativas em aço primário. A National Steel foi organizada pelos Moores expressamente para alimentar suas três empresas de aço acabado; Gates planejara produzir o próprio aço para sua combinação de arame e pregos desde o princípio; e a National Tube começou a instalar suas próprias usinas de aço assim que construiu suas enormes usinas de tubulações. Nesse meio-tempo, considerando as relações financeiras entre Gates, os Moores e Morgan, todos as combinações fizeram da National ou da Federal Steel suas principais fornecedoras de aço primário. Todos esses movimentos foram sentidos no bloco de pedidos da Steel; em suma: aparentemente sem dar muita importância ao assunto, Morgan e os Moores tinham se posicionado como os maiores e mais agressivos concorrentes da Carnegie.

A estratégia teve muitos erros de concepção em quase todos os aspectos. Considerando o investimento relativamente modesto exigido para entrar na maioria dos ramos do aço acabado, sempre seria mais fácil para as empresas de aço primário se integrar proativamente em arames, argolas ou tubos. E, ao usar suas novas linhas recém-acabadas e absorver o excedente da capacidade instalada em aço primário, poderiam se dar o luxo de vender abaixo do custo e matar à vontade os independentes. (Era muito caro manter um alto-forno ocioso, mas uma "imersora" de folha de flandres podia ser desligada a qualquer momento.) A ideia de que produtores de pregos ou tubos podiam competir se integrando retroativamente era, para ser honesto, loucura – sobretudo depois que o *boom* de investimento em usinas siderúrgicas pós-1897 deixou o país com capacidade excedente.* Charles Coster e Robert Bacon eram os sócios de Morgan que dirigiam a estratégia, mas o próprio Morgan nunca se envolveu muito. Um historiador chamou a National Tube de seu "filho favorito".

Pior que irrefletido, o desafio a Carnegie foi malfeito. Quando o especialista britânico Stephen Jeans visitou instalações siderúrgicas americanas na virada do século, ficou extremamente impressionado com a maioria das usinas que conheceu. Mas abriu uma notável exceção para a da National Tube, de Morgan – apesar de ser "de longe" a maior fábrica de tubos do mundo, ela não tinha "o método e a

---

* Nem sempre e nem em toda parte a integração retroativa é impossível. A Armco (originalmente material de construção em aço) e a Inland Steel (equipamentos agrícolas) tiraram proveito da vantagem da mudança para trilhos produzidos pelo sistema de forno aberto no início dos anos 1900 para uma integração retroativa na produção de aço. Mas eles sem dúvida sabiam o que estavam fazendo. A preferência crescente das ferrovias pelo aço de forno aberto tinha criado uma escassez de trilhos produzidos com esse aço. A combinação da U.S. Steel fornecia uma generosa proteção para a precificação e estava ansiosa para não parecer monopolista e predatória. Carnegie não tinha tais restrições. (N.E.)

ordem" que ele esperava ver em uma fábrica moderna. De forma semelhante, a consolidação dos Moores da National Steel parece ter sido muito menos eficiente que a Federal ou a Carnegie Steel e mereceu um preço correspondente bem mais baixo na fusão da U.S. Steel. Estas eram como cordeiros que ameaçavam um leão com um bastão e só podiam culpar a si mesmas se fossem devoradas.

Quando o *boom* entrou por 1900, os blocos de pedidos da Carnegie Steel estavam tão cheios que Carnegie não podia fazer muita coisa além de reclamar dos movimentos de Morgan e dos Moores. Mas a quebra do mercado na primavera o arremessou no caminho da guerra. As distrações da demissão de Frick estavam superadas, e, com Schwab no comando e o fim do *boom*, era hora de dar ao mundo uma outra lição sobre concorrência. Ao receber de Schwab um informe pessimista sobre os novos negócios no início de junho, Carnegie respondeu exigindo investimento em uma usina de tubos: "Seu telegrama do dia 2 não me surpreendeu. Parece-me que... vai haver uma disputa por encomendas entre os produtores. ...Quanto mais rápido você tomar o mercado, melhor". Schwab estava pronto; como relatou no mês seguinte ao conselho:

> Não vejo nos restar nada a fazer além de construir uma fábrica de argolas e arame. A American Steel & Wire Co. nos notificou do cancelamento de seu contrato conosco. A American Steel Hoop Co. está comprando muito pouco de nós. Com a perda de clientes que estamos enfrentando, vamos ficar em uma situação em que não teremos como fazer barras de quatro polegadas. Atualmente não parece haver qualquer outro lugar para colocá-las. ...[N]ós costumávamos vender para as empresas que constituem a American Steel Hoop Co. de 30 mil a 35 mil toneladas de barras por mês.

Carnegie queria avançar em todas as frentes, mesmo que isso significasse desistir do pagamento de juros sobre seus títulos. O que realmente o excitava era a usina de tubos, que seria construída nas instalações portuárias da Carnegie Steel no lago Erie, em Conneaut, na fronteira da Pensilvânia com Ohio. Projetada por Schwab para um processo de fluxo contínuo desde a chegada do minério no porto até o produto final, ela prometia ser a mais avançada na operação de aço acabado no mundo. Ele não apenas obteria o máximo de eficiência no manejo de minério e coque e exploraria uma tecnologia de produção de tubos nova cm folha, mas poderia utilizar completamente seus investimentos em ferrovia em Pittsburgh, nos Grandes Lagos. Melhor ainda: depois de quinze anos do ocorrido, Carnegie podia finalmente dar o troco em Morgan pelo insulto do *Corsair*, pois ele tinha negociado um acordo com George Gould, o filho de Jay, para uma linha férrea competitiva ligando a linha de Carnegie no lago à Costa Leste. Destruir as combinações siderúrgicas de Morgan e ainda atingir a odiada Pennsylvania ao mesmo tempo! Não era sempre que os céus ofereciam oportunidades como essas.

Eis como Carnegie descreveu Conneaut para a comissão de investigação sobre o aço uma década mais tarde (imagine-o empoleirado na cadeira das testemunhas, desfrutando o momento, reluzindo corado e bem-humorado):

> SR. CARNEGIE: [N]ão foi necessário muita consideração para ver que se nós... instalássemos uma usina siderúrgica moderna ali, o minério chegaria e seria descarregado dos barcos diretamente no pátio do alto-forno. Então o sr. Schwab começou a fazer planos. A usina tinha 335 metros de comprimento... com todo o maquinário novo e moderno, praticamente sem homens, só esteiras transportando o material... [E] eu disse: "Schwab, qual a diferença que você pode conseguir?", e ele disse, "sr. Carnegie, nunca menos de US$ 10 por tonelada".*
> PRESIDENTE DA COMISSÃO: Algo foi dito sobre essa grande usina siderúrgica... e a tremenda vantagem que o senhor tinha?
> SR. CARNEGIE: Compramos a terra, e isso era sabido.
> PRESIDENTE: E o senhor sabia o que ia fazer.
> SR. CARNEGIE: Sabíamos muito bem. [Risos]
> PRESIDENTE: Houve certa insinuação de que, mesmo com seu temperamento confiante, e sua longa experiência, a usina Carnegie, como Napoleão em Waterloo, estava diante de uma combinação tão extensa, comandada por homens tão experientes e sustentada por recursos tão vastos... que talvez o senhor tenha evitado a concorrência destrutiva se retirando do campo. Era possível que a Carnegie Co. tivesse enfrentado essas forças combinadas?
> SR. CARNEGIE: Bobagem. [Risos] Por que Morgan mandou me avisar que gostaria de comprar minha parte?
> PRESIDENTE: Entendo que ele estava preocupado com suas condições de saúde e citou isso como motivo.
> SR. CARNEGIE: Eu ainda conseguia ficar de pé. [Risos]

O conselho da Carnegie Co. votou para prosseguir com a usina de Conneaut em uma reunião em 12 de novembro de 1900. Carnegie compareceu em pessoa – um acontecimento raro naqueles dias – provavelmente para convencer qualquer indeciso. E na verdade havia alguns indecisos, especialmente entre a velha guarda, que achava que a reorganização como Carnegie Co. pouco mais de oito meses antes os havia finalmente levado a um porto seguro, para a terra há muito prometida de mel e dividendos; mas ali estava o velho outra vez, seus humores competitivos em plena atividade, pronto para lançá-los em um mundo de gastos e disputas. Schwab estava entusiasmado, pelo menos por fora, quando escreveu para Carnegie em 24 de janeiro de 1901:

---

* Isso teria sido uma vantagem arrasadora. Um preço razoável geralmente praticado para tubos era de US$ 40 a US$ 50 por tonelada. Conseguir por US$ 10 provavelmente deixaria o preço de Carnegie abaixo do custo de produção da National Tube. (N.A.)

Realmente acredito que nos próximos dez anos a Carnegie Company vai apresentar um faturamento maior que todas as outras juntas. Uma fábrica ruim tem um desempenho relativamente melhor nos anos prósperos. Então vamos avançar com rapidez – outros, não. Não vou me sentir satisfeito até estarmos produzindo 500 mil toneladas por mês [cerca do dobro dos números de 1900] e finalizando o mesmo. E vamos fazer isso em cinco anos – olhe para nossa empresa de minério e coque em comparação às outras. Se continuar a me dar o apoio que deu no passado, vamos fazer uma indústria maior do que jamais sonhamos. Estou ansioso para chegar em Conneaut. Os planos estão em fase final, prontos para começarmos na primavera.

Quando Morgan soube o que Carnegie estava tramando, observou mal-humorado que "Carnegie vai desmoralizar as ferrovias da mesma forma que desmoralizou o aço".

A aquisição da Carnegie e a organização da U.S. Steel por Morgan são uma história bem conhecida. Apesar de os homens do aço e das ferrovias clamarem pela intervenção de Morgan, ele não abordou Carnegie diretamente, possivelmente porque esperava uma recepção hostil. Os historiadores especularam que a excitação competitiva de Carnegie estava funcionando para ajudar a conseguir extrair uma oferta de arrasar quarteirão de Morgan. Mas se alguém estava fazendo jogo duplo, era Schwab: ele mostrara não passar de um duas-caras durante a expulsão de Frick, um dia alardeando sua gratidão a Frick e cobrindo-o de cumprimentos lisonjeiros e, no outro, votando por sua expulsão, apesar de fazê-lo em meio a muitas desculpas.

O acontecimento catalisador foi um discurso de Schwab no University Club, em Nova York, em 12 de dezembro de 1900. Morgan estava na plateia, assim como Carnegie, apesar de este último ter ido embora cedo. Schwab expôs um modelo para uma futura indústria siderúrgica que podia ser tomado como fio condutor do novo século. Era uma visão intelectualista de uma vasta maquinaria unificada para produzir e transportar produtos de aço – um dos primeiros conceitos totalmente desenvolvidos por um homem inteligente que estava por dentro dos ideais de organização que inspiraram os socialistas, progressistas e tecnocratas e obviamente alguns empresários importantes na virada do novo século. Schwab via uma racionalização de cima para baixo de toda a indústria "de uma maneira científica"*, eliminando a competição e loteando toda a produção entre fábricas especializadas distribuídas segundo critérios de transporte mais curto de minério, coque, aço primário e produto final. Nenhuma competição desnecessária ou desperdício de esforços, apenas pura eficiência sem atritos.

---

* Não houve transcrição do discurso de Schwab, apesar de ele tê-lo descrito alguns anos depois do fato. Mas ele expôs uma visão similar em um artigo na North American Review publicado pouco depois que o acordo da U.S. Steel foi fechado, que é citado aqui. (N.A.)

Morgan adorou isso. Por toda a sua carreira ele buscou um ideal razoavelmente articulado de "cooperação", uma alternativa viável a um estado permanente de "concorrência nociva"; e aqui, mais que um vislumbre de luz através de uma fechadura, ele tinha a visão completa. Ele conversou rapidamente com Schwab e marcou uma entrevista para mais tarde – que acabou sendo de uma noite inteira na casa de Morgan pouco depois do ano-novo. Além de Morgan e Schwab, estavam também Gates e Bacon, então sem dúvida Schwab estava se associando com o inimigo. Eles aparentemente conseguiram chegar ao rascunho de um acordo, e, alguns dias mais tarde, Schwab entregou a Morgan um memorando detalhado sobre os alvos da fusão e os preços que deveriam ser pagos. "Eu sabia exatamente o que cada um valia", recordou ele mais tarde. "Ninguém no mundo me ajudou com essa lista." Morgan concordava em participar, desde que Schwab conseguisse fisgar Carnegie. Em relação à capacidade de dissimulação de Schwab, observe que sua carta de 24 de janeiro para Carnegie sobre arrasar a competição foi escrita mais de duas semanas após sua reunião com Morgan.

Primeiro Schwab conversou com a mulher de Carnegie, que o aconselhou a abordar a questão no campo de golfe, quando Carnegie sempre estava de bom humor, e ele fez a proposta a Carnegie no fim de janeiro. Carnegie passou uma noite pensando no assunto e disse que queria US$ 400 milhões – US$ 160 milhões em títulos em ouro pelos títulos em ouro da Carnegie Co., mais US$ 240 milhões em ações da U.S. Steel pelos US$ 160 milhões de ações da Carnegie – uma relação de um e meio para um. Depois de pensar mais sobre o assunto, acrescentou US$ 80 milhões por "lucros do ano passado e lucro estimado do ano vindouro", totalizando US$ 480 milhões.* Ele rabiscou esses números em um bloco e os deu a Schwab para entregá-los a Morgan.

Houve só um pequeno exagero na previsão de lucros. Carnegie realmente esperava fazer US$ 40-50 milhões em lucros com o aço em 1900; sendo Carnegie, ele se gabava muito dessa perspectiva e insistiu em lucros de US$ 40 milhões em sua *Autobiography*. Os "US$ 80 milhões" parecem muito indicar que a empresa fizera US$ 40 milhões em 1900 e repetiria esse valor em 1901, e os historiadores repetiram os US$ 40 milhões de 1900 desde então. Na verdade, a empresa faturou entre US$ 29 milhões e US$ 31 milhões em 1900. (Há falhas nos dados do segundo semestre para alguns dos ativos que não estavam ligados à siderurgia; ver Apêndice I.) Mais importante: os ganhos de seu segundo semestre caíram para apenas cerca de US$ 6 milhões. Na verdade, Carnegie estava prevendo ganhos de US$ 50 milhões para 1901, que, a partir da base de um semestre baixo como esse, eram absurdos. Mais

---

* Carnegie, sua esposa, sua irmã e sua prima receberam tudo em títulos hipotecários preferenciais em ouro. Os outros acionistas da Carnegie Co. receberam principalmente ações, mas em uma proporção melhor que as obtidas por Carnegie. Os detalhes estão nas notas do capítulo. (N.A.)

uma vez os exageros de Carnegie enfatizam a posição ambígua de Schwab, que obviamente sabia os números corretos. Psicologicamente, a essa altura, sua lealdade já devia ter passado para Morgan. É difícil acreditar que, quando transmitiu o bilhete de Carnegie, não tenha revelado toda a situação, se é que ele ainda não o havia feito. Morgan não teria se importado. O acordo da U.S. Steel tinha como objetivo se defender de uma catástrofe – melhor ser enganado que morrer. E, de qualquer forma, Morgan e Schwab teriam acreditado que, assim que controlassem a indústria, poderiam determinar preços para gerar todos os lucros de que necessitassem.

E então lá estava Rockefeller...

Morgan ainda tinha de lidar com outro magnata. Gary e os irmãos Moore insistiam que a combinação precisava assegurar suas capacidades de produção e transporte de minério. Os ativos de Carnegie eram um bom começo, mas o principal proprietário do indispensável minério dos Grandes Lagos e do transporte por barcos a vapor ligado a ele era John D. Rockefeller. Como Gary mais tarde contou a Ida Tarbell:

---

* Posso entrar? Fale com Morgan./ Ei, onde a gente consegue as asas? Fale com Morgan./ Ei, largue a minha harpa!/ Onde é meu lugar? Está ocupado pelo sr. Morgan. / Ei, a gente também não pode entrar aí? Não sei. É propriedade de Morgan. (N.T.)

– Como vamos conseguir isso? – perguntou Morgan.
– Você vai falar com o sr. Rockefeller.
– Nem pensar.
– Por quê?
– Não gosto dele.

O sentimento era recíproco. Não havia razão para Rockefeller ter os financistas em alta conta. Sua experiência lhe dizia que eles eram funcionários, muito parecidos com encanadores. Se você precisasse de dinheiro para comprar uma refinaria, ou para fazer um acordo com Tom Scott, bastava dizer a eles quanto, e eles corriam para levantar isso para você. Mas Henry Rogers e William Rockefeller conheciam Morgan muito bem, e William certa vez apresentara Morgan a seu irmão. John recordou isso mais tarde:

> Trocamos algumas palavras agradáveis, mas percebi que o sr. Morgan era muito parecido... bem, com o sr. Morgan; muito altivo, bastante inclinado a olhar os outros homens de cima. Em minha opinião, nunca consegui entender por que um homem deveria ter um sentimento tão elevado e forte sobre si mesmo.

Allan Nevins comenta com bastante perspicácia: "Há todo um mundo de significados nessas quatro palavras: 'Eu olhei para ele'".

Mas havia um negócio a ser feito, então Morgan engoliu alguns sapos, como fizera com Carnegie. Depois de aceitar o preço de Carnegie por sua empresa, propôs que este fosse ao seu escritório para finalizar o acordo. Carnegie observou que sua casa era tão longe do escritório de Morgan quanto o escritório de Morgan de sua casa. Morgan cedeu e foi até Carnegie. A mesma situação se repetiu essencialmente com Rockefeller, e Morgan, é de se imaginar que de maneira um tanto morosa, acabou por ir até Rockefeller. Rockefeller tratou isso como uma visita social, e quando Morgan lhe pediu uma "proposta", ele respondeu que não estava mais ativo em seus negócios, e que seu filho, John D. Jr., e Frederick Gates cuidavam de seus investimentos. Henry Rogers, por conta disso, intermediou uma ida do jovem John ao escritório de Morgan, onde Morgan tentou um pouco de seu tratamento de "Júpiter". Ele deixou Rockefeller ali sentado, sem dar por conta de sua presença, enquanto terminava outros negócios, então se virou para ele com seu olhar titânico e um ameaçador "bem, qual é o seu preço?" O jovem respondeu com muita presença de espírito. "Sr. Morgan, acho que deve haver algum erro. Não vim aqui para vender. Eu tinha entendido que o senhor desejava comprar." Rogers interveio com a proposta de que Frick fosse chamado para determinar um preço, e um acordo foi logo fechado. Rockefeller pai e Rogers tornaram-se diretores da nova combinação, apesar de Rockefeller jamais ter comparecido a uma reunião. Ele renunciou a seu assento no conselho em 1904 e foi substituído por John D. Jr.*

A U.S. Steel começou a operar em 1º de abril, menos de três meses depois da primeira reunião noturna de Schwab na casa de Morgan. Com uma capitalização final de US$ 1,4 bilhão, era de longe a maior empresa de todos os tempos e, mesmo em dólares reais (não inflados), permaneceria como a maior fusão até o acordo da Nabisco e da RJR em 1987. A nova entidade compreendia a Carnegie Co., a Federal Steel e a National Steel; todas as combinações de aço acabado, em tubos, folhas de flandres, chapas de aço e arame e pregos; uma combinação nacional de construção de pontes; e as reservas de minério e a estrutura de transporte no lago Superior de Rockefeller e Carnegie. Juntar tantas entidades, além de organizar o consórcio de investimento de trezentos membros em um curto espaço de tempo, ainda é um dos maiores feitos da história entre os bancos de investimento. Como disse o sr. Doodley de Peter Finley Dunne:

> Pierpont Morgan chama um de seus *office boys*, o presidente de um banco nacional, e diz: "James, pegue uns trocados em cima da lareira e vá lá comprar a Europa pra mim", diz ele. "Eu quero reorganizá-la e torná-la lucrativa... Ligue para o czar e para o papa e para o sultão e para o imperador Guilherme, e diga que não vou precisar dos serviços deles na semana que vem. Pague a eles um ano de salário adiantado. Ah, James, é melhor você botar aquele guarda-livros ruivo perto do sujeito que cuida do continente. Ele não parece estar fazendo um bom trabalho".

Schwab tornou-se presidente da nova empresa, enquanto Gary era presidente do conselho e do comitê executivo. O mandato de Schwab não foi dos mais felizes e em 1903 ele não ocupava mais a presidência. Apesar de ter feito algum progresso na racionalização e de ter feito investimentos mais altos em instalações industriais do que Morgan esperava, estava sempre se desentendendo com Gary, que era, na verdade, o chefe. Gary deixou claro que o objetivo da U.S. Steel era estabilizar preços e lucratividade, não buscar édens tecnocratas. A usina de tubos de Conneaut, claro, foi imediatamente descartada – por que alguém ia querer reduzir os preços das tubulações? O preço dos trilhos de aço estava congelado em US$ 28 por tonelada e permaneceu o mesmo por quinze anos. É difícil apontar uma única iniciativa de nova tecnologia surgida na U.S. Steel nos trinta anos seguintes. Na verdade, a ferrovia Pennsylvania criou seus próprios laboratórios para pesquisar inovações em aço, que eram repassadas à U.S. Steel em forma de

---

* A relação entre Morgan e o velho Rockefeller estava melhor em 1907. Enquanto Morgan lutava para pilotar a economia do país em meio ao *crash* do mercado, Rockefeller fez questão de visitá-lo em seu escritório para afirmar que comprometeria metade de sua fortuna se necessário. Só a reportagem sobre o encontro já teve um efeito tranquilizador. (N.E.)

especificações de produtos. As ações abriram com um arroubo de entusiasmo, mas, durante a maior parte dos anos 1900, foram negociadas bem abaixo do par, até que a guerra e a reconstrução inauguraram uma longa era de domínio complacente das empresas siderúrgicas americanas, em especial da U.S. Steel. Gary e Morgan tinham sido extremamente bem-sucedidos em alcançar sua paz, apesar de ela, às vezes, parecer-se com a paz de um túmulo.

Avaliando Morgan

Pierpont Morgan foi o maior banqueiro de seu tempo, ocupando no início do novo século mais ou menos a mesma posição que Nathan e James Rothschild tinham no antigo. A grande figura de Morgan na velhice, com um aspecto que lembrava o de uma morsa, desde então é a imagem caricatural do "banqueiro". A severidade dura, o olhar direto, a atenção decidida em fatos e números, a insistência absoluta na manutenção da palavra, tudo isso estava na essência da prática bancária. O prestígio pessoal de Morgan e sua enorme rede de contatos nas finanças internacionais tornaram mais fácil para o ministro da Fazenda britânico, apesar dos receios xenofóbicos do Bank of England, apelar a Morgan quando a Inglaterra sofreu seus próprios problemas com reservas de ouro no meio da Guerra dos Bôeres. O dólar teria se tornado a principal moeda do mundo mesmo sem Morgan – em 1915 os Estados Unidos estavam sentados sobre as maiores reservas de ouro do mundo. Mas a presença tranquilizadora de Morgan em um período crucial durante a mudança – gradual, invisível, mas inevitável – do centro financeiro ajudou a fazer com que o processo fosse mais natural e menos doloroso do que poderia ter sido.

Entretanto, na prática o comportamento de Morgan costumava ser estranhamente inconsistente com sua imagem. Louis Brandeis não era um admirador de Morgan, mas, ao contrário de muitos dos seus críticos, entendia muito de finanças corporativas. Uma vez ele expressou perplexidade, pensando principalmente em Morgan, com o fato de os banqueiros serem considerados "uma força conservadora na comunidade" quando, segundo sua própria experiência, eles estavam sempre associados a "temeridade e ousadia financeira".

Brandeis estava se referindo especificamente à ferrovia New York, New Haven & Hartford, que não apenas era uma "ferrovia de Morgan", mas uma das empresas favoritas de Pierpont – seu avô estava entre os primeiros investidores, e nela Junius ocupou um de seus primeiros cargos de diretor. Pierpont entrou para o conselho em 1891 e a partir daí foi seu principal banqueiro. Ele escolheu pessoalmente o presidente em 1903, um certo Charles Mellen, que tinha administrado a Northern Pacific quando ela esteve sob controle de Morgan; e Morgan apoiou com afinco um programa de expansão agressivo em ativos de ferrovias e linhas de barco a vapor na Nova Inglaterra. Brandeis, às vezes como representante do público, às vezes por conta própria, desafiou Mellen a cada passo, afirmando que a ferrovia estava excessivamente endividada e que mantinha seus dividendos apenas por meio de empréstimos secretos, o que era ilegal. Depois de uma década de disputas, finalmente ficou claro que Brandeis tinha razão todo o tempo. Mellen foi retirado do negócio, e os Morgans tiveram de financiar uma operação cara de salvamento praticamente sozinhos. Não há justificativa ou explicação possível para o fato de Morgan não ter conseguido supervisionar com eficiência. É possível que um diretor alegue que estava confiando nos conselhos do executivo, mas o banco Morgan subscreveu os papéis da ferrovia por todos esses anos e apresentou contas bastante imprecisas e incorretas para compradores, o que era prova de incompetência ou fraude.

A International Mercantile Marine (IMM) foi outro fiasco. Uma explicação comum de estudiosos é que isso demonstrou "como até mesmo uma combinação dos banqueiros e armadores mais astutos do mundo podia se equivocar na análise e, devido ao andar dos acontecimentos econômicos e políticos, ficar impotente para interferir em seu próprio destino". Uma leitura menos benevolente seria que Morgan, que administrou o acordo mais ou menos pessoalmente, comportou-se de maneira venal, ou como um iniciante ingênuo.

Morgan concordou em intermediar uma fusão de duas empresas de transporte marítimo americanas, a Atlantic Transport e a International Navigation Co. (INC), em 1900. O banco Morgan detinha alguns papéis da INC e também, em cooperação com outro banco, estendeu um crédito de US$ 11 milhões à Atlantic Transport para modernizar sua frota. Havia a expectativa da aprovação pelo Congresso de um subsídio para auxiliar a frota mercante americana, mas os registros não deixam claro se isso era uma decisão importante. Em determinado momento, o Morgan, a INC e a Atlantic Transport concordaram que a entidade resultante da fusão seria mais forte se incluísse alguns concorrentes-chave britânicos. Conversas preliminares foram mantidas com Cunard; a White Star, uma linha muito lucrativa; e a Leyland, uma empresa familiar administrada por um operador financeiro arguto chamado John Ellerman. A Cunard não se interessou, mas Morgan foi em frente com a Leyland e a White Star. Os termos preliminares apresentados por ele, para as duas empresas americanas e as duas britânicas, descreviam uma transação de pouco menos de US$ 75 milhões, incluindo US$ 60 milhões para a aquisição de ações, além do capital de giro inicial, honorários e um adiantamento de US$ 11 milhões para a Atlantic Transport.

Esses termos logo ficaram claros. A compra da Leyland tinha sido rascunhada como uma aquisição apenas da posição de Ellerman, o que era suficiente para obter o controle. Mas Ellerman insistiu que todos os acionistas deviam participar da mesma maneira e que a compra fosse paga em dinheiro, não em ações, elevando o preço de US$ 3,5 milhões em ações para US$ 11 milhões em dinheiro. Então a White Star insistiu em US$ 32 milhões em vez dos US$ 24 milhões projetados por Morgan e ainda acrescentou a esse valor US$ 7 milhões em dinheiro correspondentes a seus lucros enormes em 1901. E por aí foi. Parece que em momento algum o "Júpiter" dos mercados olhou seus clientes nos olhos e disse: "Desculpe, cavalheiros. Isso está fora de controle". As condições inflaram de US$ 75 milhões em ações para US$ 115 milhões em ações mais US$ 50 milhões em dinheiro, com o pagamento de dividendos e juros presumidos absorvendo a fatia do leão das projeções de ganhos muito otimistas. E a lei de subsídio não foi aprovada pelo Congresso.

Com o nome de Morgan no acordo, a IMM teve uma excelente recepção inicial – até os investidores perceberem que a companhia não tinha a menor chance. A IMM começou a operar com um balanço ilíquido: as dívidas de curto prazo (obrigações com vencimento em menos de um ano) eram cerca de uma vez e meia maiores que os ativos realizáveis em curto prazo. Uma empresa saudável teria, talvez, uma relação inversa de dois por um. Além disso, ela estava sobrecarregada com cerca de US$ 64 milhões em títulos atrelados ao ouro e US$ 52 em ações preferenciais. A imprensa especializada tinha alertado todo o tempo que o faturamento extremamente elevado do transporte marítimo em 1901 tinha sido uma aberração, e eles estavam certos, deixando o consórcio subscritor com US$ 80 milhões em papéis não vendidos nas mãos. A IMM também era a proprietária do *Titanic*, o que não ajudou, mas ela estava condenada desde o começo e passou o resto de seus dias entrando e saindo de falência.

Por que Morgan fez isso? Talvez ele tenha pegado a febre dos acordos. A IMM tinha muitas das características marcantes das aquisições alavancadas ao limite do fim dos anos 1980; e, na verdade, o "pânico dos homens ricos" de 1903 em Wall Street tem muitos paralelos com o *crash* dos *junk-bonds* de 1989. Ou talvez ele quisesse apenas recuperar seu adiantamento de US$ 11 milhões para a Atlantic Transport. O banco Morgan não era uma entidade que recebia depósitos e, ao contrário de um National City ou de um Equitable Life, não tinha acesso às centenas de milhões em depósitos ou prêmios de seguros, então um adiantamento dessa monta era muito pesado. Como os papéis da IMM foram quase todos distribuídos entre os seus sócios no consórcio, a perda de Morgan foi de apenas US$ 2 ou 3 milhões, talvez um preço bastante pequeno. Nenhuma das interpretações está de acordo com o retrato de Morgan como um pilar de conservadorismo e retidão.

Não diminui em nada as conquistas de Morgan dizer que ele nunca transcendeu seu meio ou suas certezas, ou que não parecia ter sequer uma única ideia original mesmo em seu próprio campo das finanças. Ele não tinha muita sensibilidade para as pulsações políticas do país. (Veja o maravilhoso comentário feito a Roosevelt após o anúncio do processo antitruste da Northern Securities: Morgan visitou a Casa Branca e disse ao presidente: "Se fizemos algo errado, mande seus homens falarem com os meus que eles podem consertar tudo".) Seus financiamentos industriais em sua maioria seguiram a onda. Eram apenas maiores, porque ele era Morgan. O único princípio perceptível em uma vida como banqueiro de ferrovias e indústrias foi evitar a "concorrência nociva". Morgan também nunca compreendeu a necessidade de regulação externa depois que o capitalismo financeiro rompeu os elos das redes cerradas com base na família que predominavam nos dias de seu pai. Acontecimentos posteriores mostraram que ele havia superestimado demais a integridade e a honestidade de seus colegas de negócios.

As investigações "Pujo" sobre o sistema bancário de 1911 tentaram expor as maquinações do "truste do dinheiro", que simplesmente era a rede de contatos de Morgan. Como Brandeis descreveu:

> J.P. Morgan (ou um sócio), diretor da New York, New Haven and Hartford Railroad, faz com que essa empresa venda para o J.P. Morgan & Co. um lote de ações. Para pagar por elas, o J.P. Morgan & Co. toma o dinheiro emprestado no Guaranty Trust Co., do qual o sr. Morgan (ou um sócio) é diretor. O J.P. Morgan & Co. vende os títulos para a Mutual Life Insurance Company, da qual o sr. Morgan (ou um sócio) é diretor. A New Haven gasta os lucros com esses títulos na compra de trilhos de aço da United States Steel Corporation, da qual o sr. Morgan (ou um sócio) é diretor. A United States Steel Corporation gasta o lucro com os trilhos na compra de equipamentos elétricos da General Electric Company, da qual o sr. Morgan (ou um sócio) é diretor... [e muito mais nessa mesma linha].

Mas a alegação central das investigações – que o banco Morgan usava seus poderes para explorar os clientes – nunca foi realmente provada. Uma longa lista de empresas muito lucrativas, supostas vítimas, asseguraram à comissão que se orgulhavam de ser clientes do sr. Morgan e que graças a isso suas empresas estavam em melhor situação.

Entretanto, vinte anos mais tarde, a investigação Pecora, na esteira do *crash* de 1929, demonstrou que os homens do círculo de Morgan tinham se revelado desgraçadamente desprovidos de ética ou consciência quando se tratava de usar as economias de pessoas trabalhadoras. Os trustes de investimentos do National City Bank dão uma boa ideia disso. O banco rotineiramente juntava empréstimos e papéis podres e os jogava em fundos de investimentos vendidos para pequenos investidores, inflava os ativos nominais dos fundos com dinheiro emprestado e se envolvia em operações fraudulentas para elevar seus preços. O mesmo exemplo seria repetido várias vezes na comunidade de Wall Street e foi um fator importante para o *crash* de 1929. Fosse qual fosse o senso de honra que esses homens respeitavam em seus acordos entre si, sem dúvida ele não se aplicava além de sua classe.

Morgan passou sua carreira trabalhando sobre a obra deixada por seu pai, apesar de em uma escala que Junius jamais poderia ter imaginado. O fato de tê-lo feito tão bem foi uma conquista impressionante e de enorme importância para seu país. Considerando o novo e notável fenômeno que se expandia pelos Estados Unidos, foi a própria falta de originalidade de Morgan e suas raízes firmes no mundo bancário europeu que permitiram que ele tivesse um papel de mediação tão crucial na imensa mudança de poder que estava em marcha.

9. Os Estados Unidos da América mandam

"Natty" Rothschild, cabeça da filial londrina da família e neto do velho Nathan, fundador da casa de Londres, era íntimo de Cecil Rhodes e foi o principal financiador da DeBeers Diamond Co. de Rhodes. Fiel às tradições familiares, ele abominava as expedições militares independentes de Rhodes contra os bôeres e tribos locais e dedicou grande parte de suas energias durante os anos 1890 a tentar evitar uma guerra sul-africana. Entretanto, quando a Guerra dos Bôeres finalmente explodiu em 1899, ele esperava que seu governo honrasse a outra parte da tradição familiar e financiasse seu conflito por intermédio do banco Rothschild. Portanto, não ficou nada satisfeito quando descobriu que o ministro da Fazenda planejava autorizar um grupo econômico americano liderado por Morgan a captar metade do financiamento. Recriminações de Rothschild e outras figuras importantes da City forçaram o governo a reduzir o banco Morgan a um papel muito pequeno durante a primeira etapa de levantamento de fundos. Mas conforme a guerra prolongada pressionou as reservas de ouro britânicas, o ministro da Fazenda não teve escolha além de dar a Morgan um papel igual. Talvez em resposta à indecisão do governo na primeira rodada de financiamento, Morgan insistiu, e obteve, uma comissão duas vezes mais alta que a do consórcio britânico. Fazia mais de um século que a Grã-Bretanha não tinha de tomar dinheiro emprestado de uma potência estrangeira para financiar uma guerra dentro de seu próprio império. O historiador da família Rothschild, Niall Ferguson, escreve: "Foi um dos primeiros sinais de mudança no centro de gravidade financeiro para o outro lado do Atlântico, que seria uma característica decisiva – e para os Rothschilds fatal – no novo século".

Os números são suficientes para contar a história: bem antes do fim do século XIX, uma grande onda de crescimento americano levou o país à frente das antigas potências industriais. Em 1800, a produção das fábricas e minas americanas era de apenas um sexto da britânica; em 1860, era de um terço e, em 1880, de dois terços. Os Estados Unidos ultrapassaram a Grã-Bretanha em algum ponto do fim dos anos 1880; em 1900, sua produção industrial era 25% maior e, às vésperas da Guerra Mundial, duas, três vezes maior. Em 1860, a Grã-Bretanha respondia por cerca de 20% da produção industrial mundial, e os Estados Unidos, por apenas 7%; em 1913, a fatia americana era de 32%, enquanto a britânica caíra para 14%.

Surpreendentemente, apesar do crescimento populacional acelerado, a produção industrial *per capita* também cresceu mais rápido nos Estados Unidos que em qualquer outro lugar do mundo. A produção industrial por cabeça cresceu seis vezes nos Estados Unidos entre 1860 e 1913, em comparação a apenas 1,8 na Grã-Bretanha. Só a Alemanha, entre as grandes potências, mostrou taxas de crescimento *per capita* (5,6 vezes) similares às americanas, e os alemães começaram de uma base muito menor: às vésperas da guerra, a produção *per capita* britânica ainda era cerca de um terço mais alta que a dos alemães. Em todo o período entre 1870 e 1913, a produção industrial americana cresceu a uma taxa anual média de 4,9%; a Alemanha, de 3,9%; e a Grã-Bretanha a uma taxa de 2,2%. Em relação às outras potências, a França perdeu terreno consistentemente para a Grã-Bretanha e a Alemanha, enquanto a Rússia permanecia um poço de desânimo.

Mesmo as comparações *per capita* subestimam o desempenho americano, pois cerca de 40% de sua força de trabalho ainda estava envolvida na agricultura, então os números da produção industrial são divididos por uma base populacional maior. Os trabalhadores americanos da indústria utilizavam duas vezes mais capital e energia que os trabalhadores britânicos, tinham salários 50% mais altos, e sua produtividade era de cinco vezes o valor agregado. A produtividade industrial americana dobrou a britânica com regularidade durante todo o século XIX. No final dos anos 1870, os Estados Unidos também dominavam o comércio internacional de grãos – na maioria dos anos eram responsáveis por 30 a 50% de toda a produção de grãos do Ocidente – e gozavam de um grande monopólio do comércio internacional de carne, com uma fatia de 70 a 80% do mercado.* As taxas de crescimento americano são ainda mais impressionantes quando se considera que a renda dos americanos deve ter ultrapassado a renda dos ingleses já nos anos 1820. Ou seja, as taxas de crescimento muito altas da segunda metade do século se aplicavam sobre uma base bem elevada; no final do século, os Estados Unidos não tinham mais rival.

---

* Em geral, a produtividade agrícola americana depois da Guerra Civil era mais baixa que a britânica devido à produtividade extremamente baixa do Sul dos Estados Unidos e à produção tipicamente baixa da primeira geração de colonos do Oeste. A "fazenda fábrica" do Meio-Oeste não entrou em funcionamento pleno até os anos 1880, mais ou menos ao mesmo tempo em que a proliferação das ferrovias e do telégrafo levou transporte e serviços públicos a um nível comparável ao da Grã-Bretanha. No século XX, o sistema bancário e outros serviços financeiros americanos ainda estavam atrás dos britânicos. Comparações entre o Reino Unido e os Estados Unidos nos anos 1870 e 1880, portanto, são muito parecidas com aquelas entre os Estados Unidos e o Japão nos anos 1970 e 1980, quando a surpreendente vantagem em produtividade da indústria japonesa foi mais que compensada pela reduzida produtividade dos serviços e da agricultura. Entretanto, nos anos 1890, a produtividade em todos os Estados Unidos tinha ultrapassado a do Reino Unido, que ainda era a mais alta da Europa. Uma análise recente dos dados concluiu que, em 1910, a vantagem americana na produtividade sobre o Reino Unido era de cerca de 25% e proporcionalmente bem maior em relação ao resto do mundo.

O que aconteceu com a Inglaterra?

Os sábios britânicos do fim do século XIX ficaram pasmos com o avanço implacável americano. Uma busca quase obsessiva pelas causas do relativo declínio britânico deu origem a um século de história econômica dos dois lados do Atlântico que oferece uma lente excelente para localizar as fontes da vantagem americana. A diferença entre os caminhos seguidos pela indústria siderúrgica americana e a britânica talvez tenha sido um dos casos mais intensamente estudados e é uma fonte rica de *insights*.

A perda da liderança no aço foi especialmente dolorosa para os bretões. O aço era a indústria de base do fim do período vitoriano, de maneira parecida com o que acontece hoje com a tecnologia da informação. O poder militar, bens de capital de alta tecnologia e a produção em massa de bens de consumo, tudo dependia do aço, e por literalmente séculos o aço britânico foi a referência global. Os Estados Unidos praticamente nem participavam do negócio do aço no início da Guerra Civil; apesar de seus artesãos serem forçados a usar aço local durante a interrupção das importações provocada pelo conflito, eles voltaram para os fornecedores britânicos assim que as importações foram retomadas. O aço de Sheffield determinava o padrão de qualidade para o mundo, e seu aço fundido tinha quase status de metal semiprecioso. Também não parecia haver dúvidas em relação à liderança tecnológica da Grã-Bretanha. Quase todos os avanços na produção de aço da década vieram do Reino Unido – o alto-forno de ar quente; o processo Bessemer; o revestimento "básico" de Thomas-Gilchrist, que permitiu a utilização de minério com altos níveis de fósforo. Charles Siemens, cujo forno aberto acabou por suplantar o processo Bessemer, era alemão, mas passou grande parte de sua carreira na Inglaterra.

Portanto, a rapidez súbita do desafio americano fez com que ele fosse ainda mais surpreendente. Por volta da virada do século, Stephen Jeans, secretário da British Iron Trade Association, e o engenheiro siderúrgico Frank Popplewell escreveram estudos em que buscavam as razões do sucesso americano. Como colocou Jeans, só o *aumento* da produção americana nos seis anos após 1895 "é consideravelmente maior que toda a produção de aço de todos os tipos em todo ano em qualquer ano anterior a 1890 e é de cerca de meio milhão de toneladas maior que a produção total de aço na Grã-Bretanha em quaisquer dois anos anteriores a 1897". Também era "mais de três vezes a produção total dos Estados Unidos em um ano tão recente quanto 1887 e mais de nove vezes a produção total de qualquer ano até 1880, inclusive". Jeans observou sombrio que a produção anual de aço e ferro-gusa americana já era duas vezes maior que a da Grã-Bretanha e maior que o total da Grã-Bretanha e da Alemanha juntas. Nessa época, a indústria alemã estava avançando com tanta rapidez quanto a americana. A perspectiva de dois gigantes do aço a oeste e a leste era fonte de muita inquietação entre os bretões instruídos.

Popplewell e Jeans deixaram claro que a vantagem americana não envolvia mudanças importantes. Estava mais relacionada à metodologia, à organização do trabalho e, acima de tudo, à mecanização. Todos os elementos característicos de uma fábrica americana listados por Popplewell estavam em funcionamento nas usinas Edgar Thomson de Carnegie no início dos anos 1880, a maioria deles incorporada no projeto original. Havia usinas siderúrgicas britânicas esplêndidas – na verdade, Holley tinha levado várias delas como modelos para os Estados Unidos. Depois que os americanos inventaram um novo tipo de ferramenta de aço de alta velocidade no início dos anos 1900, por exemplo, a liderança na produção da nova ferramenta logo migrou para Sheffield. Mas a indústria britânica tinha muito mais usinas menores e mais antigas que os Estados Unidos, um nível mais baixo de mecanização e processo contínuo do ciclo completo do minério ao aço e menor utilização de equipamentos caros, como os "carregadores" que injetavam mecanicamente, e não de forma manual, os vários aditivos químicos e minerais no conversor. As usinas americanas de fabricação de trilhos e vergalhões produziam rotineiramente três vezes mais que as usinas britânicas com menos da metade dos homens; foi Popplewell quem observou "a marcante falta de trabalhadores nas usinas americanas".

A vantagem em custos que tinha a indústria britânica, proveniente da localização conveniente de suas reservas de minério e carvão, aos poucos desapareceu à medida que os americanos mecanizaram a extração e o transporte do minério durante os anos 1890. O minério de Mesabi Range nos grandes lagos era extraído na superfície com gigantescas escavadeiras a vapor, e Popplewell ficou impressionado com o manuseio do minério no porto lacustre – enormes guindastes e escavadeiras mecânicos descarregavam barcaças com cinco mil toneladas de minério em filas de vagões de transporte em movimento, a uma velocidade de mil toneladas por hora. Mal se via um operário, e nenhum dos homens com pás e carrinhos de mão que trabalhavam nos píeres de carga britânicos. A própria linha férrea da Carnegie Steel entre Pittsburgh e a Erie, com alguns dos maiores carros e as instalações de carga e descarga mais modernas, tinha reduzido os custos de transporte de minério a alguns centavos por tonelada. Ao mesmo tempo, a padronização de produtos americana permitiu o grande aumento das linhas de produção, enquanto os fabricantes britânicos eram assolados por uma multiplicidade de desenhos de produto. Parte da diversidade britânica vinha do orgulho perverso das idiossincrasias locais, mas também era consequência inevitável de se atender a um mercado exportador muito diversificado. Em contraste, nos Estados Unidos, a Carnegie Steel, como observou Jeans, podia "agir em nome do negócio do aço em geral". Seu manual de aço de estruturas definia seções de vigas de construção, e, com a ajuda das crescentes associações profissionais de engenheiros, padrões parecidos foram estabelecidos para eixos de roda, chapas, rebites e pregos.

Os britânicos ainda eram líderes mundiais em escala e na qualidade da sua produção de chapas blindadas e outros produtos muito sofisticados, e nenhum outro país, percebeu Jeans, podia igualar os britânicos em forjas a vapor ultragrandes para componentes de navios. Apesar de as locomotivas americanas de Baldwin estarem se espalhando pelo mundo, Jeans não achava que elas igualavam a qualidade britânica, mas reconhecia que eram mais baratas. Os trabalhadores britânicos eram muito mais bem tratados que os americanos, acreditava ele, e em geral trabalhavam dias de oito horas em vez das doze americanas, e ele ficou chocado com as condições das cidades do aço americanas. Nessa época, com o crescimento salarial muito forte nas fábricas americanas do fim dos anos 1890 ao início dos anos 1900, os salários na indústria siderúrgica americana ficaram outra vez 50% mais altos que na Grã-Bretanha. Mas o fim da era vitoriana na Inglaterra foi um período de grandes investimentos públicos em habitação, transportes e outras amenidades para as classes trabalhadoras, como parques e áreas de lazer à beira-mar, então provavelmente os trabalhadores britânicos gozavam de uma vida melhor.

A conclusão geral de Jeans – de que o aço americano "pode competir com a Grã-Bretanha e a Alemanha nos principais mercados do mundo" – agradou muito sua plateia parlamentar. A escala, a agressividade e a modernidade das fábricas americanas que ele documentou com tamanho cuidado não deixavam muita dúvida de que a disputa estava terminada. Na verdade, por volta da época em que Jeans terminou seu estudo, a Grã-Bretanha estava se transformando de principal produtor de aço do mundo ao maior importador de aço. O aço americano e o aço alemão estavam, ao que parece, conseguindo preços melhores que os britânicos dentro de seu próprio mercado doméstico.

Mas por que a Grã-Bretanha perdeu sua liderança? A lista de causas citada por Jeans, Popplewell e outros analistas da época se parece muito com a de estudiosos modernos, apesar de o debate sobre que fatores foram mais importantes não ter se encerrado.

A Grã-Bretanha, antes de mais nada, sofria as desvantagens que tocam a todos os que abrem um caminho. Quando os concorrentes americanos e alemães entraram em cena, a estrutura da indústria britânica já tinha uma personalidade há muito definida. O predomínio de empresas menores, muitas especializadas apenas em ferro ou apenas em aço, fazia com que o processo de fluxo contínuo dos altos-fornos aos conversores de aço tivesse menos possibilidades de aplicação. As ferrovias britânicas tinham sido projetadas para áreas densamente habitadas e eram em menor escala e com curvas mais fechadas, portanto sua velocidade e eficiência não podiam se equiparar às dos Estados Unidos. A lista de escolhas adversas e irreversíveis das primeiras gerações podia continuar indefinidamente. Superar problemas como esse era algo que exigia mudanças em todos os níveis por meio de reorganização e redimensionamento por atacado; mas a economia *laissez-faire* e altamente descentralizada que era a glória dos vitorianos era um ambiente pobre para uma reestruturação completa. Sinais do mercado juntaram-se a essa confusão. Uma orgia de construção ferroviária no fim dos anos 1870 e início dos 1880 levou as exportações e os lucros britânicos com o aço a níveis recorde. Em uma era de um sucesso tão grande que subia à cabeça, as previsões de Cassandra sobre a ameaça americana que tomava forma – e elas eram muitas – foram logo descartadas.

A tradição mecânica, que tinha um papel tão central no crescimento da perícia industrial americana de alguma forma nunca pegou na Grã-Bretanha. Na Exposição do Crystal Palace de 1851, os industrialistas britânicos ficaram impressionados quando técnicos da Robbins and Lawrence desmontaram uma pilha de rifles, misturaram as peças e remontaram rifles em perfeito estado de funcionamento. Mais de meio século mais tarde, os industrialistas britânicos ainda ficaram impressionados quando engenheiros da Cadillac realizaram o mesmo feito com três carros na exposição do Royal Automobile Club. Apesar do sucesso inicial do arsenal de Enfield, levou mais quarenta anos para os métodos mecânicos americanos se estabelecerem – os produtores de bicicletas dos anos 1890 podem ter sido os primeiros a adotá-los comercialmente. Em contraste com as grandes fábricas americanas, a produção de aço britânica permaneceu resolutamente orientada para seus ofícios. Jeans observou que três quartos dos trabalhadores siderúrgicos britânicos estavam em categorias de ofícios qualificados, poucos dos quais existiam nas usinas americanas.

Além do mais, a mecanização foi retardada pela menor escala das usinas britânicas. Carregadores mecânicos de altos-fornos e usinas de laminação automatizadas eram caros demais, só acessíveis às usinas maiores. O tamanho enorme do mercado doméstico americano prontamente levou a fábricas muito grandes, que podiam explorar por completo economias de escala; as fábricas alemãs eram em escala parecida. A própria redução na atividade siderúrgica britânica criou problemas. Popplewell e Jeans observaram que a alta taxa de crescimento da indústria americana criava uma demanda contínua por novas usinas, então a média de idade das usinas era muito mais baixa que a de seus concorrentes britânicos. A alta taxa de crescimento na Alemanha teria tido o mesmo efeito.

Por fim, um grande dedo acusador é apontado para os trabalhadores e administradores britânicos. A maioria dos observadores inteligentes reconhecia que os operários e chefes americanos e alemães tinham melhor educação e eram mais abertos a avanços científicos que seus equivalentes britânicos. A resistência dos trabalhadores e sindicatos era um dos principais obstáculos à mecanização em todas as fábricas britânicas. Já nos anos 1870, o capitão Bill Jones tinha avisado seus chefes na Carnegie que eles deviam "ficar o mais longe possível dos ingleses, que são grandes defensores de salários altos, produção baixa e greves". A insistência em práticas artesanais tradicionais, como aconteceu na produção de armas leves, inclinava-se por produtos mais especializados para mercados menores. Alguns contemporâneos chegaram a se preocupar, acreditando que os trabalhadores britânicos "eram claramente uma raça deteriorada". Mas se isso era verdade, sem dúvida os gerentes britânicos tiveram um papel importante nessa deterioração. O impulso empreendedor dos anos 1840 e 1850 tinha claramente diminuído. Administradores da velha guarda, conscientemente ou não, foram coniventes com seus trabalhadores em se apegar ao que já conheciam – as fábricas menores, os métodos antigos, a versão elegante da concorrência entre cavalheiros. Enquanto sem dúvida a geografia refreava a eficiência das ferrovias, elas também eram muito mal-organizadas, com muitos períodos ociosos. Como explicou um especialista, "fora da Inglaterra, as pessoas perguntam: 'Qual a economia?'. Na Inglaterra, a primeira questão é 'Qual o custo?'". Um americano simpático ficou chocado com "o pessimismo e a falta de coragem" entre os homens da indústria do ferro e do aço da Grã-Bretanha.

O mesmo problema ocorreu por toda a indústria britânica. Em meados do século, a Grã-Bretanha era a líder mundial em produtos químicos inorgânicos (amônia, soda cáustica, ácido sulfúrico), mas não conseguiu se adaptar quando o método Solvay surgiu nos anos 1870; em uma década, os fabricantes belgas e alemães tinham talvez um custo 20% mais baixo, com muito menos danos ambientais. Os americanos entraram com muita força no fim dos anos 1890, começando com o processo Solvay e mesmo com a nova tecnologia eletrolítica. De maneira parecida, na geração de energia elétrica, o motor de turbina a vapor, uma tecnologia capacitadora, foi inventado por um inglês, Charles Parsons, em 1884. Mas a indústria logo foi dominada pelas americanas General Electric e Westinghouse e pela alemã Siemens. O sistema de campos pequenos da agricultura britânica, determinado, como sua malha ferroviária, para um país densamente povoado, não podia se adaptar aos percursos de uma milha das colheitadeiras, padrão nas fazendas fábrica americanas. E alguns problemas pareciam ser culturais. Em reação a uma onda de importação de sapatos americanos feitos à máquina no início dos anos 1900, a indústria britânica adotou as máquinas americanas de fazer sapatos, mas por algum motivo nunca atingiu os níveis de produtividade americanos.

Por fim, há outro fator para o relativo declínio britânico: o próprio uso agressivo de tarifas protecionistas, especialmente no aço, e em particular pelos Estados Unidos e a Alemanha, contra uma nação britânica que, apesar de alguma hesitação, recusou-se com firmeza a se desviar de seus princípios de livre comércio.

A questão aduaneira

Ao longo de um período de quinze anos iniciado com a revogação por Robert Peel das protecionistas leis do milho em 1846, a Grã-Bretanha desmontou com regularidade todas as restrições ao comércio. No fim da Guerra Civil americana, a Grã-Bretanha tinha se tornado talvez o mais puro exemplo de uma nação de comércio livre em toda a história, uma postura que manteve, exceto durante a Grande Guerra, até 1931. O movimento de livre comércio tinha suas raízes em uma mistura ideológica de protestantismo reformista (as tarifas interferiam com as obras da Providência); libertarismo governamental (a taxação indireta nutria o grande governo); e a economia liberal da "escola de Manchester". No auge das eras vitoriana e eduardiana, o livre comércio tinha se transformado em uma religião, com o reformador Richard Cobden como seu santo padroeiro, e a devoção foi recompensada pela prosperidade da era vitoriana.

O protecionismo agressivo na Alemanha e nos Estados Unidos, sobretudo em relação ao aço, submeteu esse compromisso a um teste rigoroso no início dos anos 1900. Entretanto, as políticas alemã e americana eram bem diferentes, e sua interação com o regime britânico de livre-comércio expunha questões políticas que ainda hoje são controversas.

Os Estados Unidos tinham nas tarifas alfandegárias a principal fonte de receita desde o início de sua existência, mas os interesses poderosos de mercadores e plantadores evitaram um protecionismo ostensivo. Alexander Hamilton criou o famoso argumento da "indústria infantil", mas sua tabela tarifária de 1792, que aumentava a lista de produtos protegidos e aumentava a maioria dos percentuais, ainda estava em uma média de 10% dos preços das importações. Só quando o interesse manufatureiro do Norte assumiu o controle do Congresso na época da Guerra Civil a política americana se tornou protecionista. Por todo o resto do século XIX, as tarifas de importação americanas foram pesadas e, em ferro e em aço, abertamente excludentes. A tarifa sobre trilhos de aço, por exemplo, era de 45% em 1864 e foi convertida em US$ 28 fixos por tonelada em 1870. Como o preço dos trilhos estava caindo, os US$ 28 fixos tornaram-se uma barreira cada vez maior, chegando a uma faixa de 70 a 100% dos preços de exportação britânicos.

Mas se a política pós-Guerra Civil era protecionista, não era *predatória*. Como a demanda doméstica voraz por aço deixava pouca capacidade excedente, preços domésticos elevados não eram utilizados para financiar exportações abaixo do custo (*dumping*). Quantidades modestas de aço americano só aparecem nos dados de exportação americanos em meados dos anos 1890, em grande parte com destino ao Canadá e à América Latina, e a Carnegie Steel só entrou seriamente nos mercados internacionais a partir de 1900. A repentina depressão no aço nos Estados Unidos naquele ano resultou em um grande salto nas exportações, que caíram rapidamente quando a recuperação das ferrovias americanas ganhou fôlego. Uma tentativa sistemática de aumentar a fatia americana dos mercados mundiais só foi feita com o advento da U.S. Steel. As exportações de aço dos Estados Unidos cresceram com regularidade nos anos anteriores à Primeira Guerra Mundial, e os preços de exportação americanos costumavam ser mais baixos que os domésticos.

Por outro lado, a política alemã era decididamente predatória e nitidamente dirigida contra a Grã-Bretanha. O Estado alemão-prussiano recém-unificado surgia como a mais formidável das potências continentais e a única com uma indústria siderúrgica que se equiparava à britânica em escala e eficiência. Sua política siderúrgica nos anos 1880 e 1890 se parece muito com o ataque dos japoneses à indústria de semicondutores um século mais tarde. A produção estava concentrada em algumas poucas grandes empresas cartelizadas com ligações próximas com o governo, enquanto os preços domésticos altos financiavam o aumento do volume de vendas a preços mais baixos no exterior. O preço doméstico dos trilhos na Alemanha, por exemplo, era cerca de 25 a 30% superior aos preços de exportação durante a maior parte desse período. No clássico padrão do cartel, quando a Alemanha começou a conquistar o domínio em seus mercados continentais, a diferença de preço diminuiu cada vez mais.

A Grã-Bretanha se viu pressionada tanto do leste quanto do oeste. O protecionismo americano aos poucos expulsou os britânicos do grande mercado norte-americano, enquanto a predação e a vantagem da localização da Alemanha levaram uma boa fatia dos clientes britânicos tradicionais na Europa e na Rússia. Em 1900, a produção alemã de aço já era cerca de 30% maior que a da Grã-Bretanha, e a americana era mais de duas vezes maior. Daí até 1913, a produção americana e a alemã triplicaram, enquanto a da Grã-Bretanha cresceu apenas 63%. Às vésperas da guerra, as exportações alemãs eram quase o dobro das britânicas e quase iguais às da Grã-Bretanha e dos Estados Unidos juntos. Ainda por cima, grande parte das exportações britânicas era de produtos acabados feitos de aço primário importado da Alemanha ou, cada vez mais, dos Estados Unidos, enquanto as vendas eram desproporcionadamente orientadas para o império. No jargão moderno, os anos anteriores à guerra viram o "esvaziamento" do aço britânico. Aconteceu algo parecido com a indústria química britânica, menor, mas ainda importante. Depois da tarifa Dingel de 1897, por exemplo, as exportações de carbonato de sódio para os Estados Unidos caíram para menos de 50% dos níveis anteriores à tarifa.

Portanto, é ainda mais notável que o sistema político e empresarial tenha rejeitado com tamanha ênfase uma volta ao protecionismo no início dos anos 1900, mesmo que fosse apenas uma retaliação contra predadores – chamados de "concorrência justa". A rejeição em parte era uma questão de interesse próprio – produtores têxteis temiam perder o acesso à matéria-prima caso se iniciasse uma guerra comercial; produtores de aço acabado inglês gostavam de importar aço primário a preços baixos; e os sindicatos há muito tempo ligavam o livre-comércio a alimentos baratos. Mas a rejeição também tinha uma base fortíssima em ideologia profundamente enraizada, apoiada por uma rede de argumentos altamente abstratos e puramente intelectuais. Como escreveu o *London Times*: "O protecionismo... traz seu próprio castigo. A natureza irá retaliar contra a França, quer nós façamos isso ou não". A nata do sistema econômico britânico, os lendários professores Marshall, Pigou e Jevons, todos afirmaram a tolice da restrição ao comércio, insistindo que a indústria britânica estava apenas passando por um ajuste "natural". Winston Churchill se preocupava em saber como os ministros e o parlamento, "até agora castos porque não solicitados", iriam se comportar quando a alcoviteira protecionista estivesse à solta.

O especialista de Cambridge em história da siderurgia, D.L. Burn, em uma longa análise do debate sobre o livre-comércio em torno do aço, escrita no fim dos anos 1930, submete o argumento intelectual a uma análise arrasadora, não porque este estivesse errado, mas porque era ignorante, ou deixava propositalmente de lado fatos que contrariavam suas conjecturas teóricas. Simplesmente não era verdade, como afirmavam os professores, que a Grã-Bretanha não tinha mais acesso a minério de baixo custo ou que as usinas britânicas tinham atingido o tamanho ideal; e sua negação do fato de os alemães estarem fazendo *dumping* – porque a teoria dizia que isso era irracional – desafiava os dados disponíveis.

Burn não é contrário à posição básica do livre-comércio. Ele, na verdade, ataca as certezas presunçosas do professorado, seu descuido com os fatos e sua convicção complacente de que os alemães iriam acabar por perceber que o comércio predatório era contrário a seus próprios interesses, o que não era algo muito óbvio. Ao mesmo tempo, ele não deixa dúvida de que o problema essencial ainda era a reação lenta dos produtores de aço britânicos ao ataque alemão. Explorar as reservas britânicas de minério de baixo custo, por exemplo, teria exigido redimensionamento e reestruturação abrangentes nas linhas alemã e americana, e provavelmente os homens da indústria siderúrgica britânica não tinham estômago para fazê-los. Enquanto Burn especula sobre a possibilidade de usar tarifas alfandegárias para proteger uma reorganização da indústria, reconhece ter dúvidas sobre a possibilidade de seu sucesso. A história posterior de períodos de proteção "temporária" nos Estados Unidos e na Europa apoiaram seu ceticismo.

A concorrência entre britânicos e alemães no aço, na verdade, é um mau exemplo do paradigma do livre-comércio. A premissa básica da teoria clássica do comércio – o princípio de David Ricardo da "vantagem comparativa"* – é que a política comercial tem como objetivo maximizar a renda nacional. Mas a Alemanha

---

* A "vantagem comparativa" foi definida pela primeira vez com rigor por Ricardo em 1817. Ela mostra que a prosperidade total (i.e., a produção) é maximizada se cada parceiro comercial se especializar em sua indústria de produtividade mais elevada. Em seu famoso exemplo de Inglaterra e Portugal produzindo vinho e roupas, ele demonstra que, mesmo se Portugal pudesse produzi-los com maior eficiência que a Inglaterra, os dois países obteriam melhores resultados se Portugal se concentrasse em vinhos e os trocasse por roupas e vice-versa, desde que a Inglaterra fosse melhor em roupas que em vinho, e Portugal fosse melhor em vinho que em roupas. Não importava que Portugal também fosse melhor em roupas que a Inglaterra, se fosse comparativamente ainda melhor em vinho. A "vantagem comparativa" de Ricardo é mais geral e menos intuitiva que a "vantagem absoluta" de Adam Smith, que só chegaria ao mesmo resultado acima se a Inglaterra fosse melhor em roupas que Portugal. (N.A.)

de Bismarck, assim como o Japão pós-Segunda Guerra, dedicava-se a otimizar indústrias estratégicas específicas. A Alemanha estimulava o aço para a conquista militar; e o Japão, os microcondutores para sua conquista industrial – *mesmo que* como resultado o total da produção e da renda nacional tenha sofrido. Nos dois casos, a organização quase autoritária da economia obstruía intencionalmente a operação dos mecanismos de correção do mercado: preços domésticos elevados não resultam em concorrência doméstica, já que a entrada de competidores era restrita pelo cartel. Se considerarmos os objetivos do regime em seus próprios termos, possivelmente as duas políticas foram eficientes. O crescimento alemão foi interrompido apenas pela guerra; e a indústria dos semicondutores dos japoneses, principalmente por um cartel concorrente na Coreia.

A experiência comercial americana no século XIX se encaixa muito mais no paradigma ricardiano. Quando Andrew Carnegie defendeu tarifas sobre a importação de aço, sempre foi como uma exceção provisória para uma "indústria jovem" à teoria fundamental de que os Estados Unidos e o bem-estar de todos seriam beneficiados a longo prazo se um período de proteção primeiro permitisse a criação de uma concorrência doméstica forte o bastante. Havia, é claro, boa dose de hipocrisia na postura estudada de defensor do livre-comércio de Carnegie, pois as tarifas alfandegárias americanas duraram por muito mais tempo do que a indústria podia possivelmente ser considerada "jovem". Mas a questão fundamental ainda interessa aos especialistas em história econômica: teria sido a desculpa da indústria jovem justificada no caso dos Estados Unidos?

A tarifa alfandegária sobre a folha de flandres americana de 1890 talvez seja o caso mais frequentemente citado para defender as tarifas protecionistas dos estágios iniciais. A folha de flandres é usada principalmente em latas e telhas. Na interpretação do Tesouro, a legislação de tarifas alfandegárias pós-Guerra Civil não cobria a folha de flandres*, e o mercado americano era dominado por produtores galeses de baixo custo. A imposição dessa tarifa em 1890 foi uma decisão difícil. Houve enorme oposição, não apenas da indústria alimentícia, mas também da Standard Oil, maior usuária de folha de flandres do mundo, cujas latas azuis de cinco galões (aproximadamente vinte litros) de querosene eram onipresentes até nos trópicos e na Ásia. (Entretanto, o Tesouro americano pagava *drawbacks*, ou reembolsos de tarifas pagas sobre bens que eram reexportados.) A lei foi aprovada na casa por apenas um voto e apenas com uma cláusula de que ela caducaria, a menos que a produção doméstica alcançasse níveis mínimos de produção; ela foi,

---

* Quase certamente a interpretação estava errada. A lei original dizia: "Sobre folhas de flandres, e ferro galvanizado ou revestido..."; o Tesouro, provavelmente devido a um equívoco, alterou o lugar da vírgula, então o texto passou a dizer: "Sobre folhas de flandres e ferro, galvanizado ou revestido com...". Como as folhas de flandres nunca foram galvanizadas ou revestidas, elas não foram consideradas cobertas pela lei. (N.A.)

"O Exército Original de Coxey." Com Andrew Carnegie à frente, ricos empresários americanos chegam no Capitólio em seus vagões Pullman particulares para pedir proteções tarifárias.

de qualquer forma, reduzida em 50% em 1894 como parte de uma iniciativa mais ampla de redução de tarifas.

O economista Frank Taussig, escrevendo em 1915, encontrou indícios relacionados ao episódio da folha de flandres que, apesar de confusos, "não eram desfavoráveis aos protecionistas". Praticamente assim que a tarifa foi aprovada, o preço americano subiu para o mesmo valor que o galês com o percentual de imposto, e a produção deu um grande salto; em poucos anos, a indústria galesa tinha sido dizimada, e as importações haviam praticamente acabado. (Grandes segmentos da indústria galesa emigraram e se estabeleceram nos Estados Unidos.) Os lucros domésticos com folhas de flandres provocaram um novo surto de concorrência, e o preço americano logo caiu para cerca de metade da taxa de tarifa alfandegária e continuou a cair mesmo com a redução da tarifa em 1894. Entretanto, como observa Taussig, o principal fator na redução contínua de preço era a queda dos preços da matéria-prima. Barras de ferro, a partir das quais as folhas eram laminadas, eram responsáveis por 60% do preço da folha de flandres e estavam sujeitas a tarifas de importação muito altas. Ou seja, a folha de flandres americana não teria necessitado da tarifa se as barras de ferro não fossem protegidas. A queda dos preços das barras de ferro devido ao crescimento da capacidade instalada doméstica explica muito do aumento da produção de folha de flandres.

Essa progressão feliz foi interrompida pela fusão da indústria de folha de flandres do juiz Moore em 1898, confirmando a frase do "rei do açúcar", H.O. Havemeyer, que dizia que "a mãe de todos os trustes é a lei de tarifas alfandegárias". A nova Tin Plate Co. fez com que os preços retornassem até bem perto do valor da tarifa, e a combinação de folha de flandres alta e queda nas barras gerou uma lucratividade espetacular. Mas foi exatamente a perspectiva incerta de manter lucros tão bons assim contra uma torrente de novas empresas que entravam no negócio, incluindo a Carnegie Steel, que levou à formação da U.S. Steel. Após a consolidação, a combinação siderúrgica estabilizou os preços em cerca de 50% do valor da tarifa, apesar de continuar a perder mercado interno para novos concorrentes, e os preços domésticos aos poucos caíram para os níveis internacionais. Em 1910, a Standard Oil, sem dúvida uma das mais inteligentes gerenciadoras de custos, eliminou suas desvantagens devido às tarifas recorrendo a fornecedores domésticos. Nessa época, a U.S. Steel era uma exportadora importante de folhas de flandres, normalmente a preços mais baixos que os domésticos. Pelo menos de maneira superficial, parece que a tarifa funcionou. Apesar de levar quase duas décadas, lucros excessivos protegidos deram origem a uma grande horda de concorrentes, e os Estados Unidos, como resultado disso, acabaram com uma indústria grande e preços competitivos.

O economista e historiador Douglas Irwin recentemente reestudou o episódio para tentar obter um quadro mais claro dos efeitos das tarifas alfandegárias. O simples fato de a produção doméstica ter florescido durante o período inicial do regime tarifário em si não justifica a tarifa; a verdadeira questão é como essa experiência pode ser comparada com a que teria acontecido sem a tarifa. A partir dos dados disponíveis, Irwin desenvolve um modelo de como a indústria americana respondeu às mudanças no ambiente econômico – ao crescimento da demanda, às mudanças nas tarifas aduaneiras, aos preços das barras de aço e aos avanços tecnológicos. Exercícios contrafatuais são, é claro, inerentemente especulativos e em geral extremamente sensíveis a especificações iniciais, mas eles levam a especificidades e destacam as variáveis relevantes.

O estudo de Irwin salienta o caráter de commodity da indústria de folha de flandres – margens baixas, custos de capital mínimos e curvas de aprendizado pequenas, com pouca base para diferenciação de qualidade entre um produtor e outro. Com poucas barreiras ao surgimento de novas empresas, os lucros excessivos logo atraíram novos concorrentes. O modelo de Irwin mostra que a queda regular no preço das barras teria acabado por criar uma indústria doméstica de folha de flandres, sem a proteção tarifária, apesar de a tarifa aduaneira de 1890 ter acelerado seu desenvolvimento em cerca de uma década. Mas os custos adicionais para os consumidores de folha de flandres em todos os cenários de Irwin ultrapassavam as receitas tarifárias e os lucros excessivos dos produtores, então os efeitos sobre a renda líquida foram negativos. Em suma: o modelo de Irwin diz que o país teria lucrado mais sem a tarifa sobre as folhas de flandres.

Mas e a questão mais ampla das tarifas alfandegárias do século XIX sobre o aço e o ferro? Enquanto claramente prejudicaram a indústria britânica, elas ajudaram ou retardaram o crescimento americano? Mesmo sem uma resposta definitiva, é provável que, principalmente pela presença de Andrew Carnegie, as tarifas alfandegárias tenham sido um bom negócio para os Estados Unidos.

O efeito Carnegie

Quase todos os historiadores concordam que os Estados Unidos teriam uma grande indústria siderúrgica com ou sem tarifa aduaneira. Com reservas tão ricas de carvão e minério de ferro barato, unidas a um compromisso generalizado com o crescimento rápido, é difícil imaginar como poderia ser de outra maneira. E praticamente ninguém discorda que a tarifa alfandegária acelerou o crescimento da indústria. Os primeiros relatórios de custo das usinas Edgar Thomson que Andrew Carnegie e Alexander Holley apresentaram a Junius Morgan em 1874 projetavam lucros muito altos. Mas quando a usina ficou pronta e entrou em operação, os preços dos trilhos tinham caído, e as margens eram de apenas US$ 4 a US$ 8 por tonelada, mesmo incluindo a proteção tarifária de US$ 18 por tonelada. Sem essa tarifa, a ET jamais teria decolado. Mais tarde, em 1882, a contabilidade da ET revela um custo médio de produção de US$ 43 por tonelada de aço, ou cerca de US$ 10 a mais que os preços de exportação britânicos. Como os custos da ET provavelmente eram os mais baixos da indústria, é evidente que o aço americano ainda precisava de proteção, apesar de não no valor de US$ 28.

O imposto de US$ 28 sobre importação, entretanto, exagera demais seu peso sobre os consumidores americanos, já que a concorrência dentro dos Estados Unidos quase sempre evitou que as empresas siderúrgicas elevassem seus preços ao valor total da tarifa. Durante o *boom* ferroviário frenético de 1880 e 1881, os preços americanos eram exatos US$ 28 acima dos preços de exportação britânicos (US$ 61 por tonelada em 1881 contra os US$ 32,75 britânicos, sem contar o frete), e as exportações britânicas de trilhos para os Estados Unidos bateram todos os recordes. Mas essa foi a única ocasião de preços equivalentes ao total da tarifa alfandegária em todo o período entre 1880 e 1901. A segunda tarifa mais elevada foi de US$ 15 em 1887, outro ano de fortes exportações britânicas. Mas com exceção de 1880 e 1881, a média em duas décadas era de apenas US$ 5. Mesmo durante o auge do *pool* de preços de trilhos entre 1893 e 1896, o valor da tarifa foi bastante modesto, variando entre US$ 4 e US$ 7. Na época da guerra de preços de trilhos de 1897-1898, a Carnegie Steel estava obtendo lucros recorde com preços de venda bem mais baixos que os britânicos, apesar de talvez ter sido a única empresa americana capaz de fazê-lo. Quando o *pool* foi restabelecido em 1899, o ágio americano foi definido em apenas 12%, ou US$ 3, acima do preço de exportação britânico, que provavelmente não estava daquele em geral praticado por fornecedores americanos. (Compradores racionais costumam pagar ágio para preservar um fornecedor acessível que consegue fazer arranjos flexíveis no fornecimento, ajudar em questões técnicas ou possivelmente ajudá-los a obter encomendas.) No ano seguinte, 1900, os preços americanos e britânicos eram quase idênticos.

Em outras palavras: na época da formação da U.S. Steel, os americanos podiam vender a preços mais baixos que os britânicos com facilidade, e a tarifa de importação tornou-se irrelevante. O novo consórcio do aço fixou o preço dos trilhos americanos em exatos US$ 28, bem acima dos custos de produção, mas mais ou menos equivalente aos preços de exportação britânicos. Foi o custo elevado do aço britânico, não a tarifa, que definiu o teto do preço para os americanos.

Uma parte importante do crédito por manter o peso das tarifas de importação tão baixo deve ir para Andrew Carnegie. Os custos opressivos de um cartel protegido são uma das consequências mais destruidoras de um regime de tarifas elevadas. Mas Carnegie nunca se comportou como um cartelizador nacional. Apesar de obter com regularidade os lucros mais elevados da indústria, ele pagava os menores dividendos, preferindo reinvestir os ganhos em usinas melhores, em maior mecanização e em uma produção maior. Preços em queda eram apenas oportunidades de aumentar a participação – as empresas Carnegie aumentaram sua fatia de mercado em todas as recessões. Em um comentário feito em 1898 sobre o destroços das guerras de preços de trilhos do fim dos anos 1890, John W. Gates diz tudo: a redução selvagem de preços de Carnegie significava que os dias de "grandes lucros por tonelagens comparativamente pequenas" estavam acabados; a Illinois Steel de Gates teria de gastar milhões para ficar mais competitiva. Entre os homens que sonhavam em ser cartelizadores, como Gates e Elbert Gary, Carnegie era um "touro em uma loja de porcelana", dedicado a retirar "do negócio todas as empresas siderúrgicas dos Estados Unidos".

Os produtores de aço norte-americanos desfrutavam de grandes vantagens naturais em suas grandes reservas de carvão e nas quase infinitas reservas de minério de baixo custo na região dos Grandes Lagos, mas era necessário fazer enormes investimentos para usufruir desse potencial. E exploração comercial do minério de Mesabi só foi possível com o advento de máquinas de mineração de superfície de larga escala, carregamento e descarregamento mecanizado nas docas, enormes barcaças de transporte e ferrovias especialmente construídas com esse fim, como a linha da Pittsburgh e da Bessemer da Carnegie. As empresas Carnegie assumiram a dianteira na maioria dessas iniciativas de investimento, determinavam o preço do aço para a concorrência e, como reinvestiam grande parte de seu faturamento, forçaram investimentos iguais de todos os outros.

As tarifas alfandegárias americanas sobre o aço podem ter sido o caso incomum em que os grandes lucros foram usados com inteligência. Não há como quantificar o impacto de Carnegie. Havia outros homens de energia e criatividade no nascente negócio do aço nos Estados Unidos – os irmãos Fritz na Cambria e Bethlehem, por exemplo –, mas nenhum deles tinha sua ambição ou seus instintos subversivos. Sem Carnegie, os "Pais" da Bessemer Association, o cartel americano original do aço, podiam com mais facilidade ter mantido sua estratégia de desenvolvimento cautelosa e controlada; o gênio de Alexander Holley talvez nunca tivesse desabrochado completamente; e homens como Gates ou Gary teriam assumido o controle desde o início. Em suma: sem as tarifas de importação, a indústria americana poderia ter se desenvolvido de forma mais similar à britânica – e um dos primeiros e mais dramáticos exemplos de maquinário industrial altamente mecanizado, em escala de massa e de funcionamento intenso, que foi um marco no desenvolvimento americano, poderia ter demorado demais para conseguir fazer uma diferença.

O que os Estados Unidos tinham de especial?

Os caminhos de desenvolvimento tão diferentes seguidos pelas indústrias siderúrgicas americana e alemã ajudam a compreender as singularidades dos Estados Unidos. De maneira superficial, às vésperas da Primeira Guerra Mundial, as duas se pareciam muito – ambas eram altamente mecanizadas, com usinas de escala muito grande, e os alemães impressionavam em particular com sua organização imaculada do trabalho. A diferença estava em como usavam sua produção. Como a Alemanha exportava uma proporção bem mais alta de seu aço, seu consumo doméstico de aço *per capita* era menos de dois terços do americano, e a diferença é ainda maior quando consideramos a fatia substancial da produção doméstica alemã destinada a fins militares. O gasto militar *per capita* era cerca de quatro vezes maior na Alemanha que nos Estados Unidos, e, da mesma forma como ocorreu na corrida militar naval contra a Grã-Bretanha, faziam uso muito intensivo de aço. Além disso, mesmo os gastos alemães não militares tendiam a fins militares; sua indústria pesada e sua indústria militar estavam unidas no *Wehrverein*, o sindicato da defesa, e o desenvolvimento ferroviário e telegráfico alemão era parcialmente subordinado às exigências militares; a Seção Ferroviária era um dos órgãos mais importantes do governo.

A característica mais marcante do desenvolvimento americano no século XIX, em suma, não é apenas a impressionante distância que abriu para o resto do mundo, mas o fato de ser tão marcantemente dirigida a objetivos privados. O historiador David Landes observou a singularidade do compromisso da Europa Ocidental com o empreendimento privado e a consequente ordenação hiper-racional e fundamentada em contratos dos negócios. O enfoque comercial da sociedade europeia, diz ele, deu a ela "uma enorme vantagem na invenção e na adoção de novas tecnologias". Se isso era verdade, os Estados Unidos eram a Europa anabolizada, pois seus colonizadores eram as pessoas que viam a Europa como um lugar encerrado e repressivo.

Além disso, nos Estados Unidos, as pessoas mais energéticas do mundo estavam unidas a uma enorme fonte de recursos, recursos que estavam mais disponíveis que nunca, bastava ter o desejo de ir buscá-los. A afirmação de Lincoln de que o homem médio "trabalha por salários por um tempo e economiza um excedente com o qual comprar ferramentas, ou terra, para si mesmo; então trabalha por mais um período e, depois de um tempo, contrata outro iniciante para ajudá-lo" era verdadeira o suficiente para se tornar o padrão pelo qual as pessoas se julgavam. De Tocqueville ficou impressionado com a mobilidade incansável dos americanos, a ausência de raízes em lugares ou classes, o empenho febril e a obsessão pelo dinheiro. Como podia ser de outra forma? O prêmio nunca foi tão acessível ou palpável. A própria velocidade da corrida evocava o estilo americano de senso comum direto e sem enfeites. Os artesãos que decoraram os grandes palácios da Europa não podiam ser contratados nos Estados Unidos; os americanos estavam ocupados demais fazendo e vendendo coisas úteis.

Uma terra de fartura era a incubadora perfeita para uma cultura empresarial com base em máquinas – com recursos disponíveis, qualquer método para acelerar a produção fazia riqueza. Como observou um comentarista da Exposição do Crystal Palace em 1851, a abordagem americana da tecnologia era a ideal para "aumentar o número ou a quantidade de artigos apropriados aos desejos de todo um povo e adaptada para desfrutar e promover essa competição moderada que prevalece entre eles". Já nos anos 1850, as fábricas rurais produziam por meio de máquinas centenas de portas por dia, quando as máquinas permitiram que famílias rurais arrasadas pela guerra abrissem grandes extensões de terra à agricultura comercial. Bem antes da Guerra Civil, pelo menos fora do Sul, havia mais alimento distribuído com maior equidade do que entre qualquer outro povo na história.

Andrew Carnegie, John D. Rockefeller e Jay Gould, os arquétipos dos megamagnatas que dominaram a segunda metade do século, todos chegaram justo no momento da transição decisiva pós-Guerra Civil de formas artesanais para grandes empresas. Os três vieram de situações modestas e, sendo todos homens de grande inteligência e reflexos comerciais extremamente rápidos, diferenciavam-se pela dimensão sem limites de sua ambição e seus instintos para o rompimento de estruturas. O economista Joseph Schumpeter falou de progresso como "destruição criativa". Os três eram verdadeiros furacões ambulantes: por mais de 25 anos imprimiram o ritmo em todas as bases cruciais do Estado industrial moderno – aço, petróleo, ferrovias, carvão, telégrafo –, movendo-se permanentemente rumo a escalas cada vez maiores e custos mais baixos, atacando constantemente as posições confortáveis nas quais os empresários normais faziam uma pausa para aproveitar seu sucesso.

A distribuição nacional barata combinada a uma produção com base em máquinas criou a primeira cultura de consumo de massa do mundo, a enorme torrente de produtos "bons o suficiente" que enchiam as residências, mesmo que nunca satisfizessem totalmente os desejos da primeira nação de classe média de todos os tempos. A queda constante dos preços ao longo da segunda metade do século não se devia principalmente a ajustes monetários. Na verdade, parece que a maioria dos bens, em certo sentido, era mais barata, da mesma forma que o preço real dos computadores caiu de forma tão marcante em nossos dias. A *Scientific American* observou em 1904 como as varas de pescar de aço estavam acabando com as versões de bambu. Elas eram mais leves, mais duráveis, resistentes e mais sensíveis ao toque – e eram produzidas por fábricas, não por artesãos, então as pessoas comuns podiam comprá-las.

Outras nações, incluindo até os "primos" ingleses, com quem tinham relações mais próximas, demoraram a perceber a escala e a amplitude impressionantes do *boom* americano. Isso se deu em parte porque os Estados Unidos eram um consumidor muito voraz de sua própria produção; para os mercados de exportação, os Estados Unidos produziam principalmente alimentos e petróleo. O poder imenso da economia americana, em vez disso, fez-se sentir como uma espécie de olho do furacão, um "fole enorme, mas imprevisível", que, sem razão aparente, podia repentinamente soprar ventos quentes ou tempestades de gelo pelo mundo inteiro. Os londrinos ficaram cínicos com as quedas recorrentes de Wall Street. Quando o *crash* de 1907 se abateu, a *Economist* escreveu enfastiada: "O colapso em Nova York, há tanto tempo antecipado, enfim aconteceu". Apesar de não haver absolutamente nada de errado com a economia britânica, nem com a americana, do ponto de vista britânico, a força da contração foi tão grande que o Bank of

England teve de praticamente quadruplicar sua taxa de juros para punitivos 7,5%. Tudo foi "muito violento e primitivo, um aborrecimento para os londrinos".

Entretanto, financistas perceptivos compreenderam o alcance e os limites dos campos de força. Um sócio importante do Barings, Gaspard Farrar, surpreendeu seus colegas em 1904 observando que "não vai demorar muito para Nova York se transformar no centro financeiro do mundo; mas temo por nós que isso esteja acontecendo rápido demais". Um dos principais papéis de Pierpont Morgan, além de impor uma aparência de ordem nas finanças domésticas, era intermediar a coabitação entre os sistemas financeiros mais estabelecidos do Velho Mundo e os sistemas habitualmente caóticos do Novo.

A mesma mistura de irritação e preocupação recebeu o surgimento hesitante dos Estados Unidos nos assuntos internacionais. Os países europeus não promoveram seus representantes nos Estados Unidos ao status de embaixador pleno até os anos 1890. A súbita guerra com a Espanha parece ter se originado mais nos discursos inflamados dos barões da imprensa americana que em questões políticas. As intenções de John Hay com sua política de "porta aberta" de 1900 na China eram um enigma para outros estadistas. Mas os britânicos recuaram cautelosamente de um confronto potencial com os Estados Unidos na América Latina. Nada se ganhava por provocar gigantes adolescentes.

As elites europeias ficavam chocadas com a inexperiência, a crueza, a falta de tato, seu caráter semiacabado. Grande parte da obra de Henry James busca os menores pontos de interseção entre o Velho e o Novo Mundo. Em seu último romance, *The Golden Bowl* (1904), uma jovem americana bonita e bem-educada, Charlotte, que vive nas franjas da sociedade inglesa, casa-se com um magnata americano que está em viagem de "captação de recursos". Uma amiga inglesa mais velha de Charlotte vê com horror sua partida para os Estados Unidos, pois seu destino é a intencionalmente chamada "American City": "Vejo as longas milhas de oceano e o grande país imponente, estado após estado – que nunca me pareceram tão grandes ou terríveis. Eu finalmente os vejo, dia a dia e passo a passo, lá longe – e nunca os vejo voltar".

James, o londrino expatriado, não faz elaborações sobre o futuro de Charlotte, nem oferece coisa alguma além de uma rápida descrição da American City, pois seus leitores, tanto ingleses quanto americanos, sabem que ela será terrível. Mas seu magnata, Adam Verver, ainda é de longe o personagem mais formidável do romance, um homem de grande poder e confiança tranquila, com ouvido para nuances emocionais e um bom olho para damasquinaria.

O príncipe italiano falido que se casa com a filha de Verver reconhece que está sendo colecionado, junto com outras obras de arte, e sua decisão de aceitar a barganha salienta sua decência fundamental. Esse aristocrata meio decadente, *habitué* de palácios arruinados, compreende com toda a sinceridade que esse magnata americano é "o melhor homem que já vi em minha vida".

A torrente de energia bruta no início de um império pode sustentar o ímpeto expansionista por muito tempo depois que seu dinamismo interno se esvai. Um sinal evidente de redução de energia é quando as elites intelectuais começam a construir narrativas imperiais. Os contadores de história da Roma de Augusto eram sacerdotes e poetas; no império econômico americano do século XX, eram eruditos e professores.

10. As lições erradas

Primeiro, um teste de múltipla escolha. Considere os dois homens a seguir.

Já encontramos Alexander várias vezes neste livro. Ele levou a moderna tecnologia siderúrgica para os Estados Unidos e, mais que qualquer outro, criou e em seguida seguiu aperfeiçoando o sistema americano de produção de aço altamente mecanizado e com grande economia de mão de obra. O trabalho de Holley expandiu muito o alcance da tradição mecânica do vale do Connecticut e foi a demonstração definitiva do estilo caracteristicamente americano de aumentar a produtividade por meio de tecnologia avançada.

Um quarto de século depois de Holley projetar suas grandes usinas siderúrgicas, Frederick W. Taylor resolveu o problema de carregar à mão o ferro-gusa nos vagões de carga. Segundo ele, após muita pesquisa e análise, ele e seus assistentes encontraram as capacidades ideais de carga e de velocidade de caminhada e calcularam com precisão os movimentos físicos precisos para um resultado ideal. Suas amostras "científicas" na verdade estavam quase todas baseadas em um único homem, o magro e vigoroso Henry Noll, que Taylor posteriormente imortalizou como o estúpido imigrante "Schmidt". Parece que Noll amava o trabalho pesado e costumava correr quase dois quilômetros até sua casa após o trabalho, mas nem mesmo Noll conseguia atender sempre aos padrões de Taylor. Como Taylor usava esses padrões para pagamentos por produtividade, quase todos os carregadores de ferro-gusa tiveram seus salários reduzidos.

O desafio para o leitor é adivinhar qual desses dois homens seria considerado por intelectuais e professores de economia e administração como "o pai da administração científica". Qual deles seria louvado por uma personalidade ao nível do guru de administração Peter Drucker por ter dado a "maior e mais duradoura contribuição dos Estados Unidos ao pensamento ocidental desde os Documentos Federalistas"? Que homem, em uma pesquisa feita em 1977 entre professores e historiadores para escolher aqueles que fizeram as maiores contribuições ao pensamento e às práticas administrativas, iria derrotar todos os outros competidores, até mesmo Andrew Carnegie, John D. Rockefeller, Alfred Sloan e Henry Ford? Errou quem respondeu Holley.

A verdadeira importância de Taylor foi como um inovador na tecnologia industrial, em que suas contribuições foram importantes o bastante para que ele fosse, com justiça, chamado de "o pai da moderna administração de fábrica". Mas a obra que ele mesmo dizia ser a característica central da "administração científica" era a organização e engenharia das operações manuais, como sua "ciência do uso da pá" ou sua "lei do trabalho pesado", que estabelece que um homem de "primeira classe" carregando pesos de 42 quilos precisa ficar 57% do dia de trabalho sem qualquer carga, mas apenas 46% se a carga for reduzida à metade. (Sim, é uma bobagem!) Mas mesmo se as afirmações de Taylor fossem verdadeiras, sua trivialidade essencial é impressionante. Existe um lugar na indústria para a engenharia de operações manuais. Mas diante do problema de carregar ferro-gusa, um Alexander Holley ou um Henry Ford primeiro ia perguntar, por que diabos você está fazendo isso à mão? E antes de olhar mais de perto para o trabalho de Taylor, primeiro devemos perguntar por que será que as pessoas achavam que suas afirmações eram tão importantes.

A resposta está na maneira como os formadores de opinião americanos chegaram a termo com os imensos novos centros de poder que os magnatas deixaram em sua passagem. Esse processo, em parte, exigia aceitar a garantia de Morgan que as grandes novas combinações tinham sido projetadas para domesticar predadores perigosos como a Carnegie Steel e restabelecer a concorrência "ordeira". Em parte foi o alívio de saber que os "negócios", em vez de uma guerra interminável, suja e desnecessária, eram apenas mais um assunto que tinham lugar no quadro-negro de um professor. Especialmente para as crescentes altas classes médias americanas, que estavam investindo de maneira tão pesada em seus filhos, era um conforto saber que o primeiro degrau rumo ao sucesso nos negócios, assim como no direito ou na medicina, era simplesmente ir bem nos estudos. E, por fim, a noção de que a administração empresarial era, afinal, apenas uma ciência como qualquer outra e renovou a confiança dos intelectuais de que eles ainda podiam ter algo dizer cobre o progresso da situação.

Os intelectuais descobrem a máquina

Pense no envelhecido Henry Adams, historiador e descendente de presidentes, parado boquiaberto diante de um dínamo elétrico gigante na Exposição de Paris de 1900, prestes a cair de joelhos, "desconcertado e impotente como, no século IV, um sacerdote de Ísis diante da Cruz de Cristo". A angústia de Adams exemplificou a crise intelectual severa que as elites americanas viveram em torno da virada do século. Uma geração antes, até os secularistas acreditavam implicitamente na natureza providencial da aventura americana: talvez o brilho que envolvia uma cidade no alto de uma colina não emanasse mais de Deus, mas eles ainda podiam vê-lo. Durante um tempo, o providencialismo sobreviveu ao encontro com Darwin – a árvore evolucionária dos livros didáticos normalmente mostrava no alto um homem branco europeu. Mas, no fim do século, as elites tinham começado entender a característica essencialmente aleatória da evolução; se o único critério para a "adaptação e a aptidão" era a sobrevivência, o futuro podia muito bem pertencer aos ratos e aos insetos. As velhas verdades desmoronaram uma a uma: a radioatividade demonstrou a falsidade da permanência da matéria, enquanto as expedições de Freud aos recessos mais escuros da mente revelaram as mentiras e justificativas do Homem Racional. O best-seller de 1892 de Karl Pearson, *The Grammar of Science*, destacava o caráter probabilístico da física e seu agnosticismo em relação à realidade de entidades como a força. *The Education of Henry Adams* zombava da situação de seu autor:

> Para Tomás de Aquino, o universo ainda era uma pessoa; para Espinoza, uma substância; para Kant... um imperativo categórico; para Poincaré, uma condição; para Pearson, um meio de troca. O historiador nunca parou de repetir para si mesmo que nada sabia sobre isso. ...Ele terminou sua educação e lamentou tê-la iniciado. Por questão de gosto, preferia muito sua educação do século XVIII, quando Deus era um pai, e a natureza, uma mãe, e tudo no universo científico era para melhor.

O assombroso sucesso econômico americano não era muito consolo. Como colocou o jovem Walter Lippmann, a indústria moderna "é o grande fato em nossas vidas. Enegrece nossas cidades alimentada com a vida de nossos filhos. É uma tirana sobre homens e mulheres, que gera grandes quantidades de produtos, bons, maus e horríveis". E apesar de todos os americanos celebrarem no 4 de julho "as massas desordenadas aspirando a respirar livremente", o mesmo "rebotalho desprezível" vindo de costas distantes fervilhantes estava definitivamente tornando as grandes cidades do Leste uma bagunça. Os índices de criminalidade e as doenças nas favelas de Boston e Nova York eram horríveis.

Mas um *deus ex machina*, literalmente, estava à mão para o salvamento. Quando a U.S. Steel foi fundada, Charles Schwab observou que as maiores empresas eram administradas por gerentes especializados treinados na "ciência dos negócios": "Nada é deixado ao acaso. Cada passo do processo é planejado com cuidado antecipadamente. Todo desperdício é eliminado". Lippmann, um entusiasta das modas intelectuais do período, empolgou-se com as ideias de Schwab: "As empresas americanas estão passando por uma reorganização tão radical que estamos apenas começando a compreender seu significado. ...O escopo do empreendimento humano é enormemente maior, e com ele veio... uma mudança geral na escala social". Mas o "novo mundo dos negócios produziu uma nova espécie de homem de negócios. Pois ele exige uma ordem diferente de habilidade para conduzir o truste do aço do que para administrar um alto-forno primitivo." Os caçadores de truste, disse Lippmann, não conseguiram entender que o tamanho apropriado de um negócio era uma questão para "especialistas na nova ciência da administração. ...O fato é que a administração está se tornando uma ciência

Administração científica em ação: o laboratório de teste de locomotivas da Pennsylvania em Altoona, Pensilvânia. Antes, ele foi exibido na Exposição de St. Louis de 1904.

aplicada, capaz de desenvolver métodos executivos capazes de lidar com unidades tremendas". No romance utópico de Edward Bellamy de 1887, *Looking Backward*, todas as tensões sociais desaparecem quando toda a produção é colocada nas mãos de uma "única organização. ...O Grande Truste".

De uma cadeira na academia ou da escrivaninha na redação de um jornal, corporações gigantescas como a Standard Oil e a U.S. Steel assumiram a aparência humana reluzente e de ronco silencioso do impressionante motor de Corliss que se erguia como um deus meditativo acima da Exposição da Filadélfia uma geração antes. A abordagem científica dos negócios era ressaltada pela principal atração da Exposição de St. Louis de 1904, a exibição de uma unidade de teste de locomotivas da Ferrovia Pennsylvania, com guindastes suspensos mastodônticos, que podiam levantar até as maiores locomotivas e colocá-las sobre rolamentos mecânicos, onde seriam ligadas e rodariam em velocidades altíssimas. Na exposição, eram anunciados horários em que as pessoas podiam ver uma locomotiva, digamos, correr a mais de 100 km/h – enquanto equipes de técnicos avaliavam cuidadosamente as temperaturas, o consumo de combustível, a resistência de tração e a força de arrasto, parando o motor de vez em quando para mudar uma peça ou fazer algum ajuste.

A noção do empresário como cientista vinha direto da insistência de Pearson, em seu *Grammar of Science*, de que a ciência era principalmente questão de *método*. O cientista buscava a objetividade pura e agia por meio da "classificação cuidadosa e em geral trabalhosa dos fatos, da comparação de suas relações e sequências e, finalmente, da descoberta de uma regra simples, ou uma *fórmula*, que... se torna uma lei científica". A ciência como método, escreveu Pearson, "reivindica como seu campo toda a gama de fenômenos, tanto mentais quanto físicos – todo o universo. ...Toda fase da vida social, todo estágio de desenvolvimento passado ou presente é material para ciência". Não havia, em suma, necessidade de abandonar a promessa de progresso e de situação excepcional americana, mas o caminho para a cidade das luzes, em vez de iluminado por Deus, seria revelado pela ciência.

Isso era algo inebriante. O sucesso da economia marginalista parecia confirmar a afirmação de Pearson. Da mesma forma que algumas leis simples coreografavam as moléculas de gás que colidiam livremente, os preços corretos surgiam da atividade de incontáveis participantes atomizados do mercado que obedeciam a cânones simples de interesse próprio. O jovem estudo da sociologia pegou o trem das estatísticas; quando a American Sociological Society foi fundada, em 1905, era aberta apenas a profissionais "científicos". A sociologia foi expressamente modelada como uma ciência de "controle social", determinando as leis de interação individual que criavam um "aparato de equilíbrio social".* Até Henry Adams arriscou uma "Teoria Dinâmica da História", na esperança de descobrir as leis gerais que governavam a ascensão e o declínio das nações. John Dewey acreditava que as escolas podiam ser administradas como "grandes fábricas" para produzir cidadãos autoconfiantes em grande quantidade e com rapidez para povoar sua visão de uma democracia liberal.

Nascia o culto do especialista. Dewey disse que o objetivo da ciência era "a transformação dos poderes naturais em poderes experimentados e testados". O material publicitário da Ferrovia Pennsylvania em St. Louis destacava que as rotinas de teste tinham especificações rígidas e dirigidas permanentemente por um professor de Purdue, um certo F.M. Coss. Havia uma essência verdadeira, aqui: muitas grandes empresas na verdade estavam construindo laboratórios de pesquisa e almejavam o desenvolvimento de produtos e o controle de qualidade científicos; mas a relação entre empresários e cientistas – mesmo na Pennsylvania – era fria e cheia de espinhos, como ainda é muito comum em nossos dias. Entretanto, para jornalistas e intelectuais, que em geral sabiam muito pouco sobre negócios e menos ainda sobre ciência, o especialista científico tinha se transformado em uma espécie de feiticeiro. O historiador Theodore Porter observou que a versão pearsoniana da ciência "se encaixava perfeitamente na democracia americana. Os

---

* Os imigrantes costumavam se sair mal nesses exercícios. Fiéis ao ideal pearsoniano de fidelidade (aparente) fria aos fatos, os cientistas estudavam a assimilação dos imigrantes, mediam seus crânios e normalmente os declaravam inferiores. A proteção racial foi um dos subtemas importantes do período. O próprio Pearson era um forte defensor de uma eugenia com base em raça. (N.A.)

cientistas sociais... podiam acabar com a suspeita de que seus conselhos tinham interesse próprio entoando a expressão do método científico."

Então, quando Frederick W. Taylor declarou ter descoberto os princípios da "administração científica", suas plateias entraram em um êxtase coletivo.

O que Taylor fez?

Frederick Winslow Taylor nasceu em uma família rica da Filadélfia em 1856. Era um jovem de dotes prodigiosos, forte e extrovertido; um líder natural e um bom aluno com forte queda pela matemática e pela física. Também era um atleta excelente e, junto com um amigo, venceu o torneio de duplas do Aberto de Tênis dos Estados Unidos em 1881. Após se formar na Phillips Exeter Academy, largou a faculdade para se tornar maquinista em uma empresa local de propriedade de um amigo da família. Depois de quatro anos aprendendo o ofício – período que depois disse ter dado a ele uma percepção especial das mentes dos trabalhadores comuns –, Taylor tornou-se subencarregado na Midvale Steel na Filadélfia em 1878. Ele demonstrou ser um gerente de estilo "controlador", impondo multas em dinheiro para o desperdício e o trabalho perdido e experimentou vários sistemas de salário por tarefa. Passou mais de dez anos na Midvale, galgando uma série de cargos até chegar a engenheiro-chefe, enquanto obtinha à noite seu diploma de engenharia mecânica. A maior parte dos temas básicos de seu trabalho posterior tem origem em suas experiências na Midvale, incluindo sua hostilidade de toda a vida ao "corpo mole" – a tática dos trabalhadores manuais de não produzir mais do que as normas estabelecidas pelo grupo. Ele também demonstrou ser um maquinista e mecânico brilhante e recebeu várias patentes de projetos de aperfeiçoamentos em ferramentas de máquina.

Os anos que Taylor passou na Midvale, praticamente toda a década de 1880, marcaram uma profunda mudança de escala no negócio, do modo de organização local para o nacional. As ferrovias abriram o caminho e, no processo, superaram desafios administrativos de uma escala inteiramente nova – milhares de quilômetros de estradas de ferro, milhões de carregamentos, construção e atividades de manutenção em locais cada vez mais afastados, dezenas de milhares de empregados. O movimento das ferrovias no rumo da padronização, administração de custos e controle de qualidade obrigou seus fornecedores – como a Carnegie Steel, a Westinghouse Airbrake, a Baldwin Locomotive e a Pullman Sleeping Car – a fazer adaptações similares. Holley catequizou a indústria siderúrgica sobre os custos pesados do descuido – a interrupção não prevista do funcionamento de um alto-forno, por exemplo, podia custar uma pequena fortuna –, enquanto Carnegie eliminava metodicamente por meio da mecanização a maioria dos antigos ofícios e profissões relacionados ao aço. Desenvolvimentos comparáveis aconteceram em outras indústrias, que cresceram graças às ferrovias, como a de farinha, a de açúcar e a de produtos químicos, e nas novas empresas de distribuição em massa, como a Montgomery Ward, as redes de lojas de alimentos e as grandes lojas de departamentos. À medida que as escalas de operação saíram do alcance pessoal dos administradores superiores, houve grande crescimento na burocracia dos sistemas de controle – departamentos de controle de custos, sistemas de pagamento e recebimento padrão, tabulação de dados e relatórios de desempenho. O mobiliário de escritório, os sistemas de arquivamento, formulários e máquinas de escrever se transformaram em indústrias importantes, e grandes prédios comerciais redesenharam a silhueta dos centros urbanos.

No entanto, fora das maiores e mais avançadas empresas, a penetração da administração sistemática era no máximo irregular e mais frequentemente quase inexistente, e, sobretudo em indústrias mecânicas de tecnologia intermediária, as operações eram em geral uma bagunça. O fabricante e reformador Henry Towne, em 1886, disse à American Society of Mechanical Engineers (ASME) que a "administração das usinas é desorganizada, praticamente não existe literatura, organização ou meio para a troca de experiências. ...O remédio... devia partir dos engenheiros." O fabricante típico costumava ter uma concorrência local mínima, poucas vezes se prendia a padrões de qualidade definidos e tinha crescido principalmente pela contratação de cada vez mais trabalhadores especializados na antiga tradição artesanal. A contratação interna, ou o uso de profissionais independentes dentro da fábrica com pagamento por produção, ainda era comum. E mesmo em empresas maiores e mais bem administradas, as operações de nível intermediário como as oficinas mecânicas em uma usina siderúrgica normalmente funcionavam como se fossem companhias independentes. O funcionamento das fábricas e oficinas era o ponto favorito de Taylor, em especial o das fábricas, onde costumava haver grande variação de uma tarefa para outra.

Taylor tinha uma característica obsessiva, bem parecida com a de John Hall. Meio século antes, Hall passara anos sobre o desafio de produzir por meio de máquinas peças com precisão de intercambialidade, estudando a fundo cada obstáculo nos mínimos detalhes e atacando e dominando todos eles um a um. Taylor encarou a administração de fábrica de maneira bastante similar. Obter o controle implicava a padronização de todos os aspectos da produção – a qualidade das máquinas e das ferramentas de corte, a velocidade das ferramentas, a profundidade dos cortes, as taxas de alimentação, as sequências de operação –, detalhes que a Midvale, como a maioria das fábricas e oficinas, deixava para o capataz dos operadores individuais. Passo a passo, Taylor isolou as variáveis críticas de desempenho e caminhou no rumo de um padrão de melhor desempenho. Quando seu sistema tomou forma, as ferramentas de corte eram mantidas em uma sala de ferramentas central, uma equipe de especialistas inspecionava o correame*, um grupo de planejamento determinava cronogramas de produção, as tarefas eram designadas com um cartão de instruções que especificavam a sequência de operação e tolerância das máquinas, o material era separado para cada tarefa, e cartões de tarefa e tempo acompanhavam o desempenho de cada operário. O último passo no processo era o salário-tarefa, com a característica punitiva de que o valor por pagamento *era menor* nos níveis de produção mais baixos. Para determinar os níveis, Taylor começou a cronometrar as operações em detalhes. Para entender melhor o método de Taylor e seus resultados, deve-se observar que ele restringiu seu estudo de tempo aos melhores homens e com máxima precisão na cronometragem. Assim, em determinadas tarefas na Midvale, por exemplo, os homens teriam praticamente de dobrar sua produção para ganhar os antigos salários.

A obsessão de Taylor era igualada por um traço de grandiosidade. Quando ele botou a fábrica e as oficinas em ordem, dedicou-se a aplicar as mesmas técnicas a toda a empresa. Um registro disperso sugere que, fora da fábrica, ele trabalhou apenas com unidades de trabalho e, como não havia máquinas envolvidas, concentrou-se apenas em estudos de tempo e tarefa. Em determinado momento, ele se apaixonou pela ideia de que todas as ações humanas podiam ser planejadas como se fossem uma máquina. Como ele disse anos mais tarde, "todo ato de todo trabalhador pode ser reduzido a uma ciência". Mas isso exigia especialistas treinados:

> [Um] homem capaz de carregar ferro-gusa como sua ocupação habitual é... tão estúpido e pachorrento que em sua constituição mental se parece mais com um boi que com qualquer outra coisa. ...Ele é tão estúpido que... deve consequentemente ser treinado por um homem mais inteligente que ele no hábito de trabalhar de acordo com as leis dessa ciência para poder ser bem-sucedido.

Entretanto, mesmo os trabalhadores mais inteligentes precisavam da ajuda de especialistas:

> [N]a classe mais elevada de trabalho, as leis científicas desenvolvidas são tão intrincadas que o mecânico de alto preço precisa (ainda mais que o trabalhador barato) da cooperação de homens mais educados que ele para lhe ensinar as leis... e treiná-lo para trabalhar de acordo com elas. ...[E]m praticamente todas as artes mecânicas a ciência que está por trás do ato de cada trabalhador é tão grande e significa tanto que o trabalhador mais adequado a realmente fazer o trabalho é incapaz, por falta de educação ou capacidade mental insuficiente, de compreendê-la.

---

* Em uma fábrica movida a vapor ou a força da água, a potência era transmitida por meio de sistemas de correias e eixos. Correias frouxas ou leves demais poderiam ter efeitos drásticos no desempenho, por isso a manutenção permanente das correias pagava dividendos em produtividade. As máquinas movimentadas por meio de correias desapareceram com a popularização dos motores elétricos perto do fim do século. (N.A.)

O que revela outro traço de Taylor, uma queda para a mistificação pedante. É de se imaginar que o velho "Big Bill" Rockefeller, o pai feiticeiro de John D., teria saudado um espírito semelhante ao seu.

Depois que Taylor deixou a Midvale em 1889, ele passou mais uma década pulando de um emprego para outro – uma empresa de papel, uma de rolamento de esferas, o estaleiro Cramp (que construiu o *Corsair* de Pierpont Morgan), uma empresa de motores elétricos e, então, de volta à fábrica de rolamentos. Ele sempre demonstrou ser um excelente administrador de fábrica, em especial por meio de sistemas de salário-tarefa extremamente exigentes e uma eliminação impiedosa dos trabalhadores que não tinham um desempenho de alto nível. (Em seu exemplo favorito sobre carregadores de ferro-gusa, ele determinou um padrão de produção tão elevado que só um em cada oito homens conseguia cumpri-lo. Então ele se livrou dos sete de pior desempenho e os substituiu por um número menor de "homens de primeira classe".) Durante esse processo ele continuou a aperfeiçoar suas ideias para gerenciar a produção, que, apesar de sempre inteligentes, tinham uma tendência a ser meticulosas e extremamente complicadas. Em sua fábrica ideal, por exemplo, um operário estava subordinado a oito chefes de função diferentes. Suas apresentações na ASME, sobretudo sobre salário-tarefa, começaram a atrair um pequeno grupo de acólitos, incluindo Henry Gantt, criador do famoso "gráfico de Gantt"*, que se juntou à sua equipe na Midvale.

Um de seus novos assistentes era Sanford Thompson, que Taylor tinha conhecido na empresa de papel e a quem contratou para organizar seus estudos de tempo para serem publicados. (Taylor era rico o bastante para pagar por trabalhadores do próprio bolso; além dos recursos de sua família, ele estava recebendo um fluxo crescente de *royalties* sobre suas invenções em ferramentas de máquina.) Quando Thompson descobriu como os estudos de tempo que Taylor tinha eram rudimentares e inconsistentes, ele e Taylor concordaram que ele devia recomeçar do princípio. Durante os seis anos seguintes Thompson realizou análises de tempo detalhadas de trabalhadores da construção em oito ofícios, da "escavação" à "retirada de rochas".

Os resultados de Thompson, junto com um manual de técnicas de cronometragem (incluindo como esconder os cronômetros dos trabalhadores), formam uma parte importante do texto de Taylor de 1903, *Shop Management*. É um exemplo esplêndido de falsa ciência e uma especificidade espúria de montes de operações. No subofício de "carregar um carrinho de mão", o planejador do processo de remoção de terra podia pressupor que um homem precisaria de 1,948 minuto para encher um carrinho de mão de argila, a uma velocidade de 0,144 minuto

---

* Um gráfico de Gantt é uma representação visual de tarefas em um processo de produção como uma série de barras de tempo; ele ainda é um formato-padrão para os softwares de planejamento de produção. (N.A.)

por pazada, enquanto precisava de apenas 1,240 minuto a uma velocidade de 0,094 minuto por pazada para areia. Pôr o carrinho em movimento levava 0,182 minuto; empurrá-lo por 50 pés (15,239 metros) em terreno plano, 0,225 minuto; e parar e descarregar, 0,172 minuto. E por aí vai. Os resultados são reduzidos a uma "fórmula geral para o trabalho com carrinhos de mão" na qual "a = tempo para encher o carrinho", "b = tempo de preparação para entrar em movimento" e assim por diante, para chegar a:

$$B = (p+[a+b+c+d+f+(\text{distância percorrida}/100)(c+e)]27/L)(l+P)$$

Há fórmulas adicionais para encher uma pá e jogar o material, ou encher a pá, andar e então despejar o material, e tabelas úteis para calcular o tempo de despejo com base na distância e na altura em que o peso é despejado. Se a distância vertical é de 4 pés [1,219 metro] e a horizontal é de 5 [1,524 metro], leva 0,07 minuto para encher a pá e 0,031 minuto para despejar o material. O tempo de despejo do material se eleva para 0,043 minuto (ou 7 décimos de segundo) se a altura vertical for aumentada para 6 pés [1,828 metro] enquanto a horizontal permanece constante. Taylor observa que o tempo para encher uma pá independe da distância do despejo, mas varia com o tipo de material, por isso as tabelas forneciam valores diferentes para diferentes tipos de solo. Também há uma tabela prática de equações para deduzir tempos de operação rápidos demais para serem captados com um cronômetro, mas para as equações funcionarem, "o número de elementos sucessivos observados juntos deve ser semelhante ao número total de elementos no ciclo". Sem dúvida, qualquer homem que trabalhasse com uma pá e aspirasse a ser um supervisor teria de passar por muitas horas de estudo pela frente.

A tolice de tudo isso se revela no P maiúsculo, último fator na comprida fórmula de Taylor. O P representava o tempo que um trabalhador precisava descansar, ou que era gasto em algo diferente da produção plena. Sempre era um número grande e redondo. Em uma grande sessão cobrindo várias tarefas diferentes, o P ia de 25 a 75%, obviamente passando por cima das tabelas estudos de tempo de três casas decimais. De onde vinha o P? Na verdade, era um palpite. Mas quando pressionado, Taylor reagia com firmeza: o P nunca era arbitrário, mas baseado em "investigação científica, uma investigação cuidadosa, minuciosa e científica dos fatos". Quando um congressista sugeriu que os salários-tarefa tradicionais também eram baseados nas observações de muitos anos dos chefes de equipe, Taylor insistiu que "um é palpite, o outro é um experimento científico cuidadoso".

O primeiro e único trabalho de consultoria em tempo integral de Taylor surgiu em 1898 na Bethlehem Steel, que atravessava sérios problemas de produção em seu negócio de chapas blindadas. Um dos principais executivos da Bethlehem tinha trabalhado com Taylor na Midvale e admirava suas ideias sobre salário-tarefa, então organizou uma apresentação para a administração da Bethlehem. Taylor destacou que podia levar até dois anos para instalar um sistema completo de salários-tarefa, porque todos os outros elementos tinham de estar no lugar antes que ele pudesse realizar estudos de tempo úteis. O conselho ficou entusiasmado, e Taylor começou a trabalhar na primavera. Em suas próprias palavras, o trabalho foi um fracasso, e ele foi demitido dois anos mais tarde. Ironicamente, esta também foi a ocasião de sua maior contribuição para a tecnologia industrial, a descoberta do aço para ferramentas de alta velocidade.

A produção de chapas de aço para navios e canhões de navios exigia planificação e operações em larga escala, por isso Taylor imediatamente voltou sua atenção para o chão de fábrica, introduzindo toda a panóplia de suas ideias gerenciais. Entretanto, no segundo ano de trabalho, apesar de a fábrica e as oficinas estarem funcionando muito melhor, os gerentes reclamaram que, na verdade, não estavam *produzindo* muito mais que o normal. Para sua irritação, descobriram que Taylor ainda não tinha começado a trabalhar nos estudos de tempo e nos sistemas de salário-tarefa, que eram a principal razão de sua contratação.

O fato é que Taylor tinha encontrado algo mais interessante para fazer. Por vinte anos ele tinha enfrentado o problema de otimizar as operações das máquinas, fazendo, nesse processo, experiências com grande variedade de ferramentas de corte. No começo do trabalho na Bethlehem, recomendou uma ferramenta de corte da Midvale de que gostava muito e ficou envergonhado quando o desempenho dela foi muito ruim em uma comparação com outros aços. Investigando o que tinha acontecido, descobriu que, quando ela fora forjada, o fabricante a havia superaquecido ao ponto de "cereja escuro" (o calor do aço ainda era medido pela cor), que, como o fabricante deveria saber, o deixava frágil e quebradiço sob pressão. Taylor tinha brigado pela instalação de um laboratório completo na Bethlehem, então fez alguns experimentos por conta própria, confirmando que o aço da Midvale ficava muito duro no ponto pouco abaixo de cereja, mas perdia sua integridade acima desse ponto. Então, para sua surpresa e assombro, descobriu que, se aumentasse o calor de "salmão" e "amarelo", o aço passava por outra mudança de fase e ficava *superduro*.

Isso era algo muito importante, e Taylor sabia. Com o auxílio de Maunsel White, metalúrgico da Bethlehem, passou grande parte do ano seguinte em um conjunto de experiências empíricas que especificaram completamente o processo detalhado para fazer o novo aço. No processo, experimentando com o recém-inventado pirômetro, eles conseguiram substituir todas as descrições de calor com base em cores por temperaturas precisas, então "cereja claro" tornou-se "845° C". Séculos de saber e as "categorias de cor" adoradas pelos tradicionalistas foram varridas para o porão dos museus da indústria.

O desempenho das novas ferramentas era impressionante: elas normalmente podiam girar duas ou três vezes mais rápido que as ferramentas-padrão, aquecendo até o ponto de "cereja" (cerca de 1000° C) sem qualquer perda de eficiência de corte. Uma exibição espetacular da ferramenta de Taylor-White na Exposição de Paris de 1900 chamou a atenção de toda a indústria. Era um torno mecânico gigante que cortava em alta velocidade, que tinha sido posicionado na penumbra para destacar o brilho cor de cereja da ferramenta e o brilho azul da torrente de lascas de metal quentes. O aço de alta velocidade se espalhou pela indústria, e em 1902 os fabricantes de máquinas estavam criando linhas inteiras de equipamentos novos para tirar proveito das novas ferramentas. (Mas levou alguns anos para aproveitá-las totalmente. Adaptar os motores para triplicar a velocidade das ferramentas de corte era bastante fácil, mas era bem mais difícil reprojetar, digamos, uma grande bancada de plaina para funcionar com velocidade três vezes maior e ainda manter a precisão.) Apesar de as patentes de Taylor-White assegurarem sua fortuna, Taylor, sempre obsessivo, minimizou sua importância, insistindo que eram apenas um componente do compreensível sistema de fábrica "taylorizado". Ele chegou mesmo a ficar desapontado com a animada recepção de seu discurso presidencial de 1906 na ASME, "Sobre a arte de cortar metais", porque o público se interessou apenas pelas novas ferramentas, ignorando os chefes de equipe funcionais, a cronometragem de tarefas, os salários-tarefa e o resto de seu aparato, que ele considerava igualmente fundamental.*

Depois que Taylor foi demitido da Bethlehem – ele conseguira entrar em conflito com um número impressionante de pessoas, da alta administração ao chão de fábrica –, ele, na prática, aposentou-se dos negócios. Construiu uma casa grande perto da Filadélfia, esforçou-se bastante para melhorar seu golfe e passou a agir como uma espécie de guru da montanha para a causa da "administração científica". Costumava receber grupos pequenos de empresários para almoçar e para uma grande explanação. Taylor podia ser um orador hipnotizante, e suas histórias e sucessos sempre aumentavam um pouco a cada vez que ele os contava; como um biógrafo observou com delicadeza: "O apelo dramático... superava qualquer preocupação com a precisão histórica". O dia terminava com um passeio por uma fábrica local administrada por um discípulo e admirador, James Dodge, que tinha instalado um dos poucos exemplos de uma operação taylorizada pura. Muitos desses passeios resultaram em contratos de consultoria, que ele distribuía entre um pequeno mas crescente grupo de discípulos.

---

* Seu discurso foi seguido pela apresentação de um metalúrgico que especificava a composição detalhada dos novos aços. Taylor, cuja ciência era na antiga tradição empírica, desprezava os resultados metalúrgicos; mas por não ter especificado os processos metalúrgicos, perdeu suas patentes em 1909. Era difícil defender aquelas patentes sob quaisquer circunstâncias, e Taylor fez todo o possível para esconder os processos ocultos (e relativamente simples) que elas exigiam. A pequena comunidade de fabricantes de ferramentas de corte, ainda concentrada em Sheffield, em meados da década já havia reproduzido os resultados de Taylor. (N.A.)

E lá, sob circunstâncias normais, a história de Taylor chegava ao fim. Apesar de pouco conhecido fora dos círculos profissionais, suas contribuições tecnológicas já teriam assegurado a ele um verbete especial na história da indústria. É de se pensar que ele tenha sido homenageado pela ASME assim como ela fez com Holley. Mas, em vez disso, em 1910 ela resolveu atacar o taylorismo.

Surge o sr. Brandeis

Na última vez em que encontramos Brandeis, ele era adversário ferrenho da administração financeira temerária na New York, New Haven & Hartford Railroad de Pierpont Morgan. No meio dessa longa luta, todas as principais ferrovias do Leste deram entrada na Interstate Commerce Commission a um pedido de aumento de tarifa de 10% com base nos salários crescentes e outros custos operacionais. As audiências posteriores, no chamado caso *Eastern Rate* de 1910, foram um grande acontecimento, e Brandeis se lançou no papel de representante do público.

Brandeis era um advogado sem igual – tinha conhecimento jurídico brilhante, normalmente era meticuloso em sua preparação e tinha uma queda mortal por publicidade. Ele ouviu falar do pequeno grupo de gurus da eficiência de Taylor por meio de um amigo industrial e, depois de algumas investigações, decidiu que era uma linha de ataque promissora. Brandeis mergulhou imediatamente em uma educação estilo imersão. Encontrou-se várias vezes com Taylor, passou tempo na fábrica-modelo de Dodge e organizou um grupo de discípulos de Taylor como consultores e testemunhas. Além de Gantt e Dodge, havia Horace Hathaway, outro veterano da Midvale, e dois recém-chegados, Harrington Emerson e Frank Gilbreth. Emerson era um ex-professor de idiomas e um promotor nato que, depois de uma carreira empresarial indiferente, lera os livros de Taylor e se tornara um consultor gerencial. Gilbreth era um empreiteiro que fizera dos "estudos de movimento" um fetiche. Enquanto Taylor considerava uma ação como "encher uma pá" uma tarefa elementar, Gilbreth usou uma câmera de alta velocidade para analisar micromovimentos, que ele chamou de "therbligs" – Gilbreth de trás para frente –, insistindo que os therbligs eram os mesmos se "a mão segurasse um bisturi, uma colher de pedreiro ou uma chave inglesa".*

Brandeis fez um roteiro cuidadoso e com estilo de suas apresentações. Queria que os tayloristas projetassem uma certeza dogmática, uma consistência absoluta (Taylor deve ter adorado isso) e também um nome para o que faziam que fosse bom para as manchetes. Criou a expressão "Administração Científica".** Nas

---

* Gilbreth foi modelo para um romance escrito por dois de seus filhos que mais tarde foi transformado no filme *Cheaper by the Dozen* (1950). Ele é retratado, apesar de com afeição, como um tanto tolo. Sua esposa, Lillian, estava envolvida de forma ativa em seu trabalho de consultoria, e eles frequentemente faziam estudos de movimento de seus filhos. (N.A.)

** No original, *Scientific Management*. (N.T.)

audiências, Brandeis fez uma série aparentemente inocente de perguntas para alguns executivos. Eram mais ou menos:
– Qual o custo de [determinada atividade relacionada a ferrovias]?
– Temo não poder responder isso.
– Ela é desempenhada com eficiência?
– É claro.
– Como o senhor pode ter certeza?
– Bem, graças à longa experiência de nossos gerentes.

Com a armadilha montada, Brandeis arrolou seu desfile de testemunhas da administração científica, que anunciaram que, como os executivos não praticavam a administração científica, não tinham como saber do que estavam falando.

Gantt declarou que a transição da administração para uma "ciência" era "muito recente"; no máximo uns "três ou quatro anos". Enquanto a "administração sistematizada" impunha ordem em tarefas de rotina, a administração científica se baseava em "uma investigação científica detalhada de cada elemento do trabalho e a determinação do melhor método e do menor período de tempo para a realização do trabalho". Como explicou Gilbreth: a administração científica "separava o planejamento do desempenho. Escreva isso na forma de um cartão de instruções... [Assim diz um homem:] 'Esta foi a melhor maneira descoberta pelos cientistas para se fazer isso'." Ele levara vários anos para encontrar a melhor maneira de carregar tijolos, disse, mas nunca desistiu porque "no processo de administração científica foi profetizado que ele seria capaz de fazer isso da mesma maneira que a posição de um dos nossos planetas mais distantes foi profetizada pela matemática". Hathaway disse que, com a administração científica, o trabalhador "não caminha[va] mais solitário em meio à escuridão por uma estrada de areia".

Todas as afirmações com base em tempos foram demonstradas – quadruplicando a produção dos carregadores de ferro-gusa, triplicando a dos homens com as pás. Gilbreth afirmava ter reduzido os movimentos dos assentadores de tijolos de dezoito para apenas quatro e meio – todos eles antes batiam nos tijolos com suas colheres de pedreiro após colocá-los no lugar, por exemplo, e, ao eliminar movimentos inúteis como esse, triplicaram sua produtividade. E todas as testemunhas concordaram que a administração científica deu fim às dificuldades trabalhistas. Gantt disse que a administração científica dá ao trabalhador "orgulho por seu trabalho e [ele] logo melhora nitidamente sua aparência pessoal". A melhoria era ainda mais pronunciada nas "moças que nos homens, pois as moças sempre adquirem uma cor melhor e melhoram de saúde". O jornalista Ray Stannard Baker escreveu: "Poucos aqui presentes já ouviram falar em administração científica, ou sobre o sr. Taylor, seu criador. O testemunho, de início, despertou uma incredulidade claramente perceptível", que foi logo afastada pelo "fervor e entusiasmo extraordinários expressos por todos os homens que testemunharam. Eles tinham a fé firme dos apóstolos."

Emerson anunciou o sucesso de uma consultoria para a Santa Fe Railroad* na qual afirmava ter reduzido os prazos de conserto e manutenção de locomotivas pela metade. Quando Brandeis perguntou a ele quanto as ferrovias podiam economizar se seguissem seus conselhos, Emerson afirmou que pelo menos US$ 1 milhão por dia, extrapolando sua experiência com a Santa Fe para todas as ferrovias da nação. As outras testemunhas tinham feito seus cálculos independentes, e, o que é notável, todas chegaram a apenas poucos pontos percentuais do cálculo de Emerson. Foi uma sensação. O *New York Times* publicou em uma manchete:

FERROVIAS PODERIAM ECONOMIZAR US$ 1 MILHÃO POR DIA
Brandeis diz que a Administração Científica poderia fazer isso.
Afirma que o aumento de tarifas é desnecessário

Brandeis ganhou o caso, e Taylor de repente virou uma celebridade. "Eliminar o desperdício nos negócios é a alegria especial desse homem", destacou o *New York Tribune*. Ele foi assolado por entrevistas, perfis em revistas e uma romaria à sua casa; seu nome se espalhou pelos suplementos dominicais. "Taylorismo", de repente, tornou-se uma palavra comum, e houve um surto de cartuns sobre "tempo e movimento", entre eles a paródia "Os quinze movimentos desnecessários de um beijo". Pressionado a produzir uma versão popular de seus ensinamentos, Taylor se apressou a produzir *Principles of Scientific Management*. Para sua irritação, a ASME, que patrocinara seu trabalho anterior, recusou-se a publicá-lo, porque não acreditava que administração era uma "ciência".** Mas a Harpers ficou satisfeita em editá-lo e deu a ele uma exposição muito maior. Gilbreth, Emerson e outros logo publicaram seus próprios manuais de administração científica. O de Gilbreth, com um prefácio de Brandeis, foi escrito em um formato de perguntas e respostas que captava perfeitamente o espírito de catequese quase religiosa do taylorismo. Amostras:

Por que a Administração Científica não se chama "Sistema Taylor"?
Deveria... e *seria...* assim, não fossem as objeções pessoais do sr. Taylor.

---

* Em particular, Emerson era animadoramente franco sobre seu trabalho. Quando chegou na Santa Fe, disse que era "totalmente ignorante em relação ao funcionamento dessa unidade... e tinha de tomar cuidado ao abrir a boca, para não falar bobagem. Não dizer coisa alguma fez com que acreditassem que tinha um conhecimento profundo." Qual era seu método? "Todo empregado é instruído para responder a todas as minhas perguntas... então circulo, descubro todos os problemas que posso e sugiro vários aperfeiçoamentos." (N.A.)

** Até James Dodge, seu bom amigo e discípulo que presidia o comitê editorial da ASME, rejeitou os argumentos de Taylor, observando a designação nada científica dos "trabalhadores de primeira classe", e os fatores P arbitrários nos estudos de tempo de Taylor. (N.A.)

A que velocidade o plano do sr. Taylor espera que um homem trabalhe?
...À mais rápida na qual ele se sinta feliz e na qual ele possa trabalhar continuamente.

Todos os sábios e autoridades do país foram tomados por uma "mania de eficiência". Taylor fez o máximo que pode para alimentar suas ambições. O encerramento de seus princípios afirmava:

> [A] administração científica... pode ser resumida como:
> Ciência, não regra prática.
> Harmonia, não discórdia.
> Cooperação, não individualismo.
> Produção máxima, em vez de produção restrita.
> O desenvolvimento de todo homem ao máximo de sua eficiência e prosperidade. ...
>
> A administração científica vai significar para os empresários e trabalhadores que a adotarem... a eliminação de quase todas as causas de disputa e discórdia entre eles. O que constitui uma jornada de trabalho razoável será uma questão de investigação científica, em vez de algo sujeito a barganha e discussão. ...
>
> [A administração científica] significa aumento na prosperidade e redução da pobreza... para toda a comunidade. ...
>
> Alcançar resultados como esse não é muito mais importante que solucionar a maioria dos problemas que hoje assolam os povos americano e inglês? E não é obrigação dos que conhecem os fatos se empenhar em convencer toda a comunidade de sua importância?

Essa conclusão elegante contribuiu para o consenso crescente de que o futuro pertencia aos tecnocratas e engenheiros. Comfort Adams, professor de engenharia elétrica de Harvard, perguntou a uma plateia de engenheiros em 1908: "Será que não existem leis nesse outro domínio das relações humanas que sejam tão inexoráveis quanto as leis da física com as quais somos tão familiares?" Assim como Taylor, muitos engenheiros dos mais importantes estavam convencidos de que havia "leis científicas" que forneceriam a solução definitiva para problemas complicados como a definição das tarifas ferroviárias ou conflitos trabalhistas, finalmente iluminando "o caminho saudável e seguro entre o individualismo ávido e o socialismo utópico". Tudo o que era preciso era "botar engenheiros em todas as posições de responsabilidade nessas grandes indústrias", um sentimento muito elogiado por fãs da tecnocracia como Lippmann. Essa "nova classe profissional

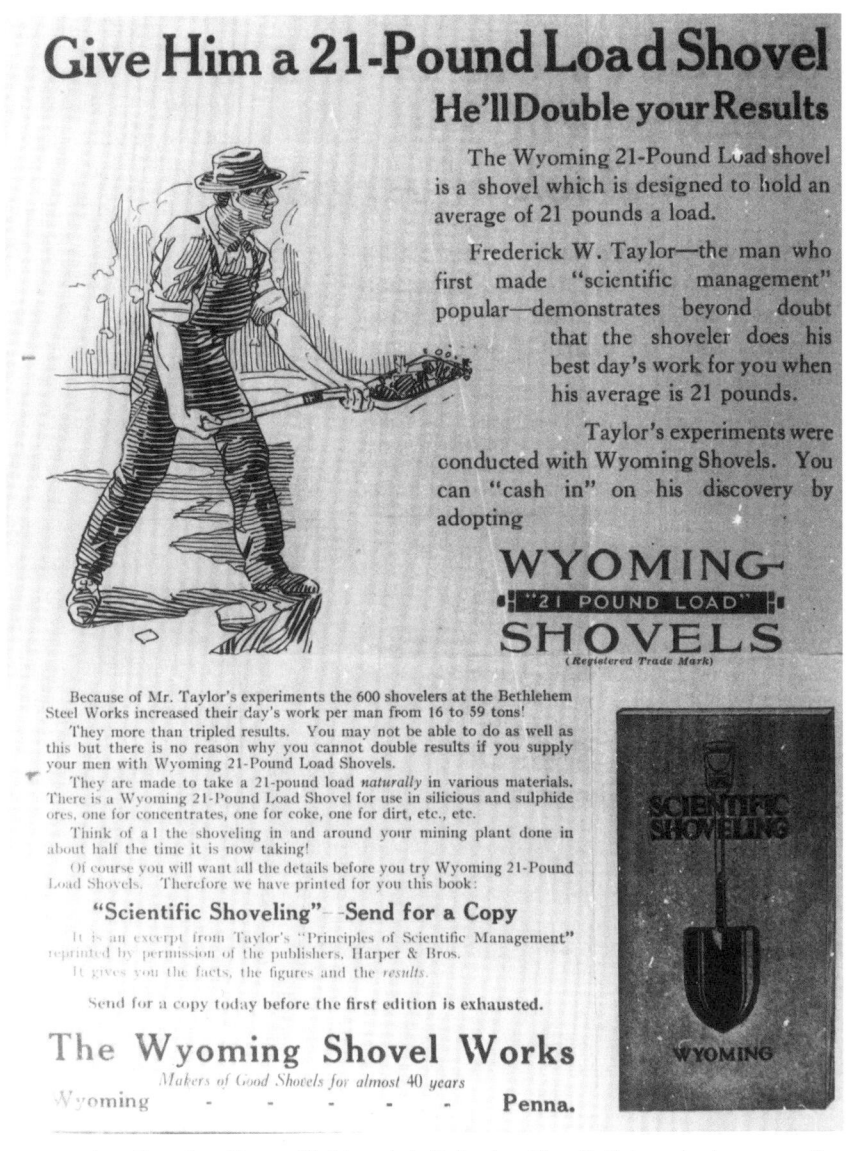

> # Give Him a 21-Pound Load Shovel
> ## He'll Double your Results
>
> The Wyoming 21-Pound Load shovel is a shovel which is designed to hold an average of 21 pounds a load.
>
> Frederick W. Taylor—the man who first made "scientific management" popular—demonstrates beyond doubt that the shoveler does his best day's work for you when his average is 21 pounds.
>
> Taylor's experiments were conducted with Wyoming Shovels. You can "cash in" on his discovery by adopting
>
> ## WYOMING "21 POUND LOAD" SHOVELS
> *(Registered Trade Mark)*
>
> Because of Mr. Taylor's experiments the 600 shovelers at the Bethlehem Steel Works increased their day's work per man from 16 to 59 tons!
>
> They more than tripled results. You may not be able to do as well as this but there is no reason why you cannot double results if you supply your men with Wyoming 21-Pound Load Shovels.
>
> They are made to take a 21-pound load *naturally* in various materials. There is a Wyoming 21-Pound Load Shovel for use in silicious and sulphide ores, one for concentrates, one for coke, one for dirt, etc., etc.
>
> Think of all the shoveling in and around your mining plant done in about half the time it is now taking!
>
> Of course you will want all the details before you try Wyoming 21-Pound Load Shovels. Therefore we have printed for you this book:
>
> ### "Scientific Shoveling"—Send for a Copy
> It is an excerpt from Taylor's "Principles of Scientific Management" reprinted by permission of the publishers, Harper & Bros.
>
> It gives you the facts, the figures and the *results*.
>
> Send for a copy today before the first edition is exhausted.
>
> ## The Wyoming Shovel Works
> *Makers of Good Shovels for almost 40 years*
> Wyoming — — — — — Penna.

"O uso científico da pá" sem dúvida exigia "pás científicas". Este anúncio pressupõe que seus clientes conhecem o trabalho de Frederick W. Taylor e a "administração científica".

com habilidades especiais para resolver problemas socioindustriais" logo descobriu que o taylorismo era a bandeira ideal para sua causa, e, até os anos 1920, os tayloristas dominaram a maioria das sociedades profissionais de engenharia. Herbert Hoover talvez tenha sido o maior representante dessa tradição.

Enquanto isso, o herói que deu nome à nova causa viu sua vitória com amargura. Havia uma reação forte contra suas teorias por parte dos sindicatos e outros defensores dos trabalhadores, e ele recebeu um tratamento bastante duro em uma comissão parlamentar que em 1912 investigou problemas trabalhistas na "taylorização" de um arsenal federal.* Os quase dois anos de celebridade podem ter desarmado Taylor, pois, quando ele apareceu, parecia quase uma figura régia e fez um pronunciamento inicial que consumiu mais de sete horas e duas sessões da comissão. Para seu assombro, ele se viu atacado com educação por mais duas sessões inteiras, especialmente pelo presidente, um velho mineiro inteligente chamado William Wilson, que batia com força nos pontos fracos de sua teoria, como a definição "científica" de um "homem de primeira classe" e os grandes fatores arbitrários equivocados em seus estudos de tempo. Taylor nunca reagiu bem sob ataque e acabou caindo em uma lógica abjeta e arrogante – era impossível que a administração científica fosse submetida a abusos, ele insistia com teimosia, pois, se isso acontecesse, não seria mais administração científica. Depois disso, Taylor reduziu muito suas aparições públicas, alegando que uma esposa doente exigia sua atenção em tempo integral. (Parece que ela exigia muito dele, mas um biógrafo de Taylor, Robert Kanigel, se pergunta se ele não a estaria usando como proteção.) Talvez quanto menos falasse em público, melhor. Em uma de suas poucas aparições, diante da Comissão de Relações Industriais dos Estados Unidos, em 1913, ele declarou com orgulho: "Nunca usamos um instrumento humano que seja inapropriado para seu trabalho. ...Tomamos um animal humano adequado, como tomaríamos um cavalo adequado para estudar".

Taylor morreu em 1915, com apenas 59 anos de idade. Até o fim permaneceu obsessivamente vigilante contra as sugestões de que a administração científica talvez tivesse uma história anterior a seu trabalho na Midvale, e caía como um anjo vingador sobre qualquer de seus acólitos que se desviasse da doutrina pura.

---

* Taylor não estava diretamente envolvido no processo, mas tinha sido seu organizador e escolhera os consultores. O trabalho na fábrica correu bem, como sempre, mas trabalhadores da fundição se opuseram à cronometragem. Mais tarde, tentaram enganar os registros feitos por um especialista em "estudos de tempo", um sócio de Taylor chamado David Merrick, sem perceberem que Merrick contava apenas o tempo "produtivo" em vez de todo o tempo decorrido. Quando este chegou a apenas 24 minutos para uma tarefa que eles tinham cronometrado como 50 minutos, acharam que ele estava mentindo. Mas quando, mais tarde, Merrick foi pressionado em relação a esse assunto, reconheceu que nada sabia sobre o trabalho na fundição e estava "muito confiante que não tinha conseguido uma observação verdadeira. ...Achava que 30 minutos eram um tempo longo para isso, por isso reduzi por conta própria para 24 minutos". O próprio Taylor chocou o chefe dos arsenais, William Crozier, um verdadeiro discípulo do taylorismo, quando sugeriu que às vezes podiam determinar metas de produção e salários-tarefa apenas por "estimativa". (N.A.)

Taylor e os intelectuais

A publicidade destacada dada por Brandeis ao taylorismo parece ter acendido a fantasia há muito latente e de definição vaga e multiforme da administração científica como uma espécie de pedra filosofal capaz de revelar segredos de grande poder. Quando Taylor fala de leis "tão intrincadas" e de uma ciência "tão grande", soa como um Grande Mestre Maçônico revelando as chaves rúnicas para um reino místico – nesse caso, o caminho secreto para a utopia administrativa de Edward Bellamy, ou a República dos Especialistas de John Dewey, ou o abençoado estado de "maestria" de Walter Lippmann. Estudos mais recentes, em contraste com a idolatria aberta a Taylor de uma geração atrás, mais ou menos, assume um tom mais cético. Mas ainda há muitas reservas em torno da lenda, apesar de ser necessário uma grande reordenação das provas para combinar o trabalho de Taylor com o grande progresso nas práticas comerciais que estava em pleno crescimento quando ele ainda estava na escola secundária.

O breve resumo do historiador Phillip Scranton – que Taylor era um "veterano de lojas de varejo especializadas obcecado com a erradicação da variedade e da incerteza" – o definiu bem. Não é verdade que a fábrica do Modelo T de Henry Ford era apenas um caso especial de taylorismo, como acreditava Alfred Chandler, ou afirmava o próprio Taylor. O trabalho de Taylor em fábricas e oficinas tinha como objetivo aumentar a produção de operários qualificados que faziam vários produtos com máquinas de múltiplas funções. A fábrica de Ford, em contraste, era a apoteose da tradição de arsenal de fazer peças intercambiáveis com máquinas de uma única função operadas por mão de obra não qualificada. Em vez de desenvolver instruções padronizadas para maquinistas, como fez Taylor, Ford eliminou os maquinistas em favor de operadores de máquinas. Se uma peça necessitasse do menor ajuste por um maquinista qualificado, a linha seria rompida. A inspiração para a linha em si veio do enlatamento, da produção de farinha e da indústria frigorífica, indústrias sobre as quais Taylor sabia pouco ou mesmo coisa nenhuma. De maneira similar, a administração de materiais em uma fábrica de produção em massa rápida e em grande escala como a de Ford estava a um universo de distância dos sistemas de controle de estoque com base em bilhetes que Taylor usava em suas fábricas e oficinas. O único ponto em comum entre o taylorismo e a fábrica Ford é que os engenheiros da Ford fizeram o que mais tarde chamaram de estudos de tempo e movimento para determinar a velocidade da linha e a melhor disposição para a montagem dos materiais. Eles podem ter partido das ideias de Taylor – apesar de Ford assegurar que não –, mas é difícil imaginar que eles não pudessem ter chegado a elas de maneira independente. Fábricas de enlatados há muito lidavam com os mesmos problemas, e mesmo as primeiras lojas de departamentos logo perceberam que uma área de trabalho bem organizada permitia que um vendedor atendesse a mais clientes.

Tentativas de pôr o rótulo taylorista nos sistemas de gerenciamento corporativo em divisões múltiplas criados no início do século por Gerard Swope na General Electric e Hamilton Barksdale na DuPont não são muito convincentes. As linhas da DuPont de tinta, verniz, corantes e dinamite eram todas negócios de processos de fluxo com base no modelo desenvolvido por Rockefeller na Standard Oil, enquanto a inteligente mistura de Barksdale de sistemas de controle centralizado e divisões descentralizadas de produtos estava totalmente fora da experiência de Taylor.

A General Electric, cujo principal produto no início do século eram lâmpadas, tinha muito mais a aprender com Ford e com a indústria de máquinas de costura do que com Taylor, enquanto os sistemas de controle de Swope, como os de Barksdale, eram de uma escala e amplitude com as quais Taylor jamais lidara. Parece que apenas Taylor e seus acólitos, e, inexplicavelmente, várias gerações de especialistas em história da economia, alimentaram a ilusão de que ele foi o descobridor do planejamento e dos cronogramas de produção. Taylor desvalorizou de modo implícito seus argumentos quando alertou Gantt e outros contra aceitar trabalhos em empresas bem-administradas, onde eles não fariam muita diferença.

As ferrovias ficaram naturalmente enfurecidas com a noção de que o taylorismo era a solução para seus problemas de orçamento. A resposta às afirmações de Emerson nas audiências do Eastern Rate foi publicada no ano seguinte no *Quarterly Journal of Economics*. Ao mesmo tempo em que aceitava como verdadeiros todos os princípios da administração científica, o autor, um economista chamado William Cunningham, de maneira bem acertada observou que suas metodologias foram projetadas para fábricas e oficinas, ou para trabalhos manuais, e tinham uma aplicação limitada nas ferrovias. De qualquer forma, as ferrovias tinham sido as pioneiras dos sistemas de cronograma e controle que estavam no âmago da administração científica. A afirmação específica de Emerson de ter reduzido o tempo de reparo de locomotivas de sessenta para trinta dias na verdade ainda era um resultado muito ruim em comparação com a média das linhas de Harriman, que era de quinze dias. Na verdade, a Santa Fe estava abaixo da média em quase todos os indicadores de custo e desempenho e, por isso, era um exemplo fraco para as reduções de custos globais da indústria.

Entretanto, ainda era verdade que empresas americanas comuns, em contraste com as ferrovias e outras empresas grandes, eram normalmente mal-administradas. Com a grande mudança na escala e no ritmo dos negócios americanos desde os anos 1880, muitas companhias estavam lutando para se adaptar e precisavam muito de ajuda para instalar processos administrativos básicos. A consultoria administrativa estava se tornando por si só uma indústria na época em que Taylor morreu. À medida que o antigo grupo de tayloristas erguia negócios lucrativos, seu ecletismo prático provocava muitos atritos com Taylor, especialmente entre Taylor e Gantt, seu primeiro discípulo. Pregar um "sistema Taylor" era ótimo para o marketing, mas, no trabalho do dia a dia, os discípulos discretamente abandonaram as ideias do sistema em favor de vender soluções que se encaixassem às condições de seus clientes.*

O fenômeno do taylorismo, de qualquer forma, pouco tinha a ver com consultoria administrativa no dia a dia, pois os empresários práticos logo aprenderam a escolher entre as ofertas dos consultores sem se tornarem vítimas de "ismos". O verdadeiro público do taylorismo era mais a nova *intelligentsia* dos Estados Unidos – jornalistas, professores e eruditos. A essência da administração científica, pregava Taylor, era remover "todo o trabalho cerebral possível" dos homens práticos nas oficinas, cuja única função seria se assegurar que "as operações planejadas e dirigidas da sala de planejamento fossem seguidas com diligência". *Esse* era um sentimento em torno do qual os intelectuais podiam se unir. Para as elites, a administração científica parecia abrir um caminho para o "controle social" que eles desejavam com tanto ardor.

...E houve consequências

O taylorismo diz mais sobre seus adeptos do que sobre Taylor que era um obsessivo de mente estreita, um administrador de fábrica enérgico e um esnobe. Ao mesmo tempo em que fez contribuições importantes para o gerenciamento de processos industriais e tecnologia, sua convicção de que havia uma ciência que permitiria que planificadores determinassem "a melhor maneira" de desempenhar todas as tarefas era estatisticamente duvidosa e, na prática, errada. Mas ela teve uma ressonância imensa, mesmo que de curta duração, entre os formadores de opinião.

A primeira torrente de entusiasmo pelo taylorismo surgiu porque ele oferecia um caminho para lidar com os novos centros impressionantes e assustadores de poder corporativo. Em vez de lamentar o poder dos trustes, os intelectuais podiam celebrar as grandes empresas como conquistas do empreendedorismo americano, com o conforto de saber que havia uma tecnologia para controlá-las. Quando a fé na progressividade tecnocrática começou a diminuir nos anos 1920, entretanto, os sábios perderam o interesse no taylorismo, apesar do interesse entre planejadores

---

* Gantt tinha sido a primeira opção de Taylor para o trabalho do Arsenal Watertown, mas ele escandalizou seu antigo mentor ao observar que o cliente pedira apenas um sistema de salário-tarefa para a fundição que ele poderia implementar em poucos meses. Taylor insistiu em um contrato de administração científica de três anos que começou na oficina de máquinas. Se tivesse escutado o conselho de Gantt, poderia ter evitado muitos aborrecimentos em seus últimos anos de vida. Gantt era o único membro do círculo social de Taylor com experiência em oficinas de fundição e era especialmente talentoso em evitar o tipo de problema com os trabalhadores que levou ao processo trabalhista de Watertown. (N.A.)

europeus e soviéticos* ter durado alguns anos mais. Na mente do público, o nome de Taylor associou-se à figura semicômica do homem do tempo e movimento – o musical de 1954, *The Pajama Game*, é uma sátira típica.

Entretanto, aspectos do taylorismo, especialmente suas atitudes, enraizaram-se nas escolas de administração e economia e continuaram a exercer uma influência sutil mas profunda nas certezas e crenças de um quadro de gerentes cada vez mais profissionalizado. Três livros pioneiros de Alfred Chandler – *Strategy and Structure* (1962), *The Visible Hand* (1977) e *Scale and Scope* (1990) – oferecem o relato canônico da ascensão da tradição gerencial americana. A abordagem de Chandler da história foi chamada de "teutônica"; na verdade, seu relato é de uma progressão dialética, uma espécie de desdobramento hegeliano triunfal da consciência gerencial, da pequena empresa de uma única unidade da era do capitalismo familiar, passando pela "coordenação administrativa" das empresas múltiplas, até a companhia grande e verticalizada e a descoberta da "economia da velocidade" e, por fim, a mais alta conquista do espírito industrial: a "empresa industrial moderna" verticalmente integrada, hierarquizada, multidivisional, de capital aberto e administrada profissionalmente. Essas empresas "centrais", como foram chamadas por Chandler, faziam vários produtos diferentes, controlavam praticamente todos os seus recursos essenciais e eram marcadas por longas linhas de produção de alta velocidade e por uma estratificação gerencial nítida. "[G]erenciar e coordenar o processo de produção e distribuição" era o emprego de gerentes intermediários, enquanto os "administradores superiores se concentravam na avaliação, no planejamento e na alocação de recursos para a empresa como um todo." Os níveis superiores de administração para Chandler eram a inteligência central que energizava toda a organização, a estrela quente no coração da galáxia corporativa. É, na verdade, apenas uma versão colossal da Sala de Planejamento de Taylor, o lugar onde acontecia o "trabalho intelectual".

As novas escolas de administração pregaram uma versão "profissional" altamente intelectualizada da administração, que se reflete fielmente em Chandler. É impressionante ver como Chandler dá pouca atenção à tecnologia de produção, ou à tecnologia em geral; na verdade, ela aparece em sua história quase como uma variável exógena. As empresas que ele admira têm laboratórios de pesquisa, mas eles são verdadeiras caixas-pretas que produzem intermitentemente

---

* Estudos de tempo e movimento foram incorporados com entusiasmo aos Planos Quinquenais soviéticos. Em 1930, os Departamentos de Normas e Medidas tinham determinado 230 mil normas diferentes, derivadas da "ciência da biomecânica", que cobriam 70% de todos os trabalhadores. Os trabalhos em metal foram reclassificados de doze para 176 categorias. A tempestade de estatísticas era perfeita para administradores carreiristas e burocratas em um sistema no qual a maioria das fábricas era ociosa na maior parte do tempo por escassez de equipamentos e suprimentos. (N.A.)

Uma usina siderúrgica abandonada, por volta de 1980, detrito do fracasso cataclísmico de um complacente quadro administrativo americano "profissionalizado". Ainda não se determinou ao certo se os Estados Unidos recuperaram a competitividade na indústria de base.

recomendações para serem ponderadas pelos reis-filósofos no topo. No jovem currículo da Harvard Business School de 1908, entre quinze opções de curso, apenas duas – operações de ferrovias e administração municipal – lidavam explicitamente com administração. O restante se dividia entre contabilidade, direito comercial, organização, economia e seguros, entre outros, como se os recém-formados passassem direto por cima dos problemas áridos do chão de fábrica e entrassem imediatamente nas altas esferas administrativas. Na verdade, desde o início os formados pela escola gravitaram, em sua maioria, nos mundos das finanças e da consultoria.

Os fundadores da escola de administração na verdade tinham ficado em dúvida se incluíam ou não um currículo industrial, mas decidiram não fazê-lo, já que parecia que Taylor e seus discípulos tinham exaurido o assunto; como solução conciliatória, contrataram Taylor como conferencista convidado. Não se deu mais muita atenção ao assunto, pois, meio século depois, Chandler observou que os administradores de fábricas do período pós-Segunda Guerra "tinham muita informação a partir da qual trabalhar, pois foi naquele mais baixo nível de administração que Frederick W. Taylor, Frank Gilbreth... e outros defensores e praticantes da 'administração científica' concentraram suas energias".

O distanciamento das escolas de administração é demonstrado inadvertidamente em *Strategy and Structure*, de Chandler. É um bom livro, o primeiro a explorar a evolução e as implicações do misto de organização centralizada/descentralizada implementado pela primeira vez em empresas como a Dupont, e ele provocou, em consequência, a realização de uma enorme quantidade de pesquisa, mesmo que, em sua maioria, apenas do tipo anedótico. O que é surpreendente, entretanto, é que o livro de Chandler tenha surgido quarenta anos depois que a organização multidivisional foi amplamente adotada nas empresas – os estudos de caso de Chandler são sobretudo dos anos 1920. Imagine se os professores de engenharia do MIT tivessem percebido o circuito integrado apenas por volta de 2002.

Esse distanciamento teve consequências reais. Considere apenas um episódio intrigante mas importante: a busca pela Economic Order Quantity, EOQ, ou a Quantidade de Ordem Econômica, solução matematicamente otimizada para o problema empresarial muito prático e desafiador de determinar a quantidade "certa" de estoque. A pesquisa, que consumiu enormes quantidades de trabalho intelectual, por toda a era pós-Segunda Guerra, vinha de três axiomas aparentemente incontestáveis:

a) Em determinado momento, o custo de eliminar defeitos adicionais começa a crescer e se torna proibitivo.

b) Interrupções não previstas em uma linha de produção de alta velocidade são catastroficamente dispendiosas.

c) Os custos unitários de produção caem com quantidades maiores de produção, porque os custos de preparo e arranque são divididos pelo volume maior.

O EOQ, ou nível adequado de estoque, é aquele que otimiza dentro desses limites – ou seja, você precisa apenas do estoque suficiente para substituir o nível economicamente ideal ou peças defeituosas; o bastante para evitar uma interrupção da linha em caso de problemas; mais os excedentes temporários resultantes de períodos de produtividade ótimos. A solução de problemas no estilo EOQ era uma característica muito arraigada na psique administrativa americana, um marco no caminho rumo ao ideal de uma administração científica profissional que inspirou Taylor e foi celebrado por Chandler.

O triunfo japonês arrasador dos anos 1970/1980 em quase toda indústria de produção de massa chocou e desmoralizou os executivos americanos. Não foi apenas a humilhação da derrota catastrófica, mas a descoberta de virar o estômago de que alguns conceitos fundamentais, como os axiomas EOQ, estavam total e desastrosamente errados.* O mais famoso dos paradigmas japoneses, o "sistema Toyota", desenvolvido ao longo de mais de vinte anos sob a liderança de Taiichi Ohno, foi uma refutação direta da lógica da EOQ. Os custos *baixaram* com defeito zero. A quantidade certa de estoque era nenhuma. *Sempre* era necessário interromper a linha de produção para evitar um defeito (ou ele sempre aconteceria). Linhas de produção muito *longas* sempre produziam uma quantidade grande demais de estoque. (A solução era reduzir o custo e o tempo de manutenção e preparo para quase zero.) O sistema de Ohno enfatizava o contato próximo entre a administração superior e o chão de fábrica e um grande respeito pelos trabalhadores – em contraste com o desprezo bastante aberto que permeava o taylorismo. A "busca de quantidade e velocidade" americana, sugeriu Ohno, produzia apenas "perdas desnecessárias". A integração vertical normalmente gerava desperdício; era mais eficiente desenvolver relações estáveis de suprimento com fornecedores especializados (em contraste com a cultura americana de antagonismo com fornecedores).

Os administradores americanos naturalmente receberam muitas críticas merecidas. Uma das primeiras e mais duras, "Managing Our Way to Economic Decline", foi publicada em 1980 por dois professores da Harvard Business School, Robert Hayes e William Abernathy. Ela atacava os executivos americanos por "valorizar o distanciamento analítico e a elegância metodológica acima das percepções com base na experiência" e "o conceito falso e raso do administrador profissional, na verdade, um 'pseudoprofissional'". O ataque dos professores vai direto ao alvo, mas sem muita graça, pois não há qualquer sinal de reconhecimento de que sua própria instituição tinha passado três quartos de século impingindo justamente esses valores sobre as elites empresariais americanas. Robert McNamara, afinal, era o modelo da tradição gerencial generalista da escola, e seu registro absolutamente irrelevante em um banco de dados das baixas no Vietnã é a expressão perfeita de seus genes tayloristas.

Na conclusão de *The Visible Hand*, Chandler observa que "o homem de negócios de hoje [os anos 1970] se sentiria em casa no mundo empresarial dos anos 1910". E se sentiria mesmo, o que atesta não apenas a grandiosidade dos magnatas originais, mas também o enorme período de tempo que vivemos à custa de seu capital.

---

* Como parte de minhas atividades profissionais, durante a maior parte dos anos 1980 passei uma quantidade substancial de tempo com empresas industriais. Foi a época de um esforço determinado, quase frenético e de cima para baixo para repensar todos os conceitos básicos das fábricas. Um importante administrador da área de produção da Cummins Engine, um dos mais eficientes e dos primeiros a perceber isso, repetiu para mim várias vezes, quase apavorado, que "todos os livros didáticos estavam errados". (N.A.)

Apêndice I

Os ganhos da Carnegie Company em 1900

O preço estabelecido por Andrew Carnegie pela Carnegie Co. no processo de fusão da U.S. Steel incluía US$ 80 milhões por "Lucros do ano passado e estimados para o próximo". No início de 1900, a empresa confiava ganhar de US$ 40 a US$ 50 milhões no ano. James Bridge, que tinha boas fontes internas, afirmou em sua *Inside History of Carnegie Steel*, de 1903, que a empresa ganhara US$ 40 milhões em 1900, e Carnegie repetiu a afirmação em sua *Autobiography*. Bridge é a fonte de informação sobre a Carnegie Co. na investigação da U.S. Steel pela Comissão Stanley, em 1911, e o número de US$ 40 milhões é citado por praticamente todos os historiadores posteriores. Enquanto os registros são insuficientes para determinar um número preciso, US$ 40 milhões é um número alto demais.* (Como os ganhos do segundo semestre foram de apenas cerca de US$ 6 milhões, a previsão implícita de US$ 50 milhões para 1901 parece ser claramente uma informação falsa.)

A Carnegie Co. era uma holding formada em abril de 1900, que compreendia:

• A Carnegie Steel Co., seu principal ativo, além de outros ativos anteriormente registrados nos livros da Steel Co., incluindo:
• A Frick Coke Co. A Steel Co. antes detinha uma participação de 29,55% na Coke Co., mas a Carnegie Co. comprou a parte dos outros acionistas pouco antes de ela ser organizada, então sua participação aumentou para 100%.
• Cinco sextos de participação na Oliver Mining Co., que detinha direito de exploração sobre vastas áreas das jazidas de Mesabi.
• Uma variedade de ferrovias, linhas de barco a vapor e docas nos Grandes Lagos, muitas delas recém-implantadas e usadas principalmente pelas subsidiárias da Carnegie.

---

* Imagino que Bridge tenha obtido esse número com Frick, que foi uma fonte importante em seu livro. Frick não estava falando com Carnegie, mas provavelmente conseguiu isso com Schwab. (N.A.)

Os ganhos da siderúrgica

Os ganhos da siderúrgica cresceram fortemente durante os anos 1890. A Carnegie Steel era tão mais produtiva que a concorrência que foi capaz de lutar uma guerra de preços de trilhos em 1897, assumir uma importante fatia do mercado e ainda acumular lucros recorde, mesmo enquanto a maioria de seus concorrentes estava registrando perdas. Os ganhos a seguir incluíam os ganhos da siderúrgica com sua fatia de 29,55% da empresa de coque e de suas outras subsidiárias. Como referência, o faturamento da empresa de coque em 1899 foi um recorde de US$ 4,2 milhões, sendo US$ 1,25 milhão referentes à parte da siderúrgica. Os ganhos das doze outras subsidiárias juntos eram mais baixos que os da empresa de coque.

TABELA 1

Ganhos anuais – Carnegie Steel Co.

1893	US$ 03.000.000
1894	4.000.000
1895	0 5.000.000
1896	0 6.000.000
1897	0 7.000.000
1898	11.500.000*
1899	21.000.000

Fonte: ACLC.

O mercado americano de aço cresceu a uma taxa anual de 20 a 25% em 1898 e 1899, e os preços do aço subiram bastante. No primeiro trimestre de 1900, Carnegie previa com confiança lucros de US$ 40 a 50 milhões com o aço naquele ano. Mas o crescimento caiu no segundo trimestre, e o mercado praticamente entrou em colapso no terceiro.

Demonstrativos financeiros da Carnegie e da Steel Co. para 1900 não parecem ter sido preservados, mas os lucros mensais da Steel Co. nos primeiros onze meses do ano podem ser obtidos por meio de relatórios do conselho, enquanto os

---

* Os ganhos de 1898 normalmente são registrados como sendo de US$ 16 milhões. O número mais alto inclui vários itens extraordinários – um pagamento a uma ferrovia pela concessão de um trecho, além da valorização exagerada das subsidiárias (nenhuma das quais era de capital aberto). A empresa arredondou seus ganhos fazendo pagamentos ou retiradas de um fundo de contingência, dependendo de o número estar sendo arredondado para cima ou para baixo. (N.A.)

números de dezembro que faltam podem ser deduzidos a partir do demonstrativo financeiro pessoal de Carnegie.

TABELA 2

Ganhos mensais, 1900 – Carnegie Steel Co.

Jan	US$ 3.638.642
Fev	3.541.679
Mar	4.700.032
Abr	3.219.879
Mai	2.381.127
Jun	1.850.047
Jul	978.102
Ago	641.662
Set	470.441
Out	940.446
Nov	361.857
Dez	1.046.086
Total	23.770.000
Média	1.980.833

Fonte: ACLC; cálculos do autor.

A Coke Co. foi transferida para os livros da Carnegie Co. (a companhia controladora) em abril de 1900. Portanto, os ganhos da Steel Co. na Tabela 2 refletem sua participação de 29,55% nos ganhos da Coke Co., ou US$ 511,6 mil, só até março.

Como mostra o quadro, houve uma grande redução nos lucros na segunda metade do ano. Os ganhos totais da Steel Co. no segundo semestre foram de apenas US$ 4,4 milhões, bem menos que os US$ 19,3 milhões do primeiro. As usinas de Homestead, que sozinhas registraram ganhos de quase US$ 4 milhões só no primeiro trimestre, tiveram uma perda de US$ 160 mil nos quatro meses do segundo semestre para os quais existem dados da empresa.

Deve ser observado que as perdas na Homestead faziam parte da política da empresa, já que, em julho, decidiu-se que, com exceção dos trilhos, eles iriam "tomar todo o negócio em atividade a preços baixos".

A quebra do mercado do aço em 1900

Os resultados dos ganhos são consistentes com a quebra muito acentuada no mercado do aço durante 1900. A Tabela 3 mostra os preços do aço da Pittsburgh para uma seleção de produtos-padrão. Os preços praticamente dobraram durante 1899, ficaram mais ou menos estáveis durante o início de 1900, então, no segundo semestre, perderam a maior parte dos aumentos de 1899. (Todos dados da *Iron Age*.) O colapso nos preços foi aparentemente ainda mais forte do que mesmo esses preços podem sugerir. A *Iron Age* observou em junho de 1900 que, apesar dos "preços nominais de Pittsburgh... o mercado agora está aberto e... ferro-gusa e aço estão sendo oferecidos a preços muito mais baixos". Em sua análise de fim de ano, a *Iron Age* resumiu 1900 como um ano com "longos períodos de estagnação... uma redução séria do consumo... problemas trabalhistas do tipo mais inquietante... e uma queda acentuada nos preços". Para se ter uma ideia da seriedade da quebra do mercado, depois de crescer 24,8% em 1898 e 19,1% em 1899, e apesar de uma bolha de crescimento nos primeiros meses de 1900, a produção total de aço *caiu* 4,2% ao longo de todo o ano.

TABELA 3

Preços selecionados da Pittsburg Steel

	Jan-99	Jan-00	Fev-00	Mar-00	Abr-00	Mai-00	Jun-00	Jul-00	Ago-00	Set-00	Out-00	Nov-00	Dez-00
in-otes e aço	16,25	35,00	33,00	33,00	33,00	30,00	28,00	25,00	19,00	18,00	16,50	18,00	19,75
erga-ões	22,25	50,00	50,00	50,00	50,00	48,00	48,00	35,00	35,00	33,50	33,00	33,00	33,00
arras e aço	1,00	2,20	2,20	2,25	2,25	1,95	1,80	1,40	1,00	1,10	1,05	1,10	1,25
igas	1,30	2,25	2,25	2,25	2,25	2,25	2,25	1,90	1,90	1,50	1,50	1,50	1,50

onte: Iron Age.

Os comentários no conselho da Carnegie Steel Co. destacam a seriedade do *crash*. (Peacock e Bope são executivos de vendas.)

Maio: (Comitê de Operações) "[Peacock] disse que a Jones & Laughlin está praticamente fechada. A Illinois Steel Co., com a exceção das usinas de trilhos, está fechada. A National Steel Company está operando com apenas cerca de metade de suas usinas".

Junho: (Schwab) "Pelo que vejo, não vão surgir novos negócios com ferro-gusa ou aço. Todos os produtores que conversaram comigo disseram que não têm nada para fazer e que as coisas estão se aproximando rápido demais de uma paralisação".

Julho: (Peacock) "A Pig Iron Association diz que praticamente não vendeu ferro-gusa nos dois últimos meses".

Setembro: (Peacock) "As barras estão sendo vendidas a preço muito baixo, de até 37,50 centavos por 100 libras (45,35 quilos), e as chapas, pelo preço mais baixo de que já vi ou ouvi falar".

Outubro: (Bope) "Em relação ao mercado em geral, as condições não mudaram. O mercado está à espera do desenrolar dos acontecimentos, e não há muitos negócios sendo feitos".

As encomendas de trilhos estavam tão baixas que o conselho discutiu a possibilidade de fechar as usinas Edgar Thomson em novembro. Schwab apenas alertou para que se assegurassem de atender a todas as encomendas antes de fazê-lo. As alocações dos negócios do *pool* de trilhos tinham encolhido dois terços. Não encontrei uma data de suspensão das atividades, mas havia uma anotação em um documento de dezembro de que as usinas de trilhos foram "reabertas" em 5 de dezembro, quando os mercados demonstravam sinais de recuperação. Em 28 de julho, Carnegie perguntou se eles deviam considerar atrasar o pagamento de juros dos títulos da Carnegie Co. para financiar seu programa de investimento. Schwab achou que isso não era necessário.

As contas pessoais de Carnegie

Os números relativos a onze meses que podem ser recuperados dos relatórios de conselho correspondem à contabilidade pessoal de Carnegie para 1900, que traz o item "Ganhos da Carnegie Steel" no valor de US$ 12,87 milhões. Seu hábito nos anos anteriores era registrar sua parte dos ganhos da Carnegie Steel como ganhos pessoais. No início do ano, ele detinha 58,5% da empresa. Subtraindo sua transferência de ações para Schwab e vários dos outros sócios, ele teria ficado com 54,14%, o que sugere ganhos totais de US$ 23,77 milhões no ano (e ganho de US$ 1,05 milhão em dezembro, o que é consistente com a recuperação que estava em andamento na época. Uso esse número na Tabela 2). Pensando na maneira correta, ele não deveria ter feito esse registro, já que ele tinha trocado suas ações por ações da *holding*, cujos ganhos não eram registrados por método equitativo. Mas isso é um registro pessoal, não da empresa, e Rockefeller seguia uma prática parecida, mesmo depois da liquidação da Standard em 1911.

Os outros ativos da Carnegie Company

Encontrei um relatório que listava a primeira metade dos ganhos dos ativos da *holding*. Não é um registro contábil de lucros, apenas um relatório informativo, e inclui 100% dos ganhos da Coke Co. e os de outras subsidiárias no primeiro trimestre (i.e., anteriores à sua aquisição). Eles estão na Tabela 4.

A Carnegie Co. era a companhia *holding* e não registrava os ganhos de suas subsidiárias, apenas dividendos e juros devidos e recebidos. (Advogados corporativos aconselhavam manter a ficção de que a *holding* não exerce o controle administrativo.) Como esse documento é apenas um documento geral e posterior, inclui todos os ganhos das empresas listadas, incluindo períodos anteriores ao controle da Carnegie Co., e há, além disso, alguns registros repetidos na apresentação. Como os ganhos do segundo semestre da Steel Co. são conhecidos, apliquei a eles uma relação de ganhos com aço e não aço similar à do primeiro semestre para obter uma boa estimativa dos lucros de todo o ano para a empresa inteira. (A Steel Co. era o principal, se não único, cliente de todas as outras subsidiárias.) A seguir algumas anotações sobre os detalhes:

> 1. A Frick Coke incluía quatro subsidiárias – a ferrovia Youghiogeney e as três empresas de água. O total da receita do primeiro trimestre da Frick Coke e das quatro subsidiárias multiplicado pelo percentual de participação de 29,55% da Carnegie Steel resulta em US$ 511.601, já incluídos no total de "Frick" demonstrado nos registros da Carnegie Steel. Todos os ganhos do primeiro trimestre da Frick e das subsidiárias nesta tabela, portanto, deviam ser excluídos dos ganhos de Carnegie em 1900, já que sua participação já tinha sido registrada.
> 2. Os outros números do primeiro trimestre, com exceção dos ganhos da Oliver, também estão incluídos nas contas da Carnegie Steel. São, de qualquer forma, um pouco negativos (em US$ 2.570). Se registrarmos os números da Oliver pelo valor nominal (mas veja adiante minhas reservas), eles deviam ser reduzidos em 16,7%, percentual dos acionistas externos, ou em US$ 250.500. Somar o líquido da Oliver aos números da Carnegie Steel resulta em ganhos no primeiro trimestre de US$ 13,18 milhões.
> 3. Simplesmente reproduzo os números do segundo trimestre como estão registrados, menos US$ 250.500 para os acionistas externos da Oliver, que

TABELA 4

Ganhos semestrais dos ativos empresariais da Carnegie Co., 1900*

	Jan.	Fev.	Mar.	Abr.	Mai.	Jun.	Total
Carnegie Steel	$3.638.549	$3.591.365	$4.700.244	$3.219.872	$2.387.455	$1.823.241	$19.360.7?
HC Frick Coke	687.061	593.066	428.946	803.373	700.250	647.305	3.860.0(
Youghiogeney RR	2.388	2.475	3.006	3.766	2.987	2.626	17.2·
Mt Pleasant Water	2.359	2.297	2.308	2.264	2.178	2.038	13.4·
Youghiogeney Water	927	822	907	772	796	669	4.8?
Trotter Water	1.720	1.510	1.513	1.566	1.440	1.322	9.0?
Union Supply	29.824	46.421	29.728	30.648	30.692	28.125	195.4?
Carnegie Natural Gas	80.162	71.094	82.607	103.061	103.082	91.897	531.9(
Union RR	-41.687	-79.405	-65.573	-5.176	39.528	73.202	-79.1?
Pitts, Bess, and L Erie RR	-56.594	-63.866	-33.893	-46.113	74.518	85.774	-40.17
Pitts Steamship	0	0	-431	-12.813	119.885	75.068	181.7(
Pitts and Conneaut Dock	-5.874	-4.215	-892	-9.610	71.407	39.652	90.4?
Pitts Limestone Co.	4.229	3.200	2.595	2.531	2.337	2.039	16.9?
Oliver Iron Mining	500.000	500.000	500.000	500.000	500.000	500.000	3.000.0(
Totais	4.843.064	4.664.764	5.651.065	4.594.141	4.036.555	3.372.958	27.162.54?

Fonte: ACLC.

* Há pequenas discrepâncias entre os números da Steel Co. registrados aqui e os da Tabela 2, sem dúvi?a resultado de ajustes. Como são irrelevantes, deixei como estão.

resulta em um total de US$ 11,75 milhões, para um total líquido no primeiro semestre de US$ 24,93 milhões.

4. Incluindo o líquido da Oliver e toda a Frick (e eliminando os US$ 511.601 registrados duas vezes por Frick nos ganhos da Steel Co. no primeiro trimestre), a proporção de ganhos resultantes de produtos não ligados ao aço no primeiro semestre é de 38,7%.

5. Os ganhos em aço no segundo semestre foram de US$ 4,44 milhões. Supondo que os ganhos com produtos não ligados ao aço no segundo semestre foram na mesma proporção do primeiro, isso resulta em US$ 1,72 milhão adicional para um total de US$ 6,16 – ou um total geral de US$ 31,09 milhões no ano.

Dito isso, permaneço bastante cético em relação aos supostos ganhos da Oliver, ainda mais que eles parecem um registro "exagerado". A Steel Co. não incluiu os ganhos da Oliver em seus registros mensais de lucros. Encontrei um registro anual da Oliver para 1898. Era uma estimativa da fatia da Steel Co. dos ganhos da Oliver no ano. A Oliver tinha estimado seus ganhos de 1898 em US$ 800 mil, que a Steel Co. reduziu para US$ 600 mil "para garantir" (fazendo um registro de US$ 500 mil para refletir sua participação de 83,3%). Entretanto, mesmo com o valor de US$ 800 mil, a proporção dos ganhos com minério em relação ao aço era de apenas metade do sugerido pela Tabela 4. Além disso, em 1899 o contrato entre a Oliver e a Steel Co. foi revisado para que o minério que não servia para o sistema Bessemer tivesse preço de transferência de custo. Isso deve ter sido responsável por pelo menos a metade da produção da Steel Co. e teria reduzido e muito os ganhos da Oliver.

Afora isso, há vários outros registros para a primavera de 1900 que podem lançar uma luz sobre os números relacionados ao minério:

1. Há dois registros equivalentes de cerca de US$ 20 milhões que aumentam as contas a pagar e a avaliação das "jazidas inexploradas de minério". Eles estão aparentemente relacionados com uma discussão no conselho sobre os problemas da Oliver com clientes que estavam devolvendo carregamentos de minério já encomendados. A Steel Co., como precedente para os outros clientes da Oliver, concordou em ser faturada por minério em um estágio anterior, em vez de esperar que o minério fosse enviado para uma das docas nos lagos. Provavelmente a Oliver registrou essas faturas como uma venda, o que teria inflado seus ganhos. (Teria o efeito de antecipar ganhos futuros para o período corrente.) Uma contabilidade moderna de lucros e perdas teria reduzido muito os ganhos da Carnegie Steel, já que a fatura seria tratada como despesa. Mas as empresas do século XIX não mantinham contabilidade de lucros e perdas, registravam apenas balancetes e mudanças nos balancetes. Como os ganhos mensais da Steel Co. parecem registrar vendas durante esse período, tenho fortes suspeitas de que o grande aumento de recebíveis na Oliver não foi resultado de uma despesa na Steel, que teria inflado artificialmente os ganhos totais da companhia *holding*.

2. Um outro registro em maio de 1900 aumenta os ganhos com aço em março de US$ 4,7 milhões mostrados nesta tabela e em relatórios de conselho anteriores em cerca de US$ 350 mil. Os ganhos de 1898 com minério foram registrados posteriormente da mesma maneira, quando a Oliver começou a informá-los. Se esse número representa a parte da Steel Co. dos ganhos da Oliver no primeiro trimestre (não consigo imaginar que possa ser outra coisa), estariam muito mais próximos, apesar de um pouco mais baixos, que a proporção de 1898. (Mas isso seria consistente com o preço do minério que não servia para o método Bessemer.)

Como parece haver boas razões para ceticismo em relação aos ganhos com minério, faço uma estimativa alternativa apenas aplicando a proporção do minério em 1898 aos ganhos com aço, a menos o valor em mãos de investidores externos, ignorando o acordo aparente de preço de transferência de minério que não servia para o método Bessemer. Isso reduziria os ganhos com minérios projetados para o ano em US$ 2 milhões.

Conclusão

Dependendo de que estimativa da Oliver é usada, o valor dos ganhos de 1900 para as entidades que formavam a companhia *holding* seria:

TABELA 5

Ganhos estimados em 1900, Carnegie Steel e Carnegie Co.
(em US$ milhões)

	Oliver alta	Oliver ajustada
Carnegie Steel	23,77	23,77
Todas as outras	07,27	05,27
Total da Carnegie Co.	31,04	29,04

Fonte: ACLC; cálculos do autor.

Os dois números são consistentes com um bilhete particular de Carnegie para seu primo e diretor, George Lauder, de que os ganhos de 1900 foram "de cerca de US$ 30 milhões" (24 de janeiro de 1901, ACLC).

Algumas perguntas adicionais

A Carnegie Co. pagou os dividendos e juros devidos em 1900?
Nos nove meses de 1900 que se seguiram à recapitalização, Carnegie tinha direito de receber US$ 3,6 milhões em juros e um valor similar em dividendos preferenciais. Entretanto, sua declaração de renda registra apenas US$ 2,2 milhões em juros recebidos e nenhum dividendo.

Havia, sem dúvida, dinheiro o bastante para pagar tanto juros quanto dividendos. Mesmo com o segundo semestre terrível, os espetaculares primeiros seis meses do ano da Steel Co. cobriram totalmente as obrigações da companhia *holding*. Além disso, os registros das operações da Carnegie Co. para os primeiros cinco meses após a recapitalização, isto é, até setembro, mostram que ela recebeu US$ 2 milhões adicionais em dividendos da Coke Co.

Por outro lado, Carnegie pode ter ficado desconfortável em distribuir todo esse dinheiro às vésperas do que estava tomando forma como uma outra guerra aberta de preços e investimentos. A declaração de renda de Carnegie não tem detalhes que confirmem, então deve ser interpretada. Isso pode confirmar uma suposição de que o próprio Carnegie abriu mão de seus pagamentos de juros e dividendos para sustentar o programa de investimento. Não encontrei qualquer discussão sobre a questão nas atas do conselho exceto por uma sugestão feita por Carnegie em julho de suspender os pagamentos de juros e dividendos. O conselho rejeitou a ideia, mas, na época, os ganhos ainda estavam relativamente fortes. Entretanto, algumas atas do conselho de 1900 foram revisadas depois dos acontecimentos, e outras parecem ter sido removidas, por isso, se havia tais referências, elas podem ter sido apagadas.

Contabilidade de depreciação

A Carnegie Steel e suas antecessoras consistentemente exageravam seus lucros ao não registrar a depreciação das instalações industriais. A prática de Andrew Carnegie era sempre utilizar a maior parte de seu fluxo de caixa em novos investimentos em instalações industriais. O fato de não se registrar a depreciação como despesa, portanto, teve o efeito de tratar investimentos em instalações industriais como gratuitos. (Mas como os sócios de Carnegie podiam confirmar, aborrecidos, isso estava saindo de seus lucros.) O valor estimado das instalações industriais, equipamentos e outros ativos da Carnegie Steel era de cerca de US$ 59 milhões na primavera de 1900. Considerando que a vida útil de uma fábrica era de dez anos, o que provavelmente era realista, haveria um encargo adicional de US$ 5,9 milhões sobre os ganhos (ou US$ 2,95 milhões se considerarmos um período de vinte anos). Observe que essa prática beneficiaria as empresas de Carnegie em comparação com concorrentes que aumentavam seus investimentos de capital por meio de empréstimos, já que eles estariam levando embutido um custo explícito de despesas de capital. O fato de não se considerar a depreciação era prática comum na época, pois não havia regras de contabilidade definidas para despesas que não envolviam dinheiro. (A Standard Oil praticou uma contabilidade de depreciação nas primeiras décadas de sua existência, mas por algum motivo abandonou essa prática por volta de 1893.)

Índices de eficiência

O quadro a seguir mostra os ganhos por tonelada de aço em 1899 e 1900, descontando todos os ganhos não relacionados ao aço, comparados com estimativa de ganhos por tonelada da Federal Steel e da National Steel em 1900.

TABELA 6

Ganhos comparativos por tonelada de aço

Ano	Empresa	Toneladas (mil)	Ganhos por tonelada
1899	Carnegie Steel	2.664	US$ 7,41
1900	Carnegie Steel	2.970	7,83
1900	Federal Steel	1.225	8,16
1900	National Steel	1.400	5,71

Fonte: ACLC; cálculos do autor.

As estimativas de 1900 para a Federal Steel e a National Steel foram feitas por Schwab no início de 1901. (Os ganhos por tonelada talvez sejam enganosamente precisos, pois suas estimativas de ganhos, US$ 10 milhões para a Federal e US$ 8 milhões para a National são nitidamente números redondos.) Observe também que a suposição tradicional de que Carnegie ganhou US$ 40 milhões em 1900 produz o espetacular valor de lucratividade de US$ 13,47 por tonelada, o que impressionou investigadores parlamentares posteriores. Há relatos de que John W. Gates, acionista majoritário da Federal Steel, ficou irritado por Morgan realmente pagar seis vezes o preço por tonelada pela produção da Carnegie Co. do que pagava para a Federal. Com números como esse, ele tinha razões para ficar irritado.

A Federal foi resultado de uma fusão de Morgan que também incluiu minério, coque e ativos em ferrovias, então os US$ 8,16 sem dúvida são inflados por alguns ganhos não relacionados ao aço. Mas as empresas subsidiárias da Federal não eram nem de perto tão grandes quanto as da Carnegie, e elas estavam investindo pesado em suas usinas de trilhos desde a guerra de preços de trilhos, então não é surpresa que tenham alcançado a proximidade do par. A *Iron Age* também afirmou que a Jones & Laughlin podia igualar o preço de qualquer um em 1900.

Por fim, a convenção seguida por muitos historiadores de registrar os ganhos como percentual do capital nominal não é uma medida útil, já que empresas privadas, como a Carnegie Steel, ou mantinham constante o capital nominal ano após ano, ou então o aumentavam excessivamente diante de um ataque eventual, como fizeram em 1900. A afirmação feita pelo biógrafo de Carnegie, Joseph Frazier Wall, por exemplo, de que os ganhos da Carnegie Steel em 1899 deram "um retorno de mais de 80% sobre o capital" nada significa. Allan Nevins cai no mesmo tom de empolgação com os retornos da Standard Oil do fim dos anos 1890, que eram de mais de 50% sobre o capital nominal. Usando uma base mais razoável de valor contábil (ativos duros líquidos e ganhos recebidos menos passivo), o retorno da

Carnegie Steel em 1899 foi de 28%*, um resultado muito bom, mas não absurdo, e é mais baixo que isso com uma contabilidade de depreciação adequada. Mal pode haver uma comparação com a proporção dos ganhos da Standard, como mostrado no Apêndice II.

---

* A base de capital de 1899 inclui US$ 15 milhões em ações preservadas para investimento, e quase toda a totalidade disso foi transferida para a companhia holding na primavera de 1900. Eu os incluí na base de 1899 já que representam um resultado razoável dos ganhos da Steel Co. (Mas retirei a avaliação exagerada de US$ 2,5 milhões de 1898, então eles são comparáveis com outros investimentos.) O valor contábil de 1899, portanto, era de US$ 71,5 milhões. (N.A.)

Apêndice II

Os ganhos da Standard Oil

A Standard Oil era uma empresa muito maior e mais lucrativa que a Carnegie Steel. Os dados a seguir foram revelados como parte do material descoberto para o processo de liquidação do governo em 1906. Os dividendos eram muito altos, sobretudo depois que Archbold assumiu o controle em meados dos anos 1890, e aparentemente começou a monetizar o poder de mercado da Standard a um nível muito mais alto do que Rockefeller tinha feito. Entretanto, até a liquidação, a empresa manteve com teimosia seu capital nominal em US$ 100 milhões, apesar de uma contabilidade adequada mostrar que o valor contábil era duas a três vezes maior. Historiadores, incluindo Allan Nevins, em geral registraram ganhos e dividendos como um percentual do capital nominal; em 1900, portanto, os ganhos e dividendos seriam registrados como 55,5 e 46,7% do capital, respectivamente, em vez dos números no quadro, que são bastante fortes, mas não tão excessivos.

TABELA 1

Valor contábil, ganhos e dividendos da Standard Oil
(em US$ milhões)

Ano	Valor contábil	Ganhos líquidos	Ganhos/participação	Dividendos	Div/participação
1883	072.869.596	11.231.790	15,4%	04.268.089	5,9%
1884	075.858.960	07.778.205	10,3%	04.228.842	5,7%
1885	076.762.672	08.382.935	10,9%	07.479.223	9,7%
1886	087.012.107	15.350.787	17,6%	07.226.452	8,3%
1887	094.377.970	14.026.590	14,9%	08.463.327	9,0%
1888	097.005.621	16.226.955	16,7%	13.705.505	14,1%
1889	101.281.192	14.845.201	14,7%	10.620.630	10,5%
1890	115.810.074	19.131.470	16,5%	11.200.089	9,7%
1891	120.771.075	16.331.826	13,5%	11.648.826	9,6%
1892	128.102.428	19.174.878	15,0%	11.874.225	9,3%
1893	131.886.701	15.457.354	11,7%	11.670.000	8,8%

1894	135.755.449	15.544.326	11,5%	11.670.000	8,6%
1895	143.295.603	24.078.077	16,8%	16.532.500	11,5%
1896	147.220.400	34.077.519	23,1%	30.147.500	20,5%
1897-1899	N/D	N/D	N/D	N/D	N/D
1900	205.480.449	55.501.775	27,0%	46.691.474	22,7%
1901	210.997.066	52.291.768	24,8%	46.775.390	22,2%
1902	231.758.406	64.613.365	27,9%	43.851.966	18,9%
1903	270.217.922	81.336.994	30,1%	42.877.478	15,9%
1904	297.489.225	61.570.111	20,7%	35.188.266	11,8%
1905	315.613.262	57.459.356	18,2%	39.335.320	12,5%
1906	359.400.195	83.122.252	23,1%	39.335.320	10,9%

Nota: N/D = não disponível.
Fonte: Allan Nevins, *John D. Rockefeller*.

Segundo matérias em jornais, os dividendos dos anos 1897 a 1899 totalizaram US$ 96 milhões. Supondo que os anos de 1907 a 1910 tiveram mais ou menos a menos na média da década e que Rockfeller detinha cerca de 25% da Standard durante esse período, o total de dividendos recebido seria de cerca de US$ 170 milhões de 1883 até a liquidação, ou talvez US$ 175-180 milhões ao longo da vida da empresa.

Segundo Nevins, o patrimônio pessoal líquido de Rockefeller vários anos após a liquidação era de pouco menos de US$ 1 bilhão e teria ultrapassado com facilidade US$ 1 bilhão não fosse uma quantidade de grandes doações. Desconfio que isso não lhe faz justiça. Nos seus demonstrativos financeiros pessoais até 1915 que pude examinar, Rockefeller ainda mantinha seus ativos da Standard como uma única unidade – como se não houvesse ocorrido a liquidação – registrada com um capital nominal total de US$ 200 milhões. Enquanto ele tinha dobrado o valor nominal de US$ 100 milhões anterior à liquidação, sua base de avaliação ainda era baixa demais, cerca de apenas metade do verdadeiro valor contábil da empresa no distante ano de 1906. Com base em uma avaliação do mercado, especialmente depois da liquidação, sem dúvida Rockefeller era multibilionário.

Notas

Abreviações

Documentos de Andrew Carnegie, Biblioteca do Congresso (ACBC)
Registros da Carnegie Steel Company, Historical Society of Western Pennsylvania (HSWP)
Biblioteca Pierpont Morgan, Syndicate Books (BPM)
Documentos de John D. Rockefeller, Rockefeller Archive Center, Sleepy Hollow, New York (RAC)

Prefácio

Todas as fontes desta seção estão registradas nas notas do texto principal.

1. Prelúdio

Os detalhes do funeral de Lincoln e de sua viagem fúnebre foram retirados de Ralph G. Newman, "'In this Sad World of Ours, Sorrow Comes to All': A Timetable for the Lincoln Funeral Train", *Journal of the Illinois State Historical Society* (Primavera de 1965), 9-20; Dorothy Meserve Kundhardt e Philip B. Kundhardt Jr., *Twenty Days* (North Hollywood, Calif.: Newcastle Publishing Co., 1985); e os relatos da época publicados no *The New York Times* e no *New York Tribune*. Há pequenas diferenças entre todas as fontes.

Tudo pronto
Além das fontes citadas anteriormente, usei para os primeiros campos petroleiros Harold F. Williamson e Arnold R. Daum, *The American Petroleum Industry: Vol. I, The Age of Illumination*, 1859-1899 (Evanston, Ill.: Northwestern University, 1959), p. 117-135. Para a indústria da Filadélfia e o Franklin Institute, Philip Scranton, *Endless Novelty: Specialty Production and American Industrialization, 1865-1925* (Princeton, N.J.: Princeton University, 1997), p. 52-56, 61-64; para Nova York, Thomas Kessner, *Capital City: New York City and the Men behind America's Rise to Economic Dominance, 1860-1900* (New York: Simon and Schuster, 2003), p. 48-55.
Para os fazendeiros de Nova York, Donald H. Parkerson, *The Agricultural Transition in New York State: Markets and Migration in Mid-Nineteenth-Century America* (Ames, Iowa:

Iowa State University, 1995), e Nancy Gray Osterud, *Bonds of Community: The Lives of Farm Women in Nineteenth Century New York* (Ithaca, N.Y.: Cornell University, 1991). A citação das "bugigangas" está em Parkerson, p. 10. Detalhes adicionais de Donald E. Sutherland, *The Expansion of Everyday Life, 1860-1876* (Fayette, Ark.: University of Arkansas, 2000), especialmente p. 53-78. Para o crescimento da especialização regional, Nathan Rosenberg, "Technological Interdependence in the American Economy", *Technology and Culture* (janeiro de 1979), p. 25-38. Para a evolução da agricultura no Meio-Oeste e o papel de Chicago, Paul David, "The Mechanization of Reaping in the Ante-Bellum Midwest", em Henry Rosovsky, *Industrialization in Two Systems: Essays in Honor of Alexander Gerschenkron by a Group of His Students* (New York: Wiley, 1966), p. 3-39. Para a contribuição de Pullman, ver Scott D. Trostel, *The Lincoln Funeral Train* (Fletcher, Ohio: Cam-Tech Publishing, 2002), p. 84-85. A descrição da penetração das ferrovias foi extraída de excelentes mapas em "Railway Statistics", de Thomas M. Cooley, ed., *The American Railway: Its Construction, Development, Management, and Appliances* (New York: Scribner's Sons, 1889), p. 385.

Para o declínio dos fazendeiros independentes no Sul, ver os ensaios em Mary Beth Pudup et al. (eds.), *Appalachia in the Making: The Mountain South in the Nineteenth Century* (Chapel Hill, N.C.: University of North Carolina, 1995), especialmente Dwight B. Billings e Kathleen M. Blee, "Agriculture and Poverty in the Kentucky Mountains", 233-269, e Mary Beth Pudup, 'Town and Country in the Transformation of Appalachian Kentucky", *in ibid.*, 270-296. Detalhes sobre gabaritos e transporte por barcas extraídos de Carl Bateman, *The Baltimore and Ohio Railroad: The Story of a Railroad that Grew with the United States* (Baltimore, Md.: The Baltimore and Ohio Railroad Printing Plant, 1951), p. 16-20. Para os esquemas frenéticos para obter riquezas, ver os personagens do Coronel Sellers, de Mark Twain e Charles Dudley Warner em *The Gilded Age: A Tale of Today* (1873), e de Hamilton Fisker e de Augustus Melmotte de Anthony Trollope em *The Way We Live Now* (1873), para uma perspectiva inglesa.

O Éden artesanal de Abraham Lincoln

A citação do "melhor para todos" de Lincoln está em Reinhard H. Luthin, *The Real Abraham Lincoln* (Clifton, N.J.: Prentice-Hall, 1960), p. 129. A discussão do Partido Republicano segue Eric Foner, *Free Soil, Free Labor, Free Men: The Ideology of the Republican Party before the Civil War* (New York Oxford University, 1970), especialmente p. 301-317. Para as conexões entre posições antiescravidão e pró-desenvolvimento no Sul, ver Eugene D. Genovese, *The Political Economy of Slavery: Studies in the Economy and Society of the Slave South* (New York: Vintage Books, 1965), p. 55-61. Para a indicação de 1860, David Potter, *The Impending Crisis, 1848-1861* (New York; Harper & Row, 1976), p. 422. Para os casos jurídicos de Lincoln, utilizei Luthin e Stephen B. Oates, *With Malice toward None: A Life of Abraham Lincoln* (New York: Harper Perennial, 1994). As citações sobre leis de patentes e "Descobertas e Invenções" foram extraídas de Roy P. Basler, ed., The Collected Works of Abraham Lincoln, 9 vols. (New Brunswick, N.J.:

Rutgers University, 1953-55), III: 361, 363. Lincoln escreveu uma versão do discurso das "Descobertas" na primavera de 1858, então o modificou para sua turnê de conferências em 1859 e o pronunciou várias vezes nos primeiros meses de sua viagem. Para a historiografia revisada das causas da guerra, ver Foner, *op. cit.*, e também seu "The Causes of the Civil War: Recent Interpretations and New Directions", *Civil War History*, vol. 20 (setembro de 1974), p. 197-214. A citação sobre Webster e "duas civilizações profundamente diferentes" são de Foner, *Free Soil*, p. 15, 9-10. Citações do discurso de Wisconsin de Lincoln estão em Basler, *op. cit.*, p. 478-479. A citação "classe para fazer as tarefas inferiores" está em Foner, *Free Soil*, p. 66. O orador era o senador pela Carolina do Sul James Hammond; a palestra, chamada de seu discurso da "ralé", era bem conhecida na época. Para o antagonismo explícito entre escravidão e o igualitarismo branco, William W. Freehling, *The Road to Disunion: Secessionists at Bay*, 1776-1854 (New York: Oxford University, 1990), p. 450; é um dos temas principais da análise de Freehling dos anos 1850. Para o discurso de Lincoln em Chicago, Basler, *op. cit.*, II:499-500.

A citação da "segunda Revolução Americana" está em James M. McPherson, *Battle Cry of Freedom: The Civil War Era* (New York: Oxford University, 1988), p. 452. Como exemplo da guerra eclipsando o programa doméstico de Lincoln, a biografia – excluindo isso, excelente – de Oates omite qualquer menção aos Homestead, Morrill ou Pacific Railway Acts. Para o texto do segundo discurso de posse, usei Ronald C. White Jr., *Lincoln's Greatest Speech: The Second Inaugural* (New York: Simon and Schuster, 2002), p. 18-19. Para o longo domínio político do Sul e a singularidade do Norte, ver McPherson, *op. cit.*, p. 859-861.

Jovens magnatas

Carnegie

O perfil de Carnegie segue Joseph Frazier Wall, *Andrew Carnegie* (Pittsburgh, Pa.: University of Pittsburgh, 1989), complementado por Peter Krass, *Carnegie* (Hoboken, N.J.: John Wiley and Sons, 2002). Para as duas citações, "diabinho escocês" e "O Andy do Scott", Wall, p. 121, 125-126; "a recompensa", "infelizmente" e "Caro mestre" em Andrew Carnegie, *The Autobiography of Andrew Carnegie* (Boston: Northeastern University, 1986), p. 82, 223.

Rockefeller

O perfil de Rockefeller foi retirado de Ron Chernow, *Titan: The Life of John D. Rockefeller, Sr.* (New York: Random House, 1998), Allan Nevins, *John D. Rockefeller: The Heroic Age of American Enterprise*, 2 vols. (New York: Charles Scribner's Sons, 1940), e Harold F. Williamson e Arnold R. Daum, *The American Petroleum Industry: Vol. I, The Age of Illumination, 1859-1899* (Evanston, Ill.: Northwestern University, 1959), especialmente p. 27-114 para história do início da indústria.

Sobre o pai de John, a citação "viagens longas e misteriosas" vem de Nevins, I:89, que também diz que ele acabou por "desaparecer na região a oeste do Mississippi" (I:79).

Chernow tem toda a história sobre William, p. 57-59 e 192-194. Como a vida dupla de William foi registrada na imprensa, é surpreendente que biógrafos anteriores tenham deixado isso passar ou preferiram não mencioná-lo. A citação "*grande soma*" está em Chernow, p. 77, "alma de guarda-livros" em Nevins, I:111. A citação de Bryce vem de James Bryce, *The American Commonwealth*, 2 vols. (New York: Macmillan, 1923), II:164.

GOULD

O perfil dos primeiros anos da vida e da carreira de Gould segue Maury Klein, *The Life and Legend of Jay Gould* (Baltimore, Md.: Johns Hopkins University, 1986). A citação de Adams é de Charles Francis Adams, Jr., e Henry Adams, *Chapters of Erie* (Ithaca, N.Y.: Cornell University, 1956), p. 105; a citação de Drew está em Klein, p. 3. A manchete da batalha e os registros financeiros foram extraídos de Klein, p. 60, 72. A citação "provavelmente o litigante" vem de Julius Grodsinsky, *Jay Gould: His Business Career, 1867-1892, The Expansion of America's Railroad Empire* (Filadélfia, Pa.: University of Pennsylvania, 1957), p. 450.

MORGAN

O perfil de J.P. Morgan foi extraído de Vincent P. Carosso, *The Morgans: Private International Bankers, 1854-1913* (Cambridge, Mass.: Harvard University, 1987) e Jean Strouse, *Morgan: American Financier* (New York: Random House, 1999).
Para o caso das carabinas Hall, ver R. Gordon Wasson, *The Hall Carbine Affair: A Study in Contemporary Folklore* (New York: Pandick, 1948), apesar de Wasson (e Carosso) afirmarem que Morgan não sabia que os rifles estavam sendo vendidos para o governo pela segunda vez, o que é implausível. Para a versão do caso segundo os *muckrackers*, ver Matthew Josephson, *The Robber Barons: The Great American Capitalists* (New York: Harcourt, Brace and World, 1962), p. 60-61. A citação "primeira classe" é de Carosso, *ibid.*, p. 104. O "cavalheiros pagam suas dívidas" é caracterização minha, não uma citação direta. As citações "concorrência amarga" e "desmoralização" de Gary estão em U.S. House of Representatives, *Hearings before the Committee on Investigation of United States Steel Corporation (Stanley Committee)*, 8 vols. (Washington, D.C.: U.S. Government Printing Office, 1912), I:122-123. Para a característica de classe média dos pioneiros, Eric Foner, *Free Soil*, p. 14.

2. A glória do Ianque Simplório

O relato da *Americas Cup* é de David Shaw, *America's Victory* (New York: The Free, 2002); a citação "O America está..." extraída da p. 213. (Após a partida do séquito da rainha, o vento praticamente parou, e o muito mais leve *Aurora* quase conseguiu virar a corrida, mas o *America* ainda chegou confortavelmente em primeiro lugar.) Para detalhes sobre o Crystal Palace, consultei inúmeros sites na Internet dedicados à exposição, complementados por Nathan Rosenberg, ed., *The American System of Manufactures* (Edimburgo: Edinburgh University, 1969), p. 2-19. A citação "invadida" é de Rosenberg, p. 3; "pombos selvagens" de Shaw, p. 184; o episódio Hobbs, as menções da ceifadeira de McCormick no *Times*, a exposição e palestra de Colt, e as citações "pradarias" e "exibições magníficas", Rosenberg, p. 9-12, 8, 15-17, 7; a primeira citação do *Punch*, de Shaw, p. 155; e "Yankee Doodle" de Rosenberg, p. 18-19. O livro de Rosenberg reúne os relatórios de uma comissão parlamentar de inquérito e duas delegações britânicas diferentes que visitaram várias fábricas americanas imediatamente após as revelações do Crystal Palace sobre as proezas industriais americanas. A longa introdução de Rosenberg (p. 1-89) é um excelente resumo da ascensão do "sistema americano de manufatura", enquanto *From American System to Mass Production, 1800-1932: The Development of Manufacturing Technology in the United States* (Baltimore, Md.: Johns Hopkins University, 1984), de David A. Hounshell, é o texto básico. Uma visão geral extremamente importante da evolução do "sistema americano", em grande parte com base em entrevistas com artesãos das fábricas mais importantes, foi compilada por Charles H. Fitch, um agente do departamento do censo, como parte de seu trabalho no censo de manufatura dos anos 1880. Ver seu *Fire-Arms Manufacture 1880: Report on the Manufactures of Interchangeable Mechanisms* (Bradley, Ill.: Lindsay Publications, 1992) (reimpressão do Census Office Report de 1883), e "The Rise of a Mechanical Ideal", *Magazine of American History*, 11 (junho de 1884), p. 516-527. Muitas das prioridades que ele determina para inovadores específicos, derivadas principalmente de entrevistas, foram corrigidas por pesquisadores posteriores, mas o trabalho de Fitch permanece uma fonte fundamental para desenhos e especificações de máquinas e sequências de desenvolvimento.

A ascensão dos nerds

A história de Blanchard foi extraída de Asa H. Waters, *Biographical Sketch of Thomas Blanchard and His Inventions* (Worcester, Mass.: L.P. Goddard, 1878). Waters conhecia Blanchard e é a principal fonte sobre sua vida; ele produziu vários depoimentos, e todos são um pouco diferentes uns dos outros. Ver também Carolyn C. Cooper, *Shaping Invention: Thomas Blanchard's Machinery and Patent Management in Nineteenth-Century America* (New York: Columbia University, 1991), que é especialmente boa na história dos tornos mecânicos. (Ela apresenta o excelente argumento de que a inovação-chave nesse tipo de máquina foi a roda de corte independente.) A citação "adoraram passar" é de Cooper, p. 75; "olhou para", "Bem, Thomas", "todo o princípio", "consegui" e "Acho que", de Waters, p. 5-7. Meu agradecimento à equipe do American Precision Museum em Windsor, Vermont, por suas explicações detalhadas. O elogio fúnebre é de Waters, *op. cit.*, p. I. Para o interesse de Springfield, e a história do contrato de Blanchard, além de Cooper, usei Merritt Roe Smith, *Harpers Ferry Armory and the New Technology: The Challenge of Change* (Ithaca, N.Y: Cornell University, 1977), p. 124-138. O trabalho de Smith é baseado em uma análise extensa dos arquivos de Springfield e Harpers Ferry.

Os caras do vale

A descrição do vale do rio Connecticut nesse período é um retrato coletivo de Felicia Johnson Deyrup, *Arms Makers of the Connecticut Valley: A Regional Study of the Economic Development of the Small Arms Industry, 1798-1870* (Northampton, Mass.: Smith College Studies in History, vol. 33, 1948), uma fonte importante; Constance McLaughlin Green, Holyoke, Massachusetts: *A Case Study of the Industrial Revolution in America* (New Haven, Conn.: Yale University, 1939); e Vera Shlakman, *Economic History of a Factory Town: A Study of Chicopee, Massachusetts* (Northampton, Mass.: Smith College Studies in History, vol. 20, 1935). A citação "Não há um rapaz" é de Nathan Rosenberg, *American System*, p. 204. Sobre a influência de Gribeauval e Blanc, ver David Hounshell, *From American System*, p. 25-26, e Merritt Roe Smith, *Harpers Ferry*, p. 88-89. Os relatos sobre os grupos de empresários foram extraídos de Constance McLaughlin Green, *Holyoke, Massachusetts*, p. 19-63, e Vera Shlakman, *Economic History*, p. 24-80. Para uma discussão sobre "tecnologias capacitadoras", ver a compilação de documentos de Nathan Rosenberg em seu *Exploring the Black Box*, especialmente seu "The Historiography of Technical Progress", p. 3-33, e "Marx as a Student of Technology", p. 34-51.

A busca do Santo Graal

Para uma opinião moderna sobre a contribuição de Whitney, ver Robert S. Woodbury, "The Legend of Eli Whitney and Interchangeable Parts", *Technology and Culture* (Verão de 1960), p. 235-253; a versão padrão está em Constance McLaughlin Green, *Eli Whitney and the Birth of American Technology* (Boston, Mass.: Little, Brown, 1956). Para a intercambialidade do revólver Colt, ver David Hounshell, *From American System*, p. 48-49. As melhores fontes sobre Hall são Merritt Roe Smith, *Harpers Ferry*, especialmente p. 184-251, e R.T. Huntington, *Hall's Breechloaders: John H. Hall's Invention and Development of a Breechloading Rifle with Precision-Made Interchangeable Parts and Its Introduction into the United States Service* (York, Pa.: G.S. Humway, 1972), que tem muita correspondência de Hall e vários relatórios sobre seus rifles. Alguns trabalhos especializados também foram úteis, como Robert S. Woodbury, *History of the Milling Machine* (Cambridge, Mass.: The Technology, 1960). A citação do panfleto é de John H. Hall, "Remarks upon the Patent Improved Rifles Made by John H. Hall of Portland, ME" (panfleto) (Portland: F. Douglas, 1816); é um resumo das p. 1, 5. Para o perfil de Thornton e seu envolvimento com Fitch, usei James Thomas Flexner, *Steamboats Come True: American Inventors in Action* (Boston: Little, Brown, 1978), p. 177-184. O envolvimento de Thornton com a capital está em Dumas Malone, *Jefferson and the Rights of Man* (vol. 2 de *Jefferson and His Times*) (Boston: Little, Brown, 1951), p. 385-387. A citação sobre suas patentes é do *American National Biographical Dictionary*, na Internet. As citações "Quando cheguei lá" e "seria mais" estão em Huntington, p. 3-4. Quando os pesquisadores exumaram o episódio da patente de Thornton, um grande enigma foi explicado. O pedido de patente incluiu uma fecharia extremamente complicada e que não funcionava direito na lateral do rifle que não aparece em qualquer arma de fogo conhecida de Hall. Este parece ter sido o "aperfeiçoamento" feito por Thornton. Smith identificou a arma de fogo mostrada a Hall por Thornton como uma Ferguson, uma arma inglesa datada de 1776 (*Harpers Ferry*, p. 186). O "monstro marinho" e o poeminha de Thornton estão em Huntington, p. 12, 27. O "muito cauteloso" de Hall é de Smith, p. 196; "*de infinitas*" e "Eu não estava consciente" estão em Huntington, p. 305, 17; "a maneira" e "desperdício" são de Smith, p. 200-201. A junta militar e as análises militares de 1827 estão reimpressas na íntegra em Huntington, p. 306-323. Os trechos citados estão nas p. 311, 319-320, 323. Fitch, em seu "The Rise of a Mechanical Ideal", concorda que Hall "alcançou a conformidade prática em grandes quantidades de armas", mas com a reserva de que "os encaixes entre as peças intercambiáveis estavam longe da excelência"; mas ele reconhece que o trabalho de Hall tinha claramente passado nos "testes severos" aos quais foi submetido pelos inspetores, apesar de não ter cumprido os padrões dos anos 1880 (p. 516, 519). A citação "...em 1820" é de Constance McLaughlin Green, *Eli Whitney*, p. 139.

A tradição mecânica americana
Para a história de Colt, além de fontes previamente citadas, usei William Hosley, *Colt: The Making of an American Legend* (Amherst, Mass.: University of Massachusetts, 1996) e Paul Uselding, "Elisha K. Root, Forging, and the '*American System*'", *Technology and Culture* (outubro de 1974), p. 543-568. As citações "mecânico mais bem pago" e "O crédito por" são de Uselding, p. 563, 543. "É impossível", de Nathan Rosenberg, ed., *The American System*, p. 46. A fábrica britânica de Colt não foi um sucesso e fechou em 1856. Colt botou a culpa no trabalho britânico, mas a Inglaterra podia não estar pronta para armas produzidas em massa. Além dos militares, os principais compradores de armas de fogo eram esportistas das classes altas que, por exemplo, gostavam que as coronhas de seus rifles fossem feitas sob medida para o comprimento de seu braço e encaixe do ombro. Não era apenas a resistência dos artesãos, mas também a natureza da demanda que determinava as preferências da produção britânica. Para Alexander Holley, ver capítulo 5 e as fontes sobre o assunto. A citação "visível ausência" é de Frank Popplewell, *Some Modern Conditions and Recent Developments in Iron and Steel Production in America* (Manchester: University Press, 1906), p. 103. O resumo da situação da produção de bens de consumo é extraído principalmente de David Hounshell, *From American System*, que é geralmente organizado por datas e tipos de produto.

A reação britânica
A introdução de Nathan Rosenberg para *American System* analisa a indústria de armas leve britânica e as discussões parlamentares que levaram à decisão de prosseguir com Enfield. As citações "produzia um efeito", "Na adaptação", "Em nenhum ramo" e "As máquinas americanas" estão em *ibid.*, p. 43-45, 128-129, 343-344 e 65-66. Entretanto, Whitworth ressaltou que a Grã-Bretanha ainda estava bem à frente em máquinas de uso geral, e, na verdade, os grandes produtores de ferramentas de máquinas tinham uma

vantagem de décadas sobre os americanos, especialmente nas máquinas muito avançadas para a produção de grandes motores a vapor, chapas para navios e produtos similares. Desde o princípio os americanos estiveram mais orientados para a produção de massa de produtos de consumo ou produtos finais similares. Isso pode ser reflexo tanto da natureza da demanda britânica – na ausência de um mercado amplo de classe média – quanto do fato de terem começado durante uma fase um pouco anterior da industrialização. Ver Abbott Payson Usher, "The Industrialization of Modern Britain", *Technology and Culture* (primavera de 1960), p. 109-127, especialmente p. 120-121.

O que fez com que os Estados Unidos fossem diferentes?
Para manufatura de madeira e aço de Sheffield, ver Kenneth D. e Jane W. Roberts, *Planemakers and Other Edge Tool Enterprises in New York State in the Nineteenth Century* (Cooperstown, N.Y; New York State Historical Association, 1971), especialmente p. 1-12; para fornecimento de aço e importações em tempos de Guerra, ver Felicia Johnson Deyrup, *Arms Makers*, p. 80-81, 179. Para renda e produção americana, ver David S. Landes, *The Wealth and Poverty of Nations: Why Some Are So Rich and Some Are So Poor* (New York: W.W. Norton, 1999), p. 232, 300. A opinião de Whitworth sobre "imprensa barata" está em Nathan Rosenberg, *American System*, p. 389. Para a mecanização do campo, ver Paul David, "The Mechanization of Reaping in the Ante-Bellum Midwest", em Henry Rosovsky, *Industrialization in Two Systems: Essays in Honor of Alexander Gerschenkron by a Group of His Students* (New York: John Wiley, 1966), p. 3-39. A citação da *Scientific American* está na p. 7. Para Nathan Rosenberg sobre o papel dos recursos naturais, ver seu *Exploring the Black Box*, p. 109-120, uma análise extremamente inteligente do que havia de diferente nos Estados Unidos. Para gastos educacionais pré-guerra, ver Albert Fishlow, "The American Common School Revival: Fact or Fancy?" em Henry Rosovsky, *Industrialization in Two Systems*, p. 40-67. Aparentemente, a mobilização pública por melhores escolas começou nos anos 1820, mas não se traduziu em maiores investimentos até a década de 1840, quando estes começaram a crescer com força. As citações "...o inglês", "Nos Estados Unidos" e "A falta" são de Nathan Rosenberg, *American System*, p. 15, 14, e 7n. O desenho e a citação de Oliver Evans estão em um anúncio de jornal de uma página, "Improvements on the Art of Manufacturing Grain into Flour or Meal" (Patent Licensing Announcement, c. 1791, Rare Books Division, New York Public Library). Melhorias nos projetos das máquinas têxteis britânicas em David S. Landes, *The Wealth*, p. 300. As duas citações de Lincoln estão em Roy P. Basler, ed., *The Collected Works*, III: 361, 478. A citação "Eu não ia" está em Felicia Johnson Deyrup, *Arms Makers*, p. 95.

3. Capitalismo bandido

Para o episódio do rio, ver W.A. Swanberg, *Jim Fisk: The Career of an Improbable Rascal* (New York: Scribners, 1959), p. 47-48, e Maury Klein, The *Life and Legend of*

Jay Gould (Baltimore, Md.; Johns Hopkins University, 1986), p. 83. Para investimentos estrangeiros nos Estados Unidos, ver United States Bureau of the Census, *Historical Statistics of the United States, Colonial Times to 1970* (vol. 2) (Washington, D.C.; U.S. Government Printing Office, 1975), Série 1-25. As diretrizes econômicas de Gladstone estão em Roy Jenkins, *Gladstone: A Biography* (New York: Random House, 1997), especialmente p. 137-157.

Ópera bufa

Para Gould, Fisk e as guerras da Erie, utilizei Maury Klein, *Life and Legend*; Julius Grodinsky, *Jay Gould: His Business Career, 1867-1892, The Expansion of America's Railroad Empire* (Filadélfia, Pa.: University of Pennsylvania, 1957); Charles Francis Adams, Jr. e Henry Adams, *Chapters of Erie* (Ithaca, N.Y: Cornell University, 1956); Edward Harold Mott, *Between the Ocean and the Lakes: The Story of Erie* (New York: John S. Collins, 1898); W.A. Swanberg, *Jim Fisk*; e Bouck White, *The Book of Daniel Drew: A Glimpse of the Fisk-Gould-Tweed Régime from the Inside* (Garden City, N.Y: Doubleday, 1911). Klein é o maior especialista em Gould, e todo o seu livro é marcado por senso comum e boas avaliações. Os ensaios de Adams são os mais ricos em detalhes e muito bem pesquisados. O livro de Mott é a história mais detalhada da Erie; é instigante, completo e sardônico e traz uma boa seleção de documentos importantes (é um livro antigo e difícil de encontrar; deveria ser reeditado). O livro de White sobre Drew pretende se passar por um diário, mas é quase certamente uma invenção e deve ser lido como uma biografia popular de Drew, infelizmente disfarçada de memórias.

A legalidade da emissão de títulos conversíveis era exatamente o tipo de terra das sombras onde Gould se sentia mais à vontade. A estrutura do capital da Erie com autorização legal possivelmente permitia a emissão de papéis conversíveis, e havia algum precedente para isso. (Ver Julius Grodinsky, *Jay Gould*, p. 41.) O registro de despesas "legais" está em Assembly of the State of New York, *Report of the Select Committee Appointed by the Assembly, March 11, 1873, to Investigate the Alleged Mismanagement on the Part of the Erie Railway Company, Together with the Testimony Taken Before Said Committee* (vol. 6, nº 98) (Albany, NY: Argus, 1873), p. 336-337. Esse documento pode ser a fonte mais rica em detalhes sobre as guerras da Erie.

Corsário ferroviário

"A precificação de passagens aéreas" é apenas um caso especial de indústrias, entre elas a ferroviária, com custos fixos pesados e custos variáveis baixos, em que as pressões da competição levam a preços equivalentes ou com margem mínima sobre o custo variável. As fábricas de *chips* de memória, um outro exemplo, custam US$ 1 bilhão ou mais para serem construídas, mas o custo de mão de obra e de material de cada *chip* é de apenas cerca de US$ 0,25. A busca desesperada por receitas que recuperem o investimento na fábrica inevitavelmente dispara selvagens guerras de preços de chips. A solução japonesa foi um cartel de preço de chips patrocinado pelo governo nos anos 1970 e 1980, que acabou por ser rompido pelos coreanos. Uma história recente da OPEP também exemplifica os desafios de manter intactos os cartéis. A disposição de Gould por aquisições nasceu de sua percepção de que era tolice esperar que empresas independentes subordinassem seus instintos competitivos ao acordo de um cartel; J.P. Morgan demonstrou a solidez desse instinto ao longo de trinta anos de construção vã de cartéis.

Julius Grodinsky, *Jay Gould*, p. 57-69; 73-74 traz uma descrição nítida da estratégia de aquisições de Gould. Para a reação da Pennsylvania, Maury Klein, *Life and Legend*, p. 93-95; "mercantilismo estadual" está em James E. Vance, Jr., *The North American Railroad* (Baltimore, Md.: The Johns Hopkins University, 1995), p. 89. O relato mais minucioso da disputa entre a Albany & Susquehannae e a Erie está em Charles e Henry Adams, *Chapters*, p. 137-190, escrito por Charles, que omite qualquer menção a Morgan (que não era uma figura importante quando Adams o escreveu). Para o papel de Morgan, ver Vincent P. Carosso, *The Morgans: Private International Bankers, 1854-1913* (Cambridge, Mass.: Harvard University, 1987), p. 121-123.

O Gold Corner

Os melhores relatos curtos sobre o *Gold Corner* são Maury Klein, *Life and Legend*, p. 100-115; e Charles e Henry Adams, *Chapters*, p. 101-136. (A história do *Gold Corner* foi escrita por Henry e é a melhor das três seções de *Chapters*.) A melhor fonte é U.S. House of Representatives, Committee on Banking and Currency, *Report nº 31, Gold Panic Investigation, 1870* (reimpresso: New York: Arno, 1974). As audiências são abertas com um amplo testemunho introdutório que explica totalmente as operações da Bolsa de Ouro, práticas de *hedging* e outros elementos contextuais essenciais. Para informação geral sobre o contexto do sistema monetário no pós-guerra, ver Irwin Unger, *The Greenback Era: A Social and Political History of American Finance, 1865-1879* (Princeton, N.J.: Princeton University, 1964).

Os mercados modernos diferem apenas em detalhes dos tempos de Gould. O tipo de operação de *hedging* descrito aqui agora é normalmente realizado nos mercados futuros – vender um contrato futuro sem cobertura é funcionalmente equivalente a assumir uma posição a descoberto, e as exigências futuras mínimas de dinheiro funcionam basicamente da mesma maneira. Apesar de hoje os mercados serem muito mais profundos e líquidos e haver controles muito mais rígidos sobre as posições negociadas, ainda ocorrem problemas com regularidade, especialmente após a introdução de um novo produto ou eficiência comercial. Além disso, costumamos ver a "especulação" de maneira mais benevolente, como parte essencial do processo de descoberta do preço.

Citações: "ficção em torno" de Gould está em *Gold Panic Investigation*, p. 153-154; a "digna dos palcos" de Adams de Charles e Henry Adams, *Chapters*, p. 119; a de Corbin "apenas por causa de", *Gold Panic Investigation*, p. 253; a de Gould sobre o objetivo dos presentes, e "Eu não queria", *ibid.*, p. 163, 135; "Delivered" versions, *ibid.*, p.174 e Klein, *Life and Legend*, p. 106; as de Gould "O que levou o preço do ouro" e "acabado", *Gold Panic Investigation*, p. 135, 256. O que Fisk diz a Speyers, *ibid.*, p. 64; "completamente louco", Klein, *Life and Legend*, p. 112. Fisk sobre a dica de Butterfield, *Gold Panic Investigation*, p. 181; Fisk sobre os Corbins, *ibid.*, p. 176.

Os espólios
O relato mais completo da derrubada de Gould está em Assembly of the State of New York, *Report*, que usei para este resumo. A reclamação dos acionistas ingleses contra Gould foi resumida na apresentação de uma petição que, apesar de obviamente facciosa, é uma excelente – e aparentemente bem precisa – descrição do período do domínio de Gould-Fisk. Ela está reproduzida na íntegra em *Heath et al. v Erie Railway Co. et al.* 11 Federal Cases, 976 (27 de abril de 1871). A citação de Stevens está em Assembly of the State of New York, *Report*, p. 310; o acordo Bischoffheimer, o acordo de Gould, e "soltavam o grito" são de *ibid.*, p. 35-38, 314-315, e 746. O acordo de Gould mais tarde foi reaberto e ele foi obrigado a pagar mais dinheiro; mas nessa época ele já era outra vez muito rico. Sobre as avaliações do *Gould package*, as reclamações dos acionistas britânicos (referência 57) listavam o Teatro Lírico a um valor de US$ 700 mil (para ver a enormidade das fraudes de Fisk-Gould), mas no acordo foi avaliado em US$ 1,5 milhão. Peter Watson era um dos investidores, e mais tarde presidente, das rotas mais a oeste das margens dos lagos, a Michigan & Southern, e tivera outras posições dentro dessa malha. Sua indicação para o conselho da Erie indicava o domínio temporário de Vanderbilt, já que as rotas dos lagos agora estavam sob o controle firme do Comodoro. Nas audiências da Assembleia de Nova York citadas anteriormente, Watson explicou pacientemente conceitos básicos como despesas, despesas de capital, depreciação, ganhos líquidos e as prioridades entre juros e dividendos. Ver, por exemplo, seu depoimento, p. 188; o próprio resumo da comissão demonstra grande confusão em torno de todas essas questões. A citação "deve ser visto como resultado gigantesco" está em Chester McArthur Destler, "The Standard Oil, Child of the Erie Ring, 1868-1872: Six Contracts and a Letter", *Mississippi Valley Historical Review* (junho de 1946) 89-114, na p. 100.

O primeiro barão do petróleo
A história básica é uma combinação dos relatos de Ron Chernow, *Titan: The Life of John D. Rockefeller, Sr.* (New York: Random House, 1998), p. 129-55; Allan Nevins, *John D. Rockefeller: The Heroic Age of American Enterprise* (New York: Charles Scribner's Sons, 2 vols.), I:217-346; Ida M. Tarbell, *The History of the Standard Oil Company* (New York: Macmillan, 1925, 2 vols.), I:38-103; e Harold F. Williamson e Arnold R. Daum, *The American Petroleum Industry: Vol. I, The Age of Illumination, 1859-1899* (Evanston, Ill.: Northwestern University, 1959). Williamson, p. 170-201, 297-308, faz um relato inteligente e preciso sobre o início da evolução da concorrência entre as linhas-tronco; dados comparativos de quilometragem são da p. 300. A tecnologia de refino é de *ibid.*, p. 202-251. O fato de Rockefeller andar "muito assustado" está em Allan Nevins, *op. cit.*, I:279-281, que se baseou em dados de entrevistas, muito depois dos fatos, mas se encaixa em tudo o que sabemos. Os detalhes do acordo de 1868 entre a Erie, as três

refinarias e o oleoduto vêm dos documentos originais reimpressos em Chester McArthur Destler, "The Standard Oil, PE.", p. 103-114. Destler diz que o contrato é censurável.

Crise e consolidação

Os dados sobre preços de petróleo foram extraídos de um quadro em Harold F. Williamson, *The American Petroleum Industry*, p. 360. Os relatórios anuais da Columbia Oil Co. de Andrew Carnegie registram dez anos de médias mensais de preços de venda por barril. As variações dentro de um mesmo ano são bem grandes, e o colapso dos preços em 1873 é claro. A Columbia normalmente suspendia seu funcionamento quando os preços caíam a um dólar. (HSWP, caixa 20, pasta 1)

	Máximo	Mínimo
1864	13,00	4,00
1865	09,25	4,00
1866	05,00	1,65
1867	04,00	1,50
1868	05,00	1,80
1869	07,00	4,25
1870	04,00	2,75
1871	05,15	3,40
1872	04,60	3,00
1873	01,05	1,00
1874	01,90	0,65

Para a capitalização da Standard, ver a próxima tabela. Um comentário: Nevins (Allan Nevins, *John D. Rockefeller*, I:292) parece sugerir que o US$ 1 milhão inicial representava dinheiro novo – "cada incorporador assumindo sua própria parte e pagando por isso" –, mas a sociedade de Rockefeller, Andrews e Flagler teria se dissolvido ao mesmo tempo; em vez de distribuir os ativos, eles seriam convertidos em ações da nova entidade. A reorganização era muito mais sobre flexibilidade do que sobre levantar dinheiro, apesar de haver um novo investidor. Nevins, *ibid.*, então supõe que os banqueiros de Cleveland tenham investido pouco antes do aumento de capitalização de 1872. Nevins faz um uso polêmico dessa suposição, ver a seguir, mas sem maiores indícios, suas conclusões não parecem confirmadas. O quadro na próxima página resume as mudanças de capitalização ao longo do período. Juntos, parecem bastante normais para um período de dois anos, compreendendo apenas a venda das mil ações em tesouraria originais, algumas realocações das ações de Rockefeller e uma venda de parte do lote de Jennings. A BP America, herdeira de parte dos arquivos da Exxon, estava em custódia dos livros de atas dos anos 1870, a fonte de capitalização para Nevins e Chernow, mas os arquivos foram transferidos há alguns anos e agora estão desaparecidos, então não pude determinar as datas exatas das transferências (se é que, na verdade, elas estão demonstradas nos livros de atas). Agradeço os esforços de Sarah Howell na empresa de relações públicas da BP, e de Tom Pardo, funcionário da BP, para encontrá-los. Pouco antes de começar a pesquisa para este livro, a Exxon transferiu seus arquivos mais antigos para a Universidade do Texas. Não sei se eles lançariam uma luz sobre este período, mas permanecerão fechados até por volta de 2006, até que a catalogação seja terminada.

Nevins defende (Allan Nevins, *John D. Rockefeller*, I:306-37) que Rockefeller estava pronto para dar início à sua consolidação de Cleveland antes de ter ouvido falar da SIC e voltou-se para ela apenas como sua segunda melhor opção. Seu indício principal é que Rockefeller tinha expandido a capitalização da empresa antes de ter ouvido falar na SIC e que a fusão com Payne foi independente da SIC. Nenhum dos argumentos é convincente. Ele não aumentou, apenas reorganizou a capitalização da Standard nos dois anos seguintes a 1870, e é difícil acreditar que a fusão com Payne e a compra de ações da Standard e da SIC por Payne em um período muito curto (uma diferença de apenas duas semanas) tenham sido transações sem qualquer relacionamento entre elas. A lista de ações foi reconstruída a partir da narrativa de Nevins, I:290-337.

Lista de ações da Standard Oil, 1870-1872

	10 jan de 1870	31 dez de 1871	Dif.	1º jan de 1872 Dist. a acionistas (13)	1º jan de 1872 Nova emissão (14)	2 jan de 1872 Nova emissão	Total	% de participação
John D. Rockefeller	2.667	2.016	-651	806	3.000		5.822	16,6%
William Rockefeller	1.333	1.459	126	584			2.043	5,8%
Henry Flagler	1.333	1.459	126	584	1.400		3.443	9,8%
Samuel Andrews	1.333	1.458	125	583			2.041	5,8%
Stephen Harkness (1)	1.334	1.458	124	583			2.041	5,8%
O.B. Jennings (2)	1.000	500	-500	200			700	2,0%
Rockefeller, Andrews, & Flagler (3)	1.000	0	-1.000	0			0	0,0%
Amasa Stone (4)		500	500	200			700	2,0%
Stillman Witt (5)		500	500	200			700	2,0%
T.P. Handy (6)		400	400	160			560	1,6%
Benjamin Brewster (7)		250	250	100			350	1,0%
Clark, Payne (8)					4.000		4.000	11,4%
Jabez Bostwick (9)					700		700	2,0%
Joseph Stanley (10)					200		200	0,6%
Peter Watson (11)					500		500	1,4%
J.D. Rockefeller como agente (12)				1.200		10.000	11.200	32,0%
Total	**10.000**	**10.000**	**0**	**4.000**	**11.000**	**10.000**	**35.000**	**100%**

1. Parente por afinidade de Flagler
2. Sogro de William Rockefeller
3. Nome da antiga sociedade; ações reservadas para distribuição futura
4, 5, 6. Banqueiros e empresários de Cleveland
7. Empresário/ investidor
8. Aquisição de refinaria
9. Aquisição de refinaria/ marketing/ negócio de distribuição
10. Aquisição de refinaria
11. Presidente, South Improvement Company
12. Ações em tesouraria, reservadas para aquisições futuras
13. Ações distribuídas *pro rata*, provavelmente em lugar de dividendos em dinheiro
14. Novas ações compradas por Rockefeller/Flagler; restante para aquisições e Watson, além de novas ações em tesouraria.

Citação "aliás", de Ida M. Tarbell, *History*, I:99. Mudança de margens na indústria calculadas a partir de tabela em Harold F. Williamson, *The American Petroleum Industry*, p. 360.

O caso dos muckrakers *contra Rockefeller*

Ron Chernow, *Titan*, p. 435-461, traz um bom ensaio de fundo sobre Tarbell, com base em pesquisa em seus documentos e anotações pessoais. Citações "injustos e ilegais" e "estimulantes e saudáveis" de Ida M. Tarbell, History, I:101, p. 36-37. Harold F. Williamson, *The American Petroleum Industry*, p. 170-189, apresenta uma discussão lúcida sobre o posicionamento das ferrovias e, nas p. 287-301, sobre as respectivas vantagens e desvantagens dos diferentes centros de refino; nas p. 344-346, o caráter secundário, apesar de importante, do frete de petróleo em comparação ao graneleiro. Dados sobre exportação extraídos do United States Bureau of the Census, *Historical Statistics*, vol. 2, Série U, p. 274-294.

Para uma recente discussão neotarbelliana, ver Elizabeth Granitz e Benjamin Klein, "Monopolization by 'Raising Rivals' Costs': The Standard Oil Case", *Journal of Law and Economics*, 39: 1 (Abril de 1996), p. 1-47. Eles afirmam que o verdadeiro monopólio pertencia a três ferrovias – a Erie, a Central e a PRR –, e que elas ergueram a Standard para agir como policial e equilibradora dos fretes entre seu cartel. Apesar de criativo, o argumento tem algumas das mesmas falhas dos de Ida Tarbell. Uma premissa essencial, como foi para Tarbell, é que não havia eficiências de escala no refino, então eles supõem que todas as refinarias estavam obtendo mais ou menos os mesmos retornos, o que é evidentemente errado. Só com essa suposição eles poderiam chegar à conclusão de que, sem o conluio com a Standard, não faria sentido para as outras refinarias vender, em vez de perseverar e gozar de um aumento de preços irrefreado quando Rockefeller obteve seu quase monopólio. Retornos por escala, na verdade, parecem ter sido bem altos durante esse período, como fica claro pelo movimento rápido por parte de todas as melhores refinarias

– além das eficiências de processo e capital, a escala permitia uma melhor exploração de outros produtos além do querosene. E, no caso de Rockefeller, ele se moveu muito mais rapidamente que o resto da indústria para explorar tanto as eficiências de escalas pequenas na administração do refino – como sua própria fábrica de barris – quanto as muito grandes que seriam obtidas com o avanço sobre as atividades de distribuição. Granitz e Klein estão certos em afirmar que, uma década antes do oleoduto de longa distância, a Standard surgiu como a niveladora dos fretes ferroviários, mas isso parece a *consequência* natural de seu poder de mercado. Granitz e Klein acham que foi o contrário, que as ferrovias *conferiram* esse poder à Standard, mas não explicam por que as ferrovias teriam escolhido Rockefeller como seu salvador antes de ele ter poder de mercado – um problema que eles compartilham com Ida Tarbell. Os autores também têm dificuldade considerável em encaixar em sua estrutura a guerra muito sangrenta entre a Standard e a PRR em 1877 (ver capítulo 5). Por fim, uma de suas primeiras provas da existência de uma conspiração é o fato de a Standard não ter explorado totalmente seu poder de mercado para obter tarifas de frete mais baixas das ferrovias. Mas isso é perfeitamente consistente com o comportamento normal de Rockefeller; ele quase sempre ficava satisfeito em permitir pequenos prêmios extraordinários para manter vendedores importantes satisfeitos e leais.

A única menção explícita ao uso de abatimentos para aumentar a receita das ferrovias para os acionistas está em Allan Nevins, I:262, em que um contemporâneo os explica como um artifício "para satisfazer os acionistas de um lado e evitar a concorrência de outro". É um comportamento normal para os primeiros investidores em uma indústria de alto crescimento se concentrar no crescimento da receita e da fatia de mercado em vez de em lucros. Como exemplo da discussão aberta sobre abatimentos posteriores, ver o testemunho de Peter Watson e O.H.P. Archer, na época, respectivamente, presidente e vice-presidente da Erie, Assembly of the State of New York, *Report*, p. 417-419, 299-302. Para uma discussão quase contemporânea sobre as virtudes dos abatimentos, ver Guy Morrison Walker, *Railroad Rates and Rebates* (New York: edição do autor, 1917) – um ensaio jurídico que argumenta, acho que de maneia acertada, que os abatimentos normalmente abriram caminho para reduções tarifárias gerais. O padrão de reduções tarifárias regulares terminou com a regulação, para ser sucedido por um período longo de tarifas crescentes e lucros reforçados.

Sobre a Standard e abatimentos posteriores, John Archbold afirmou em uma comissão do Congresso em 1889 que a Standard não recebeu abatimentos depois que eles foram proibidos em 1887 e apresentou cartas de todas as principais ferrovias que confirmavam sua declaração – U.S. House of Representatives, *Investigation of Certain Trusts: Report in Relation to the Sugar Trust and Standard Oil Trust by the Committee on Manufactures* (Washington, D.C.: U.S. Government Printing Office, 1889), p. 514 e seg. Chernow, *op. cit.*, p. 252, conta que, apesar de Rockefeller (muito tempo depois) ter dito que a Standard não recebeu abatimentos após 1880, a prática sobreviveu por "boa parte dos anos 1880", citando um caso de 1886, que foi, claro, antes da proibição. (Rockefeller provavelmente se confundiu com as datas, mas Chernow, como Tarbell, parece acreditar que os abatimentos sempre foram ilegais em todos os lugares.)

As citações no texto e na nota de pé de página sobre a lei costumeira e restrições ao comércio são de Tony Allan Freyer, *Regulating Big Business: Antitrust in Great Britain and America* (New York: Cambridge University, 1992), p. 127, 24. Mesmo falar de uma lei costumeira britânica sobre ferrovias é equivocado, pois as ferrovias eram regidas por legislações muito específicas desde os primeiros dias – cerca de novecentas leis relacionadas às ferrovias foram aprovadas só nos anos 1840 e 1850. Ver Edward Cleveland-Stevens, *English Railways: Their Development and Relation to the State* (New York: Dutton, 1915). Os dados sobre legislação estão na p. 25. A regulamentação tarifária parlamentar costumava se concentrar em tarifas máximas e parece muito mais focalizada na provisão de passageiros que as iniciativas americanas. Em um caso importante do início dos anos 1840, o ministro da Justiça inglês se recusou a proibir tarifas diferenciadas, afirmando que a corte "não iria interferir a menos que estivesse claro que isso fosse uma exigência do interesse público, e que, nesse caso, sendo reconhecido que o preço mais alto não era mais do que o permitido pela lei, não parecia que o público tenha sido prejudicado por aquele arranjo" (p. 46n). A citação "preferências ou vantagens" é de uma lei abrangente de 1854 que tentava codificar esquemas legislativos anteriores, *ibid.*, p. 193.

Para a recepção da lei costumeira na doutrina americana antitruste, ver Rudolph J.R. Peritz, *Competition Policy in America, 1888-1992: History, Rhetoric, Law* (New York: Oxford University, 1996), p. 13-38. A citação "Em um período" foi extraída de *Standard Oil Co. of N.J. v. U.S. 221 U.S. 1 (1911)*, 52. A Suprema Corte não achou que qualquer caso específico da Standard fosse ilegal e concordou com as instâncias inferiores de que os atos supostamente em restrição ao comércio que aconteceram antes da aprovação do Sherman Act não podiam ter sido ilegais. Mas a corte afirmou que a Standard tinha conseguido tamanho controle da indústria que representava um monopólio, o que era por definição uma "restrição ilegal ao comércio". A história desses procedimentos, se os atos individuais foram ou não legais, foi considerada relevante para definir se houvera a intenção de assumir o controle da indústria – o que dificilmente poderia ser contestado. Para a lei costumeira e Progressistas, ver os primeiros três capítulos de Edward A. Purcell Jr., *Brandeis and the Progressive Constitution: Erie, the Judicial Power, and the Politics of the Federal Courts in Twentieth-Century America* (New Haven, Conn.: Yale University, 2000).

Para Tarbell sobre a aquisição da região petroleira, Ida M. Tarbell, *History*, I: 154-160. Chernow, *Titan*, p. 150, sugere que Rockefeller foi levado à consolidação por sua "dívida enorme", o que é altamente questionável. Rockefeller tomava emprestado praticamente apenas de bancos, que na época eram quase exclusivamente emprestadores de curto prazo. Uma carta bancária citada por Nevins, I:274, estipula que no ano anterior (1869), a contabilidade de Rockefeller variou entre altos níveis de endividamento e grandes excedentes em dinheiro, o que é de se esperar no caso de um tomador de empréstimos de curto prazo de capital de giro. Em comparação às ferrovias, o refino não exigia tanto capital, e novas instalações entravam rapidamente em linha. A Standard conseguiu reconstruir praticamente toda a indústria de refino de Cleveland em 1872-1873 e ainda manter o fluxo de produção, aparentemente com lucratividade. Os grandes dividendos pagos também seriam inconsistentes com uma empresa pressionada por uma pesada carga de empréstimos. Chernow, 151, também diz que "acordos de não concorrência com os gerentes de empresas adquiridas hoje seriam considerados uma restrição ilegal ao comércio". Na verdade, eles são padrão nos acordos de aquisição – eu já assinei vários – apesar de que os tribunais modernos não aceitariam os prazos de dez anos dos contratos de Rockefeller, e algumas cortes estaduais normalmente se recusariam a aceitá-los, exceto em circunstâncias excepcionais.

Carnegie escolhe uma carreira
O resumo dos múltiplos empreendimentos de Carnegie foi extraído de Joseph Frazier Wall, *Andrew Carnegie* (Pittsburgh, Pa.: University of Pittsburgh, 1989), p. 192-306. Para a ponte St. Louis, ver Robert W. Jackson, *Rails across the Mississippi: A History of the St. Louis Bridge* (Urbana, Ill.: University of Illinois, 2001); a citação de Sullivan é de Carl W. Condit, "Sullivan's Skyscrapers as an Expression of Nineteenth Century Technology", *Technology and Culture* (inverno de 1959), p. 62-83, em p. 67. Tanto o livro de Jackson quanto o de David G. McCullough, *The Great Bridge* (New York: Simon and Schuster, 1972), sobre a ponte do Brooklyn, têm descrições excelentes dos caixões pneumáticos. (Os problemas de descompressão são um risco comum para mergulhadores. Mergulhadores amadores vão a profundidades de até quarenta metros sem precauções especiais, além de ter um limite de tempo no fundo e de subir lentamente. O problema nas pontes era a velocidade com que os homens voltavam à superfície, não a profundidade em si.) A citação de Morgan sobre atrasos é de Robert W. Jackson, *Rails*, p. 135; "Acho que o sr. Gould" e "um pouco menos favoráveis" extraídos de, respectivamente, Vincent P. Carosso, *The Morgans: Private International Bankers, 1854-1913* (Cambridge, Mass.: Harvard University, 1987), p. 244, e Julius Grodinsky, *Jay Gould*, p. 340.
As severas sanções da Pennsylvania sobre seus executivos são detalhados em *Report of the Investigating Committee of the Pennsylvania Railroad Company* (Filadélfia, Pa.: 10 de março de 1874), um documento impressionantemente meticuloso e profissional. Para a evolução do conflito de interesses, ver Steven W. Usselman, *Regulating Railroad Innovation*, especialmente p. 65-82, que focaliza a Pennsylvania. Para a nota de rodapé sobre o uso de informação privilegiada nessa época, ver Naomi Lamoreaux, "Information Problems and Banks' Specialization in Short-Term Commercial Lending: New England in the Nineteenth Century", em Peter Temin, ed., *Inside the Business Enterprise: Historical Perspectives on the Use of Information* (Chicago, Ill.: University of Chicago, 1991), p. 161-205.

4. Ajustes violentos

As principais fontes para as greves são Philip Foner, *The Great Labor Uprising* (New York: Monad, 1977); J.A. Dacus, *Annals of the Great Strikes in the United States* (New

York: Burt Franklin, 1969) (reimpressão da edição de 1877); junto com os relatórios em *Commercial and Financial Chronicle*. Citações "saturnália" e "erros da má administração" do *Chronicle*, 28 de julho de 1877; "paz em toda parte" (na verdade, *Pax semper et ubique*) em Foner, *op. cit.*, p. 200-201. A frase "longa e impiedosa" foi extraída de Allan Nevins, *John D. Rockefeller: The Heroic Age of American Enterprise* (New York: Charles Scribner's Sons, 1940 [2 vols.], I:444.

O crash de 1873

A carreira de Jay Cooke e a história de seu banco foram extraídas principalmente de Henrietta M. Larson, *Jay Cooke, Private Banker* (Cambridge, Mass.: Harvard University, 1936), complementadas por relatos da época do *Chronicle*. As citações "recebida com", "pânico de Jay Cooke" e "Desde o fim" são do *Chronicle* de 20 de setembro de 1873; a história do *default* das ferrovias foi extraída do *Chronicle* de 10 de outubro de 1874. Após o colapso de seu banco, Cooke, em vez de não pagar seus credores à la Jay Gould, passou três anos negociando acordos e acabou, se não realmente pobre, com meios bastante restritos. Em poucos anos, ele fez nova fortuna na mineração de prata e, antes de sua morte, teve o prazer de ver a Northern Pacific alcançar suas maiores previsões. Duluth ergueu uma estátua em sua homenagem, e ele foi convidado de honra da ferrovia em um trem especial para a viagem completa até Puget Sound.

As fontes sobre o arrocho bancário são reportagens do *Chronicle*, assim como Frederick J.L. Edwards, "Some Economic Effects of the Depression of the 1870s in the United States" (dissertação de mestrado, Columbia University; 1951), e Milton Friedman e Anna Jacobson Schwartz, *A Monetary History of the United States, 1867-1960* (Princeton, N.J.: Princeton University, 1963), p. 76-77. O capítulo de Friedman e Schwartz "The Greenback Period", p. 15-88, é um ótimo resumo do período. O crescimento da safra entre 1872 e 1873 foi extremamente grande – as exportações para a Grã-Bretanha, principal cliente dos Estados Unidos, saltaram de 12 milhões de alqueires em 1872 para 26 milhões em 1873, muito mais que qualquer ano anterior, *Chronicle*, 12 de setembro de 1874.

Uma década muito peculiar

Há um bom resumo do trabalho de reconstrução em Paul W. Rhode, "Gallman's Annual Output Series for the United States, 1834-1909", *National Bureau of Economic Research, Working Paper 8860* (abril de 2002), que traz um conjunto atualizado de tabelas de Gallman, assim como as próprias correções e ajustes não publicados de Gallman. As tabelas originais de Gallman foram extraídas de Robert E. Gallman, "Gross National Product in the United States, 1834-1909", em Dorothy Brady, ed., National Bureau of Economic Research, *Output, Employment, and Productivity in the United States after 1800* (New York: Columbia University, 1966), p. 3-75. Ver também Simon Kuznets, "Notes on the Pattern of U.S. Economic Growth", em Edgar O. Edwards, ed., *The Nations Economic Objectives* (Chicago, Ill.: University of Chicago, 1964). As taxas anuais de crescimento são de 4,5% de 1869 a 1879, e de 6,0% de 1870 a 1880 (o crescimento em 1880 foi muito intenso); as médias aritméticas de cinco anos de Kuznets dão uma taxa anual de 4,95%. Gallman não faz estimativa dos dados para a década de 1859-1868 devido aos problemas resultantes da guerra, apesar de Kuznets fazê-lo. Comparando os cinco anos de 1869-1873 aos de 1879-1883, chegamos a 6,1%.

O cálculo de maior crescimento "mais recente" é citado em Michael D. Bordo e Angela Redish, "Is Deflation Depressing? Evidence from the Classical Gold Standard", *NBER Working Paper 520* (Cambridge, Mass.: National Bureau of Economic Research, fevereiro de 2003), p. 15.; Friedman e Schwartz, com base em sua análise monetária, acham que os dados de Kuznets podem ser altos demais, mas enfatizam que mesmo sua estimativa mais baixa "confirma uma descoberta surpreendente sobre as estimativas de Kuznets: que a década entre 1869 e 1879 foi marcada por um crescimento de produção extremamente acelerado, a uma taxa de 4,3 a 4,9% ao ano na produção total e de 2,0 a 2,6% ao ano em produção *per capita*".

Os números de commodities e de produção física, exceto onde observado, foram extraídos de Robert S. Manthy, *Natural Resource* Commodities – *A Century of Statistics: Prices, Output, Consumption, Foreign Trade, and Employment in the United States, 1870-1913* (Baltimore, Md.: Johns Hopkins University, 1978), ver Quadros N-1, 2, 4, e 5; MC-11, 20 e MO-3; para alimentos, Quadros AC-ll, 12, 9 e 10. Não existem dados abrangentes sobre embarque ferroviário de cargas nesse período, então tirei uma amostra de grandes ferrovias do importante *Poor's Manual of Railroads* (Henry V. Poor) (New York: Poor's Publishing Co., ano de 1869). Para a Chicago, Burlington, and Quincy; a Lake Shore and Michigan e Southern; New York Central; Pennsylvania; e Union Pacific, de 1871 (1872 para a Union Pacific) a 1877, a tonelagem de frete cresceu, respectivamente, 135%, 46%, 40%, 47% e 89%, o que aparentemente é consistente com os aumentos na produção de commodities. Dados referentes à imigração extraídos de United States Bureau of the Census, *Historical Statistics of the United States, Colonial Times to 1970* (2 vols.) (Washington, D.C.: U.S. Government Printing Office, 1975), Série C 89-119.

Para a produção de aço dos Estados Unidos e do Reino Unido, Peter Temin, "Relative Decline of British Steel Industry, 1880-1913", em Henry Rosovsky, ed., *Industrialization in Two Systems: Essays in Honor of Alexander Gerschenkron by a Group of His Students* (New York: John Wiley, 1966), p. 140-155, na p. 143. A citação "terrível" e os volumes de coque da Frick extraídos de Kenneth Warren, *Wealth, Waste, and Alienation: Growth and Decline in the Connellsville Coke Industry* (Pittsburgh, Pa.: University of Pittsburgh, 2001), p. 34, 32. Para emprego, usei Stanley Lebergott, "Labor Force and Employment, 1800-1960", em Dorothy Brady, ed., *Output, Employment, and Productivity*, p. 117-204, com os ajustes para as ferrovias de Albert Fishlow, "Productivity and Technological Change in the Railroad Sector, 1840-1910", em *ibid.*, p. 583-646. A frase "à classe assalariada" é citada por Thomas Kessner, *Capital City: New York City and the Men behind America's Rise to Economic Dominance, 1860-1900* (New York: Simon and Schuster, 2003), p. 191. Os dados para a nota de rodapé sobre trabalho não qualificado são de Edith Abbott, "The

Wages of Unskilled Laborers in the United States, 1850-1900", *The Journal of Political Economy*, vol. 13, n. 3 (junho de 1905), p. 321-67, em p. 363.

A visão geral da vida privada segue, exceto onde observado, Samuel Reznack, "Distress, Relief, and Discontent in the United States during the Depression of 1873-1878", *Journal of Political Economy* (dezembro de 1950), p. 494-512. A citação "20%" está na p. 496. A "muito mencionada" análise da época é citada na íntegra em Reznack. Não consegui localizar um exemplar, mas a descrição parece deixar claro que corresponde aos dados de preços (o que Friedman e Schwartz também imaginaram, *op. cit.*, p. 43n). Para volumes de commodities, ver tabela; para exportações de bens apenas em preços atualizados, United States Bureau of the Census, *Historical Statistics*, Série U, 1-25. O meio milhão de desempregados era uma estimativa da época do comissário de trabalho de Massachusetts, Carroll Wright, extrapolando a partir de seus números de Massachusetts (Reznack, *op. cit.*, p. 498), enquanto os cinco milhões, o maior número que já vi, são de Philip Foner, *The Great Labor Uprising of 1877*, p. 24, mas nenhuma fonte é citada. (Talvez a estimativa de Wright ganhe alguma credibilidade a partir de sua encarnação posterior como o pioneiro das estatísticas trabalhistas abrangentes em nível federal.) Para concentração de trabalho em pequenas e médias empresas, ver Stanley Lebergatt, "Labor Force", p. 118-120; e também Harold F. Williamson, Ralph L. Andreano e Carmen Menezes, "The American Petroleum Industry", em Dorothy Brady, ed., *Output, Employment, and Productivity*, p. 349-403, na p. 377. A estimativa de perda de postos de trabalho é da edição de 22 de agosto de 1874 do *Chronicle*. A maior equipe de construção de ferrovia jamais reunida nos Estados Unidos eram os cerca de seis mil homens empregados pela Union Pacific para cruzar as Rochosas. (Os grupos de chineses na Central Pacific eram ainda maiores, mas ninguém os teria considerado em estatísticas de desemprego.) Entretanto, a equipe da UP era quase uma cidade móvel, com um grande número de carreteiros que levavam suprimentos para uma região ainda relativamente inexplorada, condutores de gado, lenhadores e serradores para colher nas florestas os postes e dormentes, além de equipamento para abrir os gigantescos cortes na rocha ou montar estruturas para atravessar os desfiladeiros das montanhas, por dentro ou por cima deles. Ver Maury Klein, *Union Pacific,* vol. 1 (New York: Doubleday, 1987), p. 165-169. As equipes normais, em determinadas áreas, seriam de centenas. Para se ter uma ideia, nos anos 1870, uma equipe podia instalar oito quilômetros de trilhos por dia. Em um bom ano, a indústria acrescentava cinco mil milhas de novos trilhos. A perda de emprego após o *crash* do aço foi extraída de Thomas J. Misa, *A Nation of Steel: The Making of Modern America, 1865-1925* (Baltimore, Md.: Johns Hopkins University, 1995), p. 31.

Para outros fabricantes, ver David A. Hounshell, *From American System to Mass Production, 1800-1932: The Development of Manufacturing Technology in the United States* (Baltimore, Md.: Johns Hopkins University, 1984), p. 89 (Singer), 147 (Studebaker) e 174-176 (McCormick); Philip Scranton, *Endless Novelty: Specialty Production and American Industrialization*, 1865-1925 (Princeton, N.J.: Princeton University, 1997), p. 90-91 (Filadélfia) e 109 (Providence). A citação "Apesar do" na nota é de Scranton, *ibid.*,

p. 91. Para área cultivada e mecanização, William Parker e Judith L.V. Klein, "Productivity Growth in Grain Production in the United States, 1840-1860 and 1900-1910", em Dorothy Brady, ed., *Output, Employment, and Productivity*, p. 523-582, nas p. 542-543. Para as alterações de capital de anexações "extensivas", como limpeza de mais terra, para investimentos "intensivos", como a mecanização nos anos 1870, ver Robert Gallman, "The United States Capital Stock in the Nineteenth Century", em Stanley Engerman e Robert Gallman, eds., *Long-Term Factors in American Economic Growth: National Bureau of Economic Research Studies in Income and Wealth*, vol. 51 (Chicago: University of Chicago, 1986), p. 165-214.

As finanças da Pennsylvania estão em *Report of the Investigating Committee of the Pennsylvania Railroad Company* (Filadélfia, Pa.: March 10, 1874). Os ganhos nacionais das ferrovias são do *Poor's Manual of Railroads*, 1877-1878 (que tem um quadro de dez anos). As receitas cresceram cerca de 30% de 1871 até o ano emblemático de 1873, então caíram em cerca de 10% entre 1873 e 1877, enquanto as margens de operação sobre essas receitas cresceram de 35,1% em 1871 para 36,2% em 1877. O único ano em que a margem caiu abaixo de 35% foi 1873, quando, provavelmente, o faturamento bruto foi tão bom que as ferrovias se deram o luxo de relaxar um pouco. Citação do *The Sun* extraída de Foner, *op. cit.*, p. 34; editorial do *Chronicle* de 28 de julho de 1877.

Choque de oferta?

A discussão sobre o *greenback* foi extraída principalmente de Irwin Unger, *The Greenback Era*, e Milton Friedman e Anna Jacobson Schwartz, *A Monetary History*. As citações do *Chronicle* são das edições de 23 de maio de 1874 e 27 de março de 1975. Ver Michael D. Bordo e Angela Redish, "Is Deflation Depressing?", que defende o caso de um "choque de oferta". Para o desenvolvimento das guias de embarque e da contabilidade de carros, Alfred D. Chandler, Jr., *The Visible Hand: The Managerial Revolution in American Business* (Cambridge, Mass.: The Belknap of Harvard University, 1977), p. 128-129. As citações "Sem dúvida os preços", "uma esmagadora massa" e "lamentos" são de A. E. Musson, "The Great Depression in Britain, 1873-1896: A Reappraisal", *Journal of Economic History XIX* (junho de 1959), p. 199-228, nas p. 199-200. S.B. Saul, *The Myth of the Great Depression*, p. 873-1896 (Basingstoke, Hampshire, U.K.: Macmillan, 1985), é uma análise extensa das mesmas questões que, em linhas gerais, concorda com Musson.

O nascimento da fazenda-fábrica

Minha principal fonte para as fazendas *bonanza* é Hiram A. Drache, *The Day of the Bonanza: A History of Bonanza Farming in the Red River Valley of the North* (Fargo, N.D.: North Dakota Institute for Regional Studies, 1964). Outros materiais úteis incluem Jeremy Atack, Fred Bateman e William N. Parker, "The Farm, The Farmer, and the Market", em Stanley Engerman e Robert Gallman, eds., *The Cambridge Economic History of the United States, Vol. II, The Long Nineteenth Century* (Cambridge, U.K.: Cambridge University,

2000), p. 245-284; para uma versão mais curta que cobre grande parte do mesmo material, ver Jeremy Atack e Peter Passell, *A New Economic View of American History* (New York: W.W. Norton, 1994), p. 402-426. Para detalhes sobre fazendas específicas, há uma grande quantidade de material em www.fargo-history.com. O funcionamento das fazendas foi extraído de Hiram A. Drache, *The Day of the Bonanza*, p. 91-120; para dados referentes à produtividade, ver Jeremy Atack etc., "The Farm", p. 258-263; Jeremy Atack e Peter Passell, *A New Economic View*, p. 280-281. Para o crescimento das bolsas de grãos, ver Alfred D. Chandler Jr., *The Visible Hand: The Managerial Revolution in American Business* (Cambridge, Mass.: The Belknap of Harvard University, 1977), p. 209-215. A Kansas Board of Trade, uma das primeiras bolsas de trigo, também tem material histórico útil à disposição em seu website.

A linha de desmontagem

Minhas principais fontes para a criação de gado e a indústria frigorífica são Jimmy M. Skaggs, *Prime Cut: Livestock Raising and Meatpacking in the United States, 1607-1983* (College Station, Tex.: Texas A&M University, 1983), p. 50-89 (criação de gado) e 90-129 (indústria frigorífica); e Robert Adudell e Louis Cain, "Location and Collusion in the Meatpacking Industry", em Louis P. Cain e Paul J. Uselding, eds., *Business Enterprise and Economic Change: Essays in Honor of Harold F. Williamson* (Kent, Ohio: Kent State University, 1973), p. 85-117. As duas fontes são ricas em informação e concordam substancialmente. Adudell e Cain fazem algumas observações sobre a concorrência. Os açougueiros locais conseguiam competir desde que estivessem entre 150 a 500 quilômetros de seus fornecedores de carne – ou seja, os baixos custos de transporte compensavam a falta de escala. Por outro lado, os autores afirmam que as fábricas de processamento de carne dos anos 1890 eram grandes demais. As economias de escala se reduziam conforme a produção chegava a cem carcaças por dia. (Os frigoríficos ainda tinham de trabalhar em uma rês de cada vez, enquanto as usinas siderúrgicas podiam instalar altos-fornos e usinas de laminação cada vez maiores.) O comportamento racional teria conduzido a unidades de processamento muito mais descentralizadas para se beneficiar das economias de transporte no princípio da cadeia. Adudell e Cain sugerem que os conluios generalizados que marcaram a indústria a partir de meados dos anos 1880 foram necessários para proteger grandes investimentos em unidades de processamento. O mantra dos industrialistas nessa época era que o maior era sempre melhor – Andrew Carnegie estava entre os maiores defensores desse ponto de vista –, mas, na verdade, a escala apropriada depende do processo que está sendo racionalizado. Nas indústrias extrativas e de infraestrutura, como petróleo e aço, por acaso a escala adequada era muito grande. A citação de "Ontem foi" vem de Robert W. Jackson, *Rails across the Mississippi: A History of the St. Louis Bridge* (Urbana, Ill.: University of Illinois, 2001), p. 152-153. Para informação sobre Jay Gould e as ferrovias do Sudoeste, ver Julius Grodinsky, *Jay Gould: His Business Career, 1867-1892, The Expansion of America's Railroad Empire* (Filadélfia, Pa.: University of Pennsylvania, 1957), p. 252-267.

O breve trecho que explora a discrepância entre a percepção da época e os dados econômicos geralmente aceitos é obviamente especulativo, mas seria consistente com episódios de mudança rápida em nossa própria época, em particular nos países em rápido desenvolvimento. Os romances de Frank Norris sobre o negócio do trigo, *The Octopus* (1901) e *The Pit* (1903), tratam o mercado quase como um vasto sistema climático natural sem elementos humanos. A ideologia americana de sempre caminhar para a frente provavelmente fez com que a transição para a modernidade fosse muito mais rápida e menos dolorosa que em muitos outros países. Para os Grangers, utilizei Solon Justus Buck, *The Granger Movement: A Study of Agricultural Organization and Its Political, Economic, and Social Manifestations* (Lincoln, Neb.: University of Nebraska, 1963; reimpressão da edição de 1913 da Harvard University). As *Granger Laws* estão no centro de uma série importante de casos da Suprema Corte que asseguraram aos estados o direito de regular os negócios que envolviam algum "interesse público" mesmo em áreas onde o governo federal tivesse uma jurisdição reguladora superior. *Munn v. Illinois*, 94 U.S. 113 (1877) é o caso principal. Ele manteve uma regulamentação estadual sobre silos, que era um caso mais difícil que o das ferrovias, já que não ficavam em terras públicas. Para informação sobre rotas curtas de custo mais elevado, Stanley Lebergott, *The Americans: An Economic Record* (New York: Norton, 1984), p. 290-291. Sobre a taxa de execuções hipotecárias, *ibid.*, p. 306. Em um caso do qual existem bons registros – para a família de banqueiros Davenport entre 1869 e 1900 – houve execução em apenas dezenove de 1.380 empréstimos; ver também Jeremy Atack e Peter Passell, *A New Economic View*, p. 412-414.

5. Megamáquina

Para uma bela descrição da Exposição da Filadélfia, ver William Dean Howells, "A Sennight of the Centennial", *The Atlantic Monthly* (julho de 1876), p. 92-107, e também Donald E. Sutherland, *The Expansion of Everyday Life*-1860-1876 (Fayette, Ark.: University of Arkansas, 2000), p. 263-270. A citação "Querida mamãe" está em Sutherland, p. 264. A dos Howells foi extraída de *op. cit.*, p. 96. Para informação sobre George Corliss e seu motor, ver Louis C. Hunter, *A History of Industrial Power in the United States, 1780-1930, Vol. II: Steam Power* (Charlottesville, Va.: The University of Virginia, 1985), p. 251-300. Há uma longa nota sobre o próprio motor na p. 293. Corliss pode ter sido o americano que fez as maiores contribuições à tecnologia de máquinas a vapor. O motor da exposição, apesar de relatos que afirmam o contrário, não foi o maior construído em todos os tempos, mas ficou perto disso. Quando a exposição terminou, o motor foi comprado pela Pullman Company e forneceu energia para uma de suas fábricas de vagões até ser substituído por uma turbina em 1910. Para uma avaliação das ferrovias como força motriz econômica, ver Albert Fishlow, "Internal Transportation in the Nineteenth and Early Twentieth Century", em Stanley Engerman e Robert Gallman, eds., *The Cambridge Economic History of the*

United States, Vol. II, The Long Nineteenth Century (Cambridge, R.U.: Cambridge University, 2000), p. 543-642, especialmente p. 609-623. Esse ensaio resgata grande parte do trabalho anterior de Fishlow e hoje é a última palavra sobre esse assunto tão controvertido.

A usina siderúrgica Edgar Thomson

A descrição da usina ET vem principalmente de A.L. Holley e Lenox Smith, "American Iron and Steel Works, No. XXI, The Works of the Edgar Thomson Steel Company (Limited)", *Engineer* (Londres), 19 de abril de 1878, p. 295-301; 26 de abril de 1878, p. 313-317; 17 de maio de 1878, p. 381-384. (Citações extraídas das páginas 313, 383 e 295.) Também utilizei Joseph Frazier Wall, *Andrew Carnegie* (Pittsburgh, Pa.: University of Pittsburgh, 1989), p. 309-322, e Thomas J. Misa, *A Nation of Steel: The Making of Modern America, 1865-1925* (Baltimore, Md.: Johns Hopkins University, 1995), p. 23-28. O "especialista inglês" é Frank Popplewell, *Some Modern Conditions and Recent Developments in Iron and Steel Production in America* (Manchester, R.U.: University, 1906), em que ele especificou seis aspectos "americanos" característicos, um dos quais, o quinto, aplica-se à tecnologia de forno aberto de Siemens, não ao processo Bessemer da ET. São eles: "(1) a combinação muito próxima entre usinas de ferro-gusa e fundições, (2) o uso em conversores Bessemer e fornos abertos furnaces de ferro-gusa derretido direto do alto-forno, (3) a equalização da composição dos produtos de vários fornos efetuada por meio de um misturador de ferro-gusa, (4) lingotamento em carros, (5) o uso de carregadores mecânicos para abastecer fornos abertos e (6) a grande substituição de trabalho manual por máquinas nas usinas de laminação". Os itens 4 e 6 já funcionavam desde o princípio, e a integração da fabricação de ferro e aço com os próprios altos-fornos da ET ocorreu em 1879. Os altos-fornos foram ligados diretamente ao conversor em 1882, com o último passo para um processo contínuo completo, o "Jones mixer", instalado em 1887, Misa, *op. cit.*, p. 27-28, e Peter Temin, *Iron and Steel in Nineteenth-Century America: An Economic Inquiry* (Cambridge, Mass.: The MIT, 1964), p. 157. A citação "Onde mais" foi extraída de Wall, *op. cit.*, p. 320. Os lucros da ET estão em ACLC, vol. 73. Eles foram de 22,9% (sobre uma capitalização de US$ 750 mil) em 1876; 19% (sobre uma capitalização de US$ 1 milhão) em 1877; e 29% (sobre uma capitalização média de US$ 1,034 milhão) em 1878. A capitalização foi aumentada de US$ 1 milhão para US$ 1,25 milhão em 11 de novembro de 1878 (ACLC, v. 4), valor que utilizei no cálculo da média anual.

O aço é rei

Além do material citado na seção anterior, D.L. Burn, *The Economic History of Steelmaking, 1867-1939: A Study in Competition* (Cambridge, U.K.: Cambridge University, 1940) oferece uma visão excelente sobre a indústria americana de uma perspectiva britânica, com muita informação detalhada sobre a comparação dos métodos. A narrativa do desenvolvimento tecnológico foi extraída principalmente de Thomas Misa, *Nation of Steel*, e Peter Temin, *Iron and Steel*. A citação "o suco de quatro cebolas" vem de

Misa, p. 176. A controvérsia sobre as definições, em sua primeira fase, questionava se os conteúdos de carbono por si só eram determinantes para definir um produto como aço ou não, ou se havia também a exigência de alguns passos no processo – sobretudo temperaturas extremamente elevadas para garantir um produto mais homogêneo que os aços de baixo carbono típicos. O aumento das especificaçõs químicas e, com o passar do tempo, a substituição de definições com base na química por outras com base em estruturas moleculares aos poucos alcançaram o consenso. Misa, p. 31-39, traz uma boa discussão. Minha compreensão da contribuição de Holley para a indústria americana foi bastante aprofundada por uma coleção de seus relatórios e discursos na HSWP, Caixa 36B. Para a recepção inicial da "American practice" na Grã-Bretanha, ver D.L. Burn, *Economic History*, p. 47-51. O "subsídio" às usinas Vulcan pode ter sido um pagamento por ela ter protelado sua entrada no ramo de trilhos; para uma discussão sobre o tema, ver Peter Temin, *Iron and Steel*, p. 176-178.

O rei do aço

Exceto onde há observações, esta narrativa foi extraída principalmente de Joseph Frazier Wall, *Andrew Carnegie*. A citação de Carnegie "Um homem que" está em *ibid.*, p. 319. Sua contabilidade pessoal de 1873 foi extraída de HSWP Caixa 20, pasta 2. O seu saldo era de apenas US$ 4.708 no final do ano, além de US$ 66.327 em contas a receber. Mais da metade dos ativos era em ações da Carnegie Company e outras participações sem muita liquidez. As empresas também tinham tomado muitos empréstimos para financiar o alto-forno Lucy, e a Carnegie estava ainda mais pressionada por uma especulação tola de Andrew Kloman. Kloman não tinha percebido que, ao investir em uma sociedade de mineração, tinha deixado suas ações da Carnegie, Kloman ao alcance dos credores da sociedade. Carnegie teve de intervir para evitar que as ações caíssem em mãos externas. A história da reunião com os "Pais" Bessemer na verdade foi relatada em 1928, ou 53 anos após o acontecimento. A citação "Vou deixar", foi extraída de Wall, *op. cit.*, p. 331. Não há como a Carnegie ter atingido 19% de toda a produção da indústria desde o princípio. A produção de aço em 1876 foi de 533 mil toneladas; 19% teriam sido 101 mil toneladas. A Carnegie provavelmente produziu cerca de metade disso, e quase tudo em trilhos. Uma fatia de 19% só em trilhos teria cerca de 70 mil toneladas, ou cerca de 40% a mais que sua produção real de trilhos. Os dados sobre a produção são de Peter Temin, *Iron and Steel*, "Appendix C: Statistics of Iron and Steel", p. 264-285.

Para os manuais de aço de estrutura, Thomas J. Misa, *Nation of Steel*, p. 71-74. A citação "Quando a demanda" foi extraída de D.L. Burn, *Economic History*, p. 283; "com a exceção" de A.L. Holley e Lenox Smith, "American Iron and Steel Works", 26 de abril de 1878, p. 313. As cartas do capitão Jones estão em HSWP, Caixa 71, Pasta 1; as datas das cartas citadas são 6 de maio de 1878, 7 de maio de 1881 e 2 de novembro de 1883. Os relatórios mencionados estão em *ibid.*, Caixa 72, pasta 5. As citações "na verdade, muito tristes" e "Os dois caminhos" estão em Wall, *op. cit.*, p. 351, 349. Para "operação no limite", ver Peter Temin, *Iron and Steel*, p. 160-163. A encomenda da Pennsylvania está registrada em "The Pennsylvania Railroad, Nº LVIII, Maintenance of Way", *Engineer* (8 de fevereiro de 1878), p. 100; o item também registra que nessa época 79% dos trilhos da Pennsylvania eram de aço. A negociação de Garrett está em Steven W. Usselman, *Regulating Railroad Innovation: Business, Technology, and Politics in America, 1840-1920* (New York: Cambridge University, 2002), p. 89.

Gould volta do túmulo

O relato do envolvimento de Gould com a Union Pacific combina os existentes em Maury Klein, *The Life and Legend of Jay Gould* (Baltimore, Md.: Johns Hopkins University, 1986); Maury Klein, *Union Pacific* (New York: Doubleday, 1987, vol. l); e Julius Grodinsky, *Jay Gould: His Business Career, 1867-1892, The Expansion of America's Railroad Empire* (Filadélfia, Pa.: University of Pennsylvania, 1957). As citações "roubar" e "a ascensão" são de Maury Klein, *Union Pacific*, p. 308.

Para informação sobre o escândalo do Crédit Mobilier, além das fontes recém-mencionadas, utilizei Robert W. Fogel, *The Union Pacific Railroad: A Case in Premature Enterprise* (Baltimore, Md.: Johns Hopkins University, 1960), e J.B. Crawford, *The Crédit Mobilier of America: Its Origin and History* (Westport, Conn.: Greenwood, 1969; reimpressão da edição de 1880). Há um relato cuidadoso do envolvimento de Garfield em Allan Peskin, *Garfield: A Biography* (Kent, Ohio: Kent State University, 1978), p. 359-362, 412-413. Oakes Ames estava claramente financiando aquisições de ações da UP para congressistas escolhidos pela UP em um mercado em crescimento. Eles não botavam dinheiro algum; ele apenas registrava as supostas compras em seus livros e mais tarde lhes enviava cheques com seus lucros. Garfield, de maneira bem pouco convincente, disse que achava que seu cheque era um empréstimo. Entretanto, se Garfield teve o bom senso de inventar uma desculpa, Colfax embaraçou a todos ao insistir que havia se comportado de maneira apropriada, por isso recebeu uma punição mais severa. Ames disse que o veredicto o lembrava "o homem em Massachusetts que cometeu adultério e o júri chegou ao veredicto de que ele era culpado como o diabo, e a mulher, inocente como um anjo" (Peskin, *ibid.*, p. 362). A citação "O sinal" está em Maury Klein, *Life and Legend*, p. 141; a "vara de condão" em Julius Grodinsky, *Jay Gould*, p. 129; e "nos enganar" em Klein, *Life and Legend*, p. 145. O aumento nos ganhos da UP em 1874 e 1875 foram obtidos em reportagens no *Commercial and Financial Chronicle*, 6 de junho de 1874 e 2 de outubro 1875. (O ano fiscal da ferrovia terminava em junho.) O melhor relato que encontrei sobre o papel de Tom Scott na crise política de 1877 está em C. Vann Woodward, *Reunion and Reaction: The Compromise of 1877 and the End of Reconstruction* (Boston: Little, Brown and Company, 1966), ver especialmente p. 101-122, mas a história é enfeitada ao longo de todo o livro, já que Scott tinha um papel muito importante na estratégia da Southern. Há um relato mais curto em T. Lloyd Benson e Trina Rossman, "Re-Assessing Tom Scott, the 'Railroad Prince'", Paper Presented at Mid-America Conference on History, September, 16, 1995 (disponível em http://alpha.furman.edu/~benson/col-tom.html).

Gould (quase) conquista tudo

As citações "Mas logo nos asseguram", "O iate, "Estou tão" e "Nunca tive" são de Maury Klein, *Life and Legend*, p. 196, 307 e 258. A primeira citação do *Times* é de 1875, o que sugere a velocidade com a qual a reputação de Gould se recuperou depois de sua saída da Erie. Para Fink, ver Alfred D. Chandler, Jr., *The Visible Hand: The Managerial Revolution in American Business* (Cambridge, Mass.: Harvard University, 1977), p. 116-117 e 138-148. A citação "entregar" é de Julius Grodinsky, *Jay Gould*, p. 281; a frase "não era um" de Klein é de seu *Life and Legend*, p. 382. A citação de Schumpeter está em Nathan Rosenberg, *Exploring the Black Box: Technology, Economics, and History* (New York: Cambridge University, 1994), p. 66. "As circulares" é de Grodinsky, *op. cit.*, p. 326. Para a lucratividade inicial das ferrovias do Leste (em nota de rodapé), ver Albert Fishlow, *American Railroads and the Transformation of the Antebellum Economy* (Cambridge, Mass.: Harvard University, 1965). Para todos os propósitos práticos, com a excessão de algumas linhas curtas e isoladas, não havia ferrovias a oeste do Mississippi antes da Guerra Civil. A "manutenção econômica" de Perkins está em Steven W. Usselman, *Regulating Railroad Innovation*, p. 182.

A máquina de Rockefeller

Como nos capítulos anteriores, a história da Standard combina os relatos em Ron Chernow, *Titan: The Life of John D. Rockefeller, Sr.* (New York: Random House, 1998); Allan Nevins, *John D. Rockefeller: The Heroic Age of American Enterprise* (New York: Charles Scribner's Sons, 1940, 2 vols.); e Ida M. Tarbell, *The History of the Standard Oil Company* (New York: Macmillan, 1925, 2 vols.). Os comentários de Garland e Stowe sobre a iluminação a querosene foram extraídos de Harold F. Williamson e Arnold R. Daum, *The American Petroleum Industry: Vol. I, The Age of Illumination, 1859-1899* (Evanston, Ill.: Northwestern University, 1959), p. 339. As declarações de bens e renda de Rockefeller estão em RAC, Série F, "Trial Balances, 1875 and 1897" e "Trial Balances, 1890-1915". As cartas de Archbold estão em RAC, Série B; todas as cartas foram escritas entre dezembro de 1877 e fevereiro de 1878. As citações de A.J. Cassatt foram extraídas de U.S. House of Representatives, *Investigation of Certain Trusts: Report in Relation to the Sugar Trust and Standard Oil Trust by the Committee on Manufactures* (Washington, D.C.: U.S. Government Printing Office, 1889), p. 178-179, 177. Para os atritos em torno de armazenamento depois do *boom* na produção de Bradford, os melhores detalhes estão em Williamson, *op. cit.*, p. 189-194 e 383-390; e para a Tidewater e as implicações dos oleodutos de longa distância, *ibid.*, p. 430-62.

Operando a máquina

A citação é de Ida M. Tarbell, *The History of the Standard Oil*, II: 234-235.

6. A primeira sociedade de consumo de massa

A abertura de Wanamaker está em Thomas J. Schlereth, *Victorian America: Transformations in Everyday Life, 1876-1915* (New York: HarperCollins, 1991), p. 146-147. A melhor história do crescimento e da cultura das lojas de departamento está em Susan Benson Porter, *Counter-Cultures: Saleswomen, Managers, and Customers in American Department Stores, 1890-1940* (Urbana, Ill.: University of Illinois, 1986); ver também Alfred D. Chandler Jr., *The Visible Hand: The Managerial Revolution in American Business* (Cambridge, Mass.: Harvard University, 1977), p. 224-229. A história do sabonete Ivory e da Procter & Gamble está disponível no *site* da empresa, www.pg.com. Meus agradecimentos a Ed Rider dos arquivos corporativos da P&G por estimativas sobre os ganhos da P&G no final do século XIX. O comentário do farmacêutico é de Alfred Smetham, EC.S., "Soap Manufacture and the Soap of Commerce", *American Journal of Pharmacy*, vol. 56, n. 3 (março de 1884), 7-12. A citação está na p. 8.

A nova classe média
A citação de Whitman está em Stuart M. Blumin, *The Emergence of the Middle Class: Social Experience in the American City, 1760-1900* (New York: Cambridge University, 1989), p. 1. O relato nesta seção segue em grande parte Blumin, com alguns complementos. A citação de de Tocqueville é de Alexis de Tocqueville, *Democracy in America* (New York: Alfred A. Knopf, 1945, 2 vols.), I:53. A de Potter é de David Potter, *People of Plenty* (Chicago: University of Chicago, 1954), p. 96. A discussão sobre desigualdade e mobilidade ocupacional nos dois parágrafos seguintes foi extraída de Clayne Pope, "Inequality in the Nineteenth Century", em Stanley Engerman e Robert Gallman, eds*., The Cambridge Economic History of the United States, Vol. II, The Long Nineteenth Century* (Cambridge, U.K.: Cambridge University, 2000), p. 109-142.
Um indicador comum de riqueza e desigualdade de renda é o "coeficiente Gini". O grau de desigualdade é medido em uma escala de 0 a 1 (com 1, uma família possui tudo.) Os coeficientes Gini estavam entre 0,81 e 0,83 em 1860 e 1870 e 0,78 em 2003 (todos números muito altos de desigualdade), em comparação com apenas 0,66 em 1774. O 1% mais rico detinha 26% de toda a riqueza em 1890 e 1962, mas 34% em 2003. A concentração de riqueza nos 10% das famílias mais ricas, entretanto, era de 72% em 1890, 62% em 1962 e 69% em 2003 (i.e., os dados de 2003 mostram uma classe alta que tende cada vez mais para o 1% superior). A concentração de renda normalmente é de cerca de 50% da concentração de riqueza, mas os números relativos à renda no século XIX são muito grosseiros para uma análise. Para detalhes sobre coeficientes Gini, ver Vincenzo Quadrini e Jose-Victor Rios-Rull, "Understanding the U.S. Distribution of Wealth", *Federal Reserve Bank of Minneapolis Quarterly Review*, vol. 21, n. 2 (primavera de 1997), p. 22-36.
O artigo da *Harpers* de 1887, os dados sobre o crescimento do trabalho *white-collar* e o relato de Tailer estão em Blumin, *op. cit.,* p. 274, 267, 112-114. Os dados escriturais de

Zunz são de Olivier Zunz, *Making America Corporate*, 1870-1920 (Chicago: University of Chicago, 1990), p. 127-131. O estudo do aspecto étnico e a discussão do status artesão/ empresário são de Blumin, *op. cit.*, p. 271, 291 e 134-137.
Para desenvolvimentos em habitação, Donald E. Sutherland, *The Expansion of Everyday Life – 1860-1876* (Fayetteville, Ark.: University of Arkansas, 2000), p. 27-41, apresenta uma boa discussão, assim como Blumin e Richard L. Bushman, *The Refinement of America: Persons, Houses, Cities* (New York: Alfred A. Knopf, 1992), p. 238-279. Para as condições de vida nas propriedades rurais no início do século XIX, ver Jack Larkin, *The Reshaping of Everyday Life, 1790-1840* (New York: Harper & Row, 1988), especialmente p. 124-130. A citação *"piggery"* é de Sutherland, *op. cit.*, p. 69. Para doenças transmitidas pela água, ver David Cutler e Grant Miller, "The Role of Public Health Improvements in Health Advances: the 20th Century United States", *NBER Working Paper 10511* (Cambridge, Mass.: National Bureau of Economic Research, maio de 2004). A citação de Isabel March de *A Hazard of New Fortunes* está nas p. 44-45 da Modern Library Paperback Edition. A citação "muito maiores" é de Stuart M. Blumin, *The Emergence*, p. 155. Para a reforma educacional, ver Donald H. Parkerson e Jo Ann Parkerson, *Transitions in American Education: A Social History of Teaching* (New York: Routledge Falmer, 2001); a citação "o estudante deve ser" está nas p. 156-157.

Coisas

O piano e a citação relacionada são de Montgomery Ward & Co., *Catalogue and Buyers Guide, Spring and Summer, 1895* (New York: Dover Publications, 1969, edição fac-símile), p. 238-239; os itens da Sears extraídos de Sears, Roebuck & Co., *1897 Sears Roebuck Catalogue* (New York: Chelsea House Publishers, 1968, edição fac-símile), "Drug Department" (páginas não numeradas). E ver Bloomingdale Brothers, *Bloomingdale's Illustrated 1886 Catalog* (New York: Dover Publications, 1988, edição fac-símile). A história das compras por correio extraída de W.L. Brann, *The Romance of Montgomery Ward & Co.* (New York: Campbell, Starring & Co., 1929); Boris Emmet e John E. Jeuck, *Catalogues and Counters: A History of Sears, Roebuck and Company* (Chicago: University of Chicago, 1950); Cecil C. Hoge, *The First Hundred Years Are the Toughest: What We Can Learn from a Century of Competition between Sears and Wards* (Berkeley, Calif.: Ten Speed, 1988); e Gordon E. Weil, *Sears, Roebuck U.S.A.: The Great American Catalog Store and How It Grew (*New York: Stein and Day, 1977). A citação de Wanamaker é de Emmett e Jeuck, p. 13.
A seção sobre itens de consumo, exceto onde observado, é de Thomas J. Schlereth, *Victorian America*, p. 141-167; a citação da mãe imigrante está na p. 167. O letreiro da Heinz é de James Traub, *The Devils Playground: A Century of Pleasure and Profit in Times Square* (New York: Random House, 2004), p. 44; o poeminha da mercearia de Otto L. Bettmann, *The Good Old Days They Were Terrible!* (New York: Random House, 1974), p. 117.

A volta da prática de arsenal

Essa seção baseia-se principalmente em David A. Hounshell, *From American System to Mass Production, 1800-1932: The Development of Manufacturing Technology in the United States* (Baltimore, Md.: Johns Hopkins University, 1984), especialmente p. 189-215, 67-123. Para Pope, além de Hounshell, ver Stephen B. Goddard, *Colonel Albert Pope and His American Dream Machines: The Life and Times of a Bicycle Tycoon Turned an Automotive Pioneer* (Jefferson, N.C.: McFarland, 2000). A citação "o pai" é da p. 190. Para Cleveland, ver Naomi R. Lamoreaux, Margaret Levenstein e Kenneth L. Sokoloff, "Financing Invention During the Second Industrial Revolution: Cleveland, Ohio, 1870-1920", *NBER Working Paper 10923* (Cambridge, Mass.: National Bureau of Economic Research, november 2004). O dinheiro, a organização e o cérebro do executivo da Sears é de Boris Emmet e John E. Jeuck, *Catalogues and Counters,* p. 4.

Ansiedade

A citação de de Tocqueville é de *op. cit.*, II: 106. A citação de Beecher é de Karen Halttunen, *Confidence Men and Painted Women: A Study of Middle-Class Culture in America, 1830-1870* (New Haven, Conn.: Yale University, 1982), p. 23; para seu vício em compras, Daniel Horowitz, *The Morality of Spending: Attitudes toward the Consumer Society in America, 1875-1940* (Chicago: Ivan R. Dee, 1985), p. 11. Halttunen apresenta uma bela discussão sobre as fontes da ansiedade de classe; ver p. 191-197 para um resumo. A discussão sobre tendências populacionais e práticas de contracepção estão baseadas em Jenny Bourne Wahl, "New Results on the Decline in Household Fertility in the United States from 1750 to 1900", em Stanley Engerman e Robert Gallman, eds., *Long-Term Factors in American Economic Growth: National Bureau of Economic Research, Studies in Income and Wealth*, vol. 51 (Chicago: University of Chicago, 1986), p. 391-438; e Paul A. David e Warren C. Sanderson, "Rudimentary Contraceptive Methods and the American Transition to Marital Fertility Control, 1855-1915", em *ibid.*, p. 307-390. A citação sobre a China moderna é da revista *The Economist*, 20 de novembro de 2004.

7. Tigres de papel

A citação do Tribune está disponível no grande *site* sobre o incêndio mantido pela Chicago Historical Society em http://www.chicagohs.org/fire/. Para a "Chicago school", eu me baseei em Carl W. Condit, *The Chicago School of Architecture: A History of Commercial and Public Building in the Chicago Area, 1875-1925* (Chicago: University of Chicago, 1964). A citação "Tendo em mente" de John Root, da Burnham and Root, está na p. 49. Para uma discussão sobre o papel de destaque de Chicago na arquitetura de estruturas de aço, especialmente em comparação com Nova York, ver Thomas J. Misa, *A Nation of Steel: The Making of Modern America, 1865-1925* (Baltimore, Md.: Johns Hopkins University, 1995), p. 63-69. Para a criação de uma indústria de trabalho de gerenciamento de escritório, ver Joann Yates, "Investing in Information: Supply and Demand Forces in the Use of Information in American Firms, 1850-1920", em Peter Temin, ed., *Inside the Business Enterprise: Historical Perspectives on the Use of Information* (Chicago: University of Chicago, 1991), p. 117-160.

A conquista dos escriturários

Há boas discussões sobre os diferentes filtros usados por especialistas em história econômica e empresarial em Peter Temin, ed., *Inside the Business*. Ver especialmente o ensaio de Daniel M.G. Raff e Peter Temin, "Business History and Recent Economic Theory: Imperfect Information, Incentives, and the Internal Organization of Firms", p. 7-40. Uma diferença-chave é que economistas costumam tratar a "firma" como uma espécie de mônada racional, como o "consumidor", enquanto os especialistas em história empresarial tentam desconstruir as mônadas, especialmente para iluminar as partes não racionais. Para uma discussão extremamente inteligente sobre essas questões, relacionadas à história da indústria siderúrgica, ver Thomas J. Misa, *A Nation of Steel*, p. 270-282.

A descrição dos conselhos de Holley está fundamentada em uma coleção de seus relatórios e discursos em HSWP, Caixa 36B, incluindo "Report to the Bessemer Steel Company Limited, Nº 1, 1880: The John Cockerill Works, Practice and Costs, at Seraing, Belgium"; "Report to the Bessemer Steel Company Limited Nº 3, 1880: The Rail Mill and general Plant and Practice at the Wilson, Cammel & Co."; "Report to the Bessemer Steel Company Limited, Nº 2 1881, Krupp's Practice and Plant"; "On American Rolling Mills", *Journal of the Iron and Steel Institute*, Nº II, 1874; reimpresso pelo Conselho da Bessemer; e "Address of President A.L. Holley before the American Institute of Mining Engineers, October 26, 1874". A crise nos trilhos pesados está em Steven W. Usselman, *Regulating Railroad Innovation: Business, Technology, and Politics in America, 1840-1920* (New York: Cambridge University, 2002), p. 223-239; e no aço estrutural, Thomas J. Misa, *A Nation of Steel*, p. 60-83. Para as ligações crescentes entre ciência e negócios e os dados sobre as ciências profissionais e o desenvolvimento das universidades, ver Olivier Zunz, "Producers, Brokers, and Users of Knowledge: The Institutional Matrix", em Dorothy Ross, ed., *Modernist Impulses in the Human Sciences, 1870-1930* (Baltimore, Md.: Johns Hopkins University, 1994), p. 290-307.

Para ações de empresas industriais, utilizei Thomas R. Navin e Marion V. Sears, "The Rise of a Market for Industrial Securities, 1887-1902", *Business History Review* 29:1 (primavera de 1955), p.105-138; e Gene Smiley, "The Expansion of the U.S. Securities Market at the Turn of the Century", *Business History Review* 55:1 (primavera de 1981), p. 75-85. Para Samuel Dodd e a Standard, ver Allan Nevins, *John D. Rockefeller: The Heroic Age of American Enterprise* (New York: Charles Scribner's Sons, 1940, 2 vols.), I:603-617. As citações "receber os dividendos", "os trustes" e "apenas aconselhamento" estão em U.S. House of Representatives, *Investigation of Certain Trusts: Report in Relation to the Sugar Trust and Standard Oil Trust by the Committee on Manufactures* (Washington, D.C.: U.S. Government Printing Office, 1889), p. II, 300. As ações de propriedade de Rockefeller em 1896 estão em RAC, Série F, "Trial Balances, 1890-1915". O exemplo da contabilidade de Carnegie está em David Brody, *Steelworkers in America: The Nonunion Era* (New York: Russell and Russell, 1970), p. 19.

Para a mudança no contexto das relações empregados-administração, ver David Brody, *Steelworkers in America*, and David Montgomery, *The Fall of the House of Labor: The Workplace, the State, and American Labor Activism, 1865-1925* (New York: Cambridge University, 1977). Bruce Laurie, *Artisans into Workers, Labor in Nineteenth-Century America* (Urbana, Ill.: University of Illinois, 1997) é um belo estudo com uma longa discussão sobre Homestead. Para os efeitos de aperfeiçoamentos tecnológicos sobre o funcionamento das usinas, normalmente sigo a excelente discussão em Brody, p. 7-79. A citação "tem de ser" está na p. 34.

Homestead

A narrativa básica está fundamentada em Kenneth Warren, *Triumphant Capitalism: Henry Clay Frick and the Industrial Transformation of America* (Pittsburgh, Pa.: University of Pittsburgh, 1996), p. 63-97, e Joseph Frazier Wall, *Andrew Carnegie* (Pittsburgh, Pa.: University of Pittsburgh, 1989), p. 537-582. As citações de Carnegie sobre trabalho estão em Joseph Frazier Wall, *Andrew Carnegie*, p. 525-526, a "mais jovem e", p. 575. As citações de Jones sobre salários estão em HSWP, Caixa 71, pasta 1; a "totalmente fora de" está em Wall, *op. cit.*, p. 521. A história do uso de homens da Pinkerton por Carnegie na ET está em James Howard Bridge, *The Inside History of the Carnegie Steel Company, A Romance of Millions* (New York: Aldine, 1903), p. 189-190. Wall estranhamente omite os Pinkertons, em vez de seguir o relato em Burton J. Hendrick, *The Life of Andrew Carnegie* (Garden City, N.Y.: Doubleday, Doran, 1932, 2 vols.), I:388-403, uma obra altamente elogiosa, que por sua vez cita apenas o "próprio relato" de Carnegie muitos anos mais tarde diante de uma comissão parlamentar. Warren, um estudioso cuidadoso, segue Bridge. As duas citações são de Bridge. A citação de Gates e exemplos "condescendentes" nas notas de rodapé extraídos de Kenneth Warren, *Triumphant Capitalism*, p. 120, 136, 211 e 185. As citações "o Amalgamated impôs", "uma tolice... repugnante", "longas conversas", "As coisas em casa" e "Não acho" são de Joseph Frazier Wall, *Andrew Carnegie*, p. 579, 574, 541, 561 e 563; "uma espécie de", Kenneth Warren, *op. cit.*, p. 89; "São os menores", Wall, *op. cit.*, p. 624.

A redução de um quinto e as 58 páginas de notas de rodapé estão em David Brody, *Steelworkers*, p. 45, 53. A redução de custos de Jones e os dados de meus cálculos sobre o impacto nos ganhos estão em HSWP, Caixa 72, Pasta 5. E ver o quadro em Kenneth Warren, *Triumphant Capitalism*, p. 110. Para "políticas trabalhistas funestas", Thomas J. Misa, *A Nation of Steel*, p. 270. A citação "concordava com praticamente" está em U.S. House of Representatives, *Investigation of Certain Trusts*, p. 29. "Os usinas não", de Wall, *op. cit.*, p. 575. Para a história de Ludlow na nota de rodapé, utilizei Ron Chernow, *Titan: The Life of John D. Rockefeller, Sr.* (New York: Random House, 1998), p. 578-85. A versão de Garland está em Hamlin Garland, "Homestead and Its Perilous Trades, Impressions of a Visit", *McClure's Magazine*, vol. III, nº 1 (junho de 1894), p. 3-19, na p. 3. Jones e Schwab sempre podiam empenhar-se em disputas com outras usinas, e os homens trabalhariam de boa vontade até cair. A citação "que deixavam muito" é de J. Stephen Jeans, ed., *American Industrial Conditions and Competition: Reports of the Commissioners Appointed by the British Iron Trade Association to Enquire into the Iron, Steel, and Allied Industries of the United States* (Londres, 1902), p. 329. "Se Pittsburgh é" está citado em Kenneth Warren, *Triumphant Capitalism*, p. 111-112. Para a mistificação salarial de Jeans, J. Stephen Jeans, ed., *op. cit.*, p. 316-17. As frases de Carnegie "para não criar problemas", "nem o poder" "habilidade, justiça", "achava que os três mil", "Estimado mestre, diga-nos" e "infelizmente" estão em Joseph Frazier Wall, *Andrew Carnegie*, p. 576-577, 568, e Andrew Carnegie, *The Autobiography of Andrew Carnegie* (Boston: Northeastern University edition, 1986), p. 223; editorial do *The St. Louis Post-Dispatch*, Wall, p. 572-573.

A criação da Carnegie Company

A sequência de acontecimentos descrita está em Kenneth Warren, *Triumphant Capitalism*. As citações "Sr. Carnegie" e "A.C. tenha descido" estão nas p. 217, 218; "cada movimento", James Howard Bridge, *Inside History*, p. 274. Para Schwab, ver Robert Hessen, *Steel Titan: The Life of Charles M. Schwab* (New York: Oxford University, 1975). Ver Joseph Frazier Wall, *Andrew Carnegie*, p. 600-612, para os acordos sobre minério com Rockefeller. A citação "assombrado" de Rockefeller está em Allan Nevins, *John D. Rockefeller: The Heroic Age of American Enterprise* (New York: Charles Scribner's Sons, 1940, 2 vols.), II:399. Os dados financeiros das discussões de avaliação estão todos em ACBC; os cálculos são meus. As citações "com grande relutância" e "sócio mais antigo" estão em Kenneth Warren, *Triumphant Capitalism*, p. 230. A de Gary "não recebeu qualquer" está em U.S. House of Representatives, *Hearings before the Committee on Investigation of United States Steel Corporation (Stanley Committee)*, (Washington, D.C.: U.S. Government Printing Office, 1912, 8 vols.), I:205. A citação "fazer ações" está em Kenneth Warren, *op. cit.*, p. 232. Wall apresenta uma versão diferente da de Warren em torno da opção de Moore (Wall, *op. cit.*, p. 728-732, apesar de, na nota da p. 1094, ele reconhecer que o episódio é obscuro). Wall traz Carnegie pedindo aos sócios US$ 2 milhões *pro rata*. Os US$ 1,170 milhão teriam representado seus 53%, enquanto os outros sócios consentiram em desistir de suas ações. As citações da *Iron Age*, "nem uma hora", "atenção para" estão em Warren, *op. cit.*, p. 234-235, 237. A nota de Carnegie que confirma sua intenção de devolver os US$ 170 mil está reproduzida em James Howard Bridge, *op. cit.*, p. 320; o cabograma de Frick para Phipps que descreve suas bonificações está em Wall, *op. cit.*, p. 730. "Declaração de guerra", "Há muitos anos" estão em Warren, *op. cit.*, p. 245, 257. A citação "Os diretores eram" foi extraída de uma carta de Phipps para Carnegie de 21 de abril de 1900, ACBC, vol. 75. Os detalhes sobre os valores dos lucros de 1898 estão em ACBC, vol. 61; uma análise dos ganhos reais em 1900 está no capítulo seguinte e no Apêndice I. A proposta de Carnegie de atrasar o pagamento dos juros dos títulos estava em um telegrama para a reunião de diretoria de 28 de julho de 1900, ACBC, vol. 76. A oferta de Phipps está em correspondência de Schwab para Carnegie de 3 de fevereiro de 1900, ACBC, vol. 72.

Uma nota sobre o desempenho de Frick: o primeiro ano completo de funcionamento da Carnegie Steel foi 1893. As tabulações de lucros a seguir para o período anterior a 1893 consolidam a Carnegie Bros., que detinha a ET, e a Carnegie, Phipps, que se formou para adquirir a usina de Homestead. Ver ACBC, vol. 61 e vol. 73.

Ano	Lucro	Firma
1886	02.925.350	C, Ph/CB
1887	03.441.887	C, Ph/CB
1888	01.941.555	C, Ph/CB
1889	03.540.000	C, Ph/CB
1890	05.350.000	C, Ph/CB
1891	04.300.000	C, Ph/CB
1892	04.000.000	C, Ph/CB
1893	03.000.000	C. Steel
1894	04.000.000	C. Steel
1895	05.000.000	C. Steel
1896	06.000.000	C. Steel
1897	07.000.000	C. Steel
1898	11.500.000	C. Steel
1899	21.000.000	C. Steel

Frick tomou posse apenas da Carnegie Bros. em 1889. Wall, biógrafo de Carnegie, comenta o desempenho de Frick: "No ano em que esteve à frente da Carnegie Brothers, o lucro praticamente dobrou, de US$ 1.941.555 para US$ 3.540.000" (p. 535). Isso teria sido realmente espetacular, mas Wall está dando a Frick crédito por todo o aumento nos lucros, enquanto, na verdade, ele estava à frente de apenas metade do negócio. (Provavelmente Wall foi induzido a erro por uma tabela na ACBC 61 que alocava todos os ganhos com aço para a Carnegie Bros., quando eles obviamente incluem as duas empresas.) Entretanto, Wall exagera ainda mais porque os lucros de 1888 foram seriamente afetados pela greve de cinco meses na ET durante a qual Carnegie apelou aos Pinkertons. Como pode ser visto, os lucros de 1889 foram em essência os mesmos do ano anterior à greve de 1887. Em outras palavras: comparando com justiça, possivelmente não houve qualquer melhoria. E se houve, apenas uma parte pode ser creditada a Frick.

Os lucros realmente cresceram muito em 1896 e 1897, quando Carnegie empreendeu uma violenta guerra de preços de trilhos, obtendo ganhos muito altos enquanto outras empresas eram empurradas contra a parede. Esse grau de vantagem em produtividade leva muito tempo para ser criado e provavelmente se devia muito à unificação e sistematização das operações das empresas empreendidas por Frick. A ascensão de Schwab também deve ter tido um efeito – ele estava bem perto das operações da fábrica e era o melhor especialista em tecnologia nos altos escalões administrativos – mas Frick tinha criado a máquina unificada sobre a qual Schwab exercitaria seus talentos: os saltos ainda maiores em 1898 e 1899 foram consequência em especial do aumento muito acelerado dos preços da maioria das linhas de produtos – sobretudo os trilhos, seguidos pelo negócio de alta margem de chapas blindadas. Mesmo com todas as qualificações, a campanha interna de Carnegie contra um executivo com uma ficha como essa parece uma forte propensão à destruição.

Caça aos trustes
Entre os trabalhos mais importantes que usei nesta seção estão Rudolph J.R. Peritz, *Competition Policy in America, 1888-1992: History Rhetoric, Law* (New York: Oxford University, 1996); Tony A. Freyer, *Regulating Big Business: Antitrust in Great Britain and America, 1880-1990* (New York: Cambridge University, 1992); "Business Law and American Economic History", em Stanley Engerman e Robert Gallman, eds., *The Cambridge Economic History of the United States, Vol. II, The Long Nineteenth Century* (Cambridge, R.U.: Cambridge University, 2000), p. 435-482; e Richard Hofstadter, "What Happened to the Antitrust Movement?: Notes on the Evolution of an American Creed", em Robert F. Himmelberg, ed., *Antitrust and Business Regulation in the Postwar Era, 1946-1964* (New York: Garland Publishing, 1994). As citações "um credo e um meio" e "fazendeiros e empresários" estão em Richard Hofstadter, *ibid.*, p. 74, 75.
Para informação sobre os interesses políticos e empresariais na regulação das tarifas ferroviárias, ver Albro Martin, "The Troubled Subject of Railroad Regulation in the Gilded Age-A Reappraisal", em Robert F. Himmelberg, ed., *The Rise of Big Business and the Beginnings of Antitrust and Railroad Regulation* (New York: Garland Publishing, 1994), p. 231-264. Joshua Bernhardt, *The Interstate Commerce Commission: Its History Activities, and Organization* (Baltimore, Md.: The Johns Hopkins, 1923) oferece a interpretação mais tradicional. Para a mudança na interpretação da Suprema Corte, ver Rudolph J.R. Peritz, *Competition Policy*, p. 9-58, e Tony A. Freyer, *Regulating Big Business*, p. 132-149. Para a história da Northern Securities, o próprio caso tem um resumo excelente, *Northern Securities Co. v. U.S., 193 U.S. 197* (1904), e ver Maury Klein, *The Life and Legend of E.H. Harriman* (Chapel Hill, N.C.: University of North Carolina, 2000), p. 225-239, 307-316.

Refletores sobre a Standard
Há uma boa narrativa sobre as dificuldades jurídicas e econômicas da Standard em Harold F. Williamson e Arnold R. Daum, *The American Petroleum Industry: Vol. II, The Age of Energy, 1899-1959* (Evanston, Ill.: Northwestern University, 1963), p. 5-19; há um relato mais detalhado em Allan Nevins, *John D. Rockefeller: The Heroic Age of American Enterprise* (New York: Charles Scribner's Sons, 1940, 2 vols.), II: 499-613. A citação "excessivamente volumoso" está em *Standard Oil Co. of N.J. v. U.S. 221 U.S. 1 (1910)*, p. 48-49. Para precificação predatória, John S. McGee, "Predatory Price Cutting: The Standard Oil (N.J.) Case", *Journal of Law and Economics* 1: 1 (outubro de 1958), 137-169. A citação "uma única ocasião" está na p. 143. Ver também seu "Predatory Price

Cutting Revisited", *Journal of Law and Economics* 23:2 (outubro de 1980), p. 289-330. A interpretação divergente mencionada na nota é de Elizabeth Granitz e Benjamin Klein, "Monopolization by 'Raising Rivals' Costs': The Standard Oil Case", *Journal of Law and Economics* 39:1 (abril de 1996), p. 1-47. As citações "muitos casos" e "podem ser consideradas" estão em United States Industrial Commission, *Preliminary Report on Trusts and Industrial Combinations*, vol. I (Washington, D.C.: U.S. Government Printing Office, 1900), p. 17. Jeremiah Jenks era o chefe de gabinete da Comissão Industrial e organizou suas descobertas em um livro, *The Trust Problem* (Garden City, N.Y: Doubleday, Page and Co., 1914), que teve várias edições até vinte anos depois das audiências. Ele contém gráficos e muita informação útil sobre a queda constante nos preços de derivados de petróleo durante o reinado da Standard. O testemunho de Archbold sobre abatimentos posteriores está em United States Industrial Commission, II: 516-517. A citação "da maior multa" está em Ron Chernow, *Titan: The Life of John D. Rockefeller, Sr.* (New York: Random House, 1998), p. 293.

Os detalhes do caso de Indiana estão em *United States v. Standard Oil Co. of Indiana*, 155 Federal 1st 305 (1907); *Standard Oil Co. of Indiana v. United States*, 165 Federalist 594, 1908; e, por fim, 170 Federal 1st 988 (1909). Ver também as reportagens na *Railway Age and Gazette* (31 de janeiro de 1908), p. 161 (para o predomínio local das tarifas de seis a sete centavos), e 24 de julho de 1908, p. 594. As cortes de apelações reconheceram a procedência de recursos. Excluíram o testemunho do agente de frete e do gerente de tráfego e determinaram não haver bases sólidas que confirmassem que a Standard sabia qual era a verdadeira tarifa, nem para botar a companhia *holding* ao lado da Standard Oil of Indiana no banco dos réus. A opinião foi expressa em linguagem extremamente ácida. Um juiz observa que era "inevitável" que o recurso fosse aceito, dando a entender que Landis tinha intencionalmente escrito uma decisão sensacional sabendo que ela não resistiria à apelação. Landis se recusou a presidir o novo julgamento. O segundo juiz julgou, entre outras coisas, que a Alton nunca registrou uma tarifa "final" para petróleo, como era exigido pelo ICA, já que a tarifa de 1895 se aplicava ao petróleo apenas devido à lei estadual, que podia facilmente ser mudada. Para a história da refinaria Whiting, ver Allan Nevins, *op. cit.*, II:7-11. O número de US$ 91 mil pelo valor da bonificação de doze centavos é meu cálculo: o vagão-tanque padrão da Standard levava 190 barris de 159 litros, e usei tabelas de conversão de peso/volume da American Society of Petroleum Engineers (0,136 tonelada por barril). As citações "grosso" e "longa e desagradável" estão em Harold F. Williamson e Arnold R. Daum, *The American Petroleum Industry: Vol. I, The Age of Illumination, 1859-1899* (Evanston, Ill.: Northwestern University, 1959), p. 505. A citação sobre a "fadiga administrativa" é de Harold F. Williamson e Arnold R. Daum, *op. cit.*, p.6.

O "bom" magnata

O episódio Carnegie/Cassatt foi extraído de Joseph Frazier Wall, *Andrew Carnegie*, p. 775-783; a citação "os abatimentos que você" está na p. 783. Todos os *pools* citados foram discutidos em várias reuniões do conselho da Carnegie Steel durante 1899, ACBC, vols.

61-71. Para conluios em torno de armamento, ver Thomas J. Misa, *A Nation of Steel*, p. 103-106, 125-129; as citações "precisão aritmética" e "provavelmente o procedimento" estão nas p. 106, 126-127; e ver p. 322, nº 103, para uma estimativa dos lucros com chapas blindadas. A frase de Schwab "a proposta era" está em ACBC, vol. 77.

8. A era de Morgan

O relato do episódio do *Corsair* e a empreitada ferroviária de Carnegie têm como principal fonte Joseph Frazier Wall, *Andrew Carnegie* (Pittsburgh, Pa.: University of Pittsburgh, 1989), p. 512-517. O número de mortos vem do *website* do Pennsylvania State Archives. E ver Jean Strouse, *Morgan: American Financier* (New York: Random House, 1999), p. 246-249. Para diplomacia de Rothschild, ver Niall Ferguson, *The House of Rothschild: The Worlds Banker*, 1849-1999 (New York: Viking Penguin, 1999), p. 128-130.

"Júpiter"

As citações "Júpiter" e "a força motriz" estão em Vincent P. Carosso, *The Morgans: Private International Bankers, 1854-1913* (Cambridge, Mass.: Harvard University, 1987), p. 433-434. Exceto onde indicado, utilizei Carosso como fonte básica para as transações bancárias neste capítulo. Seu livro atribui registros separados para cada transação. A citação de Schiff está na p. 387. Para implicações econômicas dos *crashes*, sigo Paul W. Rhode, "Gallman's Annual Output Series for the United States, 1834-1909", *National Bureau of Economic Research, Working Paper 8860* (abril de 2002). Gallman questionou a precisão das mudanças ano a ano, mas, mesmo com as margens de erro mais extremas, não há dúvida sobre a gravidade do *crash* de 1893-1894.

A insustentável simulação de paz

As citações do "estudo de 1984" são de Thomas K. McCraw, *Prophets of Regulation: Charles Francis Adams, Louis D. Brandeis, James M. Landis, Alfred E. Kahn* (Cambridge, Mass.: Harvard University, 1984), p. 75. Para a busca de Gould/Adams/Morgan da paz entre as ferrovias, sigo Maury Klein, *The Life and Legend of Jay Gould* (Baltimore, Md.: Johns Hopkins University, 1986), p. 435-442 and 453-461. Para a informação sobre Adams, utilizei Thomas McCraw, *op. cit.*, p. 1-56. As citações "apenas mandar", "Jay Gould" e "menor, mais perverso" estão em Maury Klein, *Jay Gould*, p. 440, 455, 457.

Harriman e Morgan

Para Harriman, sigo Maury Klein, *The Life and Legend of E.H. Harriman* (Chapel Hill, N.C.: University of North Carolina, 2000). Para seus níveis de investimento na UP e na SP, ver p. 144, 256. A história da Northern Securities está bem definida na sentença do caso *Northern Securities Co. v. U.S.*, 193 U.S. 197 (1904); para atmosfera, usei Maury Klein, *E.H. Harriman*, p. 220-239, 307-316. A especulação sobre os motivos de Schiff é minha. Acho inconcebível que ele tivesse revelado sua posição para Hill se realmente quisesse vencer.

O banqueiro central acidental
A relato aqui apresentado baseia-se principalmente em Vincent P. Carosso, *The Morgans*, p. 311-349, 528-549. Ver também Matthew Simon, "The Morgan-Belmont Syndicate of 1895 and Intervention in the Foreign-Exchange Market", *Business History Review,* vol. 42, nº 4 (inverno de 1968), p. 385-417. (A casa Belmont funcionava como representante americana dos Rothschilds); e para um resumo cuidadoso do episódio da Tennessee Coal and Iron, Jean Strouse, *Morgan*, p. 582-593. Dados sobre comércio e saldo comercial extraídos de United States Bureau of the Census, *Historical Statistics of the United States, Colonial Times to 1970* (Washington, D.C.: U.S. Government Printing Office, 1975, 2 vols.) II: Série U, 1-25, 187-200.

O grande movimento de fusão
A discussão e os dados estatísticos apresentados aqui foram extraídos de *The Great Merger Movement in American Business, 1895-1904* (New York: Cambridge University, 1985); grande parte do livro é uma reavaliação de Alfred D. Chandler Jr., *The Visible Hand: The Managerial Revolution in American Business* (Cambridge, Mass.: The Belknap of Harvard University, 1977). Ver também Vincent P. Carosso, *Investment Banking in America: A History* (Cambridge, Mass.: Harvard University, 1970), p. 43-46. Os dados sobre emprego em 1900 são de Stanley Lebergott, *The Americans: An Economic Record* (New York: Norton, 1984), p. 321. A citação Gompers está em James Gilbert, *Designing the Industrial State: The Intellectual Pursuit of Collectivism in America, 1880-1940* (Chicago: Quadrangle Books, 1972), p. 52. A reconstituição do trabalho empreendido por Moore e outros corretores nessas fusões baseia-se em minha própria experiência com transações como essas, com muito menos participantes. O número de participante com os quais Moore conseguia trabalhar é particularmente impressionante. Para detalhes sobre vários acordos, incluindo casos em que a participação dos promotores foi inútil, ver Jeremiah Whipple Jenks, *The Trust Problem* (Garden City, N.Y.: Doubleday, Page and Co., 1914), p. 88-95.

O nascimento do grande aço
A narrativa sobre o acordo da U.S. Steel é fundamentada nos relatos de Joseph Frazier Wall, *Andrew Carnegie*, p. 767-793, e Kenneth Warren, *Big Steel: The First Century of the United States Steel Corporation, 1901-2001* (Pittsburgh, Pa.: University of Pittsburgh, 2001), p. 7-21, complementados por material do ACBC e BPM. Foi-me muito proveitoso o diálogo via *e-mail* com o professor Warren sobre esse material.
Para as guerras da eletricidade, o livro de Jill Jonnes, *Empires of Light: Edison, Tesla, Westinghouse and the Race to Electrify the World* (New York: Random House, 2003). As citações "A United States Steel Corporation", "o preço da paz", "Acredito que", "prevenir uma desmoralização" foram extraídas de *Stanley Committee*, VIII: 163-164, I:220,

I:253. os cálculos de preços estão em ibid., VIII: 161-62. As citações "lição exemplar" e "fazer negócios" estão em David Brody, *Steelworkers in America: The Nonunion Era* (New York: Russell and Russell, 1970), p. 6-7. "O outono", de Carnegie, está em Kenneth Warren, *Big Steel*, p. 11.

Para a concorrência no aço acabado e "filho favorito", ver Joseph Frazier Wall, *Andrew Carnegie*, p. 782; o comentário de Jeans sobre a National Tube, J. Stephen Jeans, ed., *American Industrial Conditions and Competition: Reports of the Commissioners Appointed by the British Iron Trade Association to Enquire into the Iron, Steel, and Allied Industries of the United States* (Londres, 1902), p. 154. "Seu telegrama" de Carnegie e "Não vejo", de Schwab, ACBC 75, 76. O depoimento de Carnegie sobre Conneaut está em *Stanley Committee*, I: 116-17. O voto do conselho e a carta de Schwab de 24 de janeiro de 1901, carta em ACBC 81. A frase de Morgan "Carnegie vai" está em Joseph Frazier Wall, *Andrew Carnegie*, p. 784. Há pequenas variações em todas as cronologias do acordo da U.S. Steel, mas todas seguem as mesmas linhas aqui apresentadas, exceto, talvez, o depoimento em benefício próprio de John W. Gates diante do Stanley Committee. O artigo de Schwab é Charles M. Schwab, "What May Be Expected in the Steel and Iron Industry", *North American Review* 172 (maio de 1901), 655-664. A citação está na p. 656. Sua frase "Eu sabia exatamente" está em Robert Hessen, *Steel Titan: The Life of Charles M. Schwab* (New York: Oxford University, 1975), p. 117.

Sobre negociações do acordo final: para acomodar a insistência de Carnegie em receber títulos em ouro até por suas ações, os US$ 80 milhões adicionais (que incluíam os lucros presumidos de 1900 e 1901) foram inteiramente divididos entre os outros acionistas. Em números redondos, segundo os livros do consórcio da U.S. Steel na BPM, os números funcionaram da maneira descrita adiante:

(em US$ mil)

	Carnegie Co.	U.S. Steel
Carnegie		
Títulos	US$ 86.000	US$ 226.000
Preferenciais	93.000	0
Outros sócios		
Títulos	74.000	74.000
Preferenciais	67.000	98.000
Ordinárias	0	92.000
Total		490.000

Os números finais refletem vários pequenos ajustes. Os US$ 226 milhões em títulos de Carnegie compreendem um *swap* de 1 para 1 dos títulos da Carnegie por títulos da USS e 1,5 título da USS para cada ação da Carnegie (1,5 x 93 = 140; 140 + 86 = 226 milhões). Os outros receberam US$ 74 milhões em títulos da USS por uma quantia igual em títulos da Carnegie, mais uma vez e meia suas ações, em preferenciais da USS mais um adicional de uma vez e meia suas ações em ordinárias da USS. O total das ações preferenciais e ordinárias recebido, portanto, foi um múltiplo de 3 (67 x 3 = 200 milhões, que, por vários motivos menores, foi ajustado para os US$ 190 milhões [98 + 92] mostrados na tabela). A proporção de títulos em ouro no acordo final foi (226 + 74 = 300)/490 = 61,2%.

E então lá estava Rockefeller...

O relato da compra das jazidas de minério segue Allan Nevins, *John D. Rockefeller: The Heroic Age of American Enterprise* (New York: Charles Scribner's Sons, 1940, 2 vols.), II: 417-426. A permuta de Morgan com Gary e os Moores está na p. 418. (Nevins cita a biografia de Elbert Gary, escrita por Ida Tarbell com grande cooperação de Gary, portanto é de se supor que Gary tenha sido a fonte da história. Deve ser observado que Tarbell tinha grande admiração por Gary, um monopolista que amentava preços, ao mesmo tempo em que detestava Rockefeller, que os reduzia.) A frase de Rockefeller sobre Morgan e o comentário de Nevins estão na p. 419. A citação do sr. Dooley está em Jean Strouse, *Morgan*, p. 405.

Para fontes de inovação posteriores à U.S. Steel, ver Thomas J. Misa, *A Nation of Steel: The Making of Modern America, 1865-1925* (Baltimore, Md.: Johns Hopkins University, 1995), p. 170-285. Para o papel da Pennsylvania no desenvolvimento da tecnologia siderúrgica, Janet T. Koedler, "Market Structure, Industrial Research, and Consumers of Innovation: Forging Backward Links to Research in the Turn of the Century U.S. Steel Industry", *Business History Review* 67:1 (primavera de 1993), p. 98-139.

Avaliando Morgan

As frases de Brandeis "uma força conservadora" e "temeridade e ousadia" em Henry Lee Staples e Alpheus Thomas Mason, *The Fall of a Railroad Empire: Brandeis and the New Haven Merger Battle* (Syracuse, N.Y.: Syracuse University, 1947), p. 154. O resumo de New Haven foi baseado em Staples e Mason, e também Vincent P. Carosso, *The Morgans*, especialmente p. 608-612. O relato sobre a IMM segue Thomas R. Navin e Marion V. Sears, "A Study in Merger: Formation of the International Mercantile Marine Company", *Business History Review* 28:4 (dezembro de 1954), p. 291-328. A frase "como até mesmo" está na p. 291. Carosso o aborda nas p. 481-486 e 491-93. A história de Roosevelt está em Jean Strouse, *Morgan*, p. 441. A frase "J.P. Morgan" de Brandeis está em Louis D. Brandeis, *Other People's Money: And How the Bankers Use It* (Washington, D.C.: National Home Library, 1933), p. 36-37.

9. Os Estados Unidos da América mandam

Para Rothschild, Morgan e a Guerra dos Bôeres, ver Niall Ferguson, *The House of Rothschild: The Worlds Banker, 1899-1999* (New York: Viking Penguin, 1999), p.

364-368. Para dados comparativos de produção e produtividade, utilizei Paul Bairoch, "International Industrialization Levels from 1750 to 1980", *Journal of European Economic History* 11:2 (outono de 1982), p. 269-333, e Stephen N. Broadberry e Douglas Irwin, "Labor Productivity in the United States and the United Kingdom during the Nineteenth Century", *NBER Working Paper 10364* (março de 2004). Os cálculos de taxas de crescimento entre 1870-1913 são de W. Arthur Lewis, *Growth and Fluctuation, 1870-1913* (Londres: George Allen & Unwin, 1978), p. 17-18. S.B. Saul, *The Myth of the Great Depression, 1873-1896* (Basingstoke, Hampshire, U.K.: Macmillan, 1985), também traz grande quantidade de dados comparativos, em geral consistentes com Bairoch, mas com várias nuances adicionais.

Para mais informação, David S. Landes, *The Unbound Prometheus: Technological Change and Industrial Development in Western Europe from 1750 to the Present* (Londres: Cambridge University, 1969) é excelente. Para o declínio relativo da indústria britânica, ver François Crouzet, *The Victorian Economy* (New York: Columbia University, 1982); e para a ascensão dos Estados Unidos, Harold G. Vatter, *The Drive to Industrial Maturity: The U.S. Economy, 1860-1914* (Westport, Conn.: Greenwood, 1975). E ver Paul Kennedy, *The Rise and Fall of the Great Powers: Economic Change and Military Conflict from 1500 to 2000* (New York: Random House, 1987), p. 194-249, para uma avaliação clara das posições econômicas das Grandes Potências na virada do século.

O que aconteceu com a Inglaterra?

Além das obras mencionadas, para comparações específicas entre a perícia americana e britânica com o aço, ver D.L. Burn, *The Economic History of Steelmaking, 1867-1939: A Study in Competition* (Cambridge, U.K.: University, 1940), e as análises da época: J. Stephen Jeans, ed., *American Industrial Conditions and Competition: Reports of the Commissioners Appointed by the British Iron Trade Association to Enquire into the Iron, Steel, and Allied Industries of the United States* (Londres, 1902), e Frank Popplewell, *Some Modern Conditions and Recent Developments in Iron and Steel Production in America* (Manchester, U.K.: University, 1906). As frases "é consideravelmente maior" e "mais de três vezes" extraídas de Jeans, *op. cit.*, p. 306-307; "marcante falta" de Popplewell, *op. cit.*, p. 103; "agir em nome" e "pode competir com", Jeans, *op. cit.*, p. 257, 121; "ficar o mais longe possível", "eram claramente uma raça deteriorada", "fora da Inglaterra" e "pessimismo", em Burn, *op. cit.*, p. 147, 144n, 208, 186. Para Sheffield e aço de ferramentas, ver Geoffrey Tweedale, *Sheffield Steel and America: A Century of Commercial and Technological Interdependence, 1830-1930* (New York: Cambridge University, 1987), p. 100. David Landes, *The Unbound Prometheus*, p. 269-294, resume a o atraso britânico em outras indústrias.

A questão aduaneira

A história das tarifas alfandegárias na Grã-Bretanha segue Anthony Howe, *Free Trade and Liberal England, 1846-1946* (Oxford, U.K.: Oxford University, 1997), e para os

Estados Unidos, Frank W. Taussig, *The Tariff History of the United States* (New York: Capricorn Books, 1964), e Douglas A. Irwin, "The Aftermath of Hamilton's 'Report on Manufactures'", *NBER Working Paper 9903* (agosto de 2003). A análise de D.L. Burn está em *op. cit*. E ver Peter Temin, "Relative Decline of British Steel Industry, 1880-1913", em Henry Rosovsky, ed., *Industrialization in Two Systems: Essays in Honor of Alexander Gerschenkron by a Group of His Students* (New York: John Wiley, 1966), p. 140-155, para o arrocho americano e alemão nos britânicos. Para os dados de carbonato de sódio, ver Kenneth Warren, "Technology Transfer in the Origins of the Heavy Chemicals Industry in the United States and the Russian Empire", em David J. Jeremy, *International Technology Transfer: Europe, Japan, and the USA* (Brookfield, Vt.: Edward Elgar, 1991), p. 153-177, na p. 159. A frase "O protecionismo... traz" está em Jagdish Bhagwati e Douglas A. Irwin, "The Return of the Reciprocitarians: U.S. Trade Policy Today", *The World Economy* 10:2 (junho de 1987), p. 109-130, na p. 113; e "até agora castos" de D.L. Burn, *op. cit.*, p. 312, deve ser observado que vender a preços mais baixos no exterior que no mercado interno pode ser bem racional em uma indústria como o aço na qual o aumento na escala frequentemente reduz todos os custos. Ou seja: os volumes maiores podem aumentar lucros tanto nas vendas domésticas quanto internacionais. Entretanto, normalmente o efeito é exagerado, já que as economias de escalas tendem a se nivelar em todas as indústrias – isto é, grandes fábricas podem ser mais eficientes que as pequenas, mas grande, maior e a maior podem ser distinções difíceis de se determinar. *Dumping*, falando de maneira estrita, é vender abaixo do custo, o que nunca é lucrativo no curto prazo, mas pode ser uma estratégia racional de longo prazo para eliminar a concorrência. Após tratados entre os países desenvolvidos, tais práticas hoje são ilegais; não eram no século XIX. Entretanto, determinar o que são "custos" é uma fonte permanente de renda para advogados comerciais.

A descrição clássica da regra da vantagem comparativa é o capítulo VII do livro de David Ricardo, *Principles of Political Economy and Taxation* (Amherst, N.Y.: Prometheus Books, 1996). Para a história das folhas de flandres, ver Frank W. Taussig, *Some Aspects of the Tariff Question* (Cambridge, Mass.: Harvard University, 1915), p. 175-185, e Douglas A. Irwin, "Did Late Nineteenth-Century U.S. Tariffs Promote Infant Industries? Evidence from the Tinplate Industry", *The Journal of American Economic History* 60:2 (junho de 2000), p. 335-360. A frase "não eram desfavoráveis" está em Taussig, *Aspects*, p. 53; e "a mãe de todos" em Jeremiah Whipple Jenks, *The Trust Problem* (Garden City, N.Y.: Doubleday, Page and Co., 1914), p. 44.

O efeito Carnegie

Para a discussão de preços de aço e margens americanos e britânicos: as margens da Edgar Thomson de 1875 a 1878 estão em James Howard Bridge, *The Inside History of the Carnegie Steel Company, A Romance of Millions* (New York: Ardine, 1903), p. 94-102; as planilhas de custos de Bill Jones para a ET, Caixa 71, HSWP (os custos de Jones cobrem todo o aço, não apenas trilhos, por isso a comparação não é precisa, mas a desvantagem americana em custos é muito grande); e para comparação de preços de aço americano e britânico, utilizei os preços de trilhos americanos em Peter Temin, *Iron and Steel in Nineteenth Century America: An Economic Inquiry* (Cambridge, Mass.: The MIT, 1964), "Appendix C: Statistics of Iron and Steel", p. 264-285; e os preços FOB de exportação de trilhos britânicos em D.L. Burn, *op. cit.*, p. 103. Para os aumentos de fatia da Carnegie durante as recessões, ver o quadro em Kenneth Warren, *Triumphant Capitalism: Henry Clay Frick and the Industrial Transformation of America* (Pittsburgh, Pa.: University of Pittsburgh, 1996), p. 308. A frase "grandes lucros", de Gates, está em David Brody, *Steelworkers in America: The Nonunion Era* (New York: Russell and Russell, 1970), p. 7; sua frase "touro" foi extraída de *Hearings before the Committee on Investigation of United States Steel Corporation (Stanley Committee)* (Washington, D.C.: U.S. Government Printing Office, 1912, 8 vols.), p. 1:44, e a frase "do negócio todas", de Gary, *ibid.*, p. I:220.

O que os Estados Unidos tinham de especial?

A citação "uma enorme vantagem" está em David S. Landes, *The Unbound Prometheus*, p. 33; "trabalha por salários", em Roy P. Basler, ed., *The Collected Works of Abraham Lincoln* (New Brunswick, N.J.: Rutgers University, 1953-1955, 9 vols.), III:478; "aumentar o número", em Nathan Rosenberg, ed., *The American System of Manufactures* (Edimburgo: Edinburgh University, 1969), p. 7n. O exemplo da vara de pescar extraído de "50, 100, & 150 Years Ago", *Scientific American* (novembro de 2004), p. 16. A frase "fole enorme mas imprevisível" é de Paul Kennedy, *The Rise and Fall of the Great Powers*, p. 245; "O colapso em" e "muito violento" são de J.H. Clapham, *The Economic History of Modern Britain* (Cambridge, U.K.: Cambridge University, 1938), vol. 3, p. 55, 57; "não vai demorar", de Philip Ziegler, *The Sixth Great Power: A History of One of the Greatest of all Banking Families*, 1762-1929 (New York: Knopf, 1988), p. 292. As citações de Henry James são de *The Golden Bowl* (New York: Penguin Classics, 1987), p. 535, 45.

10. As lições erradas

Para Taylor, utilizei, em geral, Daniel Nelson, *Frederick W. Taylor and the Rise of Scientific Management* (Madison, Wisc.: The University of Wisconsin, 1980), um relato bastante esclarecedor, complementado por Robert Kanigel, *The One Best Way: Frederick Winslow Taylor and the Enigma of Efficiency* (New York: Viking, 1997). A citação de Drucker está em Kanigel, p. 11. As citações sobre a "ciência do uso da pá" e a "lei do trabalho pesado" e os homens de "primeira classe" estão na coletânea de *Frederick W. Taylor, Scientific Management: Comprising Shop Management, The Principles of Scientific Management, and Testimony before the Special House Subcommittee* (New York: Harper & Brothers, 1947), *Shop Management*, p. 165, 57, e *Principles*, p. 65.

Os intelectuais descobrem a máquina
A principal fonte para esta seção é Dorothy Ross, *The Origins of American Social Science* (New York: Cambridge University, 1991); e ver também os ensaios em seu (como editora) *Modernist Impulses in the Human Sciences, 1870-1930* (Baltimore, Md.: Johns Hopkins University, 1994), incluindo seu "Modernist Science in the Land of the New/Old", p. 171-189. As citações "desconcertado e impotente" e "Para Tomás" estão em Henry Adams, *The Education of Henry Adams* (New York: The Modern Library, 1931), p. 487, 456, 458. A citação "é o grande fato" é de Walter Lippmann, *Drift and Mastery: An Attempt to Diagnose the Current Unrest* (Madison, Wisc.: The University of Wisconsin, 1985), p. 37. A mostra da Pennsylvania na Exposição de St. Louis foi extraída de Steven W. Usselman, *Regulating Railroad Innovation: Business, Technology, and Politics in America*, 1840-1920 (New York: Cambridge University, 2002), p. 245-246; e para sua história posterior, p. 354-357. As frases de Charles Schwab são de seu "What May Be Expected in the Steel and Iron Industry", *North American Review*, nº 534 (maio de 1901), 655-664, nas p. 655, 661, 664. As frases de Lippmann são de seu *Drift*, p. 37-38, 41, 87, 98; a citação "única organização" é de Edward Bellamy, *Looking Backward* (New York: Viking Penguin, 1982), p. 65-66. As frases de Pearson estão em Theodore Porter, "The Death of the Object: Fin-de-Siecle Philosophy of Physics", em Dorothy Ross, ed., *Modernist Impulses*, p. 128-151, nas p. 145-146. Para a ascensão da sociologia, ver Dorothy Ross, *Origins*, especialmente p. 219-256. As citações "científicos", "controle social" e "aparato de equilíbrio social" estão nas p. 219, 236 e 238. A "Teoria Dinâmica" em *The Education*, p. 474. Utilizei o trecho "grandes fábricas" de Dewey em meu artigo "It's Not The Economy, Stupid", *The Atlantic Monthly* (julho de 1993), p. 49-62, mas não tenho mais essas anotações e não consegui resgatar sua fonte original (a Atlantic faz uma verificação extremamente cuidadosa e minuciosa das fontes); "a transformação" de Dewey é de Olivier Zunz, "Producers, Brokers, and Users of Knowledge: The Institutional Matrix", em Dorothy Ross, ed., *Modernist Impulses*, p. 304; e "ideally suited" de Theodore Porter, *op. cit.*, p. 148.

O que Taylor fez?
A citação "a administração das" é de David F. Noble, *America by Design: Science, Technology, and the Rise of Corporate Capitalism* (New York: Knopf, 1977), p. 267; "todo ato", "Um homem capaz" e "Na classe mais elevada" da coletânea, Frederick W. Taylor, *Scientific Management, Principles*, p. 64, 59, 97. Os estudos sobre uso da pá e as citações a ele relacionada são de Frederick W. Taylor, *op. cit., Shop Management*, p. 150-169, 172-174. Os exemplos de 25 a 75% para P são dos serviços de consultoria mais bem documentados de Taylor (ele agia mais na contratação dos trabalhos que em seu gerenciamento) em Hugh G.J. Aitken, *Taylorism at Watertown Arsenal: Scientific Management in Action*, 1908-1915 (Cambridge, Mass.: Harvard University, 1960), p. 24. As citações de Taylor "investigação científica" e "Um é palpite" são de Frederick W. Taylor, *op. cit., Testimony*, p. 164. O relato da descoberta do aço de alta velocidade é baseado em Thomas

J. Misa, *A Nation of Steel: The Making of Modern America, 1865-1925* (Baltimore, Md.: Johns Hopkins University, 1995), p. 180-209. E ver Philip Scranton, *Endless Novelty: Specialty Production and American Industrialization, 1865-1925* (Princeton, N.J.: Princeton University, 1997), p. 202-204, para os desafios apresentados por ferramentas de alta velocidade aos fabricantes de máquinas. A citação "o apelo dramático" é de Daniel Nelson, *Frederick W. Taylor*, p. 119.

Surge o sr. Brandeis

Para os casos Rate, ver Louis D. Brandeis, *Scientific Management and Railroads* (New York: *The Engineering Magazine*, 1911). Ele traz um prefácio extenso dos editores da *Engineering Magazine*, o discurso de encerramento de Brandeis e o testemunho dos tayloristas. Na verdade as ferrovias tinham bons argumentos em favor de tarifas mais altas. Os salários dos trabalhadores *blue-collar* estavam aumentando muito, e eles estavam perdendo profissionais mais experientes; além disso, o aumento radical na densidade de tráfego de curta distância em ferrovias como a Pennsylvania tinha um custo muito alto. A ideologia sobre tarifas em vigor proibia cobrança diferenciada com base nos custos. Para Gilbreth e seus therbligs, Samuel Haber, *Efficiency and Uplift; Scientific Management in the Progressive Era, 1890-1920* (Chicago: University of Chicago, 1964), p. 40-41. As citações do testemunho taylorista são de Louis D. Brandeis, *Scientific Management*, p. 6, 7, 11, 27, 22, 39. As citações da consultoria de Emerson estão em Daniel Nelson, *Frederick W. Taylor*, p. 130, 128. A citação "poucos aqui" e manchetes do *Times* e do *Tribune* estão em Robert Kanigel, *The One Best Way*, p. 434, 433, 435. O texto de Gilbreth está em Frank B. Gilbreth, *Primer of Scientific Management* (New York: D. Van Nostrand Co., 1914); as citações estão nas p. 6, 80. O resumo dos *Principles* de Taylor está em Frederick W. Taylor, *Scientific Management: Principles*, p. 140-144.
As citações "Será que não", "leis científicas", "o caminho saudável" e "botar engenheiros" são de Edward T. Layton Jr., *The Revolt of the Engineers: Social Responsibility and the American Engineering Profession* (Baltimore, Md.: Johns Hopkins University, 1986), uma discussão excelente da ascensão e queda da arrogância dos engenheiros. A citação "nova classe profissional" é de James Gilbert, *Designing the Industrial State: The Intellectual Pursuit of Collectivism in America, 1880-1940* (Chicago: Quadrangle Books, 1972). As citações de Merrick e Taylor na nota de rodapé sobre Watertown são de Hugh G.J. Aitken, *Taylorism at Watertown*, p. 147, 137. Para o depoimento de Taylor no Congresso e o interrogatório, ver Frederick W. Taylor, *Scientific Management: Testimony*. "Nunca usamos" está em Robert Kanigel, *The One Best Way*, p. 564.

Taylor e os intelectuais

A citação "veterano de lojas" é de Philip Scranton, *Endless Novelty*, p. 69. Para Chandler sobre Taylor, ver Alfred D. Chandler Jr., *The Visible Hand: The Managerial Revolution in American Business* (Cambridge, Mass.: The Belknap of Harvard University, 1977), p. 274-281. David A. Hounshell, *From American System to Mass Production, 1800-1932*:

The Development of Manufacturing Technology in the United States (Baltimore, Md.: Johns Hopkins University, 1984), p. 217-261, é uma discussão definitiva das conquistas de Ford. Para as reservas de Taylor sobre trabalhar em empresas bem-administradas, ver Daniel Nelson, *Frederick W. Taylor*, p. 150. Para a defesa da administração das ferrovias, ver William J. Cunningham, "Scientific Management in the Operation of Railroads", *The Quarterly Journal of Economics 25* (maio de 1911), p. 539-561. De Albert Fishlow, "Productivity and Technological Change in the Railroad Sector", 1840-1910, em Dorothy Brady, ed., National Bureau of Economic Research, *Output, Employment, and Productivity in the United States after 1800* (New York: Columbia University, 1966), p. 583-646, demonstra que, na verdade, o aumento na produtividade do setor ferroviário foi o mais rápido de todos durante a totalidade desse período.

...E houve consequências

A nota de rodapé sobre a versão soviética do taylorismo é de Richard Overy, *The Dictators: Hitler's Germany and Stalin's Russia* (New York: Norton, 2004), p. 320. Os livros de Chandler mencionados, além de *The Visible Hand*, estão em: Alfred D. Chandler Jr., *Scale and Scope: The Dynamics of Industrial Capitalism* (Cambridge, Mass.: The Belknap of Harvard University, 1990); e *Strategy and Structure: Chapters in the History of Industrial Enterprise* (Cambridge, Mass.: The MIT, 1962). *Scale and Scope* leva a discussão à arena internacional, excluindo, para todas as questões práticas, o Japão, uma omissão importante em 1990, quando o livro foi publicado. O rótulo "teutônico" é de William Parker, "Business Enterprise and Economic Change", em Louis P. Cain e Paul J. Uselding, eds., *Business Enterprise and Economic Change: Essays in Honor of Harold F. Williamson* (Kent, Ohio: Kent State University, 1973), p. 15-47, 24. As citações "economia da velocidade" e "[G]erenciar e coordenar" são de Alfred D. Chandler Jr., *The Visible Hand*, p. 281, 454. Para histórias da Harvard Business School, ver Jeffrey L. Cruikshank, *A Delicate Experiment: The Harvard Business School: 1908-1945* (Cambridge, Mass.: The Harvard Business School, 1987). Para "tinham muita", ver Alfred D. Chandler Jr., *Strategy and Structure*, p. 284. Para EOQ, ver H. Thomas Johnson e Robert S. Kaplan, *The Rise and Fall of Management Accounting* (Cambridge, Mass.: Harvard Business School, 1987), p. 209-220, um livro importante para os que se interessam por essas coisas. Para o sistema Toyota, ver Taiichi Ohno, *Toyota Production System: Beyond Large-Scale Production* (Cambridge, Mass.: Productivity, 1988), e Japan Management Association, *Kanban: Just-in-Time at Toyota* (Cambridge, Mass.: Productivity, 1982). A citação "busca de quantidade" é de Taiichi Ohno, *op. cit.*, p. 109. Escrevo sobre a onda de reforma nas fábricas americanas em meu livro *The Coming Global Boom* (New York: Bantam, 1990). O artigo que critica os administradores é de Robert H. Hayes e William J. Abernathy, "Managing Our Way to Economic Decline", *Harvard Business Review* (julho-agosto de 1980), p. 67-77; as citações são das p. 70, 74. "O homem de negócios" de Chandler é de seu *The Visible Hand*, p. 455.

Apêndice I: Os ganhos da Carnegie Company em 1900

Exceto onde há observações específicas, todo o material foi desenvolvido a partir dos registros na ACBC. Para as menções mais antigas dos US$ 40 milhões, ver James Howard Bridge, *The Inside History of the Carnegie Steel Company, A Romance of Millions* (New York: Aldine, 1903), p. 295; Andrew Carnegie, *The Autobiography of Andrew Carnegie* (Boston: Northeastern University edition, 1986), p. 245; e Stanley Committee, I: 161-62. Em relação às citações posteriores, não encontrei historiador que, se menciona um número, utilize outro que não o de US$ 40 milhões para os lucros totais da Carnegie Co. em 1900. Os dados sobre formação de preço do aço são dos relatórios de preços da Iron Age na época; usei os preços semanais mais próximos do fim do mês. Os dados de crescimento anual estão nos quadros do apêndice de Peter Temin, *Iron and Steel in Nineteenth-Century America: An Economic Inquiry* (Cambridge, Mass.: The MIT, 1964), "Appendix C: Statistics of Iron and Steel", p. 264-285. O erro do século XIX na contabilidade de depreciação aparentemente foi notado pela primeira vez pelo historiador Richard Brief nos anos 1960 e é citado em Naomi Lamoreaux, *The Great Merger Movement in American Business, 1895-1904* (New York: Cambridge University, 1985), p. 53-54.

Apêndice II: Os ganhos da Standard Oil

Quadro extraído dos dados do processo que levou à liquidação, como descritos por Allan Nevins, *John D. Rockefeller: The Heroic Age of American Enterprise* (New York: Charles Scribner's Sons, 1940, 2 vols.), II:719. O "valor nominal" nesta tabela parece estar registrado corretamente, apesar de eu não ter acesso aos detalhes. (Ver notas do capítulo 3 para o estado dos arquivos da Standard.) As contas pessoais de Rockefeller estão em RAC, Série F, "Trial Balances, 1890-1915".

Índice remissivo

A

"astros" da ciência 195
A Hazard of New Fortunes 175
abatimentos posteriores 91, 92, 94, 96, 97, 98, 99, 163, 220, 223, 228, 229
Abernathy, William 313
aço 9, 10, 19, 29, 39, 66, 78, 85, 100, 101, 102, 111, 113, 116, 118, 126, 128, 130, 131, 132, 133, 134, 135, 136, 137, 138, 167, 186, 192, 193, 194, 197, 199, 202, 205, 210, 211, 212, 213, 215, 216, 219, 251, 252, 253, 255, 256, 257, 258, 259, 260, 261, 264, 268, 271, 272, 273, 274, 275, 276, 277, 278, 279, 281, 282, 283, 284, 286, 289, 291, 299, 300, 315, 317, 319, 320, 321, 323
aço estrutural 194
acordo da U.S. Steel 255, 260, 262
acordo do Corsair 234, 237
Adams Jr., Charles Francis 240
Adams, Comfort 304
Adams, Henry 34, 81, 84, 165, 290, 291, 293
Adams, The Education of Henry 291
administração 31, 49, 54, 78, 107, 121, 122, 135, 149, 174, 178, 186, 201, 205, 208, 210, 234, 236, 238, 267, 273, 276, 283, 292, 305, 309, 322, 323, 326, 327
administração científica 289, 291, 292, 295, 302, 303, 304, 305, 306, 307, 308, 309, 310, 311, 313, 314
Alemanha 9, 110, 270, 271, 273, 274, 275, 276, 277, 278, 279, 284, 285
Alger, Horatio 177
algodão 9, 20, 39, 53, 54, 66, 74, 111, 112, 116, 197
alto-forno Lucy 139
Amalgamated Copper 252

Amalgamated Iron and Steel 199
America 43, 46
American Federation of Labor 200
American Sheet Steel Co. 253
American Society of Mechanical Engineers 133, 295
American Sociological Society 293
American Steel & Wire 253, 258
American Steel Hoop 253, 258
American Telephone & Telegraph 251
American Tin Plate 197, 253
American Union 152, 153
Ames, Fisher 53
Ames, Nathan 61, 62, 65
Ames, Oakes 144, 145
Ames, Oliver 145
Anderson, John 65
Andrews, Sam 31
anos 1870 61, 72, 107, 108, 110, 111, 113, 114, 115, 116, 117, 120, 121, 124, 126, 132, 149, 159, 162, 167, 173, 174, 175, 177, 183, 196, 198, 199, 236, 237, 249, 270, 274, 275
ansiedade 186, 187, 188, 250
antitruste 98, 218, 221, 250, 267
aposentadoria 105, 211, 213
Archbold, John 95, 157, 158, 196
armas de fogo 44, 48, 55, 56, 66, 67, 69
Armour, Philip 122
ascensão 9, 11, 26, 46, 62, 85, 88, 95, 143, 165, 172, 210, 234, 293, 310
Atlantic & Great Western 78, 94
Atlantic & Pacific 152
Atlantic Refining 157
Atlantic Transport 266, 267
audiências da Comissão Industrial 223
Ayer, N. W. 181

B

Bacon, Robert 257
Baker, George F. 162
Baltimore & Ohio 16, 130, 149, 152, 158, 161, 240
bancos 18, 21, 39, 92, 109, 112, 115, 152, 172, 180, 181, 195, 245, 246, 249, 251, 264
Bank of England 247, 250, 265, 286
Banque de France 250
Barings 39, 101, 109, 167, 180, 233, 236, 241, 287
Barksdale, Hamilton 308
Barnard, George 75, 87
bear raid 34, 73, 146, 153
Beard, Charles e Mary 23
Bee Line 151
Beecher, Henry Ward 187
Belden, Henry 84
Bell, Alexander Graham 118, 127
Bellamy, Edward 292, 307
bens de consumo 19, 181, 186, 271
Benson, Byron 162
Berkman, Alexander 204
Bernhardt, Sarah 123
Bessemer Steel Association 135
Bessemer, Henry 132
Bessemer, processo 271
Bethlehem Iron Company 140
Bethlehem Steel 229, 298
Bischoffheimer & Goldschmidt 86
Bismarck, Otto von 110
Blaine, James G. 147
Blanc, Honoré 52
Blanchard, Thomas 46, 49, 53, 184
Bloomingdale's 166, 180
Blumin, Stuart 169, 176
Bôeres, Guerra dos 9, 265, 269
Bolsa de Valores de Nova York 249
Bomford, George 52
Bonsack, James 183
Bostwick, Jabez 93, 342
Boucicault, Aristide 166
Bowl, The Golden 287
Bradford 162
Brandeis, Louis D. 98

Bridge, James 210, 314
britânicos 9, 40, 43, 44, 46, 50, 62, 63, 66, 68, 69, 71, 98, 116, 135, 141, 174, 198, 208, 228, 246, 251, 266, 270, 271, 272, 273, 274, 275, 276, 277, 278, 282, 283, 287
Bryan, William Jennings 219, 248
Bryce, Lorde 33
Buckland, Cyrus 50, 60
Burn, D. L. 278
burocracia 234, 295
Burr, Aaron 39
Burton, James H. 65
Butterfield, Daniel 81

C

"Chapters of Erie" 240
Cabot, Samuel 53
Cadillac 274
Calhoun, John 57
Camden and Amboy 20
capacidade produtiva 253
Carey, Henry 22
Carnegie Bros. 141
Carnegie Co. 216, 251, 255, 259, 261, 264, 314, 316, 318, 319, 320, 322, 324
Carnegie Steel 139, 192, 198, 199, 202, 205, 206, 209, 210, 211, 212, 215, 229, 230, 253, 255, 256, 258, 272, 276, 281, 283, 290, 294, 314, 315, 316, 317, 318, 319, 320, 321, 322, 323, 324, 325, 326
Carnegie, Andrew 3, 10, 25, 26, 38, 89, 97, 100, 102, 104, 116, 126, 128, 199, 209, 213, 214, 228, 231, 233, 255, 279, 280, 282, 283, 286, 289, 314, 323
Carnegie, Tom 136, 137
cartéis 10, 98, 239, 253
cartel do aço 29, 135
Cartwright, Samuel 51
carvão 19, 77, 107, 112, 119, 128, 132, 139, 146, 167, 192, 195, 206, 237, 272, 282, 284, 286
casas 19, 84, 101, 123, 174, 201, 216, 220, 221, 223, 228, 238, 278, 280, 283, 292, 323

Índice remissivo 377

caso das "carabinas Hall" 40
Cass, George 117
Cassatt, A. J. 161, 228
Cass-Cheney 117, 118
catálogo da Sears 178
Central Branch Union Pacific 151
Central of New Jersey 151
Central Pacific 143, 146
Chandler, Alfred 239, 254, 307, 310
Charles Ferguson 13, 227
Cheney, George 117
Chernow, Ron 33, 223
Chicago 19, 20, 77, 96, 106, 113, 119, 122, 123, 166, 172, 178, 180, 182, 184, 191, 192, 193, 199, 223, 228
China 11, 156, 190, 287
Choque de oferta 114, 115
Churchill, Winston 278
ciência da administração 291
Clark, Horace 145
Clark, John Bates 219
Clark, Maurice 30
Clark, Silas 146
classe média 18, 19, 22, 55, 167, 169, 170, 171, 173, 174, 175, 176, 177, 183, 188, 189, 286
Clay, Henry 21
Cleveland 19, 25, 30, 31, 88, 89, 90, 91, 92, 93, 94, 95, 96, 97, 98, 99, 100, 156, 157, 158, 159, 161, 164, 186, 196, 204, 246, 247, 248
Cleveland, Grover 204
Cobden, Richard 276
Coleman, William 136
Colfax, Schuyler 144
Colgate 167
Colt, Samuel 44, 54, 61
Columbus and Indianapolis 20
comércio 17, 19, 36, 37, 71, 77, 97, 98, 110, 124, 145, 150, 154, 200, 220, 222, 249, 270, 275, 276, 277, 278, 279
comércio-livre 276
Commercial and Financial Chronicle 106, 108
Compaq 252

Compromisso de 1877 147
concessões de terra 117, 119, 121, 124, 147, 195
concorrência 10, 33, 41, 46, 85, 88, 98, 100, 111, 117, 127, 149, 168, 186, 218, 220, 221, 223, 226, 229, 232, 239, 252, 255, 256, 258, 259, 261, 267, 275, 277, 278, 279, 281, 282, 284, 290, 295, 315
Confidence Men and Painted Women 187
conflitos de interesse 28, 104
conflitos trabalhistas 29, 304
Conneaut 258, 259, 260, 264, 320
consultoria 133, 298, 300, 301, 303, 308, 309, 311
consumo de massa 62, 166, 184, 186, 286
contracepção 189
contratos de fornecimento 167
controle de custos 198, 295
Cooke, Jay 108, 109, 117, 244
copperhead 18
coque 111, 130, 132, 139, 140, 192, 202, 203, 212, 214, 215, 216, 229, 258, 260, 315, 324
Cordiner, Ralph 164
Corliss, George 127
Coster, Charles 238, 257
crash de 1873 105, 108, 110, 128, 136, 143, 156, 195
crash de 1907 249, 286
crash de 1929 268
crescimento 9, 10, 11, 18, 19, 20, 25, 41, 62, 67, 81, 85, 89, 97, 107, 110, 111, 113, 116, 120, 122, 123, 139, 162, 164, 173, 175, 177, 183, 186, 188, 190, 195, 198, 199, 218, 232, 239, 243, 246, 250, 252, 269, 270, 273, 274, 279, 281, 282, 295, 307, 315, 317
crescimento populacional 111, 175, 270
crianças 19, 37, 174, 175, 177, 188
Crozier, William 306
cultura americana 313
Cunningham, William 308

D
"destruição criativa" 41, 286
Dabney, Charles 40
Dakota do Norte 119
Dalrymple, Oliver H. 118
Darwin 290
Darwinistas sociais 251
DeBeers Diamond Co. 269
déficit comercial 109
Delaware, Lackawanna & Western 151
democratas 21
Denver & Rio Grande 151
Denver & South Park 151
Denver Pacific 151
DePew, Chauncey 231
Devereaux, J. H. 92
Dewey, John 293, 307
Dillon, Sidney 145, 240
Dingel, tarifa 277
Dix, Dorothy 184
Dodd, Samuel C. T. 196
Dodge, Grenville 144
Dodge, James 300, 303
domínio mundial 62
Douglas, Stephen 21
Dow Jones, Índice Industrial 198
Drew, Daniel 34, 73
Drexel, Anthony 40
Drucker, Peter 289
Dudley, Charles 194
Duke, James 183
Duncan, William 85
Dunne, Peter Finley 264
Dupont 254, 308, 311
Duquesne, Usina 205
Dwight, Edmund 53

E
Eads, capitão James 102
East St. Louis & Carondelet 151
Eastern Illinois 224, 225
Eastern Traffic Association 219
Eastern Trunkline Association 149
economias de escala 116, 256, 274
Economist 286

Edison Electric 254
Edison, Thomas 127, 183, 239, 254
educação 22, 30, 68, 175, 177, 195, 274, 291, 296, 301, 306
Edwards, Jonathan 39
Edwin, coronel Drake 30
eficiência 18, 31, 58, 62, 116, 130, 131, 186, 251, 254, 258, 260, 273, 275, 278, 300, 301, 304
eletricidade 54, 175, 186, 228, 239, 254
Eliot, S. A. 53
Elisha K. 61
Ellerman, John 266
Ely, Richard 219
Emerson, Harrington 301
Emery, Lewis 222
Empire Transportation Co. 159
emprego 35, 46, 111, 113, 123, 137, 171, 200, 206, 297, 310
empresas de telégrafo 67, 120
Enfield 65, 66, 274
entretenimento 23, 183
EOQ 312
era da administração corporativa 156
Erie 19, 27, 38, 40, 59, 64, 71, 72, 73, 74, 75, 76, 77, 78, 79, 80, 85, 86, 87, 88, 91, 92, 93, 94, 97, 100, 104, 110, 143, 144, 145, 147, 149, 150, 151, 152, 159, 161, 162, 166, 204, 240, 258, 259, 272, 317, 320
escândalo do Crédit Mobilier 144
escravidão 21, 22, 23, 24, 25, 169
espoliação da Erie 145
Estados Unidos pós-Guerra Civil 11
Europa 25, 55, 108, 109, 110, 111, 121, 128, 156, 170, 173, 185, 232, 233, 236, 245, 249, 264, 270, 277, 278, 285
Evans, Oliver 68, 70
Excelsior Oil 31, 32
exportações 80, 96, 109, 111, 112, 247, 249, 274, 276, 277, 283
Exposição da Filadélfia 185, 292
Exposição de Paris de 1857 49
Exposição de St. Louis 292
Exposição do Crystal Palace 43, 46, 48, 50, 52, 61, 64, 127, 185, 274, 285

F

Fábricas de enlatados 307
família Rothschild 110, 269
Farrar, Gaspard 287
faturamento 32, 146, 147, 161, 206, 217, 255, 260, 267, 284, 315
fazendas 18, 19, 20, 31, 67, 113, 117, 118, 119, 121, 122, 123, 124, 125, 170, 173, 178, 275
fazendas bonanza 117, 119, 124
Federal Reserve 115, 250
Federal Steel 229, 255, 256, 257, 264, 323, 324
ferrovia Erie 72
ferrovias 10, 17, 19, 20, 21, 22, 27, 28, 34, 35, 37, 39, 66, 72, 73, 77, 78, 79, 84, 85, 88, 91, 92, 93, 94, 96, 97, 98, 99, 102, 105, 109, 110, 111, 112, 113, 114, 115, 118, 120, 121, 122, 124, 126, 128, 130, 131, 133, 137, 138, 140, 141, 142, 143, 144, 145, 146, 147, 148, 149, 150, 151, 152, 153, 155, 156, 159, 160, 161, 163, 165, 167, 172, 180, 192, 193, 194, 195, 197, 198, 218, 219, 221, 223, 225, 231, 232, 233, 234, 236, 237, 238, 239, 240, 241, 242, 243, 244, 245, 246, 249, 251, 252, 256, 257, 260, 265, 267, 270, 273, 275, 276, 284, 286, 294, 295, 301, 302, 303, 308, 310, 314, 324
Ferry, Harpers 49, 50, 57, 59, 60, 61, 67
Field, Cyrus 80, 151, 232
Field, David Dudley 87
fim da era 273
financiamento 24, 39, 103, 136, 137, 144, 195, 213, 233, 234, 238, 253, 267, 269
Fink, Albert 97, 149, 219, 221, 240
First National Bank 162
Fisk, Jim 71, 74, 79, 83, 86
Fitch, John 55
Flagler, Henry 89, 197, 342
Fogel, Robert 144
Ford, Henry 123, 186, 289, 290, 307
forno aberto 133, 135, 193, 194, 205, 211, 257, 271
França 66, 270, 277

Franklin Gowen 162, 237
Frasch, Herman 225
Freud 291
Frick Coke Co. 139, 314
Frick, Henry 29, 111, 141, 165, 201, 255
Fritz, George 135
fusão da U.S. Steel 258, 314
fusões 91, 99, 157, 198, 205, 213, 217, 220, 251, 252, 253, 254, 256

G

"Grampo de Ouro" 143
Gallman, Robert 110
Game, The Pajama 310
Gantt, Henry 297
Garfield, James 144
Garland, Hamlin 156, 206
Garrett, John 141, 152, 158
Garrett, Robert 153
Gary, Elbert 41, 212, 229, 250, 255, 283
Gates, Bill 47, 100, 165
Gates, Frederick 211, 263
Gates, John W. 202, 210, 253, 256, 283, 324
General Electric 195, 254, 268, 275, 308
George Eastman 184
Gilbreth, Frank 301, 311
Gladstone, William Ewart 71, 200
Gold Corner 79, 83, 84, 85, 100, 115, 143, 147
Goldman, Emma 204
Goldman, Sachs 181
Gompers, Samuel 200, 205
Gould, George 236, 258
Gould, Jay 3, 10, 25, 34, 38, 71, 75, 76, 77, 87, 88, 91, 94, 100, 103, 114, 115, 121, 126, 143, 146, 148, 154, 231, 240, 241, 242, 286
Grã-Bretanha 44, 50, 58, 65, 66, 68, 69, 107, 111, 116, 127, 169, 269, 270, 271, 273, 274, 275, 276, 277, 278, 285
Grande Depressão dos anos 1870 108
grandes empresas 11, 181, 239, 251, 277, 286, 293, 309
Granger, movimento 124

Grant, Ulysses S. 15, 129
Great Atlantic and Pacific Tea 181
Great Northern 151, 244
greenback 80, 115, 116, 232, 247, 248, 249
Greenspan, Alan 115
greve de Homestead 209
Gribeauval, Jean-Baptiste de 52
Gribeauval, Le système 52
Guarda Nacional 106
Guerra Civil 9, 10, 11, 19, 20, 21, 22, 24, 25, 36, 41, 42, 54, 55, 66, 79, 80, 86, 89, 94, 105, 107, 115, 120, 128, 143, 167, 198, 236, 246, 270, 271, 276, 279, 286
Guerra de 1812 50, 57
Guerra Franco-Prussiana 109
Guerras da Erie 72, 73, 92, 100, 104, 110, 143, 149, 240
guerras das ferrovias 17, 79, 241
Gurley, Phineas 15

H

Hall, John 54, 55, 56, 59, 62, 65, 67, 184, 185, 295
Halttunen, Karen 187
Hamilton, Alexander 21, 246, 276
Hammond, George 122
Hand, The Visible 310, 313
Hanna, Mark 215
Harriman, Edward Henry 243
Harrison, Benjamin 204
Harvard Business School 310, 313
Hathaway, Horace 301
Havemeyer, H. O. 281
Hay, John 287
Hayes, Robert 313
Hayes, Rutherford B. 115, 147
Haymarket Square 199
Henry, B. Tyler 60
Hill, James J. 221, 236
History of Standard Oil 224
Hobbs, Alfred C. 44
Hofstadter, Richard 218
Holley, Alexander 61, 130, 133, 135, 173, 181, 192, 282, 284, 290

Holmes Jr., Oliver Wendell Jr. 98, 184
Homestead Act 24, 124, 155
Hoover, Herbert 305
Hopkins, Mark 150
Hounshell, David 13, 54, 61
Howells, William Dean 127, 175, 188
Huntington, Collis 146, 147, 241

I

iate 148, 231
Illinois Steel 206, 255, 256, 283, 318
imigrantes 18, 21, 107, 108, 111, 171, 173, 177, 181, 293
impulso de reforma agrária 218
indústria 10, 13, 17, 18, 19, 25, 45, 50, 53, 62, 63, 64, 66, 67, 68, 69, 77, 88, 89, 90, 93, 94, 95, 97, 100, 107, 110, 113, 116, 119, 120, 122, 123, 125, 126, 131, 133, 135, 139, 140, 142, 151, 153, 154, 156, 157, 160, 163, 165, 167, 176, 184, 186, 188, 193, 194, 195, 196, 197, 199, 204, 207, 208, 214, 219, 221, 227, 228, 230, 238, 240, 241, 251, 252, 253, 254, 256, 257, 258, 261, 262, 263, 264, 270, 272, 273, 274, 275, 276, 277, 278, 279, 281, 282, 283, 284, 285, 286, 287, 292, 294, 296, 297, 302, 303, 308, 309, 310, 311, 316
indústria alimentícia 123, 279
indústria americana 50, 68, 88, 274, 281, 284
indústria de bicicletas 184, 185
indústria de software 252
indústria do ferro 275
indústria militar 285
indústria petrolífera 156
indústria siderúrgica 10, 13, 140, 165, 197, 202, 203, 205, 217, 256, 260, 271, 273, 277, 278, 282, 294
indústria têxtil 17, 69
infraestrutura 10, 22, 53, 107, 115, 126, 167, 180, 186, 239, 246
inovação 42, 47, 50, 67, 69, 70, 90, 177, 180, 252
integração retroativa 163, 257

integração vertical 240, 254, 313
intercambialidade de peças 52
International Great Northern 151
International Mercantile Marine 266
International Navigation Co. 266
International Paper 253
Interstate Commerce Act 98, 218, 219, 223, 228, 241
Interstate Commerce Association 241
Interstate Commerce Commission 221, 241, 246, 301
investigações "Pujo" 268
Iowa 151
Iron Age 213, 317, 324
Iron Mountain 151
Iron-Clad Agreement 142
Irwin, Douglas 13, 281
Ivory, sabonete 179

J

J. P. Morgan & Co 234, 268
J. S. Morgan & Co. 39, 40, 79, 234
Jackson, Andrew 218, 246
James, Henry 287
Japão 11, 116, 270, 279
Jeans, Stephen 208, 257, 271
Jefferson, Thomas 18, 52
Jenks, Jeremiah 223
Jennings, O. B. 92
Johnson, Andrew 115
Jones & Laughlin 256, 318, 324
Jones, capitão William 135

K

Kanigel, Robert 306
Kansas & Texas 151
Kansas Pacific 150, 151
Kennedy, John F. 16
Keystone Bridge Co. 100, 102, 136
Klein, Maury 13, 145, 151
Kuhn, Loeb 234, 245
Kuznets, Simon 110

L

laboratórios de pesquisa 195, 293, 310
Lackawanna Steel 255
Lafayette and Michigan City 20
Lake Shore 91, 92
Lamoreaux, Naomi 105, 252
Landes, David 285
Landis, Kenesaw Mountain 223
Lane, Franklin 76, 86
Lauder, George 204, 322
Lee Higginson 234
Lee, Charles 36
Lee, general Robert E. 15
Lee, Roswell 52
Lehmans 181
lei costumeira 97, 158, 220
Leishman, John 210
Levingston, William 30
Lewis, John L. 200
Leyland 266
Lincoln, Abraham 15, 20, 22, 124
Lincoln, Mary 15
Linseed Oil Trust 197
Lippmann, Walter 291, 307
liquidação da Standard 228, 319
Lockhart, Waring and Frew 157
Lockwood & Co. 85
lojas de departamento 166, 167, 171, 180, 295, 307
London Times 277
Looking Backward 292
Lowell, Francis Cabot 51
lucratividade 10, 93, 122, 141, 157, 227, 264, 281, 324

M

"Managing Our Way to Economic Decline" 313
Macy's 166, 172
malha ferroviária 89, 243, 275
Mansfield, Josie 71, 76, 86, 88
máquinas de costura 19, 54, 61, 62, 113, 166, 185, 186, 308
marcas 10, 29, 120, 167, 180, 182, 183, 186, 236

Martin, Albro 219
Massachusetts Railroad Commission 240
Massacre de Ludlow 206
McCandless Carnegie & Company 136
McCandless, David 136
McClellan, George 94
McClure's Magazine 95, 221
McCormick Reaper 113, 199
McCormick, Cyrus 19, 44, 54
McCoy, Joseph 121
McGee, John 222
McHenry, James 86
MCI 239
McNamara, Robert 313
McPherson, James 24
mecanização 62, 67, 90, 117, 125, 131, 133, 135, 202, 205, 239, 272, 274, 283, 294
Mellen, Charles 265
Melville, Herman 187
mercado mundial 64, 156, 232
mercados internacionais 117, 276
Merrick, David 306
Mesabi 211, 272, 284, 314
metáfora da Megamáquina 128
método de "forno aberto" 133
métodos de arsenal 62
Microsoft 100, 165, 252
Midvale Steel 230, 294
Mill., James K. 53
minério 132, 133, 135, 136, 139, 140, 150, 192, 210, 211, 229, 250, 256, 258, 259, 260, 262, 264, 271, 272, 278, 282, 284, 321, 322, 324
minério de Mesabi 211, 272, 284
Missouri Pacific 150, 151
mobilidade 9, 169, 170, 171, 186, 187, 218, 285
mobilidade ocupacional e 170
modernidade 16, 107, 108, 126, 186, 273
moinhos 51, 58, 68, 181
monopólios 77, 149, 218, 227, 239, 241, 251, 252, 254, 256
Monroe, James 56
Moody, John 198, 238
Moore, William H. 213

Morgan, John Pierpont 10
Morgan, Joseph 39
Morgan, Junius 29, 85, 102, 137, 138, 195, 232, 282
Morrill Act 24, 119, 195
Morris, Nelson 123
Mosher, Clelia Duel 188
motor de turbina a vapor 275
mudança de escala 128, 294
mulheres 24, 26, 39, 69, 166, 167, 170, 172, 175, 177, 178, 187, 188, 189, 190, 193, 196, 204, 291

N

National Biscuit 213
National City Bank 234, 250, 268
National Steel 253, 257, 258, 264, 318, 323, 324
National Tube 197, 256, 257, 259
Nevins, Allan 263, 324, 326, 327
New Haven 238, 265, 268, 301
New Orleans Pacific 151
New York Central 73, 77, 78, 85, 91, 97, 152, 159, 161, 231
New York Times 133, 143, 148, 303
New York Tribune 303
New York World 153
New York, New Haven & Hartford 265, 301
Niall Ferguson 269
Nobel, irmãos 227
Noll, Henry 289
North American Review 260
North, Simeon 58, 60, 61, 185
Northern Central 20
Northern Pacific 108, 117, 124, 244, 245, 265
Northern Securities 220, 221, 243, 244, 245, 267
Northern Securities Co. versus Estados Unidos 220
Northwestern 151
novas tecnologias 105, 142, 162, 285
novos empregos 125
Nucor 240

O

O'Leary, Patrick 191
Ohno, Taiichi 312
oleodutos 91, 159, 160, 161, 162, 163, 223, 225, 226, 228, 237
Oliver Mining Co. 314
Otis, Harrison Gray 53
ouro 71, 79, 80, 81, 82, 83, 84, 115, 122, 146, 185, 246, 247, 248, 249, 261, 265, 267, 269

P

"Palácio de Ferro Forjado" 166
Pacific & Atlantic Telegraph Co. 101
Pacific Mail 145, 146
Pacific Railway Act 24
Pacific Road 146, 147
padrão 31, 48, 49, 54, 58, 72, 78, 115, 123, 142, 147, 166, 171, 175, 186, 189, 193, 220, 228, 246, 251, 252, 271, 275, 277, 285, 295, 297
padrões de arsenal 184
padronização 116, 272, 294, 295
Palmolive 167
pânico do ouro de 1893-95 246
paridades de poder de compra 176
Parrish, Maxwell 185
Parsons, Charles 275
patentes 21, 49, 50, 54, 55, 56, 69, 101, 135, 185, 225, 254, 294, 300
Payne, Oliver H. 93
Peabody, George 39
Pearson, Karl 291
Pecora, investigação 268
Pedro II, Dom 127
Peel, Robert 275
Pennsylvania 13, 27, 28, 29, 72, 77, 78, 79, 85, 89, 92, 94, 100, 101, 102, 103, 104, 105, 106, 108, 113, 114, 130, 131, 132, 135, 137, 141, 142, 147, 149, 153, 156, 158, 159, 160, 161, 166, 180, 194, 228, 231, 232, 236, 237, 251, 258, 264, 292, 293
Peoria 151
pequenos negociantes 125

Perkins, Charles E. 150
Peter Watson 88, 92, 99, 342
Peterson, Will 15
Phipps, Henry 136, 210, 211
Phipps, Lawrence 216
Pillsbury 119, 120, 181
Platt, Orville 220
pobres 26, 112, 125, 170, 175, 177, 207
política de "porta aberta" 287
ponte de St. Louis 102, 104, 136
ponte do Brooklyn 101, 104, 112, 173
pool de Iowa 150, 151
pools 10, 77, 97, 139, 149, 210, 220, 221, 229, 241, 243
pools de ferrovias 221
Pope, Albert A. 179, 185
Popplewell, Frank 271
populismo 107
Porter, Theodore 293
Potter, David 169
Potts, coronel Joseph 159
Pratt, Charles 90, 157
Pratt, Zadock 35
preços 10, 11, 33, 74, 77, 79, 80, 82, 83, 84, 85, 89, 91, 92, 96, 97, 98, 99, 109, 111, 112, 113, 114, 115, 116, 117, 120, 124, 130, 135, 138, 139, 141, 146, 150, 153, 157, 158, 162, 167, 168, 172, 176, 180, 192, 205, 206, 210, 211, 214, 218, 219, 220, 221, 222, 223, 227, 229, 231, 237, 239, 252, 255, 256, 261, 262, 264, 268, 273, 276, 277, 279, 281, 282, 283, 286, 293, 315, 316, 317, 323, 324
Primeira Guerra Mundial 110, 234, 244, 276, 284
processos antitruste 221
Procter & Gamble 167, 179
produção de aço 111, 132, 211, 212, 256, 257, 271, 274, 289
produção de trigo 113, 119
produção em massa 116, 117, 119, 131, 185, 186, 271, 307
produção industrial 9, 111, 269, 270
produtividade 51, 65, 67, 68, 69, 107, 119, 120, 193, 201, 202, 205, 256, 270, 275, 278, 289, 296, 302, 312

produtores de arame e pregos 253
produtos de consumo 116, 156
protecionismo 276, 277
providencialismo 290
publicidade 162, 180, 181, 217, 237, 301, 306
Pullman Sleeping Car 294
Punch 45
Pure Oil Co. 223

Q

Quarterly Journal of Economics 308
querosene 11, 19, 89, 90, 95, 112, 125, 156, 167, 175, 222, 228, 279
Quincy 151

R

Rate, caso Eastern 301
Reading 106, 151, 162, 231, 236, 237, 238
Reading, Philadelphia & 162, 231, 236
receitas 80, 97, 112, 114, 125, 146, 152, 282
recursos naturais 9, 67, 120
reestruturações 237
refinarias 31, 89, 90, 91, 92, 93, 94, 95, 96, 98, 99, 100, 123, 151, 157, 158, 159, 161, 162, 163, 165, 196, 225, 228
refinarias de Cleveland 89, 91, 94, 98
relações trabalhistas 199
relatório Kinsey 189
republicanos 18, 21, 22, 204, 246
reservas 80, 114, 115, 127, 135, 139, 203, 225, 246, 247, 250, 264, 265, 269, 272, 278, 282, 284, 307, 319
restrição de comércio 97
Rhodes, Cecil 269
Ricardo, David 278
riqueza 20, 24, 25, 30, 51, 71, 74, 117, 169, 170, 184, 187, 211, 222, 228, 285
Roberts, George 231
Rockefeller, John D. 3, 10, 25, 30, 32, 38, 88, 95, 160, 262, 286, 289, 327, 342
Rockefeller, William 159, 165, 251, 263, 342
Roeblings, pére et fils 101
Roebuck, Alvah 180

Rogers, Henry 90, 158, 251, 263
Roosevelt, Theodore 246
Rosenberg, Nathan 67
Rosenwald, Julius 180
Rothschild, James 265
Royal Dutch Shell 227
Rússia 21, 110, 156, 230, 240, 270, 277

S

Sage, Russell 145
salários 22, 60, 111, 112, 126, 139, 142, 171, 172, 198, 201, 206, 208, 211, 270, 273, 274, 285, 289, 296, 298, 299, 300, 301, 306
salários-tarefa 298, 299, 300, 306
Sanger, Margaret 189
Santa Fe 303, 308
Saxe, Marshal 56
Scale and Scope 310
Schumpeter, Joseph 10, 155, 286
Schwab, Charles 210, 291
Science, The Grammar of 291
Scientific American 67, 286
Scott, Tom 27, 79, 85, 92, 102, 105, 106, 107, 113, 131, 137, 147, 148, 151, 159, 263
Scranton, Phillip 307
Scranton, Walter 256
Sears, Richard 180
seguranças da Pinkerton 201
semicondutores 50, 277, 279
Sexta-Feira Negra 84, 85
Sharps Rifle Co. 185
Sharps, Christian 60
Sheffield 66, 105, 131, 132, 271, 272, 300
Sherman Antitrust Act 218, 219, 228, 245
Shinn, William 136
Shop Management 297
SIC 93, 94, 99
siderúrgica 10, 13, 61, 62, 89, 100, 105, 113, 116, 117, 128, 130, 131, 135, 136, 137, 138, 139, 140, 165, 167, 194, 197, 199, 202, 203, 204, 205, 206, 207, 208, 213, 215, 216, 217, 228, 229, 231, 240, 250, 253, 255, 256, 257, 258, 259, 260, 265, 271, 272, 273, 274, 277, 278, 281, 282, 284, 289, 294, 295, 311, 315

Siemens, Charles 133, 271
sindicatos 198, 199, 200, 206, 209, 220, 274, 277, 306
Singer Sewing Machine 125
Singer, Isaac 54, 62, 184
sistema ferroviário 121, 148, 150, 221, 236
sistemas de esgoto 175
sistemas financeiros 198, 287
Slater, Samuel 51
Sloan, Alfred 289
Smith, Adam 278
Smith, Henry 83
Smith, Merritt Roe 13, 54, 61
sociedade de consumo de massa 166, 184
sociologia 293
Solvay, processo 275
South Improvement Company 88, 92, 94, 196, 226
Southern Pacific 244
Speyers, Albert 83, 84
Springfield, Arsenal de 49, 52, 53, 59, 60, 184
St. Joseph & Denver City 151
St. Louis Post-Dispatch 209
Standard Oil 33, 88, 90, 92, 93, 94, 95, 98, 156, 164, 192, 194, 196, 197, 206, 220, 221, 223, 224, 237, 251, 279, 281, 292, 308, 323, 324, 326, 342
Standard Oil Co. de Nova Jersey 223
Standard Oil de Indiana 223
Stanford, Leland 150
Stannard, Ray Baker 302
Stanton, Edwin 15
Stanton, Francis 53
Steichen, Edward 234, 235
Stevens, Simon 40, 86
Stewart, A. T. 166
Stillman, James 250
Stokes, Ned 86
Stowe, irmãs 156
Strategy and Structure 310, 311
Strong, Benjamin 250
Studebaker 113
Sullivan, Louis 101, 191
Sulzbachs 101
Sun Oil 228
superávit 115
Sweeney, Peter 76
Swift Packing Co. 122
Swope, Gerard 308

T

Taft, William H. 97
Tailer, Edward 172
talento administrativo 90
Tammany 18, 75
Tarbell, Ida 32, 95, 164, 221, 224, 262
tarifas 22, 77, 91, 93, 94, 97, 98, 150, 151, 159, 163, 180, 215, 219, 220, 221, 223, 225, 226, 228, 229, 232, 240, 241, 244, 246, 275, 276, 278, 279, 280, 281, 282, 283, 284, 303, 304
tarifas protecionistas 275, 279
Taussig, Frank 280
taxa de câmbio 80, 247
Taylor, Frederick W. 289, 294, 305, 311
Taylorismo 301, 303, 305, 306, 307, 308, 309, 310, 313
telefones 184
telégrafo 10, 26, 27, 28, 67, 83, 84, 101, 103, 115, 120, 127, 148, 150, 151, 152, 153, 167, 180, 232, 240, 252, 270, 286
Tennessee Coal and Iron Co. 250
Tesouro dos Estados Unidos 247
Texaco 228
Texas 61, 121, 137, 147, 148, 151, 227, 228
Texas & Pacific 137, 147, 148, 151
Thomas-Gilchrist, processo 133
Thompson, Sanford 297
Thomson, Frank 231
Thomson, J. Edgar 27, 85, 102
Thomson-Houston 254
Thorndike, Israel 53
Thornton, William 55
Tidewater, oleoduto 237
Titanic 267
Tocqueville, Alexis de 169
torno de coroa de armas 47

Towne, Henry 295
Toyota, sistema 312
trabalho 13, 19, 21, 22, 23, 24, 26, 27, 28, 33, 35, 36, 41, 42, 46, 48, 52, 53, 55, 57, 59, 60, 63, 64, 65, 66, 67, 68, 69, 74, 77, 78, 85, 99, 101, 104, 110, 112, 114, 117, 119, 123, 124, 125, 128, 131, 132, 133, 135, 137, 142, 146, 151, 171, 172, 173, 175, 177, 187, 192, 193, 194, 196, 198, 199, 200, 201, 202, 204, 205, 206, 207, 208, 210, 218, 236, 238, 239, 240, 241, 247, 250, 253, 255, 264, 270, 272, 284, 289, 290, 293, 294, 296, 298, 299, 301, 302, 303, 304, 305, 306, 307, 308, 309, 310, 312
trabalho qualificado 205
tradição industrial 184
transcontinental 103, 147, 150
transporte 18, 31, 33, 51, 69, 73, 89, 90, 91, 93, 96, 97, 98, 107, 109, 116, 118, 122, 130, 140, 141, 159, 161, 162, 163, 167, 180, 181, 185, 192, 193, 210, 211, 223, 229, 237, 244, 256, 260, 262, 264, 266, 267, 270, 272, 273, 284
trem funerário de Lincoln 17
Trollope, Anthony 20
Twain, Mark 20, 183

U

U.S. Steel 11, 41, 205, 220, 250, 251, 252, 254, 255, 256, 257, 258, 260, 261, 262, 264, 265, 276, 281, 283, 291, 292, 314
União Soviética 50
Union Iron 100, 102, 136, 138, 139
Union Oil 228
Union Pacific 35, 101, 103, 104, 114, 121, 143, 150, 151, 152, 155, 240, 241, 243, 244, 251
UP 143, 144, 145, 146, 150, 151, 240, 241, 244, 245
usina de tubos 258, 264
usina ET 135
Usina Siderúrgica Edgar Thomson 128
usinas de Carnegie 208

V

vale do Connecticut 62, 65, 184, 289
Valley Oil 158
Vanderbilt, Cornelius 71, 73, 94
Vanderbilt, William H. 149
Vandergrift 95
vantagem comparativa 278
venda de títulos 102, 105, 108
Verizon 227
vida familiar 188, 190
vigarista, O 187
Vitória, Rainha 43
Vulcan Iron and Steel 135

W

Wabash 150, 151, 155
Walker, Samuel 61
Wall, Joseph Frazier 324
Wallis, George 64
Wal-Mart 240
Wanamaker, John 166, 180, 181
Ward, Montgomery 177, 180, 295
Warner, Thomas 60
Washington 15, 16, 52, 55, 56, 57, 83, 84, 106, 120, 124, 133, 244, 247
Waters, Asa 47, 69
Webster, Daniel 21, 22, 53
Weed Sewing Machine Co. 185
Welch, Jack 164
Wellington, duque de 44
West Point 52
West Shore 231
Western Union 101, 148, 152, 153, 154, 240
Westinghouse, George 104, 215
whigs 21
White Star 266
White, Maunsel 299
Whiting, Indiana 223
Whitman, Walt 127, 169, 171
Whitney, Eli 54
Whittier, John Greenleaf 127
Whitworth, Joseph 64
Willard, Edward 83
Willcox and Gibbs 61

Williamson, Harold 97
Wilmington 151
Wilson, William 306
Winchester 60
Woolworth, Frank 181
Worldcom 239

X

XIT, rancho 121

Z

Zunz, Olivier 172